KB137735

# 영미문학의 숲과 창조적 자아

# 영미문학의 숲과 창조적 자아

조일제 지음

도서출판 동인

# 머리말

세월은 빠르게 흘러가는 강물인 것 같다. 내가 몸담았던 대학을 정년퇴임한 지 벌써 세 번째 해를 맞는다. 대학에 근무한 33년의 세월도 지나갔고 이제는 '人生七十古來稀'(인생칠십고래희)라는 칠십 나이를 앞두고 있다. 69년의 세월을 뒤로한 채 아직 남아있는 여정의 발길은 계속될 것이다. "네 시작은 미약하였으나 네 나중은 심히 창대하리라." 구약성경 『욥기』 8장 7절에서 이유도 모른 채 갑자기 몰락을 당하여 극심한 시련과 고통을 겪고 있던 욥을 그의 친구 빌닷이 소식을 듣고 찾아와 격려했던 말이다. 돌이켜 보면 지난날 내게 깨달음이 부족하여 풋과일처럼 미숙했던 생각이 너무 많았다. 욥은 마지막에 가서야 비로소 온전한 진리를 깨닫고 하나님께 기도했다. "내가 주께 묻겠사오니 주여 내게 알게 하옵소서. 내가 주께 대하여 귀로 듣기만 하였사오나 이제는 눈으로 주를 뵈옵나이다. 그러므로 내가 스스로 거두어들이고 티끌과 재 가운데서 회개하나이다." 그러면 나의 깨달음은 어떤가? 아직도 잠에서 완전히 깨어나지 못했잖은가. 내 영혼아, 온전한 하나님을 두 눈으로 바라볼지어다! 그리하여 희미한 잠에서 깨어날지어다!

세월의 강물은 가속도가 붙는 것 같다. 지금까지 미뤄뒀던 과제를 더 늦어지기 전에 마무리해야 한다고 다짐했다. 교육과학기술부의 한국연구재단이 공고한 2016년도 인문사회분야 저술출판지원사업(2년 과제: 2016.5.1.~2018.4.30)에 저술계획서를 신청하여 선정된 연구과제인 '영미문학의 숲에 나타난 인간 의식과 창조적 자아'에 대한 원고의 초고는 완료했으나 여러 바쁜 일에 쫓겨 지정된 기간 내에 출판 인가를 통과하지 못했다. 2019년 3월의 정년퇴임과 함께 2년의 세월이 흘렀다. 그동안 방치했던 원고를 꺼내어 다시 수정하고 보완하여 지금에야 뒤늦게 도서출판 동인에서 출간하게 되었다. 처음에 저술계획서를 설계했을 때 영국과 미국의 문학사에서 관련 주제를 위해 중요하다고 생각한 연구대상 작가를 무려 아홉 명이나 선택하다 보니 힘겨운 연구활동이 되었다. 내 능력으로는 취약했던 작가들에 대해 수많은 관련 문헌과 자료를 수집하여 읽고 점검하면서 많은 문제에 부딪혀 씨름해야 했고 예상보다 훨씬 더 오랜 시간이 나를 붙들었다. 아직도 속 시원한 마음이 되기에는 아쉬운 부분이 남아있다는 생각이 든다.

이 책의 제목은 처음에 저술계획서를 제출했을 때의 '영미문학의 숲에 나타난 인간 의식과 창조적 자아'를 변경하여 '영미문학의 숲과 창조적 자아'로 했다. 아무래도 책의 제목은 긴 것보다 짧은 것이 좋다는 생각에서다. 연구내용의 요지는 영국과 미국의 문학을 역사적 관점에서 개관했을 때 나무와 숲이 인간의 의식에 미치는 영향은 엄청나게 컸다는 사실이며, 그러한 나무와 숲의 영향과 기능이 구체적으로 어떤 것인지 알아보고자 하는 것이다. 연구대상이 된 아홉 명의 작가는 다른 작가들과 비교했을 때 연구주제와 관련하여 훨씬 두드러진 특성이 나타난다는 점에 주목했다.

숲과 나무는 먼 고대로부터 인류에게 생명의 본질적인 원천이었다. 역사적으로 볼 때 영국과 미국은 근대에 이르러 산업화 시대로의 진입으로 전통적인 녹색공간은 점점 더 황폐화에 노출되기 시작했다. 영국의 전통적인 농촌과 전원사회는 감성적으로 온전히 살아있었고 영적으로 풍요했으나 점차로 고도화되어가는 과학기술문명의 발달로 인해 인간성에 미치는 해악과 사회적 부작용은 예상을 초월했다. 그 폐해는 인간의 위기와 문명의 몰락에 대한 심각한 우려를 낳았고, 깨어있는 지식인들 사이에서는 근대문명에 대한 성찰과 비판이 일어났으며 그것은 나날이 고조되어갔다. 이와 같은 관점에서 이 책에 제시된 영미 작가들의 날카로운 통찰력은 주목을 받을 충분한 가치를 지닌다. 그들은 누구보다도 나무와 숲이 인간과 뭇 동식물의 생명 보존과 지속뿐만 아니라 인간의 참된 의식과 창조적인 영혼을 위해 얼마나 소중한가를 꿰뚫고 있었다. 그들이 작품을 통해서 보여주는 숲과 나무에 대한 뛰어난 감성과 영성은 우리 시대의 독자들이 꼭 경험해볼 필요가 있다. 그들의 작품을 통해 전통적인 영국과 미국의 풍요로웠던 녹색의 나무와 숲의 아름다운 자연풍경을 만난다면 오늘날 현대인들이 겪고 있는 공허하고 결핍한 영혼을 일깨우는 데 큰 역할을 할 수 있을 것이다. '자연으로 돌아가라'라는 루소의 선언은 낭만적인 수사가 아니라 자연에 대한 깊은 체험과 깨달음을 반영한다. 근래 우리나라의 어느 채널 TV가 기획한 〈나는 자연인이다〉라는 시리즈 방영 프로그램이 많은 사람에게 큰 공감을 불러일으키고 있다. 자연 곧 나무와 숲은 육체와 마음을 치유하고 갱신할 수 있다는 사실을 증언하는 훌륭한 영상물이다. 이 프로그램의 영상물에 등장하는 주인공, 달리 말해 '자연인'은 이 책에서 다루는 아홉 명의 나무와 숲의 영미 작가를 이해하는 데 큰 영감을 줄 수 있을 것이다.

이 책에서 다룬 아홉 명의 영미 작가는 나무와 숲에 대해 특별한 감수성을 지닌 예술가이다. 그들은 자연주의적, 생태주의적, 낭만주의적, 초월주의적인 작가로 특성화될 수 있다. 연구대상 작가들을 국가별로 보면, 영국문학에서는 청교도 혁명 시기인 17세기의 밀턴(John Milton, 1608~1674), 산업혁명 후 산업 발전기의 워즈워드(William Wordsworth, 1770~1850), 과학기술문명의 획기적 전환기인 빅토리아조의 하디(Thomas Hardy, 1840~1928), 제1차 세계대전을 앞둔 20세기 초반의 로렌스(D. H. Lawrence, 1885~1930), 오늘날 여전히 활약하고 있는 스코틀랜드의 유명한 생태공동체인 핀드혼 농장(Findhorn Garden)의 창설 멤버들 등을 선택했다. 그리고 미국문학에서는 과학기술과 산업의 발달이 점차 급부상하기 시작했던 근대의 호손(Nathaniel Hawthorne, 1804~1864) 및 소로(H. D. Thoreau, 1817~1862), 고도로 과학기술문명이 발달한 현대의 프로스트(Robert Frost, 1874~1963), 지금도 시민사회 활동으로 이름을 떨치는 생태주의 작가인 칼렌바크(Ernest Callenbach) 등을 선택했다.

책의 구성은 서론, 결론은 별도로 분리했고, 본론은 네 개의 장이 되게 했다. 본론에서는 각 장에 2~3개의 절을 두어 각 절에 각 한 명씩의 작가를 할당하여 모두 아홉 개의 절이 되게 했는데, 제1~3장은 각각 두 개의 절을, 마지막의 제4장은 세 개의 절을 두었고, 차례에 제시된 아홉 명의 작가는 시대적인 순서에 따라 배열했다. 서론은 영미문학의 자연전통과 숲에 대해 녹색사유, 생태주의, 환경철학의 관점과 관련지어서 개관했고, 결론은 본론에서 살펴본 작가들의 연구내용을 마무리하면서 '숲의 지혜'와 '창조적 자아'의 실현이라는 논점으로 종합하였다.

본론의 제1장은 '원시적 숲속의 원초적 인간'이라는 관점에 맞춰, 첫째, 밀턴의 대서사시 『실낙원』을 통해 에덴동산의 녹색 숲이 태초 시대의 인간(아담과 이브)에게 어떠한 풍경으로 묘사되고 있고, 어떤 영향을 끼치고 있는지를 다뤘고, 둘째, 뉴잉글랜드의 숲지대가 중요한 배경이 되는 호손의 『주홍글씨』를 통해 근원적인 인간의 욕망을 숲과 관련하여 다뤘고, 제2장은 '근대의 영국과 미국의 호반지대 숲과 낭만적, 초월적 인간'이라는 관점에 맞춰, 첫째, 워즈워드의 자연시들을 통해 영국의 레이크 디스트릭트의 숲과 관련된 낭만적, 초월적 자아를 다뤘고, 둘째, 소로의 『월든 숲속의 생활』을 통해 미국의 뉴잉글랜드에 있는 월든 숲과 초월적 자아와의 관련성을 다뤘으며, 제3장은 '현대의 영국과 미국의 숲지대와 우주적 의지'라는 관점에 맞춰, 첫째, 하디의 『숲속에 사는 사람들』을 통해 숲의 마을인 힌토크와 관련된 비애적이면서도 생동적인 인간의 의지를 다뤘고, 둘째, 프로스트의 자연시에 나타난 숲속의 길, 숲속의 마을, 전원의 자연풍경 등이 밝은 긍정적 측면과 어두운 부정적 측면이 각각 있으며, 또한 복합성을 지녔다는 관점에서 시인의 내적 의식을 다뤘다. 제4장은 '위기에 빠진 현대문명과 숲유토피아'라는 관점에 맞춰 로렌스, 칼렌바크, 핀드혼 농장의 개척자들의 작품에 대해, 첫째, 로렌스의 『채털리 부인의 사랑』을 통해 녹색의 숲동산이 위기에 처한 인간의 자아를 어떻게 치유하고 구원하는지를 다뤘고, 둘째, 칼렌바크의 『에코토피아』를 통해 생태학적인 숲유토피아가 어떻게 인간의 치유와 구원을 가능하게 하는지를 다뤘고, 셋째, 『핀드혼 농장 이야기』를 통해 핀드혼의 개척농장의 주인공들이 어떻게 나무와 숲의 정령(자연령)과 대화를 나누고 신비한 교감을 이루는지를 다뤘다.

이 책에서 미흡한 부분과 잘못된 내용에 대해서는 전적으로 필자 본인에게 책임이 있다. 독자들의 질책은 달게 받을 것이며, 부디 너그러운 이해를 바란다. 아울러 이 책의 출판을 위해 경제적으로 어려운 시대적 상황임에도 불구하고 흔쾌히 수락해주신 이성모 사장님께 마음으로부터 깊은 감사의 말씀을 전한다. 또 나의 대학 재직기간 동안 다른 저술들의 출판을 위해서도 큰 배려와 도움을 주셨던 미덕에 대해 이 자리를 통해 깊은 감사와 우정을 보낸다. 그리고 보기에 훌륭한 책으로 만들려고 세밀한 정성으로 살피면서 좋은 편집을 해주신 민계연 님과 멋진 책표지 디자인을 위해 애써주신 정숙형 님께도 노고를 치하하며 진심으로 감사를 드린다.

2021년 6월 15일

창밖에 내려다보이는 정원의 아름다운 꽃과 나무들을 보며

저자 조일제 씀

# | 차 례 |

서론

# 영미문학의 자연전통과 숲

## 녹색사유, 생태주의, 환경철학

'숲'이란 나무들이 모여 하나의 집단을 형성한 것이라 할 수 있다. 하지만 숲은 단순한 물리적 집단이 아니라 생명체로서의 수많은 나무가 유기적으로 연결되어 '생태계'를 이룬다. 따라서 숲이 갖는 의의는 놀랄 만큼 대단한 것이며 그 기능은 다양한 측면에서 짚어볼 수 있다. 지금까지 감성적, 지적인 측면을 비롯하여 영성적, 종교적, 철학적, 그리고 환경학적, 생태학적, 보건치유학적인 측면 등의 여러 관점을 통해 수많은 조사와 연구가 이루어졌다. 숲의 창조적인 기능은 자그마한 언급으로 끝나지 않는다. 사람들이 숲속에 들어가게 되면 육체적 건강뿐만 아니라 영적 지혜와 종교적 각성을 얻을 수 있다. 역사적으로 보면 먼 옛날부터 인류는 숲속에서의 거주와 생활을 통해 숲을 '(대)우주'로 인식하는 깨달음이 있었다. 다시 말해 숲은 수많은 생명체가 거대한 하나의 공간에서 시간적으로나 공간적으로 유기적인 상호연결성을 가지고 존재하는 하나의 체계였다. 예를 들면 전통적인 고대 인도인들은 숲이 하나의 거대한 우주의 그물, 즉 '인드라망'(인드라얄라indrjala)라고 생각하였다. 거대한 녹색의 숲속에서 삶의 우주적 진리를 깨닫게 된 소수의 사람은 구루(성자, 현자, 스승)로 추앙받았고, 그들의 그런 지혜와 지식은 인생의 소중한 진리로서 숲 바깥의 세상 사람들에게 가르쳐지고 세대를 이어서 후손들에게 전수되었다. 숲속에서의 상상력과 사유의 그러한 결과물들은 인도인들의 사회적 문화적 전통으로 뿌리를 내려서 그들의 종교, 철학, 예술, 일상생활 등의 여러 방면에 걸쳐 중요한 원천이 되었다. 이와 같은 관점에서 인도인들은 '숲의 지혜'(the wisdom of the forest)에 대한 확고한 믿음이 있었고, 숲은 '창조적인 자아'(creative self)를 성취하는 지혜의 원천이었음이 틀림없다.

숲에서는 자연의 개별자들이 서로 연계되어 조화를 이루며 상생 공존하는데 이것은 숲이 하나의 거대한 유기체가 된다는 사실을 말해준다. 사실 '생태계'(ecosystem)라는 용어는 가족들이 함께 모여 사는 집이나 거주지라는 뜻이 내포되어 있다. 그리스어의 '오이코스'(oikos)는 가족들이 거주하는 집 또는 거기에서 살아가는 가족이라는 뜻이다. '생태학'(ecology)은 자연이라는 거대한 집에서 살아가는 가족 구성원들의 거주지 환경에 관해 연구하는 학문이다. 그런데 생태학은 '환경'(environment)과 뗄 수 없는 관계에 있다. 이 '환경'이라는 말을 문자 그대로 새겨보면 사람이 살아가고 있는 거주지(집)를 둘러싸고 있는 주변의 상태를 의미한다. 결국, 생태학이나 환경학은 인간과 자연 사이에 작용하는 상호관계와 그 영향에 대해 밝히는 학문이다. 세계사적으로 볼 때 영국에서 맨 먼저 18세기부터 과학기술의 발달로 산업혁명이 일어남으로써 오랫동안 아름답고 풍요로웠던 전통적인 전원 · 농촌 사회는 자연환경이 대대적으로 파괴되기 시작했다. 산업화(공업화)는 양모를 필요로 했으므로 이를 지원하기 위해 대규모의 목초지를 조성했다. 그래서 일어난 당시의 울타리를 둘러치는 '엔크로즈 운동'은 지금까지 잘 보존, 유지되어왔던 나무와 숲을 대대적인 벌목에 노출되게 했다. 점차 자연환경의 훼손과 파괴가 그 심각성을 드러내자 '생태계'라는 단어가 유행어처럼 퍼지기 시작했고 '생태계'의 중요성은 날이 갈수록 더욱 강조되었다. 일반적으로 숲을 상상할 때 가장 먼저 머리에 떠올리게 되는 것이 곧 '생태계'다. 숲이 있는 장소라면 살아있는 생명체들이 존재하고 서로 공생공존 한다. 거기에 있는 풀, 나무, 꽃, 개울, 시내, 강물들은 마침내 바다로 이어지고, 이렇게 서로에게 이어진 각 개체는 영원히 순환한다. 수많은 수목, 화초와 동식물들이 서식하는 숲속 세계는 녹색의 집, 녹색의 거주지로서 여러 다양한 생명체들이 가족의 구성원이 되어 서로 도움을 주고받으면서 살아간다고 할 수 있다. 그러므로 그들은 거대한 가족 공동체, 곧 생태학적인 오이코스가 되는 것이다.

사람들은 숲속에 들어갔을 때 그곳의 나무들이 서로 어울려 조화를 이루는 신비로운 실체들로 느껴지며, 그러한 신비적인 감정을 불러일으키는 환경과 분위기는 그들을 변화시켜 새로운 존재로 태어나는 경험을 제공한다. 인간의 '자연화' 혹은 '우주화'가 일어나서 개별자로서의 존재가 사라지고 초월적인 차원의 존재에 도달하게 된다. 다시 말해 인간과 자연이 네트워크화됨으로써 경이롭고 성스러운 제3의 존재로 변화할 수 있는 것이 숲인 것이다. 이와 같은 인간과 자연의 조화상태에 대한 동양의 전통적인 표현이 '주객일체'나 '범아일여'라고 할 수 있으며, 그러한 조화상태는 나무들로 가득 찬 숲속에 들어갔을 때 가장 실감 나게 작동될 수 있다. 고대인들이나 원시인들은 일상적으로 특유의 신비로운 범신론(pantheism)이나 물활론(animism) 사상에 바탕을 둔 삶을 살았으며, 이와 같은 자연종교 사상은 숲속에서 가장 리얼하게 공명할 수 있었다.

숲속에 들어간 사람에게 일어날 수 있는 체험에는 여러 다양한 형태가 있을 수 있다. 숲속에 있게 되면 살아있는 숨결(호흡)의 생명을 느끼며, 말로 표현하기 어려운 어떤 살아있는 심령(psyche)과의 교감이 일어난다.[1] 'psyche'라는 단어는 '숨 쉬다'라는 인도유럽어인 'bhes'가 어원이다.[2] 숲속에서 느껴지는 신비한 생명의 숨결과 호흡은 고대의 신화와 신비주의적인 작가들에게서 흔히 발견할 수 있다.[3] 이러한 반응은 '정령'(spirit), '요정'(elf) 등과 같은 자연령과의 신비한 대화로 연결될 수 있다. 숲속의 경험을 다룬 문학작품들에서는 종종 숲의 정령들이 등장하고 작중인물들은 그러한 초월적 존재들과 교감하고 대화를 나누는 접신적인 행동을 한다. 가장 용이하게 그러한 접신적인 경험을 할 수 있는 장소 중 하나가 곧 숲이다. 영국과 미국의 많은 작

1 숲에 내포된 생명력, 유기체적 성질, 생태학적 의미에 관련된 것을 알고자 하면, 이정호, 『영국 낭만기 문학 새로 읽기 I』(서울: 서울대학교 출판부, 2000), pp.117-123; James Lovelock, *Gaia* (Oxford: Oxford University Press, 1995); 조용현, 『작은 가이아: 생명의 논리, 살림의 윤리』(서울: 서광사, 2002); 김재희 엮음, 『신과학 산책』(서울: 김영사, 1994)의 카프라, 「지구를 살리는 새로운 선택」(카프라), 「온그림-우주의 숨결」(보옴) 등을 참고할 수 있다.

2 이정호, 『영국 낭만기 문학 새로 읽기 I』, p.122.

3 김융희, 『삶의 길목에서 만난 신화』(서울: 서해문집, 2013) 참조. 특히 pp.102-103.

가는 그와 같은 자연의 영(생령, 자연령)들과 교감하고 소통하는 신비로운 장면을 보여주는 경우가 많다. 그러한 신비적인 존재들과 접신적인 경험을 할 수 있는 사람들은 특별한 능력을 갖춘 '영적 커뮤니케이터'라고 할 수 있다. 작중인물들의 그와 같은 신비로운 행동은 비교적(秘敎的)인 경험의 영역에 속한다고 할 수 있을 것이다.

왜 숲은 소중한 가치를 지닐까? 이렇게 묻는다면 그 대답에는 수많은 숲의 창조적인 기능이 포함될 수 있다. 현대의 문명인들은 갖가지 공해로 오염된 환경에서 살아가기 때문에 도시생활로부터 탈출하여 다양한 생명체들이 존재하고 맑은 공기를 마실 수 있는 숲을 찾는다. 숲이 존재하는 공간은 여러 다양한 생명체들이 자연스럽게 탄생하고 성장하며 생태계를 이루어 살아간다. 그런 생태계의 존재들을 예로 든다면 셀 수 없을 만큼 많다. 꽃, 풀, 약초, 새, 짐승, 개울, 바람 등과 같은 숲속의 수많은 존재로부터 나오는 소리와 냄새의 신선한 자극에 노출되며 치유의 힘을 발하는 피톤치드를 공급받는다. 숲속에서 사람들은 청각, 시각, 후각, 촉각의 감각들이 예민하게 자극되어 잠들어 있었던 의식이 깨어난다. 여러 가지 문제들로 지쳐있는 일상의 몸과 마음에 생명의 활력과 기쁨을 아무런 대가 없이 받는다. 그래서 도시에서 살아가는 사람들은 녹색의 자투리땅에 조그마한 숲을 조성하여 거기서 생기를 얻고 행복한 시간을 보내고자 원한다. 정신분열적인 문명사회에서 살아가는 사람들은 이처럼 숲을 절실하게 필요로 한다. 물질적 수익을 목적으로 녹색의 생명체들인 나무들을 베어내고 숲을 파괴한다면 큰 죄악을 저지르는 일이 아닐 수 없다.

여러분은 혹시 나무를 심어 숲을 가꾸어보려고 생각해본 적이 있는가? 프랑스의 작가 장 지오노는 『나무를 심은 사람』[4]을 통해 죽어가는 인간을

---

4 장 지오노, 김정은 옮김, 『나무를 심은 사람』(서울: 도서출판 두레, 2006) 참조.

살려내는 숲의 기적을 보여준다. 주인공 엘제아르 부피에는 실직하여 정신분열증을 앓다가 산속에 들어가서 큰 숲을 일궈낸다. 자기 스스로 일궈낸 숲의 결실로 인해 어둡고 분열되었던 자아가 치유된다. 그가 살고 있던 숲지대를 방문한 여러 사람은 매우 놀라고 깊이 감동한다. 자연을 너무나 사랑하였던 영국의 셰익스피어는 대도시인 런던에서 늘 바쁜 창작활동과 극단활동을 하면서도 17~18세기에 널리 유행했던 원예술에 깊은 관심을 가졌고, 고향의 아름다운 자연을 잊어본 적이 없었으며, 만년에는 나무와 숲과 강으로 자연풍경이 빼어난 스트래트포드의 고향으로 돌아가 저택을 짓고 화초를 가꾸면서 자연과 함께 교감하는 삶을 즐겼다. 요즘 도시에서 늘 바쁘고 정신없는 생활을 해오던 사람들이 숲속으로 들어가 무너진 심신의 건강을 되찾고 상처를 치유하여 자족하는 인생으로 거듭나는 이야기를 시리즈로 방영하는 TV 프로그램이 있다. 〈나는 자연인이다〉라는 프로그램이다. 그리고 오늘날에도 여전히 문명을 등진 채 숲속에서 원시적인 삶을 살아가는 남미 원주민들의 즐거운 일상을 보여주는 TV 다큐멘터리가 있다. 그러한 자연인들의 숲속 생활은 현대 도시인들의 문명적인 생활보다 훨씬 더 행복한 자기만족을 준다는 점에서 큰 공감을 불러일으킨다. 페스탈로치는 "숲은 아이들을 가르치는 진정한 교사"[5]라고 말한 바 있다. 평론가 이경호는 저서 『상처학교의 시인』(2008)에서 현대 자본주의 문명의 무한개발 욕구와 격렬한 경쟁력을 뒷받침하는 도구적인 이성을 비판하면서 틈만 나면 찾아가는 숲속에서 수많은 생명이 전해주는 정겨움과 위무의 소중함에 감사한다고 말한다.[6] 공해로 물든 황량한 회색의 환경에서 늘 분주하게 살아가는 우리 시대의 도시인들은 녹색의 생명이 살아 숨 쉬는 숲(자연)으로 들어가서 문명으로 인해 받은 마음

---

5 조규성, 『숲 교육 질적 연구』(서울: 이담, 2010), p.95.

6 이경호, 『상처학교의 시인』(서울: 생각의 나무, 2008). 특히 「책머리에」, pp.4-7.

의 상처를 치유하고 싶어할 것이다.

그러나 숲속에서 살아간다고 해서 그런 삶이 모든 사람에게 반드시 행복을 가져다주는 것은 아니다. 숲속에서는 불편과 어려움도 역시 따르기 때문에 실패하는 사례도 적지 않다. 이러한 성공과 실패의 두 가지 사례는 레인이 수행한 조사가 잘 보여준다.[7] 먼저 숲을 이상적인 장소로 생각하고 거기로 들어가서 만족과 희열을 발견하는 성공 사례로는 미국의 경우에 19세기의 낭만적, 초월주의적인 작가들인 소로, 에머슨 등을 머리에 떠올려 볼 수 있다. 그러나 숲속에서 살아가는 북아메리카 원주민들의 생활을 문명인들의 눈으로 보았을 때 그들의 숲속 생활은 각종 위험과 어두운 측면에 노출되고 있어서 숲에 대한 부정적인 이미지를 불러일으킬 수 있다는 것도 사실이다. 숲의 바깥에서 살아가는 문명인들은 원주민들의 삶이 전달하는 부정적인 이미지와는 대조적으로 현대적인 세련성이나 정제된 품격을 가진다. 하지만 문명적인 삶이라 할지라도 역설적으로 정신과 육체의 양면에서 질병이나 지적 장애, 연약함 등과 연결되는 경우가 많다. 레인에 의하면 역사적으로 볼 때 미국의 백인들은 밀집된 군대조직을 이용하여 로마의 밀집 군대처럼 살아가는 체제를 유지함으로써 아메리카 원주민들을 정복하고 인디언들의 사회를 그들의 문명적 제도로 대체하였다. 그럼에도 불구하고 숲속에서 살아갔던 원주민들은 독립적이고 종교적인 삶에서 얻는 영적인 자유와 풍요와 안빈낙도가 있었다. 도시적인 삶의 형태를 선호하는 백인 정복자들이 "숲속의 삶의 아름다운 자유" 또는 "시적 방랑"과 같은 멋을 숲속이 아닌 도시에서 얻을 수 있었는지, 영혼에 활기찬 발전이나 향상이 있었는지, 활기에 찬 새로운 관계를 했는지, 각 개인의 영혼에 제공하는 보다 더 높은 영향과 보다 더 높은 삶을 영위할 수 있었는지 등을 조사했을 때, 백인들은 그러

---

7 Charles Lane, "Life in the Woods," ed, Carl Bode, *Thoreau* (New York: The Viking Press, 1947), pp.260-261.

한 삶을 살지 못했으며, 어떠한 내면적 발전도 없었던 것 같다고 레인은 밝혔다.[8] 그들에게서는 숲속에서의 생활이 인간 영혼의 경력에서 일어나는 중요한 사건이 되지 못했다는 것이다. 그들에게는 숲속의 생활로 인해 다음과 같은 질문들, 즉 '인간의 영혼을 위해 최고의 의식의 문을 열어주고, 인간의 영혼을 최고로 부드럽고, 최고로 사랑스러운 은총에 이르도록 하는가?' '인간의 공감의 모든 문이 우리에게 닫히지 않았는가?' '신성한 효과를 나타내는가?' '마음이 지극히 신성한 기분이 되도록 하는가?' '신성한 불길이 인간의 가슴과 재단에 내려오는가?' 등과 같은 문항의 질문에 대한 응답은 부정적인 것이었다.[9] 전체적인 시각에서 볼 때 숲은 긍정과 부정의 양면성이 존재한다고 할 수 있다. 하지만 본 저서는 현대문명의 병폐가 치유되는 숲에서 얻을 수 있는 녹색사유와 환경철학과 생태주의적인 삶 등과 같은 긍정적인 기능에 중점을 두고 숲속에서 일어날 수 있는 창조적 자아의 실현에 관해 고찰할 것이다.

### 영국문학의 전통과 나무와 숲의 작가들 사례

영국문학의 전통에서 숲과 나무들에 관련하여 특기할 만한 장면들의 예를 간략하게 언급해보고자 한다. 중세의 아서왕에 관한 로맨스 작품인 『가웨인 경과 녹색기사』에서 주인공들이 보여주는 흥미로운 사건과 이야기의 배경은 숲이다. 그리고 『로빈 후드 이야기』에서 숲속의 나라인 '행복한 셔우드 숲'을 무대로 활동하는 주인공들의 모습은 독자들에게 '행복한 영국'(Merry

8 Charles Lane, ibid., p.265.

9 Charles Lane, ibid., p.266.

England)에 대한 '황금시대'의 낙원에 대한 비전을 제시한다.[10] 중세 영문학에서 스펜서의 『페어리 여왕』에서 나무와 숲은 의미 있는 소재와 배경이 된다.[11] 근대로 넘어와서 초서의 『캔터베리 이야기』에서 '전체시의 서시'는 인상 깊은 대목들이 나무나 숲과 연결된다. 또한 셰익스피어는 『한여름 밤의 꿈』에서 남녀 주인공들의 사랑을 위한 사건이 숲에서 벌어지게 한다.

이와 같이 중세와 근대의 영문학 작품들에서 인상적인 장면들이 숲과 관련되어있다는 사실은 스펜서의 『페어리 여왕』에서 '방황의 숲'에서도 찾아볼 수 있다. 레드크로스(십자군) 기사 일행이 맞닥뜨리는 경험의 대상과 체험적인 공간에 관한 묘사는 숲속의 자연을 직접 관찰한 것은 아니고 오비디우스의 고전 텍스트를 인유하는 여담의 형식으로 되어있다. 수사학적 차원으로 도입된 것이지만 상상 속에서 마주치는 숲이 실제처럼 등장한다. 숲은 작가의 상상력을 차지하는 중요한 문학적 자원이 되고 있다. 이 작품에서 평원위를 달리던 레드 크로스 일행은 다음과 같이 숲과 마주친다.

> 그렇게 그들은 앞으로 나아갔다, 즐거움에 이끌려, /새들의 달콤한 화음을 즐거이 들으면서. /새들은 무서운 폭우로부터 숨어든 그곳에서 /노래를 부르며 잔혹한 하늘을 조롱하는 듯했다.

여기서 '방황의 숲'이라는 표현이 사용된 것은 숲속에 들어가면 수많은 나무

---

10 레이몬드 윌리엄즈는 이와 관련하여 다음과 같이 언급한다. "흥미로운 사실은 보다 더 상대적으로 행복했던 신화가 … 각각의 정체성 있는 입장으로부터 사용되었다. 우리는 존슨과 카루에게서 주인으로서의 봉사를 알았다. 활동하는 터와 대지를 일종의 황금시대와 낙원이라는 시적인 사고방식으로 신비화한다." Raymond Williams, *The Country and the City* (London: Chatto & Windus Ltd., 1973), p.54.

11 이 두 작품에 나타난 작가의 숲에 관한 관심을 다룬 논문을 들어보면 다음과 같다. 강지수, 「『가웨인과 녹색기사』의 지리적 상상력: 워럴의 숲」, 『중세르네상스영문학』 23권 1호(2015), pp.1-29; 전양선, 「『페어리 여왕』 제1권, '방황의 숲'에 차용된 오비디우스 여담의 기능」, 『중세르네상스영문학』 23권 2호(2015), pp.123-143.

가 서로 복잡하게 얽혀있기 때문이다. 다양성과 복잡성의 특성에 따라 여러 종류의 나무들은 그 속성을 표현하는 수식어가 붙여진다. 이런 형식은 원래 오비디우스의 『변신 이야기』 10권에 나오는 것이며, '나무 열록'이라는 여담 형식으로 되어있다. 스펜서는 서사시의 첫 사건에서 '방황의 숲'을 오비디우스로부터 모방하고 인유한다.

> 항해하는 소나무, 자신만만하고 키 큰 백양목, /포도 넝쿨에 둘린 상수리나무, 메마르지 않은 포플러, /건축 재목 참나무는 숲의 온갖 나무의 유일한 왕, /지팡이로 쓰기에 훌륭한 아스펜, 장례식에 쓰이는 사이프러스. 월계수는 막강한 정복자들과 현묘한 시인들에게 /주어지는 보상품, 여태까지 울고 있는 전나무, /버림받은 여인들이 지니고 다니는 버드나무, /구부리는 사람의 뜻에 잘 복종하는 이유나무, /마차 축에는 벚나무, 방앗간에는 사로우나무, /쓰라린 상처에서 피 흘리는 향긋한 고무나무, /전투적인 비치나무, 악의가 전혀 없는 애쉬나무, /열매가 많은 올리브나무와, 둥그런 프라탄나무, /조각 재료 박달나무, 속이 탄탄하지 못한 단풍나무.

이런 여담은 오르페우스가 그늘이 없는 언덕의 공터에 앉아 노래하면서 각종 나무를 불러 모으는 행동에서 나온다. 그리스의 신화에 등장하는 오르페우스는 하프의 명수이며 자신의 노래로 동물, 나무, 바위까지 감동하게 한다.[12]

오르페우스가 언덕에서 불러들인 것은 '다양한 나무'와 함께 이전에는 없던 나무들이 드리우는 '그늘'이다. 그늘은 하계와 지상을 이어주는 매개체이며 오르페우스의 비탄을 담고 있다. 오비디우스의 탁월성은 오르페우스를 통해 그러한 공간의 발생학적인 연유를 밝히는 기원 신화를 창조했다는 점이

12 전양선, 같은 논문, pp.128-130.

다. 그리스 신화들에서는 나무들과 관련된 수많은 이야기가 등장한다. 아폴론, 아도니스와 같은 신화적 인물들이 그러한 예들에 속한다. 레드크로스(십자가) 기사 일행의 모험 이야기는 주인공들을 가로막는 자연풍경이 나타났을 때 여러 종류의 나무 이름들이 열거된다. 그것은 그들이 성결을 체현할 수 있는 덕목을 나타내기 위해서다. '방황의 숲'에서 출구를 찾지 못하고 길을 잃는다는 것은 자신의 환경을 제대로 해석할 수 없는 레드크로스의 인식론적 미숙함에 대한 작가의 알레고리적 표현이기도 하다. 각 나무는 고전적인 신화의 주역들을 위한 에피소드와 연결되며 스펜서의 인유는 독자로서의 읽기 활동과도 직결되면서 독자로서의 이상적인 표본은 전투를 치르는 레드크로스가 되는 것이다. '에러'(오류)의 숲에서는 끊임없는 방황과 오류(에러)가 일어나므로 '조심하라', '주의 깊게 읽어라'라는 것이다. 나무 열록이라는 오비디우스의 여담은 겉보기와는 달리 상실과 배신, 욕망과 죄로 얼룩진 인간의 세상을 환기하며 진리를 상실하고 악을 통해 선을 구분해야 하는 끊임없는 방황과 오류를 암시한다. 요컨대 숲은 인간의 독서 행위를 반영하고 동시에 요청하는 풍요성 그 자체라 할 수 있다.[13] 미로가 나타나는 방황의 숲은 낯선 종류의 존재론적 공간으로서 인식론적, 심리적, 영적인 상황을 상징한다. 숲 속에서는 방향 감각과 목적하는 지점을 상실할 수 있으므로 '방황의 숲'에 들어선 레드크로스에게 주어지는 과제는 '에러'라는 괴물을 무찔러 성급하게 사적인 공을 세우는 것이 아니다. 방황의 숲이 암시하는 다양성과 복수성의 세계는 뚜렷한 출구가 없이 반복되는 미로의 구조로 되어있다. 미로는 현재의 자신이 처해있는 삶의 조건이라는 사실을 인식해야 하고, 오직 신의 섭리에 대한 지식과 진리에 대한 신앙만이 '에러'의 꼬리(뱀, 용처럼 생긴 형상을 한 에러)로부터 탈출할 수 있는 기반이 된다는 사실을 깨닫도록 하기 위한 것이다.

13 전양선, 같은 논문, p.133.

따라서 젊은 모험기사인 레드크로스에게 '에러'는 불가피하다. 레드크로스는 '방황의 숲'을 빠져나와 '곧은 길'로 다시 전진하지만 그 길이 결코 진리로 향한 길로 직결되지 않는다. 따라서 스펜서의 서사시에서 '에러'(오류)로 언급되는 여담은 중요한 부분이다. 이것은 레드크로스가 영적인 성숙을 성취할 수 있는 불가피한 경험의 영역이 된다. 다시 말해 '방황의 숲'은 타락한 세상을 인식하고 그러한 세계를 경험하고 읽어나가면서 유일한 진리를 찾아가야 하는 불가피한 샛길을 상징한다. 이처럼 레드크로스의 영적인 성숙과 지혜는 실험과 시련의 토대에서 성취된다.[14] 스펜서는 기존의 문학 전통을 이어받아 '숲'이라는 공간을 주인공인 레드크로스 기사의 전쟁터로 설정하여 궁극적인 진리를 찾는 주제에 대한 효과적인 수사학을 도입하고 있다. 이처럼 스펜서가 숲속의 '나무들의 공간'에 대한 인유를 도입한 것은 독자를 교육하며 도덕적 성취를 달성하고자 하는 인문주의자로서의 욕구 때문이다.

다음으로는 근대 영시의 아버지로 칭송되는 초서의 『캔터베리 이야기』의 「전체시의 서시」에서 묘사되는 숲에 관한 대목을 살펴보자. 생명의 기운이 활기를 띠고 기력이 솟아나는 봄 계절에 숲은 새들과 동물들과 사람들의 마음을 미묘하게 움직이며 감동을 준다. 첫 장면에서부터 나무와 숲은 영국 문학사의 녹색 전통을 이어가는 인상적인 부분이다.

> 4월의 감미로운 소나기가 /3월의 가뭄을 속속들이 꿰뚫고 /꽃을 피우게 하는 습기로 /온 세상 나뭇가지의 힘줄을 적시어주면 /서녘 바람 또한 달콤한 입김을 /산 나무밭 애송이 가지의 끝과 끝 속에 불어넣어 준다.[15]

---

14 전양선, 같은 논문, pp. 139-140.

15 Theodore Morrison, *The Portable Chaucer* (Harmondsworth, Middlesex: Penguinbooks Ltd., 1979), p.53. 이 시의 한영번역서로는 초오서, 김진만 옮김, 『캔터베리 이야기』(서울: 탐구당, 1978), p.14 참조.

만물이 약동하는 봄철을 맞아 캔터베리로 순례길을 떠날 사람들은 자연으로부터 가슴이 설렌다. 낮이 되면 태양이 궁도(the Zodiac)를 따라 움직일 때 작은 날짐승들이 나무와 숲에서 노래를 부르고, 밤에는 작은 날짐승들이 봄기운으로 가슴이 설레어 뜬 눈으로 숲에서 잠을 잔다. 헨리 왕의 신하 네 명이 캔터베리 성당을 찾아가 베켓 대주교를 성당 계단에서 도끼로 살해한 이후에 베켓은 순교자로서 추앙받는 성자가 되었고 캔터베리 성당은 거룩한 순례지가 되었다. 작품의 서시에서 화자는 캔터베리로 떠나는 순례자들의 인물들을 한 명씩 소개하면서 그들 중 어느 영주의 청지기를 소개하는 대목에서 다음과 같이 말한다.

> 그들은 모두 이 말라깽이 영감(영주의 청지기)을 염병같이 무서워했다. 그의 *녹색 주택*은 초원 위에 예쁘게 서 있었으며 /그 보금자리는 *푸른 나무들이 감싸주고* 있었다. (이탤릭은 필자)

이런 구절은 초서가 살았던 근대의 영국에서 전원의 '푸른 나무들'을 인상적으로 보여준다. 전원에서 푸른 나무들로 둘러싸여 있는 영국적인 녹색풍경은 한 폭의 수채화처럼 독자에게 아름답게 다가온다.[16]

18, 19세기에 이르러 래드클리프(Ann Radcliffe)는 로맨스 장르의 작품에서 숲을 남녀의 낭만적인 사랑의 장소로 등장시킨다. 『숲속의 로맨스』(1791)의 스토리에서 숲이라는 소재와 풍경을 주목해보자.[17] 여주인공 아들린은 숲의 자연 속에서 신의 섭리를 경험한다. 그녀는 갑작스럽게 폐허가 된 사원에서 낯선 라 모뜨 부부의 보호를 받으며 숨어 지내는 동안 대자연의 경관을

16 Morrison, *The Portable Chaucer*, p.69. 그리고 김진만 번역서 p.62 참조.

17 여기에 기술한 내용은 권수미, 「계몽주의와 여성교육: 『숲속의 로맨스』를 중심으로」, 『18세기영문학』 제11권 1호(2014)에서 참조했다.

바라본다. 수도원에서 배웠던 교리에서가 아니라 자연의 경관 속에서 신의 현존을 향해 가까이 다가선다. "저는 제 주변을 둘러보았고, 더 이상 수도원의 벽에 가로막히지 않은 광활하게 펼쳐진 하늘을 올려보았어요. 푸르른 대자연은 언덕과 골짜기를 넘어 지평선의 경계까지 펼쳐져 있었어요! 저의 가슴은 환희로 젖어 춤췄고 두 눈에 촉촉한 눈물이 젖어 들었지요. 한동안 저는 차마 말을 잇지 못했어요. 저의 생각은 모든 선한 것을 허락하신 이에 대한 감사의 마음으로 하늘에 닿았어요."[18] 아들린은 숲속 자연의 모습에서 느껴지는 숭고함을 통해 신의 섭리에 감동하고 감사로 이어지는 것을 보여준다. 루소가 인간의 선천적인 선함과 자연 그대로의 본성을 찾아가는 것이 가장 좋은 교육이라고 『에밀』에서 강조하고 있듯이 인위적인 훈계가 아닌 살아있는 경험을 통해 훈련하는 교육법이 채택된다. 루소의 자연주의적인 교육방식은 행복을 실제적인 경험으로 익히도록 하고 발견하게 해야 한다는 것이다. 주인공은 숲속의 로맨스를 통해서 자연주의적인 경험과 진리를 얻는다. 이때 숲은 의미 있는 위력을 지닌 대자연을 상징한다. 이 작품에서 숲속에 나타나는 등장인물들의 모습은 야생인, 자연인의 원형이라고 할 수 있다.[19] 틴달은 20세기에 들어와서 등장하는 이와 같은 자연주의적인 원형적 인물은 로렌스의 여러 작품에서도 형상화되고 있는데 가웨인의 녹색기사와 닮은 모습을 취한다고 말한 바 있다.[20]

---

18 권수미, 같은 책, p.27.

19 권수미, 같은 책, p.29.

20 William York Tindal, *Forces in Modern British Literature 1850-1956* (New York: Vintage Books, 1956), 제10장 「신화와 자연인」("Myth and the Natural Man")에서 참조할 수 있다.

## 미국문학의 전통과 나무와 숲의 작가들 사례

다른 한편으로 미국문학사에서 특별히 나무와 숲을 주목한 작가들에 대해 간략하게 예시해 볼 차례다. 미국의 아름다운 자연을 노래한 시인들로는 소로가 살던 19세기 중엽만 해도 그렇게 많지 않았다. 소로가 활약한 19세기 중엽은 호손이나 멜빌, 포우와 같은 중요한 소설가들이 눈부신 활약을 하던 시기였다. 미국의 시는 19세기 말엽부터 새로운 전환점을 맞이하였는데 프로스트를 비롯한 시인들의 등장으로 미국의 자연을 마음껏 노래하기 시작했다.[21] 미국문학사에서 숲이 특별하게 부각되는 소재로 나타나거나 주제와 긴밀하게 연관되는 작가들로는 소로, 에머슨, 쿠퍼, 호손, 트웨인, 프로스트 등을 거명할 수 있다.

에머슨은 「자연론」에서 인간은 숲속에 들어가면 다시 청춘이 된다고 숲을 찬양했다.[22] 에머슨의 제자인 소로는 수많은 에세이를 통해 야생의 나무와 숲에 대해 감명 깊은 묘사를 한다. 「야생사과」, 「산보」, 「한 소나무의 죽음」 등과 같은 에세이들과 『월든 숲속의 생활』(1852)은 한국어로 번역되어 수많은 독자에게 깊은 감동을 안겨주고 있다.[23] 한편 시인 프로스트는 숲속에서 길을 걷다가 깨우치게 된 두 갈래의 인생길에 대한 철학적인 깨달음을 「가지 않은 길」에서 노래했다. 이 시에 표현된 프로스트의 진지한 인생론은

---

21 김욱동 편역, 『소로의 속삭임』(서울: 사이언스 북스, 2008), pp.201-202.

22 Carl Bode, ed., "Nature," *The Portable Emerson* (Harmondsworth, Middlesex: Penguin Books Ltd., 1983), pp.10-11 참조. 그리고 에세이들을 편집 · 번역한 책으로는 김충선, 『에머슨 수상록』(서울: 청아출판사, 1985), pp.20-21.

23 소로의 자연관과 생태주의에 관해 도움이 되는 논문을 소개하면 다음과 같다. 신문수, 「소로의 〈월든〉에 나타난 생태주의적 사유」, 『영어영문학』 제48권 1호(2002), pp.169-190; 정선영, 「생태적 회복을 향한 실천으로서의 불복종－소로, 애비, 스나이더의 경우」, 『영어영문학 21』 제27권 1호(2014), pp.45-67; 강용기, 「소로의 자연관과 그 현대성」, 『영어영문학 21』 제24권 4호(2011), pp.5-20.

숲속의 길을 걷는 계기에 의한 것이며 걸어가던 길의 '멈춤'과 이어진 '사색'에서 형성되었다. 이러한 '멈춤'의 행동은 숨 가쁘게 일상을 살아가는 현대인들에게는 참으로 필요하다. 우리는 남은 인생길에 대해 사색하고 진리에 대한 각성을 얻고자 소망할 때 프로스트처럼 숲속의 길을 산책해야 한다. 바쁜 삶의 조류에 떠밀리며 살아가는 현대인들은 '멈춤'과 '사색'이 부족하다. 나는 무엇을 위해서 사는지, 왜 사는지에 대해 알지를 못하고 기계적으로 돌아가는 상황이다. 조규성은 『숲 교육 질적 연구』에서 오늘날 점점 더 많은 사람이 인생에서 허무를 느끼게 되는 것은 '멈춤'의 단계와 '사색'이 없기 때문이라고 밝힌다.[24]

쿠퍼[25]의 소설 『개척자들』(1823)을 보면 미국의 개척촌 사회에서 개발을 위해 숲을 파괴하는 행위를 불신과 혐오의 시선으로 바라보는 장면이 묘사된다.[26] 주인공인 내티 범포는 물질주의와 문명에 대한 욕망 대신에 원시적인 자연과 더불어 소탈하고 순결하게 살아가기를 좋아하는 자연인으로서 개

---

24 조규성, 『숲 교육 질적 연구』(서울: 이담, 2010), p.95. 저자는 이와 같은 맥락에서 혜민 스님의 『멈추면 비로소 보이는 것들』(서울: 쌤앤파커스, 2012)이라는 책이 중요한 의미를 지닌다고 소개한다. 바쁘게 살아가는 현대인들에게 '멈춤'과 '느림'을 역설하는 또 다른 책으로 피에르 쌍소, 김주경 옮김, 『느리게 산다는 것의 의미』(서울: 동문선, 2000)가 있다. 그리고 인도의 전통에 나타나 있는 숲 명상에 대해 동양에서는 첫 노벨문학상 수상자인 R. 타골이 『창조적 통일』(*Creative Unity*, London: Macmillan and Co., Limted, 1922), "The Religion of the Forest"에서 밝힌다. 이 점에 대해서 더 알려면 Geoffrey Parrinder, *The Wisdom of the Forest* (London: Sheldom Press, 1975)를 참조할 수 있다.

25 쿠퍼 소설 중에서 "romances of the forest"는 모두 8권이다(정진농, 「쿠퍼의 『개척자들』-생태학적으로 다시 읽기」, 『문학과 환경』(2002), p.2). 쿠퍼에 관한 관련 연구로는 다음과 같은 논문을 참고할 수 있다. 정진농, 「노 사냥꾼의 퇴장: 또 다른 사냥터를 꿈꾸며」, 『새한영어영문학』 제51권 4호(2009), pp.1-16; 정진농, 「Leatherstocking Tales에 나타난 신화적 세계와 역사적 세계」(경북대학교 박사학위 논문, 1992); 정진농, 「쿠퍼의 『개척자들』-생태학적으로 다시 읽기」, 『문학과 환경』(2002), pp.144-165; 박구표, 「개척사회 인물들의 유형과 특성-*The Pioneers*와 *The Prairie*를 중심으로」(부산대학교 석사학위 논문, 1992).

26 여기에 인용한 글은 정진농, 「쿠퍼의 『개척자들』-생태학적으로 다시 읽기」, 『문학과 환경』(2002)을 참조했다.

척자들에 의해 오츠고 호수의 숲지대가 훼손되고 파괴되는 현장의 모습을 도저히 참을 수 없다. 마지막 장에 이르면 그는 40년 동안 살아온 숲지대가 개척지로 변해버린 광경을 바라보고 더 이상 개척촌 템플튼에 머물 수가 없어서 서쪽의 미개지를 향해 떠나려고 한다. 그때 새로이 템플튼의 주인이 된 에핑햄 소령의 손자 올리브와 엘리자베스가 그를 만류하지만 그는 다음과 같이 말한다. "나는 자네들의 최상의 호의를 알고 있다네. 하지만 우리의 길은 서로 다르네. 나는 숲을 사랑하지만, 자네들은 사람의 얼굴을 좋아하거든 … 하나님의 가장 비천한 창조물이라 하더라도 모두 다 어떤 쓸모가 있어서 만들어지는 거야. 나는 미개지를 위해서 만들어진 몸이지. 자네들이 나를 사랑한다면, 내 영혼이 진정으로 다시 머물고 싶어하는 곳으로 나를 가게 해주게!" 이처럼 자연과 숲을 사랑하는 마음이 없는 개척민들은 마구 나무들을 베어버리고 실용적, 경제적인 이득만을 생각하면서 베어낸 나무들을 시장에 내다 판다. 내티는 이러한 개척촌 사람들을 비판한다.

> 템플은 "이 나라의 훌륭한 나무들을 개척자들이 헛되이 낭비하는 것을 보면 충격적이야"라고 말하지만 그가 내리는 낭비의 정의를 들어보면 순전히 실용적이고 경제적이다. '난 어떤 사람이 소나무를 베어 넘어뜨리는 모습을 본 적이 있는데 말이야, 그때 그는 울타리용 목재가 필요했던 거지. 그는 나무를 잘라놓고는 그 자리에서 썩도록 내버려두었어. 그 나무 꼭대기만 해도 그 목적을 위해서는 충분했을 테고, 둥치는 필라델피아 시장에 내다 팔면 20달러는 족히 받을 수 있었을 텐데도 말이야.'

이 작품에서 템플 판사와 내티 사이에 나누는 대화 장면에는 개척자들이 비둘기 사냥에서 비둘기를 대량 살상하면서 즐기고 있을 때 템플이 "이제 이런 파괴 행위에 종지부를 찍을 때가 된 것 같아"라고 혼자 중얼거리자, 내티는 "당신의 개척에 종지부를 찍으시오, 판사. 비둘기와 마찬가지로 당신의 숲도 하나님의 작품이 아니란 말이오?"라고 항의한다. 그러나 자연주의자인 내티는 소설의 끝에 이르면 기술지향주의자인 템플 판사에게 패배할 수밖에 없게 되며 그 결과 자기가 40년 동안을 살아온 오츠고 호수 일대의 숲을 떠나 미개지가 존재하는 더 먼 서쪽으로 떠나갈 수밖에 없다. 그는 자기를 만류하는 올리브와 엘리자베스에게 "나는 해 뜰 때부터 해 질 때까지 내 귀에 햄머 소리가 들려오는 개척지에서 사는 데 진절머리가 났어요."라고 말하면서 자연 그대로의 미개지가 있는, 더 멀리 있는 서쪽을 향하여 떠나간다.[27]

본 저서는 숲과 나무들에 대해 특별하게 친화적인 녹색 작가들을 연구대상으로 선택했다. 영국문학에서는 산업혁명 이전의 청교도 혁명 시기인 17세기의 밀턴(John Milton, 1608~1674), 산업혁명 시기의 워즈워드(William Wordsworth, 1770~1850), 빅토리아 조의 하디(Thomas Hardy, 1840~1928), 20세기 초반의 로렌스(D. H. Lawrence, 1885~1930), 그리고 오늘날도 활약하고 있는 스코틀랜드의 생태공동체인 핀드혼 농장(Findhorn Garden)의 멤버들 등을 선택했다. 한편 미국작가들로는 과학기술과 산업의 발전이 급부상하기 시작했던 근대의 호손(Nathaniel Hawthorne, 1804~1864) 및 소로(H. D. Thoreau, 1817~1862), 고도로 과학기술문명이 발달한 현대의 프로스트(Robert Frost, 1874~1963), 그리고 지금도 생존해 있는 생태주의 작가인 칼렌바크(Ernest Callenbach) 등을 선택했다. 호손은 미국의 과학기술 발달이 두드러지던 시기에 기술문명에 의한 인간성의 파괴뿐만 아니라 산업의 발전으로 훼손당하고 파괴되어가던 자연환경에 큰 관심을 두었다. 이런 정신은 동시대의 소로에게도 공통된 관심사였다. 소로는 과학기술문명의 발달에 따라 산업자본가들이 자행하는 산림파괴와 토지개간의 위험성에 대해 생명의 존귀성과 신성함의 차원에서 비판

27 정진농, 같은 책, pp.155-156.

했으며 상업자본주의와 물질주의 문명에 대한 그의 비판은 호손보다 훨씬 더 강도가 높다. 그는 자연 훼손과 파괴 행위의 저변에 놓인 생명의 경시와 물질주의적 이기심, 도덕적 타락과 부패를 비판하고 순결한 인간성과 인권을 수호하고자 했다. 그는 사람들에게서 자연성 그대로의 원초적이고 원형적인 자아를 복원하고자 했으며, 우주 자연에는 물질적인 현실을 뛰어넘어 모든 사물에 편재되어있는 위대한 우주적 영혼인 '대령'(Oversoul)이 존재한다는 사실을 역설했다. 개별자로서의 인간은 자유와 구원에 이르려면 우주적 영혼인 '대령'과의 교감이 필요하다고 보았다. 소로의 이와 같은 사상은 그를 초절/월주의(transcendentalism) 문인 그룹에 속하도록 했다. 그의 자연주의적, 초월주의적인 생명사상은 그를 단순히 글을 쓰는 문인의 자리에만 머물지 않게 했으며, 미국사회에서 생명과 인권을 억압당하는 흑인노예들을 위한 노예해방 운동, 자연보호 운동, 도시공원화 운동 등과 같은 사회적 실천운동에까지 나아가도록 했다. 에머슨, 소로, 호손을 비롯한 미국의 자연친화적인 문인들과 사상가들은 미국문학사에서 자연종교적인 전통의 형성자가 되기도 했다.[28]

---

28 이런 미국작가들의 자연주의적인 주제에 관련된 연구서로는 Arnold Smithline, *Natural Religion in American Literature* (New Haven, Conn.: College & University Press, 1966); Paul F. Boller. Jr., *American Transcendentalism, 1830-1860* (New York: Capricorn Books, 1974) 등을 참조할 수 있다.

이와 함께 동양과 서양을 두루 아울러서 숲과 나무에 대한 친화적인 태도와 자연관을 제시하는 저서로는 Carolyn Merchant, *Radical Ecology* (New York: Roulledge, 1992)이 있다. 이 저서는 근본생태론을 다루는 동양철학 및 아메리카 인디언 전통을 통해 실감 나게 설명한다. 아메리카 인디언의 자연전통에 대해서는 머천트의 이 저서 외에도 라셀 카르티에, 장 피에르 카르티에 공저, 길잡이늑대 옮김, 『인디언과 함께 걷기』(서울: 문학의 숲, 2010)를 꼽을 수 있다. 한편 아시아의 자연전통에 대해서는 Baird Callicott, Roger T. Ames, ed., *Nature in Asian Traditions of Thought: Essays in Environmental Philosophy* (Albany: State University of New York Press, 1989) 등에 종합되어있으므로 이러한 문헌들은 훌륭한 참고가 될 수 있다. 학술지 게재 논문들로는 다음과 같은 것들을 참고할 수 있다. 노헌균, 「셔만 알렉시(Sherman Alexie)의 『탈주』(*Flight*): 아메리카 인디언주의에 대한 재해석」, 『현대영미소설』

이상으로 영국문학사와 미국문학사에서 숲이 작가들에 의해 어떻게 관심을 끌었고 다루어졌는지를 간략하게 개관했다. 영국과 미국의 문학에서 숲은 시대마다 자연과 사회의 중요한 풍경을 구성한다. 영미 작가들은 과학기술의 발달로 인한 산업화, 도시화한 문명사회에서 훼손되고 파괴된 자연환경(숲)과 자연생태계의 위기를 바라보면서 어떤 비애와 절망을 느끼고 있었으며, 숲의 의의와 가치를 어떻게 구현하고자 했는지, 그리고 자연환경의 보호와 유지에 대해 어떤 사상과 철학을 지니고 있었는지를 살펴보고 분석하는 일은 지금도 여전히 절실하게 요청된다. 현대인들에게 숲은 생명의 자궁과 같으며 죽어버린 감각과 생명을 살려내는 힘이 존재하는 근원이다. 숲속에 들어가면 생명에 대한 녹색 감수성이 활성화된다. 숲에 대한 영미 작가들의 창조적인 감수성과 통찰력은 인간성의 위기를 극복하고 생명에 대한 녹색사유와 녹색철학을 발전시켜 나가는 데 있어서 참조해야 할 의미 있는 길잡이가 될 것이다. 숲과 관련하여 영미문학 작품들에 나타나는 특기해야 할 인간의 의식과 자아의 변화를 살펴보는 의의는 결코 가볍지 않다.

---

제15권 3호(2008); 이향만, 「다원 사회에서의 인디언 정신–루이스 어드릭의 『사랑의 묘약』을 중심으로」, 『영어영문학』 제45권 1호(1999); 강자모, 「인디언 문학과 생태학적 비전: 레슬리 마몬 실코의 『이야기꾼』의 경우」, 『영어영문학』 제47권 2호(2001); 박은정, 「현대 미국소설에 나타난 인종갈등과 문화 민족주의: 미국 원주민 작가 실코와 어드릭의 소수문화의 지형 그리기–『의식』, 『인디언 대모와 영혼의 아름다움』, 『사랑의 묘약』을 중심으로」, 『현대영미소설』 제9권 1호(2002).

제1장

# 원시적 숲속의 원초적 인간

원시적인 숲지대에 들어선 거주자들은 근 · 현대 산업사회의 문명적 병폐와 오염, 결핍증과 피로감으로부터 자유롭다. 그곳의 인간은 존재론적으로 순결한 원초성으로 특화되어있는 것이다. 성서의 『창세기』에 기술된 에덴동산은 신성한 숲속에 각종 수목과 화초로 가득 찬 축복의 땅이다. 태초에 신이 인간의 원조를 위하여 최선의 형상으로 숲동산을 창조하셨다. 인류의 문명사회가 시작되기 이전의 자연 상태 그대로의 모습이 얼마나 아름답고 거룩한가를 알 수 있다. 교만하고 타락했던 인간에 의해 탐욕의 손길이 닿지 않았기 때문이다. 청교도였던 밀턴은 인간의 죄악이 침투하기 이전에 존재했던 『창세기』에 기술된 인간의 낙원을 특유의 상상력에 의해 대서사시의 장르에 담아 『실낙원』이라는 작품으로 재현했다. 『창세기』의 에덴동산은 밀턴이라는 위대한 예술가의 창조적 상상력을 통과함으로써 그곳의 숲은 꿈과 같은 세계이며 형언하기 힘들 정도로 환상적이다. 원시의 숲을 배경으로 하나님이 인류의 원조인 아담과 이브에게 베푸는 축복과 은총은 무한한 감사의 마음을 불러일으킨다. 인류의 첫 남자와 첫 여자가 서로의 사랑을 향유하는 장소로서 이곳보다 더 아름다운 곳은 없을 것이다. 태초시대의 축복받은 이러한 인류의 원조가 마왕 사탄의 유혹에 마음을 빼앗겨 신과의 언약을 배반한 것은 안타깝고 가슴 아픈 일이 아닐 수 없다. '지식(지혜) 나무' 열매를 따 먹고 난 즉시 인간에게 죄악이 들어감으로써 지금까지의 영적인 충만과 자족과 풍요는 사라지고 자아의 분열과 고통이 시작된다.

호손의 소설 『주홍글씨』의 배경은 미국 개척시대의 뉴잉글랜드 지역의 원시적인 숲이다. 이곳의 숲은 자연의 태초적인 순수성과 원초적인 상태가 보존된 장소로 묘사되고 있다. 이 소설은 북미 신대륙의 식민지 개척지역에서 젊은 목사와 열정을 지닌 빼어난 미모의 여인 사이에 벌어지는 간통과 애욕 사건을 주제로 한다. 숲지대의 울창한 숲은 비밀스럽고 신비로우며 원시적인 인간의 욕망을 상징하는 기능을 한다. 당대 최고의 지성인이자 성직자로서 존경받는 젊은 목사 딤즈데일과 그의 연인인 헤스터 사이에 벌어지는 은밀하면서도 순결한 불륜의 사랑과 육체적 욕망의 문제를 작가는 숲지대를 중심 무대로 설정했다. 인간의 불가피한 원초적인 애욕이 원시적인 숲과 긴밀하게 공명하고 있으며, 내면의 성적인 욕망과 무의식은 숲과 병치되고 교차한다. 두 남녀에게 어둠에 덮인 숲은 그곳의 여러 나무와 다른 많은 존재와 어울려 이중적, 복합적인 의미를 암시적으로 품어내고 있다.

## 1-1

# 태초 시대의 숲낙원의 인간 원조
# —밀턴의 『실낙원』과 에덴동산

### 태초의 생태학적 이상향, 숲낙원

밀턴의 『실낙원』은 성서의 『창세기』에 나오는 인간의 원조인 아담과 이브에 관한 스토리를 하늘의 영감을 받은 작가가 새롭게 재구성한 대서사시다. 작가는 이 작품에서 신이 인간을 위해 창조한 에덴동산에 구현된 녹색숲의 이상향이 얼마나 풍요롭고 아름다운 생명세계일 수 있는가를 제시한다. 여러 다채로운 피조물들은 영광스럽고 거룩한 생명으로 충만해 있다. 향기로운 꽃, 풀, 채소, 나무, 과일, 숲, 땅속을 흐르는 지하수와 샘물, 흘러가는 강물 등은 최상의 자연생태계를 이룬다. 각종 나무의 아름다운 열매들과 땅에서 피어오르는 안개와 신선한 바람은 꿈처럼 아름답다. 피조물들은 예외 없이 때 묻지 않은 생명의 원형을 유지한다. 하나님은 인류의 원조인 아담과 이브를 창조하시고 그들을 이러한 생명의 숲낙원에다 데려다 놓은 것이다. 그런데 하나님은 부부가 되도록 만드셨던 아담과 이브에게 동산의 각종 나무의 열매는 먹어도 좋으나 중앙에 있는 '선과 악을 알게 하는 나무'(the tree of the knowledge of good and evil)의 열매, 즉 '선악과'는 먹지 말라고 말씀하셨다. 만약 그들이 먹는 날에는 반드시 죽게 된다는 준엄한 언약을 하신다.

그들이 하나님과의 언약을 어기고 선악과를 따 먹었을 때 그들의 의식에는 이전과는 다른 큰 변화가 일어난다. 선과 악을 알고 구분하는 것은 하나님의 영역인데 인간이 선악을 아는 지식의 과일을 먹은 데 따른 응벌이 내려진 것이다. 두 남녀는 선악과를 따 먹기 전에는 상대방에게 육체적인 섹스를 강압하는 일도 없었으며 둘 사이의 사랑은 소유적인 정욕의 형태가 아니라 순결했고 자연스러웠다. 그러나 지금부터 아담과 이브는 자신의 육체에 대해 이전에 없었던 수치심이 발생하며, 영혼과 육체의 분열과 갈등, 불안과 결핍증이 생겨난다. 이는 생명에 대립하는 죽음의 상태라 할 수 있다. 『실낙원』에서 사탄의 유혹에 넘어가기 이전까지의 낙원은 '적극적 비전'이라 할 수 있고, 유혹에 넘어간 이후에는 그들의 마음이 이전과는 완전히 달라졌으므로 낙원은 불완전해진 풍경으로 변화된 '소극적 비전'이다. 김용에 의하면 밀턴은 '적극적인 유토피아 낙원 비전'과 이에 대립하는 '소극적인 유토피아 비전'으로 작품을 구성했다고 밝혔다.[1]

인간의 내면을 들여다본다면 자연계의 외부적 환경이나 풍경은 그 자체로만 독립되어 존재하는 것이 아니라 인간에게 내면의 마음과 관계적으로 상호작용하는 일종의 생태계를 형성한다고 할 수 있다.[2] 아담과 이브가 낙원

---

1 김용, 「Milton의 낙원(Paradise) 비전과 유토피아(Utopia) 비전」, 『밀턴연구』 제2집(1992), pp.40-46.

2 그리고리 베이트슨, 박대식 옮김, 『마음의 생태학』(서울: 책세상, 2006)을 참조. Gregory Bateson의 주저인 *Steps to Ecology of Mind*는 생물학, 정신의학, 인류학, 철학을 가로지르는 '마음'을 집대성한 책이며 동물의 좌우대칭, 잎의 패턴, 구애 과정 등에 관해 생태학적 질문을 던지며 관념들의 집합에 대한 새로운 사고방법을 제안한다. 저자는 이 책에서 현대문명의 위

을 상실했을 때 자아의 내적 상태를 보면 선악과 열매를 따 먹기 이전에는 의식의 안과 밖이 통합된 조화상태였지만 이후에는 괴리가 일어나는 정신분열적 상태가 된다. 이와 같이 아담과 이브의 마음은 완전한 상태의 '적극적 비전'으로부터 불완전한 상태의 '소극적 비전'으로 바뀐 것이다. 이것은 다름 아닌 선악과나무의 열매를 따 먹은 시점이 변화의 경계선이 되었다는 사실을 말한다.

아담과 이브에게 추방 이전의 생명의 낙원과 추방 이후의 바깥세상은 극명하게 대비된다. 두 사람이 낙원에서 쫓겨났을 때 그들 앞에 보이는 대지의 들판에는 가시덤불과 엉겅퀴가 무성하게 자라고 있다. 지금부터 두 사람은 짐승의 가죽옷을 걸치고 스스로 고통스러운 노동을 하면서 거친 들판을 경작해서 수확해야 하고, 임신과 출산과 죽음의 고통을 감수해야 한다. 하나님으로부터 아무런 대가 없이 자연의 풍요를 누릴 수 있게 했던 거룩한 은혜는 끝나고 말았다. 선악과 사건 이후로부터 추방된 낙원 바깥의 세상에서 살아가는 아담과 이브의 후손들은 세대를 이어 분열하고 다투며 질투하고 싸운다. 물질적인 탐욕과 육체의 정욕이 끊임없이 일어나서 간음, 도둑질, 살인과 같은 죄악이 계속 발생한다. 타락한 인간들에게 이제는 태초의 '지상낙원'(Earthly Paradise)은 더 이상 존재하지 않지만, 이 세상을 살아가는 동안 하나님 앞에서 죄를 회개하고 자비와 용서를 구한다면 죽을 때에 하나님의 부름을 받아 '천상낙원'(Heavenly Paradise)으로 입성할 수 있다. 인간이 지상에서의 삶을 하나님의 뜻에 따라 바르고 선하게 살아간다면 의인만이 사후에 갈 수 있는 '천상낙원'이 준비되어있다는 것이 밀턴의 신학이다.

---

기는 육체에서 마음을, 물질에서 정신을, 자연에서 인간을 분리한 데서 시작되었다고 보고 인간과 자연, 그리고 물질과 마음의 세계를 재결합해야 한다고 역설한다. 이러한 베이트슨의 '마음의 생태학'을 개념적으로 원용할 때 인간의 내적 자아의 세계는 과거, 현재, 미래가 시간적으로 서로 엮여 있고, 공간적으로는 외부의 자연환경과 상호관계적인 웹을 형성하는 구조물이라고 할 수 있다.

아담과 이브가 에덴낙원에서 추방되기 이전에 살았던 시기에 그들은 채식주의자였던 것 같다는 주장이 있다. 『창세기』 1장 29절에서 하나님은 그들에게 "내가 온 땅 위에 있는 씨 맺는 모든 채소와 씨 있는 열매를 맺는 모든 나무를 너희에게 주노라. 이것들이 너희의 먹을거리가 될 것이다"라고 말씀하셨다. 하나님이 죄악으로 타락한 인간에게 동물을 잡아먹을 수 있는 권리를 준 것은 노아의 홍수 이후인 것 같다.[3] 이것은 인류의 원조들이 동물을 사냥하여 먹는 살생의 식습관 대신 각종 채소와 나무 열매를 먹는 채식주의자로 살게 함으로써 평화주의자의 마음을 가지게 했음을 암시한다. 하나님은 그들에게 자족적인 풍요를 누릴 수 있는 자연환경을 제공했으므로 아담과 이브는 먹을 음식과 물질에 대한 탐욕을 가질 필요가 없었다. 에덴동산의 숲에는 각종 나무와 열매가 곳곳에 널려있었고 언제든지 따서 마음껏 먹을 수 있었다.

현대의 진화론적 과학자들과 대부분의 자연과학자들은 신에 의한 『창세기』의 창조론을 과학적 이론으로 받아들이지 않는다. 하지만 과학자 중에는 이러한 창조론을 믿는 일부의 '창조과학자'가 있다. 이 학파에 속하는 헨리 모리스(Henry Morris)는 『창세기』에 묘사된 생명창조에 관해 제1장부터 제11장까지의 역사를 과학적으로 증명한 주석서인 『창세기의 기록』(*The Genesis Record*)을 출간하였다. 이 책은 성경의 2장 5절에 근거하여 흥미로운 지구환경론을 주장한다.[4] 지구상에는 노아의 홍수심판 이전까지는 단 한 방울의 빗방울도 지상에 내리지 않았다는 것이다. 그의 견해로는 아담과 이브가 에덴동산에서 뱀(사탄이 뱀의 몸에 들어간 형태로 봄)의 유혹에 넘어가 죄를 짓고 타락하여 쫓겨나기 이전의 에덴동산과 같은 수준은 아니라 할지라도 지구는

3 김욱동, 『소로의 속삭임: 내가 자연을 사랑하는 이유』(서울: 사이언스북스, 2008), p.149.

4 박성규, 『챔피언』(서울: 지혜의 샘, 2014), pp.56-57 재인용.

전체적인 환경이 오늘날의 지구환경과 비교해 볼 때 훨씬 더 살기 좋았다는 것이다. 그러나 인간들이 계속해서 짓는 죄악으로 인해 온 땅이 더럽혀지자 하나님은 노아가 방주를 만들게 하고 그 속에 가족들과 함께 들어가게 하고 종자가 될 동식물의 암수 짝들도 들여놓게 했다는 것이다. 하나님이 죄악으로 오염된 지구상의 다른 모든 인간과 생명체를 홍수로 멸해버린 결과로 이후부터는 지구환경이 더욱 열악한 상태로 변했다고 해석한다. 홍수 이후의 인간들에게 성경은 "땅이 있을 동안에는 심음과 거둠과 추위와 더위와 여름과 겨울과 낮과 밤이 쉬지 아니하리라"(8장 22절)라고 기록하고 있다. 즉 홍수 이전의 지구환경은 추위와 더위, 즉 겨울과 여름이 없는 최상의 생태계였고 아주 살기 좋았으며, 지구 대기권 밖에는 엄청나게 두꺼운 수증기층이 있었다고 본다. 성경에 나타난 생태환경 묘사로부터 추측한 모리스의 견해로는 지금의 적도와 같은 열대지방과 남극, 북극과 같은 추운 지방은 존재하지 않았으며, 어느 곳이든 따뜻하고 포근했으며 수분을 촉촉이 머금고 있었다는 것이다. 마치 지구환경은 마치 비닐하우스와 같았다. 그래서 아담과 이브가 에덴동산에서 추방되기 이전에 인간의 평균수명은 에덴동산 밖이라 해도 800세에 이르렀지만 홍수 이후에는 120세까지 급감했다고 본다. 홍수 이후에 지구의 환경은 심각하게 파괴되었고 유해한 광선이 지구로 흘러들었으며, 오존층이 얇아지면서 이것을 막아낼 방법이 없게 되었다는 것이다. 모리스가 주장하는 이러한 태초 시기의 지구환경론은 구약시대의 『창세기』에 근거를 두고 추론한 매우 흥미로운 상상력이다.

밀턴이 『창세기』에서 인류의 원조를 위해 창조된 이상향인 에덴동산을 새롭게 문학적 상상력으로 형상화한 『실낙원』에 묘사되어 있는 에덴동산의 생명나무와 과일과 숲을 색채학적으로 보면 녹색이 주류를 이루고 있다. 그러나 황금색을 비롯하여 여러 종류의 아름다운 색채도 나타난다. 일반적으로 녹색과 황금색은 인간이 가장 선호하는 이상적인 색채다. 이처럼 색채학적 측면에서 볼 때 에덴동산은 존재론적으로 가장 이상적인 생명세계의 창조라고 할 수 있다.

### 축복받은 에덴 숲동산

이제 『실낙원』에 그려진 에덴동산의 나무와 숲에 주목하면서 이상적인 생태계라고 할 수 있는 지상낙원을 살펴보자. 이 작품에서 밀턴의 상상력과 비전은 12개의 장으로 구성된다. 그중에서 처음의 1~3장은 천상낙원에서의 하나님 나라와 사탄과 그를 추종하는 타락한 천사들의 반란사건을 다룬 부분이고, 마지막의 11~12장은 지상낙원인 에덴동산으로부터 인간의 원조인 아담과 이브가 추방된 후에 그리스도 예수의 사랑과 자비로 도움을 받아 회개를 통해 다시 얻을 수 있는 구원의 낙원 비전이 언급되는 부분이며, 중간에 있는 4~10장은 광대한 우주 속의 한 지점에 있는 지구와 그곳의 낙원인 에덴동산의 지복(至福) 상태와 사탄에 의한 최종적인 타락에 관한 부분이다. 따라서 밀턴의 작품에서 아름답고 경이로운 적극적 낙원 비전이 묘사된 나무-과일-숲이 등장하는 것은 4~9장 부분이고, 10장은 사탄의 승리와 아담과 이브의 범죄에 대한 후회, 그리고 아담과 이브의 회개와 기도를 통해 중재되는 하나님의 구원과 '실낙원'의 회복에 관한 메시지다.

구약시대의 『창세기』에서 강조되는 사항 중 하나는 창조된 에덴동산의 피조물들은 예외 없이 모두 하나님이 보시기에 아름답다는 것이다. 하나님이 그들을 만들기를 마치고 바라볼 때마다 "보기에 참 좋다"고 말씀하신다. 그러나 밀턴의 『실낙원』에서 특이한 것은 아름답고 탐스러운 낙원의 풍경을 작가가 사탄의 시각을 통해서 말한다는 것이다. 사탄은 질투, 시기, 이간, 증오가 그의 본성이기 때문이다. 천상의 세계에서 사탄은 자기가 하나님보다 더 높아지고 싶은 교만한 마음을 가졌고 파괴의 욕망에 사로잡혔다. 그러므로 하나님이 창조한 아름다운 에덴낙원의 풍경은 그에게 실제보다 더욱 아름답고 경이롭게 보이는 것이다. 이렇게 보이는 각종 나무와 과일과 숲의 풍경을 아담과 이브로 하여금 행복을 누리며 즐기도록 했다는 것을 어떻게 눈뜨고 볼 수 있겠는가? 사탄은 그들을 유혹하여 타락시키고 죄악에 빠뜨려서 고통 속에 밀어 넣고 싶었던 것이다. 각종 나무와 열매로 가득하며 지극히 아름다운 숲동산이 인간의 원조로 하여금 축복을 누리게 하는 것은 사탄에게는 참아낼 수 없다. 그렇기에 더욱 아름답고 탐스럽게 보인다.

제4편에서부터 지구에 있는 아름다운 숲동산이 광대한 우주 가운데 본격적으로 나타난다. 사탄은 지구의 에덴동산을 바라보며 계속 여행하여 동산에서 제일 높은 나무인 '생명의 나무'(the tree of life) 위에 올라앉는다. 처음으로 사탄에게 보이는 낙원은 푸른 울타리로 담장처럼 높이 뒤덮여 있고, 각종의 나무들, 예컨대 삼나무, 소나무, 전나무, 종려나무 등으로 숲의 장관을 이루고 있다. 장엄한 숲의 극장처럼 수목이 푸른 녹음 위에 또 다른 녹음이 이어져서 마치 탑처럼 보인다. 솟아있는 푸른 담장 위에는 둥글게 대열을 이룬 나무들에는 황금빛의 꽃과 열매들이 달려있고 형형색색의 화려한 광택이 아롱져 있다.

> … 이제 아주 가까워진 아름다운 /낙원은 시골집 담장처럼 /푸른 울타리로서 황막한 산의 고대를 /뒤덮고, 숲으로 뒤덮인 더부룩한 /산비탈은 기괴하게 험해서 /접근을 불허한다. 머리 위론 삼나무, 소나무, /전나무, 가지를 뻗치고 있는 종려 등 지극히 높은 /숲의 장관, 녹음 위에 녹음이 탑을 지어 /올라갔으니 아주 장엄한 숲의 극장이다. /그러나 그 수목의 꼭대기보다 높이 /낙원의 푸른 담장이 솟아올라 있다. /여기에서 우리 전 인류의 조상은 주위와 /사방에 있는 아래 세상을 크게 조망한다. /이 담장보다 위에는 둥

글게 열을 지어 /고운 열매 가득하고 황금빛 꽃이 피고 /금빛의 열매 맺는 훌륭한 나무들이 보인다. /화려한 광택이 색색이 아롱져 있다.[5]

사탄이 지구에 도달하자 험악하고 거친 산에 언덕길이 있다. 그가 생각에 잠겨 이 길을 따라 천천히 계속해서 올라갈 때 더는 나아갈 길이 없어진다. 이제부터 이 길은 풀숲에 닿아 있다. 관목이 빽빽이 뒤얽혀 있기도 하고, 낮은 숲이 있는 곳에는 복잡한 덤불로 뒤덮여 있다. 풀숲과 덤불과 관목으로 어우러진 숲길은 지나가는 사람이나 짐승들을 괴롭힌다. 사탄은 오로지 동쪽을 향하여 걸어가자 정문이 나오며, 이 문을 들어서자 다시 나타나는 산과 높은 언덕 담의 경계를 넘고 곧장 낙원 안으로 뛰어내린다. 그의 눈앞에 보이는 에덴동산에는 갖가지 나무가 있고 맛 좋고 고귀한 과일들이 주렁주렁 열려있다. 그런데 동산의 한복판에는 생명나무와 먹으면 선악을 알게 하는 '지식의 나무'가 있다.

… 이 유쾌한 땅에 하나님은 훨씬 더 즐거운 /동산을 세우셨다. 이 풍요한 땅에서 /보기 좋고, 향기 있고 맛 좋은 온갖 /종류의 고귀한 나무들을 자라게 하셨다. /그 한복판에 생명의 나무가 서 있다. /뛰어나게 높고, 식물성 황금의 맛 좋은 /과일이 주렁주렁 열리는. 생명의 나무 바로 옆에는 /우리의 죽음인 지식의 나무가 서 있다— /악을 앎으로써 고가로 팔린 선의 지식. /남쪽으로 에덴을 거슬러 큰 강이 하나 흐른다, /그 수로를 바꾸지 않고, 밑으로 침투하면서 /나무 많은 산속을 지나. 하나님이 이 산을 /원토(園土)로서

---

5 J. 밀턴, 안덕주 옮김, 『실낙원』(서울: 홍신문화사, 2005), p.157. 본문의 인용은 이 번역서를 중심으로 했다. 영어 원서로는 John Milton, "Paradise Lost," M. H. Abrams et. al. ed., *The Norton Anthology of English Literature*, Fifth Edition (London: W.W.Norton & Company, 1962), pp.679-823.

내던져 급류 위에 이 산을 /높이 쌓아 올렸다. (152)

에덴동산에 흐르는 강물과 숲속의 지맥에서 솟는 샘물은 시냇물을 이루어 동산을 적시고 다시 숲속의 저 아래로 떨어지고 아랫물과 또다시 합쳐져서 네 줄기 주류로 갈리어 따로따로 흐르며, 이름이 널리 알려진 여러 나라를 누빈다. 사탄이 다른 쪽 방향을 향해 바라볼 때도 하나님이 창조한 각종 나무와 과일과 숲은 그 아름다움과 풍요로움으로 감탄을 금치 못하게 한다. 거기에 보이는 아름다운 숲들의 나무와 과일은 밀턴의 상상력에서 중심적인 이미저리가 된다. 이처럼 풍요롭고 성스러운 피조물들은 수채화처럼 펼쳐진다. 낙원의 풍경은 지극히 감각적이다. 샘과 시냇물, 녹음이 짙은 나무들, 숲들, 갖가지 꽃들과 골짜기, 들판과 전원, 언덕, 동굴, 호수, 풀밭과 풀 뜯는 양떼, 종려나무 동산, 장미꽃의 보고(寶庫), 합창하는 새들 등. 이와 같은 다양한 존재들이 조화를 이루고 있는 에덴동산은 완벽한 최상의 생태계이며 지상낙원(至上樂園)이다. 기후환경학적인 계절로 볼 때 에덴동산은 사계절 중 새 생명이 약동하는 봄으로 설정되어있다. "봄의 대기가 들과 숲의 향기를 싣고 /흔들리는 나뭇잎을 어루만질 때, 만물의 '팬'(Pan)은 /'우미'와 '계절'과 얼싸안고 춤추며 /영원한 '봄'을 인도한다"(158). 이러한 묘사는 독자의 마음에 유혹적인 감동을 일으킨다. 이와 같은 봄의 계절에 뿜어내는 "숲의 향기"는 후각을 자극하고, "나뭇잎을 어루만질 때"는 부드러운 촉각이 느껴진다. "계절을 얼싸안고 춤추며"라는 표현에서도 촉각이 잘 나타난다. 다음 장면에서는 샘에서 물이 솟아나고 모래 위와 나무들과 그 녹음 아래로 흘러 땅을 적시며, 감미로운 생명수를 흡입한 들판과 골짜기들에는 꽃들이 피어나고 나무들에 매달려있는 과일들은 황금빛으로 빛나고 감미로운 향기를 풍기고 있다.

… 저 청옥(靑玉)의 샘에서 잔물결 이는 시내가 /빛나는 진주와 황금의 모래 위를 굴러 /내리덮는 녹음 아래를 빙빙 돌아다니며 /감로가 되어 흐르면서 나무들을 고루 찾아 /낙원에 적합한 꽃들을 기른다. 그것은 /손재주 피운 꽃밭이나 화단의 원예가 아니고, /풍요한 자연이 아낌없이 쏟아내는 꽃, /산에, 골짜기에, 들에, 아침 햇빛이 넓은 들판에 따뜻이 /내리비치는 그곳에, 또는 햇빛도 뚫을 수 없는 /그늘이 한낮의 정자를 어둡게 하는 그곳에. /이렇게 이곳은 여러 가지 경치로 행복한 전원 지대. /향액(香液)과 향유가 스미는 /살찐 나무의 숲이 있고, /또 저쪽 숲에선 과일들이 황금빛 껍질로 빛나며 /아름답게(헤스페리데스의 얘기가 사실이라면 /그것은 여기에서뿐) 단맛 풍기며 매달려있다. /숲과 숲 사이에는 풀밭, 평평한 언덕, 연한 /풀 뜯는 양떼, 종려나무 동산 등이 /여기저기 있고, 또한 축축하게 물기 있는 골짜기의 /꽃다운 둔덕에는 갖가지 꽃과 /가시 없는 장미의 보고(寶庫)가 펼쳐져 있고, /저쪽에는 그늘진 작은 암굴과 동굴의 … /서늘하고 아늑한 곳, 그 위엔 포도덩굴이 덮여 /보랏빛 열매를 내밀고 곱게 무성하게 /뻗어 있다. 한편, 물은 졸졸졸 흘러 /산비탈을 흘러 흩어지고 그 물줄기는 /도금양(桃金孃)이 곱게 우거진 언덕 언저리까지 /수정의 거울 간직하고 있는 호수에서 합한다. /새들은 이 자연의 음악에 합창하고, … (157-158)

서로 사랑하는 부부가 된 아담과 이브는 숲 아래 샘가에 앉아 휴식도 하고, 정원을 가꾸기도 하며, 적절한 노동을 한 후에 저녁 식사를 한다. 사탄은 이러한 모습을 바로 눈앞에서 바라본다. 부부는 나무에서 황금색으로 빛나는 과일들을 먹으면서 고운 말과 미소를 주고받는다. 휘어지는 나뭇가지에서 따다 모은 감미로운 열매와 과육(果肉)을 먹고 있는 아담과 이브는 더할 나위 없는 평화와 희락을 누린다. 에덴동산에서 두 사람의 부부생활은 지복(至福)의 시간으로 연속된다.

> 푸른 풀밭에 조용히 속삭이며 서 있는 /그늘진 나무숲 아래 맑은 샘가에 /그들은 앉는다. 즐거운 정원을 가꾸는 일이 /서늘한 미풍을 더욱 상쾌하게 하고, 안락을 /더욱 평안케 하고, 건전한 갈증과 시장을 /더욱 만족게 할 만큼 충분한 노력 후에 /그들은 나무 열매의 저녁 식사를 한다. /꽃으로 아로새긴 연한 솜털 같은 둑 위에 /비스듬히 기대앉아 휘어지는 가지에서 /따모은 감미로운 열매와 향기로운 과육(果肉)을 /그들은 씹으며, 목마를 때엔 그 껍질로 /흘러넘치는 시냇물을 떠 마신다. /고운 말과 사랑의 미소를 주고받으며, /달리 아무도 없으니, 복된 원앙의 연분 맺은 /아름다운 부부로서 어울리는 젊음의 희롱도 /사양치 않고, 주위에 뛰노는 것은 /그 후 야생화한 지상의 모든 짐승, /산이나 들이나 숲이나 동굴에서 쫓을 /사냥거리. (162)

이와 같은 광경을 지켜보던 사탄은 더욱 가까이 다가간다. 이때 아담과 이브가 하나님을 찬양하면서 서로 주고받는 말을 엿들었을 때 사탄은 아담이 하는 말을 통해 하나님이 선악과나무의 열매는 먹지 말라고 명령했다는 인간과 신의 언약을 알게 된다.

> 낙원의 /가지가지 단 열매 맺는 모든 나무 중에서 /생명의 나무 곁에 심어진 유일한 /지식의 나무만은 맛보지 말라는 것. /생명 가까이에 죽음은 자라는 것, 죽음이 어떠하든− /무서운 것만은 사실. 그대 잘 알듯이 /그 나무를 맛보는 것은 곧 죽음이라고 /하나님께서 선언하셨으니, /그것은 우리에게 부여된 권력과 지배, 그리고 /땅과 하늘과 바다에서 살고 있는 다른 모든 생물들을 /다스리는 허다한 주권의 상징 중에서 /단 한 가지는 우리의 순종을 바라는 상징이다. (166)

하나님은 아담을 잠들게 한 후 그에게서 갈비뼈 하나를 떼어내서 이브를 창조하셨고 두 사람을 이곳 에덴동산에 옮겨놓았다. 아담은 이브가 잠에서 깨어났을 때 자기가 나무 그늘과 꽃 위에서 쉬고 있었다는 사실을 알았다면서 그녀에게 자기가 어디서 어떻게 여기에 왔는가를 의아해했다고 말한다.

> 그날 잠에서 처음 깨어 나무 그늘 /꽃 위에 쉬고 있는 자신을 발견하고, /나는 무엇이고, 어디 있으며, 어디서 어떻게 /여기에 왔는가를 의아해하던 그때의 일이외다. /그곳으로부터 가까운 곳에서 졸 졸 졸 /흐르는 물이 동굴에서 나와 퍼져서 /물은 벌판이 되어 움직이지 않고 괴어 있었고, /하늘의 창공과 같이 맑더이다. 나는 /아직 체험한 일 없는 생각을 /품고 그곳에 가 푸른 언덕 위에 누워 /맑고 잔잔한 호수 속을 들여다보니, /그것은 마치 또 하나의 하늘처럼 보였나이다. (167)

그러자 아담은 이브에게 창조주이신 하나님의 거룩한 솜씨와 위대하심을 찬양하면서 만물은 모두 합심하여 하나님의 성업을 찬미하기를 그치지 않는다고 응답한다.

> 그것들은 모두가 밤낮없이 하나님의 성업을 보면서 /찬미를 그치지 않는다. 메아리치는 동산의 /벼랑이나 숲에서. (177)

이제 가까이 다가온 사탄은 아담과 이브를 만난다. 그들이 훌륭한 모습을 하고 기쁨에 충만하여 즐거운 하루하루를 보내고 있는 사실을 확인한다. 질투심을 못 견디는 사탄은 그들을 타락시키고자 결심한다. 두 사람이 서로 말하는 얘기에서 엿들어 알게 된 것은 숲의 동산에 가득한 아름다운 각종 나무의 열매들은 모두 먹어도 좋지만 '지식의 나무'는 금지되었다는 사실이다. 신과 그들 사이에는 만일 그것을 따 먹는다면 죽음을 피할 수 없다는 언약이 맺어졌다. 그래서 사탄은 그들을 꾀어 죄를 범하도록 유혹하겠다는 흉계를 세운다. 밤이 되었을 때 아담과 이브는 휴식을 취하기 위해 손을 잡고 정자로 걸어가는 쪽을 바라보게 된다. 그러자 아름다운 각종 나무와 숲으로 장식된 축복의 정자가 나타난다. 여기에는 각종 나무와 꽃들이 있다. 종류로는 월계수, 도금양, 아칸투스, 붓꽃, 장미, 재스민, 오랑캐꽃, 크로커스, 히아신스 등이 열거된다. 제각기 화려한 머리를 추켜들고 있는 그 아름다운 꽃들의 모습은 모자이크 같고 보석 같아 보인다.

> … 이것은 창조주께서 /인간이 즐겁게 쓰도록 만물을 지으실 때 /선택한 장소. 그늘 짙게 뒤덮은 지붕은 /월계수, 도금양 또는 한층 높이 자라서 /향기롭고 단단한 잎이 붙은 나무들로 /뒤덮이고 엉킨 것. 그 양쪽은 아칸투스와 /향기 좋고 무성한 관목 등으로 /푸른 담장을 이루고 가지가지 색깔의 붓꽃, /장미, 재스민 등 아름다운 꽃이 제각기 /그 화려한 머리를 추켜드니 /모자이크 같고, 발아래서는 오랑캐꽃, /크로커스, 히아신스 등이 화려한 꽃무늬로 /대지를 수놓으니, 아주 값진 무늬의 보석보다 더 다채롭다. (177)

사탄은 잠을 자는 아담과 이브에게 해를 끼치고자 이브의 뒷전에서 꿈결 속으로 침입하여 유혹한다. 두 사람을 지키고자 하나님은 가브리엘 천사를 보냈다. 가브리엘 천사는 힘센 두 수호천사를 정자에 배치하여 야경을 보게 했다. 두 천사는 악령인 사탄을 발견하고 가브리엘 천사에게 데려간다. 가브리엘의 심문을 받은 사탄은 경멸로 대답하고 대항할 자세를 취하다가 낙원 밖으로 도망친다. 이렇게 하여 제4편은 끝이 난다.

하나님이 인류의 원조인 아담과 이브를 위해 창조하신 에덴동산은 마왕인 사탄이 시기 질투하고 증오하는 만큼에 비례하여 더욱더 아름답고 영광스럽다. 다양한 종류의 나무들은 녹색의 그늘로 낙원을 채우고, 형형색색의 빛나는 과일들이 풍성하다. 나무들로는 삼나무, 소나무, 전나무, 종려나무, 월계수, 장미, 종려 등의 수많은 각종 수목이 있다. 숲은 가득하게 하늘에 닿는 높이로 솟아올라 장관을 이룬다. 푸른 나무들은 녹음에 덮여 마치 탑처럼 높이 하늘을 향해 뻗어 있다. 아담과 이브가 거처하는 곳은 어디든지 사방으로 축복의 나무와 과일과 숲으로 둘러싸여 있다. 이처럼 신의 보살핌과 영광이 가득한 숲의 낙원에서 아담과 이브는 희락하면서 지복의 시간을 보낸다. 그들이 머무는 거처는 어떤 염려나 불만, 초조감이나 결핍이 전혀 느껴지지 않는 자족과 충만의 공간이다. 이처럼 거룩하고 아름다운 장소로 축복을 받게 된 데는 각종의 다양한 나무와 숲, 여기에 달린 여러 가지 과일과 같은 자연의 선물이 주어졌기 때문이다. 사탄은 이와 같은 아담과 이브에게 질투와 분노의 감정을 억누를 수 없다. 그는 하나님이 창조한 온갖 풍요와 기쁨의 보고(寶庫)인 그들의 거처를 보았을 때 경탄과 더불어 파괴적인 욕망에 빠져든다. 그래서 아담과 이브가 누리는 일체의 기쁨을 아무런 기쁨도 없이 바라본다(160).

사탄과는 대조적으로 아담과 이브는 옷 한 자락 걸치지 않은 나체로 걸으며 행복에 겨워하고 자족감에 흠뻑 젖어있다. 그들은 악이란 조금도 생각하지 않기 때문에 하나님과 천사들의 시선까지도 피하지 않는다. 그들의 휴식과 잠을 위한 거처로 사용되는 정자의 지붕 위는 각종 나무의 녹색 그늘로 덮여 있고, 대지에는 다양한 종류의 나무와 꽃들이 피어있으며 그 모든 사물은 순결하고 아름답게 느껴진다. 월계수, 도금양, 안칸투스, 붓꽃, 장미, 자스민, 오랑캐꽃, 크로커스, 히아신스 등의 아름다운 꽃들은 정자의 주변에 수를 놓은 듯이 화려하게 펼쳐져 있다. 자연과 하나로 동화된 아름다운 신부인 이브는 정자의 후미에서 향기를 풍겨내는 꽃들과 야생의 푸른 풀들로 신혼의 잠자리를 꾸미고 꽃다발도 걸어두었다. 이때 천상의 악대는 혼례곡을 불렀다. 이때 두 사람은 사탄의 유혹에 넘어가지 않은 시점에 있으며, 하나님께서 금지한 지식나무의 선악과 열매를 아직 따 먹지 않았으므로 죄가 자아의 내면에 침투하기 이전의 상태에 있다. 그러므로 아담과 이브는 몸에 옷을 입지 않은 벌거벗은 상태인데도 불구하고 전혀 수치심이나 죄의식을 느끼지 않는다. 이런 순결한 심리적 상태는 마음의 내적인 낙원에서 느낄 수 있는 적극적 비전의 구현이다.

제4편에 이어지는 제5편에서 에덴동산의 나무와 숲은 계속하여 중요한 부분을 이룬다. 여기의 내용은 하나님이 천상에서 천사 라파엘을 아담에게 보내어 아담의 순종과 신분의 자유에 대해 말해준다. 그러면서 그의 가까이에 있는 적이 누구이며, 왜 적인가와 그밖에 알아두면 유리한 것들에 대해 주의하도록 한다. 그 적이란 어째서 적이 되었으며, 천국에서 그의 최초의 반역과 다른 천사들을 선동하여 아브디엘을 제외하고는 모두를 설득시킴으로써 반역에 가담하였고, 아브디엘 천사의 만류를 거절하고 천국의 북부로 갔다는 이야기를 들려준다. 이제 정자에서 밤새도록 잠을 자던 아담은 새벽이 밝아지자 잠에서 깨어나 이브를 바라보며 하나님이 창조한 자연의 풍요와 아름다움을 함께 기뻐하자며 일어나라고 말한다. 정자와 주변의 자연풍경은 생명력과 감미로운 맛과 아름다운 색채로 묘사된다.

> 나의 아내여, 눈을 뜨라, 새로이 만난 자여, /… /일어나라 /아침은 빛나고, 신선한 들은 우리를 부른다. /이 새벽을 놓치지 말고 보자. 우리가 가꾼 초목이 /어떻게 자라고, 감나무의 숲이 어떻게 꽃피고 몰약이나 향목에선 어떻게 수액이 흐르고, /자연은 그 색채가 어떠한지, 그리고 벌은 /단물 빨며 어떻게 꽃에 앉아 있는지를. (195)

여기서도 나무, 초목, 숲은 묘사의 필수적인 요소가 된다. 아담이 이처럼 속삭이면서 이브를 깨울 때 꿈결 같은 잠에서 깨어난 이브는 신랑인 아담에게 꿈에 있었던 일을 말해준다. 그녀가 꿈결에 갑자기 당도한 곳이 금단의 지식의 나무가 있는 곳이었던 것 같더라는 것이다. 이 나무와 열매의 아름다움이 강조된다. "아름답더이다. /내 보기엔 낮에보다 훨씬 아름답더이다."라면서 다음과 같이 이브의 말은 계속된다.

> … 놀라 바라보고 있노라니 그 곁에는 /우리가 자주 하늘에서 온 듯한 분, /그런 모습에 날개 달고 그 이슬 어린 머리채는 /향기 스며있더이다. 그도 그 나무를 보면서 말하기를, /'아, 아름다운 나무로군, 열매 풍성하구나. 이 열매 따서 /향기로운 단맛을 보는 자가 신에도 인간에도 없구나. /그토록 지혜를 싫어하나. /혹은 선망인가, 사양인가, 이걸 먹지 않음은. /누가 금하든 주는 이득을 이젠 /아무도 막지 못하리라, 아니면 왜 여기에 /놓였겠는가.' 이렇게 말하고서 주저 없이 대담하게 /모험의 손 내밀어 따서 맛보더이다. 이런 대담한 /행동으로 뒷받침된 대담한 말을 듣고서 나는 /무서워 떨었나이다. 그러나 그는 기뻐서 말하길, /'성스러운 열매여, 이렇게 따서 먹으니 네가 지닌 단맛, 더욱 … /감미롭구나. 신에게만 알맞은 것이기에 /금지됐을 것이나, 인간을 신으로 만들 수도 있다. /인간을 신으로, 나쁠 게 뭐냐?' (196-197)

이것은 사탄이 이브의 꿈속으로 들어와서 꾸민 것이다. 이브의 꿈 이야기를 들은 아담은 사탄의 유혹대로 해야 할 필요가 없다고 말한다. 그녀가 꿈꾸기조차 싫어하던 일을 깨어나서 그대로 할 필요는 없으니 실망치 말며, 얼굴빛을 흐리지 말라고 하면서 생명의 일터인 숲과 샘이 있는 곳으로 가자고 권한다. 전원의 일터는 줄지어 선 과일나무가 무성하고 덩굴이 손을 내밀고 있어서 아담은 이브를 위해 이 덩굴을 느릅나무와 짝짓는다. 이때 이브는 두 팔로 느릅나무를 휘감고 포도송이를 가져와서 느릅나무를 나뭇잎들로 장식한다. 여전히 나무와 과일과 숲은 이러한 장면에서도 두 남녀에게 마음의 평화와 행복을 위해 사용되는 영혼의 필수적인 양식과 같다.

> "자, 우리 일어나 상쾌한 일터로 나가자, /숲과 샘과 꽃들이 이 밤 동안 마련해서 /그대 위하여 간직한 그 훌륭한 비장(秘藏)의 /향기를 지금 뿜고 있는 그곳으로." (199) 그리하여 그들은 아침 전원의 일터로 나간다. 감미로운 이슬과 화초 사이로 걸어갈 때 "거기에는 너무 무성한 /줄지어 선 과일나무가, 그 여분의 가지를 /멀리 내밀고 있어 열매 안 맺는 덩굴을 /제지할 손을 내밀고 있어, 열매 안 맺는 덩굴을 느릅나무에 짝지어주니 그녀는 짝을 얻어 /사랑의 두 팔로 그를 휘감고, 혼수로서 /포도송이 갖고 가서 그의 쓸쓸한 잎들을 /장식한다." (203)

이때, 아담을 찾아와 주의하라고 한 바 있었던 라파엘 천사는 하늘을 날면서 다른 빛나는 천체와 다름없는 지구와 온통 삼나무로 덮인 동산을 바라본다(205). 라파엘 천사는 들판에서 일하고 있는 아담과 이브에게로 가까이 다가간다.

> 몰약의 숲과 육계(肉桂, 계수나무), 감송(甘松)의 향유 등 /향기 높은 화수(花樹)와 /방향의 황야를 지나 축복의 들판에 /들어선다. 여기에서 자연은 청춘이 무르익듯 /한창 무성하고, 그 처녀다운 공상을 /마음껏 구사하여, 법이나 재간이 못 미칠 만큼 /거칠게, 한층 향기로운 엄청난 축복을 쏟아낸다. (207)

천사 라파엘이 향기로운 숲을 지나 걸어올 때, 아담은 서늘한 정자의 문간에 앉아 있다가 그를 알아본다. 아담의 정자는 몰약, 육계, 감송, 향기를 풍기는 화수와 같은 각종 나무와 열매로 꾸며져 있고 아름다운 숲은 신성한 생명력으로 충만해 있다. 이러한 공간과 사물에는 하나님의 손길이 닿아 있고 신의 축복이 임재하고 있음을 암시받을 수 있다.

아담과 이브는 들판에 나가서 일할 때 하나님께서 베푸신 자연의 풍요를 기뻐하고 찬양한다. 자연의 성장(聖裝)을 기뻐하는 신랑인 아담에게 신부인 이브도 마찬가지로 대답한다. 하나님께서 아낌없이 누리도록 허용하는 자연의 부요함을 이브가 아담에게 찬양하는 구절을 조금만 발췌해보면 나뭇가지와 풀과 숲에서 신비로운 생명력을 느낄 수 있다.

> 아담, /하나님의 영 받은 /대지의 성스러운 인간이여, 많은 것이 사철 /가지 위에 매달려 익어서 먹도록 되어있으니 /저장을 안 해도 족하리다. 다만 알뜰히 저장하면 /더욱 굳어 양분되고, 여분의 /습기가 사라지는 것들 외엔. /하지만 서둘러 하나하나 가지에서, 풀숲에서, /나무에서, 즙 많은 과류에서, /가장 좋은 걸 따서 /보객(寶客) 천사를 환대하리다, 그분이 보고서 /이곳 지상에도 천국처럼 /하나님께서 자비 베푸신 것이라고 말하도록. (208)

그러면서 이브는 천사 손님인 라파엘을 접대할 생각에 골몰하고 서두른다. 이때 땅에는 장미와 관목의 향기가 저절로 풍긴다. 아담과 이브는 성스러운 손님 라파엘 천사를 맞이하러 걸어나간다. 둘은 천사 라파엘을 환대하면서 숲의 거처인 정자의 그늘로 인도한다.

> … 그래서 숲의 거처로 /그들은 간다, 포모나의 정자처럼 /미소를 짓고, 잔 꽃들 장식되고 향기 진동하는 그 집으로. /그러나 제 몸 외엔 딴 장식 없어도 숲의 선녀인 이브는 이데 산에서 /알몸으로 경염(競艶)했다는 … /세 여신 중 가장 고운 여신보다 더 곱게 /일어서 하늘의 빈객을 환대한다. 환대받은 천사는 이브를 축복한다. '복이 있어라! 인류의 어머니여, /그 풍성한 태(胎)가 /그대의 아들로써 수없이 이 세계를 충만시키리라. /하나님의 나무들이

이런 각종 과일로써 /이 테이블에 /쌓아 올린 것보다 더 많이.' (210-211)

여기까지가 제5편에서 나무와 과일과 숲에 주목하면서 살펴본 것이다. 이처럼 구약성경의 『창세기』에 기록된 에덴동산을 밀턴이 창조적인 상상력으로 새롭게 형상화한 예술적 재능에 대해 독자는 감탄을 금하지 않을 수 없을 것이다. 밀턴의 계시적 영감이 스며든 시적 창조력은 강렬하고 신성한 생명력을 나무와 과일과 숲에다 불어넣었다. 그럼으로써 독자들의 마음에 영원히 잊지 못할 찬란한 풍경이 새겨지게 된다.

제6편에 들어오면 미카엘 천사는 아담과 이브의 거처인 '숲의 집'인 녹색정자를 방문하고 환대받는다. 이 천사는 하나님이 창조하신 에덴의 '지상낙원'의 생명나무에서 따온 열매의 향기와 즐거운 맛에 대해 자기가 거주하는 '천국낙원'의 생명나무와 비교하면서 찬양한다.

천국에서 생명의 나무들은 향기로운 /열매 맺고, 포도나무에선 신주(神酒)가 나오지만, /아침마다 가지에서 꿀 같은 이슬을 털어 /진주 같은 낟알이 땅을 뒤덮고 있기는 하지만, /하나님은 여기에 새로운 기쁨으로써 /그 베푸심에 변화를 있게 하여 천국과 /비교하게 하셨느니라. (213)

제7편에서 라파엘 천사는 아담에게 에덴동산의 이처럼 아름다운 나무에 달린 열매 중에서 먹게 되면 선악을 아는 지식의 나무 열매에 대해서 하나님이 금지했다는 경고의 메시지를 상기시킨다. 천사는 아담의 요청으로 하나님의 지구 창조에 관한 6일간의 이야기를 전달한다.

여러 가지 종류의 것 여기 죄다 있다. 그러나 /먹으면 선악을 알게 되는 나무의 열매는 /먹지 말라. 먹는 날 곧 그대는 죽는다. /죽음은 그것 때문에

> 부과되는 형벌이다, 조심하여 /그대의 식욕을 억제하라, 그렇지 않으면, /'죄'와 그 검은 시종인 '죽음'의 습격을 받으리라. (298)

제8편에서 아담은 자기라는 인간존재가 어디서 왔으며, 어떻게 창조되었는지, 이곳 지상낙원에 어떻게 놓여있게 되었는지에 대해 자신이 눈을 뜨고 깨어났을 당시의 신비스러운 시초를 상기하면서 라파엘 천사에게 이야기한다. "인간 생활의 시초를 얘기하는 것이 인간으로선 /어렵나이다. 누가 자신의 시초를 알겠소이까?"(314). 아담은 자기가 화초 위에 스며있는 향기로운 이슬에 젖어 조용히 놓여있었다고 밝힌다. 그리고 자기 주위에는 산, 골짜기, 그늘진 숲, 해 비치는 들판, 졸졸 맑게 흐르는 시냇물을 보았으며, 그 곁에 살아 움직이는 것들이 걷거나, 날고 있었으며, 그 후에 깊은 잠결 속에서 숲이 우거진 산을 넘어서, 좋은 나무로 둘러싸여 있고, 정자가 있으며, 나무마다 훌륭한 열매가 듬뿍 달린 신비한 축복의 에덴동산으로 인도되었다고 말한다. 그렇게 하여 하나님은 그를 최초의 인간으로, 인간 최초의 아버지로 만드셨다는 것이다.

> 나뭇가지 위에선 새들이 지저귀고, /만물은 미소 지었나이다. /내 가슴에는 향기와 즐거움이 넘쳐흘렀나이다. (315) … 들을 넘고, 물을 건너, 드디어 숲 우거진 /산으로 인도하더이다. 그 높은 꼭대기는 /평평하고, 주위가 넓고, 좋은 나무들로 /둘러싸여 있고, 길 있고, 정자 있어, 전에 /땅에서 본 것 모두 시시하게 생각되더이다. (316)

아담은 라파엘 천사에게 이야기하기를, 나무마다 훌륭한 열매가 듬뿍 매달려 그의 눈을 유혹하였으며, 따서 먹고 싶은 욕망이 갑자기 일어났다고 잠결의 꿈속에서 깨어난 듯이 정신이 황홀해 있는 그에게 그곳 낙원에까지 그를 인도했던 '성스러운 존재'이신 창조주 하나님이 나무들 사이에 나타나서 말씀하셨다고, 그래서 그는 기쁨과 두려운 마음으로 우러르며 하나님의 발 앞에 쓰러졌는데 그때 거룩한 하나님은 그를 일으켜 세우시고 '나는 네가 찾는 자'라고 상냥하게 말씀하시면서 각종 나무의 모든 열매는 마음껏 먹어도 좋으나 선악을 아는 지식나무의 열매는 먹지 말라고 명령하셨다고 말한다. 만약 그것을 맛보는 날에는 죽게 될 것이며, 축복을 받는 낙원에서 쫓겨날 것이라고 아담은 라파엘 천사에게 밝힌다. 그처럼 하나님은 단호하고 준엄한 금지령을 선언하셨다는 것이다.

> … 위로, 주위로, 밑으로 /네가 보고 있는 이 모든 것을 만든 자이다. /이 낙원을 네게 준다. 너는 이것을 /네 것으로 하여 갈고, 지키고, 과일을 먹으라. /낙원에 자라는 모든 나무에서 기쁜 마음으로 /마음껏 먹으라. 여기에서는 부족을 염려 말라. /그러나 선악의 지식을 가져다주는 /나무, 너의 순종과 믿음으로 /맹세컨대 동산 한가운데 생명의 나무 곁에 /내가 심은 나무에 대하여– /내 경고를 잊지 말라–맛보는 것은 피할지어다, /그리하여 그 쓴 결과를 피하라. 알라, /네가 그것을 맛보는 날, 그대는 나의 유일한 명령을 /범하는 것이니, 너는 반드시 죽게 될 것이고, /그날부터 죽음의 몸, 그리고 여기에서 /괴로움과 슬픔의 세계로 쫓겨나서 /이 행복을 잃으리라. (317)

그리고 아담은 라파엘 천사에게 신부인 이브를 하나님께서 자기의 갈비뼈 하나를 떼어내어 만드셔서 고독함을 달래도록 동반자로 살아가게 하셨다고 말한다. 지극한 청순함과 강렬한 아름다움을 지닌 그녀를 신부로서 숲속의 정자로 맞이하였다고 밝힌다. 여기서 나무와 숲은 속삭임과 향기를 품어내는 축복의 존재들로 그려진다.

아침처럼 얼굴 붉히는 그녀를 … /나는 혼인의 정자에 인도하였나이다. 온 하늘과 /복된 여러 성좌들은 그 시간에 가장 /신묘한 정기를 발산하고 땅도 산도 /축하의 표시를 나타냈고. 새도 기뻐하고 /상쾌한 바람, 잔잔한 대기는 /숲에 속삭이고, 그 날개에 장미를 /던지며, 향기로운 관목에서 방향(芳香)을 던져 /즐겨 장난치니 드디어 다정한 밤의 새는 /혼례를 노래하고 초저녁별 재촉하여 /산마루에 혼인의 화촉을 밝히게 하였나이다. (324-325)

아담은 눈앞에 보이는 자연의 모든 피조물을 황홀하게 바라보고 만져보았다. 하지만 신부인 이브에 대해서는 마음이 견딜 수 없을 만큼 약해져서 열렬하고 이상한 자극과 정욕과 쾌락을 느꼈다고 말한다. (325)

지금까지 만유의 창조주이신 하나님과 그리고 천국에서 지구의 낙원에 내려온 하나님의 사자들, 즉 하나님의 천사들이 여러 차례에 걸쳐 아담과 이브에게 에덴낙원에 있는 금단의 지혜(또는 지식)나무의 열매를 따 먹으면 안 된다는 경고의 메시지를 전해주었다는 사실을 살펴보았다. 태초에 하나님이 인간의 원조를 위해 창조하신 에덴낙원에는 숲과 나무와 과일이 참으로 신의 영광으로 빛나는 자연풍경을 이루었다는 사실을 확인할 수 있었다. 그럼에도 불구하고 제9편에 이르면 이브는 사탄의 유혹에 넘어가 금단의 열매를 따 먹고 만다. 아담도 역시 이브가 먹으라고 권유하는 황금색으로 아름답게 빛나는 먹음직스러운 사과나무(지혜/지식나무)의 열매를 먹어버린다. 아담은 이브가 권유하는 말을 들었던 처음에는 대경실색하고 망설였지만 결국은 먹어버린 것이다. 제9편의 개요는 사탄이 광활한 우주공간의 한 모퉁이에 위치한 지옥계로부터 나와서 하나님이 창조한 행성인 지구와 지구의 에덴동산으로 어떻게 들어왔으며 이브에게 어떻게 접근하여 금단의 나무 열매를 먹게 하는 데 성공했는지, 그녀는 사탄의 속임수에 어떻게 넘어갔으며, 아담은 어떻게 금단의 열매를 먹게 되었는지에 관한 이야기이다.

사탄은 자고 있는 뱀의 몸에 들어가서 뱀이 되어 아담과 이브가 서로 제각각 떨어져 일하고 있는 것을 알고는 이브에게 접근한다. 사탄은 이브에게 교묘하게 아첨하는 말을 걸고, 사탄 자신도 그 열매를 먹고 나서 멋진 이해력을 얻었다고 속인다. 선악을 아는 지식나무 열매가 지닌 색채, 향기, 맛 등에 대한 여러 가지 장점을 사탄은 이브에게 다음과 같이 묘사한다.

… 마침내 어느 날 들판을 쏘다니다 우연히 나는 /멀리 떨어져 있는 한 좋은 나무에 붉은색, 금색, /색색이 아주 고운 과일 열려있는 걸 /보았나이다. /한 걸음 다가가서 보았더이다. /그때 가지에서 풍기는 풍미로운 향기, /식욕을 돋우고, 감각에 즐겁기가 /가장 달콤한 회향(懷香) 향기보다, 또는 놀이에 /빠진 어린양 새끼가 젖을 빨지 않아 저녁때 /암양이나 염소의 유방에 흐르는 젖보다 더하더이다. /나는 이 아름다운 사과를 맛보고 싶은 나의 /간절한 식욕을 채우기에 주저하지 않을 것을 /결심했더이다. 강력한 설복자로서, 배고픔과 /목마름이 동시에 그 매혹적인 과일의 /향기에 자극받아 매섭게 닥쳐왔었나이다. /곧 이끼 낀 나무줄기에 나는 감겼나이다! /지상에서 높이 뻗은 나뭇가지를 그대나 아담도 /손을 뻗쳐야 닿을 정도였기에. 나무주위에서 /온갖 짐승이 그걸 보고, 같은 욕망에 /동경하고 선망하며 섰었지만, 닿을 수 없었나이다. /이리하여 나뭇가지에 이르니 많은 과일이 매달려서 /눈앞에서 유혹하기에 주저 없이 마음껏 /따서 먹었나이다, 그때까지 그러한 쾌락을 /풀밭이나 샘가에서 맛보지 못하였지요. (358)

이렇게 달콤한 속임수를 쓰는 강력한 유혹자인 사탄(뱀)의 말을 듣고 이브는 하나님의 명령과 율법을 언급하면서 처음에는 거절한다. 그러자 뱀은 이브의 말에 대해 반박하면서 교활하게 말한다. “과연 그러면 이 낙원의 모든 나무의 열매를 먹지 말라고 하나님은 말씀하시더이까, 땅과 하늘에서 만물의 주인이라고 부르면서?" 이러한 말에 대해 이브는 말한다. "'하나님은 낙원에 있는 모든 나무의 모든 열매를 먹어도 좋으나, 낙원 한복판에 있는 이 고운 나무의 열매에 대해, 너희들은 이것을 먹지 말라, 손대지도 말라, 아니면 죽으리라'라고 말씀하셨다고요"(361). 그러나 사탄은 마침내 이브에게 금단의 열매를 따서 먹도록 하는 일에 성공한다. 이브는 강력한 설복자인 사탄이 유혹하므로 그리고 이브 자신의 배고픔과 목마름이 동시에 있었기 때문에 그 매혹적인 금단의 과일에서 나오는 향기에 자극을 받아 마음껏 따서 먹는다.

> 그녀는 이 죄악의 시간에 /그 경솔한 손을 뻗쳐 그 과일을 따 먹는다. /대지는 상처를 느끼고, 자연은 그 자리에서 /만물을 통하여 탄식하며, 모든 것을 상실했다는 /비통의 표시를 나타낸다. 죄악의 뱀은 /숲으로 살며시 돌아간다. (366) … 이런 쾌락을 /실제에서나, 과일에서 일찍이 맛본 것 /같지 않았다. 더욱이 신성을 얻는 듯한 /생각까지 들었다. (366)

이브는 지식나무 열매를 맛본 후에 그녀가 먹은 행동이 스스로 지당하다고 여겨졌다. 당장은 열매의 달콤한 맛에만 정신이 쏠려서 다른 어떤 것에도 주목되지 않기 때문이다. 이처럼 이브는 뱀의 계략에 넘어가고 말았다. 그녀가 따서 먹은 지식나무에 달린 과일들의 맛에 대해 그녀가 미각을 표현하는 언술들은 마약을 먹은 것과 같지만 거기에는 죽음이 은밀하게 숨어있는 것이다. 이러한 지경에 이르자 이브는 나무의 가지에서 유혹적인 좋은 과일을 아낌없이 따서 신랑인 아담에게 건네준다. 이때 아담은 망설이지 않고 먹는다. 자신이 알고 있는 하나님과의 언약을 망각하지는 않았지만 어리석게도 이브의 여성적인 행동의 매력에 이끌려 그렇게 범행한 것이다.

## 언약 배반의 비극적 결말

아담과 이브가 하나님의 언약을 배반한 비극을 밀턴은 "대지는 다시 고통하는 듯이 내장으로부터 /진동하고, '자연'도 다시 한번 신음한다. /하늘은 찌푸리고, 뇌성은 중얼거리며, 비애의 /물방울로써 이 치명적 원죄가 저질러졌음을 /슬퍼한다"(374)라고 읊는다. 그러나 아담은 아무 생각 없이 배불리 먹으며, 이브도 배불리 먹은 아담을 위로하고자 앞서 범한 자기의 죄를 되풀이하면서 과일을 계속 따서 먹지만 두려움이 없다. 이제 두 사람은 새 술에 취한 듯이 환락에 젖어보니 심중에 깃들인 신성 속에서 날개가 생겨 대지를 박차고 날 것만 같았다. 그러나 놀랍게도 금단의 열매를 먹은 이때부터 두 사람에게는 이전과는 다른 마음의 변화가 발생한다. 그런 과일들은 아주 딴 작용을 나타내며 육체의 욕정을 불러일으킨다. 아담은 음란한 시선을 이브에게 던지기 시작했고, 그녀도 또한 음탕하게 보답하여 함께 음욕에 불탄다. 이제 아담은 이브를 육체의 희롱으로 이끈다. "이브여, 이젠 알겠다, 그대의 미각이 /정확하고 훌륭하고 지혜도 적지 않음을." "지금까지 음식을 먹고서도 /참맛을 몰랐다. 만일 이런 쾌락이 /금지된 것에 들어있다면, 이 한 나무 말고 /열 나무라도 금지되었으면 좋겠다." "자 충분히 기운 났으면 이젠 놀자, /이런 맛 좋은 식사 후에 어울리게"(375). 이렇게 말한 후 거리낌 없이 음탕한 생각으로 추파를 보내며, 아담이 희롱할 때 이브도 이것을 잘 알아차리고 눈에서 정욕의 불을 쏟는다. 아담은 그녀의 손을 잡고 머리 위에 푸른 지붕처럼 덮여 있는 그늘진 침상으로 이끈다. 이때 이브는 싫어하는 기색이 없고 마음 내키는 대로 이끌린다. 침대는 갖가지의 꽃들로 장식되어있다. 팬지꽃, 오랑캐꽃, 수선화, 히아신스 등으로 아름답게 장식된 침대다. 청량하고 신선한 침대에서 그들은 사랑의 장난에 마음껏 도취한다. 그러나 그것은 두 사람의 "죄의 봉인"이며 "죄의 위안"으로 느껴진다. 그들은 마치 불안에서 깨어난 것처럼 일어나 서로 마주 쳐다본다. 이때 그들은 변화된 마음의 상태를 즉시 안다. 하지만 이전의 마음의 상태로 돌아갈 수가 없다.

> 그들의 눈은 열렸으나 마음은 /어두워졌음을. 베일처럼 그들을 /덮어 악을 모르게 하던 순진은 사려졌다. /올바른 신뢰, 타고난 정의, /영예는 그들에게서 떠나, 알몸인 채로 죄의식의 /'부끄러움'에 머무를 뿐이다. 부끄러워 몸을 가리지만, … /옷은 그것을 도리어 드러낸다. (376-377)

이제부터 두 사람의 마음에는 이전에 축복을 선사하던 숲이 이전의 역할과는 달라져 버렸다. 이전에는 환희와 기쁨의 마음으로 하나님이나 천사들의 얼굴을 그렇게 자주 볼 수 있었지만 이제는 그들을 볼 수가 없을 것 같이 느껴진다.

> 아, 어두운 /숲속 빈터, 별도 햇빛도 뚫고 들어올 수도 없이 /지극히 높은 숲이 저녁처럼 어둡게 /넓은 그늘을 펼치는 그곳에 호젓이 /야인으로 살았으면. 나를 덮어라, /소나무여! 삼나무여! 무수한 가지로써 /나를 가려라, 다시는 그들이 안 보일 곳에! (378)

그래서 아담과 이브는 빽빽한 숲속으로 몸을 숨기고 싶어서 거기로 들어간다. 그들이 숲속에서 재빨리 고른 것은 무화과나무들인데, 그러나 지금은 이상하게도 맛있고 향기로운 과일이었던 이전의 나무들이 아니다. 두 사람은 방패만큼 넓은 무화과나무들의 잎을 따서 엮어 허리에 두른다. 하지만 죄의 침투로 인하여 허무하게 느껴지고 이전의 첫 알몸의 영광과는 다르게 느껴진다. "허무한 덮개다. 그들의 죄와 무서운 수치를 가리기엔–아, 최초의 알몸의 영광과는 비슷하지도 않구나!"(379). 여기까지가 제9편의 내용인데 뒤이어서 제10편에 들어서면 성공을 거둔 사탄이 그의 복마전이 있는 지옥으로 돌아가고 그의 아들인 '죄'와 딸인 '죽음'이 지구의 에덴동산으로 들어와서 아담과 이브에게로 잠입한다. 이제부터 밀턴은 인간의 '죄'와 '죽음'을 의인화하고 이런 심각한 주제를 존재의 변화라는 심리학적인 관점에서 다룬다. 작가가 도입한 의인화는 매우 효과적인 문학적 장치라고 할 것이다. 이제부터 아담은 자신의 타락 상태를 점점 더 깊이 인식하게 되고 몹시 슬퍼한다. 이브가 위로하지만 그는 거절한다. 이때 하나님은 아담과 이브에게 앞으로 성자인 구세주를 보낼 계획을 알려주면서 그들이 회개와 기도로써 하나님의 평화를 간구하도록 말씀을 내리시며 조언한다.

제11편에서는 에덴동산이 가혹한 죽음으로 느껴지는 여러 대목이 등장한다. 아담과 이브는 하나님의 언약과 명령이 진리였음을 깨닫고 탄식하지만 아무런 소용이 없게 된 상황임을 절감한다. 하나님의 언약 말씀을 불순종함으로써 그들의 육체와 영혼은 모두 다 죄로 타격을 입었으며, 눈앞에 보이는 모든 자연은 온통 죄로 물들어버린 것 같다. 하나님이 말씀하신 그대로 죽음의 맛을 보는 것이다. 죄를 범하여 타락한 그들은 하나님의 약속대로 거룩한 숲낙원에서 살 수가 없고 지구의 다른 장소로 떠나야만 한다. 그들에게 지금까지 하나님께서 베푸셨던 은총과 축복의 보고(寶庫)였던 에덴동산은 '잃어버린 낙원'(lost paradise)일 뿐이다. 타락해버린 낙원에 대해 느끼는 두 사람의 심리와 감각에 대한 작가의 문학적 묘사력은 참으로 놀랍다.

> … '아, 의외의 타격, 죽음보다 가혹한! /낙원이여, 나는 너를 떠나야만 하느냐? 이리하여 /너 고향을 떠나야만 하느냐, 이 행복한 길과 그늘을, … /신들의 적합한 거처를, 여기에서 슬프지만, /조용히, 우리 두 사람은 죽어야 하는 날까지 /유예 기간을 보내고자 했는데, 아, 꽃들이여, /다른 풍토에선 결코 자라날 수도 없는, /나의 이른 아침, 늦은 저녁 찾아다니던 /것을, 처음

봉오리 맺을 때부터 부드러운 /손으로 키우고, 이름 지어 불렀던 것을, /이제 누가 너를 돌봐 햇빛 받게 하고 종류를 /정리하고, 향기로운 샘에서 물을 주랴? /끝으로 너 결혼의 정자(亭子)여, 보기에 /곱고 향기 좋은 것으로써 내가 장식해주었던 /너와 어찌 헤어져 아래 세계에 내려가 /그 어둡고 거친 속 어디를 방황한단 말이냐? /어찌 불사의 과일에 익숙한 우리들이 /불순한 다른 공기를 마시랴? (443-444)

위에서 아담은 타락 이전에 하나님의 은혜로 영광이 입혀졌던 동산의 나무와 과일과 숲을 회상한다. 하지만 이제 두 사람은 에덴동산의 낙원을 떠나야 한다. 아담은 하나님이 에덴동산에 마련해주셨던 숲속의 길과 그늘과 거처, 숲속의 갖가지 아름다운 꽃과 과일을 누릴 수 없음을 한탄한다. 숲속의 잠자리와 휴식처 역할을 했던 녹색의 아름다운 정자는 하나님이 그들을 위해 행복한 시간을 보내도록 마련해주셨던 축복의 거처였다. 그늘로 덮였고, 신성하고 향기로운 공기와 바람으로 감싸였던 숲속의 녹색 정자는 한량없는 안식과 평화를 무상으로 베풀었고, 은혜와 축복의 공간이었다. 아담은 녹색정자를 되돌아볼 때 그리움에 마음이 사무친다.

하나님의 아들(성자)은 뉘우치고 있는 아담과 이브의 기도를 하나님(성부)에게 상달하고 그들을 위해 중재한다. 하나님은 그것을 용납하시지만 더는 낙원에서 살도록 용납하지 않겠다고 선언한다. 그리고 그들을 추방한 후 미래에 일어날 일을 계시하기 위해 일단의 케룹 천사들을 거느린 미카엘 천사를 에덴동산에 파견한다. 미카엘 천사는 아담에게 그들의 퇴거를 선언한다. 이브는 비탄해 하고, 아담은 미카엘 천사에게 애원하지만 소용없게 되자 복종한다. 그는 장차 에덴낙원을 떠나서 정착하게 될 지구 위의 다른 장소에 제단을 쌓고 "향기로운 수액(樹液)과 과일과 꽃을 바치는"(466) 경배의 제사를 드리겠다고 하나님께 맹세하며 미카엘 천사에게 말한다.

가장 괴로운 것은-여기에서 떠나면, /거룩한 얼굴에서 가리어질 것이니, 축복의 /그 얼굴을 못 뵙는 것. 여기에 내가 자주 와서 /그분께서 거룩한 출현을 베푸신 장소마다 /예배를 드리며 후손들에게 말할 수 있었으면- /'이 산에 그분은 나타나셨다, 이 나무 밑에 /보이게 서셨고, 이 소나무 사이에서 성스러운 음성이 /들려 나왔으며, 여기 이 샘가에서 말씀을 주고받았다.' (445)

그리고 아담은 미카엘 천사에게 "노하신 그분께서 달아났으나 다시 /부름을 받아 생명이 연장되고 약속의 백성이 되었으니 /지금 나는 기꺼이 그 영광의 옷자락 끝이라도 /뵈옵고 멀리 그 발자국을 경배하나이다"(446)라고 말한다. 그러자 미카엘은 아담을 높은 산으로 데리고 올라가서 '대홍수' 때까지 그들과 그들의 후손들에게 일어날 일들을 환상으로 보여준다. 작가는 이런 환상을 통해 보게 되는 사건들에다 긴 지면을 할애하여 묘사한다. 『실낙원』의 마지막 제12편에서는 미카엘 천사가 에덴동산의 높은 언덕에서 머뭇거리는 아담과 이브를 두 손으로 잡고 동쪽 문으로 이끌어, 빠르게 벼랑을 내려가 아래쪽에 있는 들판에 들어서게 한 후에 사라진다. 아담과 이브가 고개를 돌려 낙원의 동쪽을 바라볼 때 행복했던 그들의 에덴동산 위로 화염의 칼이 휘둘리고, 성문에는 무서운 얼굴과 불붙는 무기들이 가득하다. 그들이 에덴동산으로 되돌아와서 죽음이 없는 '생명나무'의 열매를 따 먹지 못하도록 낙원을 지키기 위한 하나님의 조치인 것이다. 낙원의 중앙에 있는 그 '생명나무'를 먹으면 다시 영생하기 때문이다. 아담과 이브는 눈물이 저절로 흘렀으나 즉시 얼굴을 씻고 서로 손을 잡고 무거운 발길로 에덴동산 밖으로 걸어간다. 그들 앞에는 막막한 대지가 누워있다(502).

## 나가며

이 작품에서 마지막 두 개의 장인 제11편과 제12편은 아담과 이브가 비록 에덴동산의 낙원에서 추방되었지만 장차 다시 회복될 수 있는 그들의 소망을 표현하고 있다. 이러한 미래의 비전으로 그들에게는 '창조적인 기억'(creative memory)이 남아있게 한다. 이를 위한 기억의 이미지들로는 건축적인 안식처에 해당하는 저택, 궁정, 정원과 같은 것들이 있다.[6] 이러한 구조물들은 죄로 인해 추방되기 전의 에덴동산에서 볼 수 있었던 형상들이다. 구약성경에는 이러한 성전의 구조에 대한 환상이 선지자인 모세나 제사장들에게 계시되었다. 이런 성전에는 하나님의 영, 곧 성령이 거주한다. 세상의 죄악에서 구별되는 거룩한 사람만이 성전의 집에서 하나님을 만날 수 있고 하나님과 동행하며 살아갈 수 있다. 성전의 구조물에 대해 사용되는 헬라어(고대 그리스어)의 '오이코스'라는 용어는 이와 같은 가족들이 함께 살아가는 처소인 집을 뜻한다. 이와 관련하여 앞에서 살펴보았던 에덴동산의 풍경들 가운데서 이러한 건축적 구조물의 이미지를 찾는다면 아담과 이브가 휴식처 혹은 거처로 사용했던 성스러운 숲은 물론이고 '숲의 집'인 정자를 들 수 있다. 그런데 이 정자라는 건축적 구조물에는 아름답고 신성한 꽃과 나무와 과일이 즐비하며 이들은 구조물을 아름답게 장식하는 재료이다. 이러한 자연물에는 신의 영광이 임재하고 신의 축복이 깃들어있다. 이와 같은 관점으로 앞에서 언급했던 여러 관목을 이해할 수 있다. 묘사된 삼나무, 소나무, 향나무, 월계수, 종려, 장미, 무화과나무, 계수나무, 사과나무 등과 같은 여러 종류의 나무와 이들로 구성된 녹색의 숲은 지복적인 유토피아를 이루기 위해 신성한 힘이 배어있으며, 하나님에 의해 신격이 부여되어있다고 할 수 있다.

6 이에 대해서는 Kim, Hae Yeon, "Creative Memory in Book 11 and 12 of *Paradise Lost*", 『새한영어영문학』 제57권 1호(2015), pp.109-131 참조.

아담과 이브에게 이제는 지구상의 어떤 곳과도 비교될 수 없었던 축복과 은총의 낙원인 에덴의 숲동산은 그저 추억 속에서 사모하는 한갓 꿈에 지나지 않으며 거기에서 누렸던 평화, 기쁨, 축복은 불가능하게 된다. 이처럼 아담과 이브는 추방된 자가 되어 척박한 들판에서 노동과 임신, 출산과 가족 부양이라는 고통스러운 삶을 살아가야 하지만 하나님은 고통받는 인간들을 긍휼히 여기셔서 앞으로 예수 그리스도를 지상에 보내실 것이며, 또다시 사랑과 자비를 베풀고 회개하는 인간을 구원하겠다는 제2의 약속을 예비하고 있다는 사실을 밀턴은 밝힌다.

1-2

# 근대 미국의 숲지대의 근원적 인간 욕망
# ―호손의 『주홍글씨』와 뉴잉글랜드의 숲

## 근대 미국의 청교도와 뉴잉글랜드 식민지

1600년대의 미국에서 뉴잉글랜드 개척지의 정착촌 사람들은 청교도 신앙의 영향으로 성서의 엄격한 율법을 지키며 세속적인 향락을 금지당하고 율법주의에 따라 금욕적 도덕적인 생활을 준수해야 하였고, 죄에 대해 지나치게 예민한 의식과 공포심을 가지고 살아가는 분위기가 지배했다. 그곳 개척지에 정착한 주민들과 외부세계로부터 새로 들어왔던 이주민들은 자유와 본능이 억눌린 채 살아가게 됨으로써 부자연스러울 만큼 근엄하고 냉혹하였다. 사회는 지나치게 율법적이며, 처벌적인 분위기가 압도함으로써 참된 사랑과 따뜻한 인간성, 부드러운 관용성은 거의 사라지고 매우 침울하였다.

영국의 식민지 시대의 북미 신대륙에 있는 뉴잉글랜드 지역의 청교도 정착촌 사회를 배경으로 전개되는 이 소설에서 여주인공인 헤스터 프린(Hester Prynne)은 젊은 목사인 아서 딤즈데일(Arthur Dimmesdale)과 간음한 죄로 고발되어 고을의 청교도 교단에 의해 종교재판을 받고 형벌에 처한 후 석방된다. 여주인공은 사생아로 태어난 갓난아이 펄(Pearl)을 양육하면서 사회적 멸시와 인고의 세월을 보내지만 인격적으로 연단되고 정신적으로 성숙한 단계로 발전한다. 뛰어난 삯바느질 솜씨로 생업을 꾸려가면서 얻는 수입으로 고을의 힘들게 살아가는 사람들을 위해 선행을 베풀면서 바닷가 숲속에 있는 작은 오두막집에서 외롭게 살아간다. 정부를 밝히라는 압력에도 끝까지 완강하게 거부하는 그녀는 신비로운 성격을 타고난 요정과 같은 어린 딸 펄과 함께 정부인 딤즈데일 목사와는 때때로 세상의 눈을 피해 숲속에서 만난다. 그들이 은밀하게 만나는 장소는 인근에 있는 숲속이다. 작품의 마지막에 가면 젊은 목사는 밀회하는 숲속에서 숲이 주는 신비한 힘과 생명력에 영향을 받고 자유분방한 감정 상태가 되어 자아의 변화를 일으킨다. 그가 산에서 고을로 돌아온 후의 어느 날 이제까지 숨겨둔 자신의 비밀을 고을 장터의 공회에서 자백하고 지금까지 억눌러왔던 정신적 고뇌로 인한 신경쇠약증이 발작하여 헤스터 프린의 가슴에 안긴 채 딸 펄의 손을 잡고 하나님께 용서를 구하면서 눈을 감고 서서히 숨을 거둔다. 그런데 작품의 진행에서 숲지대는 주인공들에게 핵심적인 영향력을 끼치며 스토리 전체에서 매우 중요한 역할을 한다.

당시에 신대륙의 개척식민지였던 뉴잉글랜드 지역의 청교도 사회에서 간음한 여인으로 낙인이 찍혀 살아간다는 것은 살았으나 죽은 것과 같은 삶이었다. 유럽의 가톨릭 종교개혁에 따라 생겨난 여러 교파 중에서 청교도는 육체적인 금욕생활과 영적인 성결을 철저히 강조하는 캘빈주의에 속한다. 캘빈파는 도덕적, 종교적인 엄숙성과 경건성에 있어서 다른 어떤 종파보다 철저하였다. 청교도들은 표면적으로는 하나님의 신성한 율법의 준수를 부르짖었지만 진작 신이 허락한 인간의 신성한 자유와 인권은 경시했으며, 율법적 검열과 종교재판적 처벌을 감당하면서 내적으로는 고뇌스러운 삶을 모순적으로 살아갔다. 인간의 원초적인 본능을 억압당하고 천부적인 자유와 인권이 침해됨으로써 청교도 사회는 매우 침울했다. 이와 같은 청교도 사회에서 헤스터 프린은 가슴에 간음했다는 표시로서 '간음'(Adultery)의 첫 글자를 새긴 주홍글자 'A'를 가슴에 달고 다녀야 했다. 그녀에게는 사생아인 어린 딸 펄(Pearl, 진주)이 있으며 펄과 함께 바닷가의 외롭고 한적한 숲으로 둘러싸인 외딴집에 거주하면서 인고의 생활을 하지만 정신적으로 성숙하고 신앙적으로 진화한다. 개척된 식민지의 도읍은 원시, 자연, 자유 등을 상징하는 숲지대와 대립구조를 이룬다.

여주인공 헤스터 프린은 눈과 머리카락이 깊고 검으며, 자유분방한 정열로 가득한데 이런 모습은 숲과 동질성을 지닌다. 헤스터 프린은 뉴잉글랜드의 청교도 사회에 이민자로 들어와서 교구의 젊은 목사 딤즈데일과 불륜의 사랑에 빠져 간음죄를 짓고 딸아이까지 출산한 것이다. 그녀의 상대인 딤즈데일은 고을의 모든 성직자와 일반인으로부터 존경받고 장래가 촉망되는 목사이지만 미모의 열정적인 여인 앞에서 그의 육체적 정욕에 굴복했다. 그녀는 본래 아름다운 외모를 지닌 여성으로서 열정적이고 개성이 강하며 자유분방한 성격이었지만 부모의 강권에 못 이겨 원하지 않는 결혼을 했다. 그녀의 전남편 칠링워스(Chillingworth)는 육체적으로나 정신적으로나 뒤틀린 사람이었으며 행복한 결혼생활을 하기에는 부적합한 인간성의 소유자였다. 남편의 성격과 육체는 그녀와 대조적이어서 내향성을 지닌 지적이고 탐구적인 학자인데 비정상적으로 한쪽 어깨가 기울어졌고, 그녀와는 나이 차이가 10년 이상이나 된다. 요컨대 그는 병적이고 왜곡된 학자, 지식인, 의사, 마술사 등과 같은 특성이 복합된 인간형이어서 마치 닥터 파우스트를 연상시킨다. 그가 지적 호기심을 보일 때는 병적인 강박증에 빠질 정도로 집요하며, 헤스터 프린이 이와 같은 남편과 부부생활을 유지하기는 불가능하였다. 마침내 그녀는 영국에서 가정을 뛰쳐나왔고 유랑하다가 뉴잉글랜드의 청교도

사회로 들어왔다. 새로운 희망을 안고 다른 사람들의 눈에 띄지 않게 이 지역사회에 들어와서 교구의 젊은 딤즈데일 목사와 사랑에 빠졌고 간음의 죄를 범한 결과로 청교도 사회의 법률에 따라 일종의 종교재판을 받고 투옥되었다가 형기를 마친 후 젖먹이 아기를 가슴에 안고 감방에서 풀려난다. 바로 이 장면으로부터 작품이 시작되지만, 이후에 그녀는 다른 사람들의 눈길이 닿지 않는 파도 소리만 들리는 외로운 해변의 분지에 있는 숲에 가려진 오두막집에서 딸 펄과 함께 살아간다. 그녀에게 숲은 피난처이고 안식처인 것이다.

그러나 그녀의 전남편 칠링워스는 그녀와 젊은 딤즈데일 목사에 대한 복수를 계획하고 은밀하고 집요하게 정탐하면서 목사의 영혼과 육체를 파괴해가며 괴롭힌다. 그러한 복수의 행위는 간음한 헤스터와 딤즈데일이 저지른 범죄보다 훨씬 더 사악하고 무서운 것이다. 인간은 누구나 죄를 지을 수밖에 없는, 도덕적으로 연약한 존재이지만 하나님은 회개하는 자에게 자비와 긍휼, 용서와 사랑을 베푸시는 분이다. 이와 같은 측면에서 헤스터의 전남편은 하나님 앞에서 용서받을 수 없고 비난받아 마땅한 죄인이다. 김종두는 작중인물들의 성격에 대한 논평에서 "헤스터와 딤즈데일이 칠링워스와 다른 점은 그들은 비록 죄인이지만 영혼의 신성함을 범하고 있지는 않다"고 말한다.[7] 헤스터가 비록 간음의 죄를 범한 죄인이기는 해도 내적인 회개를 통해 거룩한 여인으로 변화하면서 마을의 가난하고 힘들게 살아가는 수많은 사람에게 헌신적인 사랑을 바치는 인생을 살아감으로써, 그녀 가슴에 달고 다니는 주홍글자 'A'는 죄악의 수치심을 나타내는 상징이 아니라 'Angel'(천사)과 'Able'(유능한)을 뜻하는 새로운 상징으로 찬양받는 놀라운 변화가 일어난다. 이러한 변화가 일어날 수 있는 것은 하나님 앞에서 회개하고 새로운 삶

7 김종두, 「성서의 다윗 이야기와 호손의 주홍 글씨」, 『성서와 영문학의 만남』(서울: 동인, 2015), p.274.

을 살아가는 자에게 하나님이 베풀어주는 은혜인 것이다. 하나님은 심판과 복수 대신에 긍휼과 용서와 사랑을 베푸시는 위대한 분이라는 기독교 복음주의 신학을 작가 호손은 예시한다고 볼 수 있다. 그런데 여기서 잠시 생각해보면 헤스터가 이처럼 하나님의 은혜를 받으면서 정신적, 영적인 변화와 발전을 이뤄낼 수 있는 토대는 기술과 제도, 문명과 번영으로 활성화된 도시적 공간이 아니라 나무로 둘러싸인 해변의 작은 숲지대이다. 거기에 숨겨진 듯이 존재하는 외로운 오두막집에서 나무와 숲이 전해주는 내밀한 자연의 소리에 귀를 기울이며 살아간다. 그녀를 위한 삶의 공간이 숲인 점은 내포된 의미가 깊다.

### 숲과 작중인물들

신기하게도 헤스터의 전남편의 특성은 개척지 인근에 있는 어둡고 비밀스러운 숲과 긴밀한 연관성이 있다. 그는 영국에서 신대륙으로 들어와 우여곡절을 겪고 한때는 인디언들의 포로가 되어 그들과 함께 숲속에서 살다가 아내가 살고 있는 뉴잉글랜드의 보스턴과 살렘 지역으로 들어오게 되었다. 뛰어난 의술을 지닌 의사로서의 명망도 얻었지만 그는 신분을 숨긴 채 헤스터와 젊은 목사에게 뱀/사탄처럼 은밀하게 접근하여 그들을 파멸에 몰아넣기 위해 치밀하게 계획한다. 정탐자가 되어 젊은 목사에게 접근한 칠링워스는 목사와 친구가 되어 한집에서 살며 각자의 방을 사용한다. 운명의 장난처럼 두 남자는 나이 차이가 많음에도 친구가 되어 때로는 해변과 숲을 걷기도 하고, 때로는 숲속을 산책하면서 지적이고 철학적인 주제를 놓고 대화와 토론을 나누기도 한다. 여기서 숲은 사색의 무대가 되는 역할을 하고, 딤즈데일 목사와 칠링워스, 그리고 헤스터의 내적인 어둠과 우울, 은밀한 비밀과 연관되기도 한다. 칠링워스와 딤즈데일은 정신적이고 지적인 영역에서는 공통의 관심사를 가진 측면도 있으며, 서로 경계하면서도 필요한 지식과 도움을 주고받으면서 의지하는 아이러니한 상황에 놓여있다. 칠링워스는 아내와 젊은 목사 사이에서 일어났을 간통의 비밀을 어렴풋이 감지한 가운데 같은 집에 동거하는 목사의 비밀을 캐내는 데 의식과 정열을 집중한다. 이러한 과정에서 드러나는 칠링워스의 잔혹한 성격과 행위는 하나님으로부터 도저히 '용서받을 수 없는 죄'(unpardonable sin)를 저지르는 사탄과 같음을 보여주며, 하나님의 심판과 처벌을 받을 만하다. 그런데 어떤 면에서 인간의 마음은 수많은 나무로 채워진 비밀이 은폐되는 숲과 같다. 사건의 진행에 따라 숲은 점점 더 작품의 중심요소가 되는데 중심인물들 모두에게 영향을 미치기도 하고 그들의 심리에 대해 매우 중요한 상징적인 요소로서 기능한다. 숲은 악마, 사탄, 숨겨진 비밀 등과 연관되는가 하면, 반대로 안식과 해방과 자유의 공간이 되기도 한다.

헤스터와 젊은 목사가 어린 딸 펄과 함께 은밀하게 만나는 장소가 숲속이다. 숲속에 들어오면 문명사회와 청교도의 율법을 의식하지 않고 내면의 속마음을 털어놓고 대화할 수 있다. 수많은 나무로 보호되는 숲속은 간음의 죄로 인해 마음속 깊이 짓누르는 죄의 짐으로부터 풀려나서 심금을 터놓고 자유롭게 사랑을 고백하고 속마음을 가식 없이 표현할 수 있다. 숲속에 들어가면 문명세계의 허식적인 도덕, 인위적인 위선을 벗어버리고 자신의 참된 자아와 본래의 자연 상태로 돌아가게 된다. 아메리카 원주민인 인디언들에게 숲은 풍요와 축복, 사랑과 자비가 충만한 어머니와 같은 위대성을 지닌 공간이 된다. 하지만 이러한 창조적인 측면에도 불구하고 문명인으로서 살아가는 청교도들의 시각에서 보면 숲지대는 미개하고 야만적인 인디언들이 괴이한 풍습과 미신을 따르고 우상을 숭배하면서 살아가는 거주지로서 부정적인 가치와 연관된다. 그것이 아니라면 범죄를 저질러 문명사회로부터 추방된 사람들이 살아가는 특별한 지역으로 간주된다. 그런데 숲지대는 헤스터 프린과 딤즈데일에게는 그들이 사람들의 시선을 피해 남몰래 만날 때 자유와 안식을 제공하는 피난처가 된다. 그러면서도 자연환경이 다양한 변화를 특성으로 하듯이 그들은 숲으로부터 심리적 감정적 측면에서 다양한 영향을 받는다.

숲속에 들어간 두 연인은 순수한 사랑의 열정과 양심의 가책이라는 죄의식 사이에서 갈등하기도 하고 자유와 억압 사이를 왕래하기도 한다. 그들의 자아는 내면의 원초적인 순수한 사랑의 욕망과 어두운 악마적 욕망이라는 두 갈래의 흐름을 가로지르며 왕복운동을 한다. 숲속의 환경은 때로는 어둠이 깃들고, 때로는 어둠과 빛이 교차하기도 한다. 숲속에서는 뭇 생명체들이 알 수 없는 내적 비밀과 신비를 품고 있으며, 숲속의 나무들은 어둠의 그늘과 장막을 만들어 억압적인 문명사회로부터 입은 마음의 상처를 위로하고 심리적인 불안상태로부터 안전하게 보호해준다. 숲속은 흐르는 시냇물, 나무들 사이를 스쳐 가는 바람, 지면에 자욱하게 퍼지는 안개, 갖가지의 화초와 수목, 서식하는 동물 등이 조화를 이루는 생태계이다. 이러한 숲속 세계에 입문하면 사람의 자아에는 새로운 바람이 불고 창조적인 변화가 일어나며 신비와 풍요 속에서 마음껏 숨을 쉬며 자유로워질 수 있다. 숲속에서 인간의 자아는 자연생태계의 뭇 생명체들과 어울리면서 불가사의하고 초월적인 차원으로 한없이 빠져들 수 있다. 문명세계에서는 예측 불가능한 사건들이 발생할 수 있는 곳이 숲속 세계이다. 여기서는 인간에게 깊숙이 내재된 본능, 욕망, 무의식, 꿈 등과 같은 원초적인 힘이 활성화되기 때문이다.

이처럼 복합적인 잠재력을 지닌 숲이 점진적으로 작품의 중심적인 무대가 되고 중요한 기능을 한다는 사실을 고려하면서 사건의 전개에 따라 드러나는 숲과 작중인물들의 관계를 보다 더 자세히 살펴보자. 여주인공 헤스터는 감옥에서 끌려 나왔을 때 간음으로 인해 갓 태어난 딸아이를 가슴에 안고 대중 앞의 심판대에 세워지지만 기력이 죽기는커녕 당당한 기세를 보인다. 이 사건을 구경하러 모여든 대중들은 과연 어떤 일이 일어났는지를 호기심에 차서 이야기를 주고받는데, 여기서 숲, 인디언, 범죄자 등이 언급된다. "… 하릴없는 거지 신세의 인디언이 거리에서 백인들이 마시는 위스키를 마시고 주정했기 때문에 곤장을 맞고는 숲지대로 쫓겨나는 장면일 수도 있었다"(7). 숲지대는 문명사회의 규율과 청교도 율법을 어긴 인간들이 추방되는 황무지로 여겨진다. 하지만 이런 백인들의 견해와는 달리 인디언들에게 숲은 신성한 생명체들과 정령들이 살고 있으며 그들과 교감하고 대화를 나눌 수 있는 신성한 공간이다. 이와 같은 인디언들의 삶의 터전인 숲지대를 죄악과 연관시키고 마녀나 악마의 거주지로 상상하는 것은 잘못된 선입견일 뿐이다. 다른 남자와 간음한 아내인 헤스터를 칠링워스가 만났을 때 그녀를 비난하는 아래의 장면에는 그가 숲을 어떻게 부정적인 측면과 연관 짓는지 선명하게 나타난다.

> … 저 광막하고 침침한 숲을 나와서 이 청교도들의 식민지에 왔을 때, 가장 먼저 눈에 들어온 것이 사람들 앞에 치욕의 초상처럼 서 있는 당신, 헤스터 프린이라는 것쯤은 알았어야 했었소. 아니, 우리가 교회당의 층계를 신혼부부로서 내려오던 그 순간에, 벌써 우리들 인생의 마지막에 불타고 있을 주홍글자가 보였어야 했을 거요!" (36)

이와 같이 청교도 사회의 백인들에게 숲은 희망을 주는 곳이 아니라 "광막하고 침침한" 공간일 뿐이다. 칠링워스가 헤스터와 얘기를 나눈 후 헤어지면서 자신의 신분을 밝혀서는 안 된다며 자신의 이름이 칠링워스라는 이름으로 통한다고 말할 때, 헤스터는 다음과 같이 힐난하는 말을 한다. "당신은 우리 주변의 숲속에 출몰한다는 검은 악마와 같으신 분인가요? 당신은 나를 꾀어서 내 영혼을 멸망케 할 비밀 약속을 맺으신 건가요?"(40). 여기서 헤스터는 백인들이 일반적으로 지닌 파괴적인 공간으로서의 숲에 대한 견해를 따라 영혼을 멸망시키는 검은 악마가 출몰하는 거주지라고 말한다. 그러나 다른 장면들에서 보면 헤스터는 숲에 대해 부정적인 공간이 아니라 창조적인 공간으로 인식한다. 타고난 육체적인 열정과 자유분방한 개성을 지닌 헤스터가 그녀의 기질에 기인하여 간음의 죄악을 범하게 된 운명에 대해 호손은 숲을 다음과 같이 언급한다.

> 헤아릴 수 없이 깊고 어두운 숲으로 들어가는 길도 그녀 앞에 트여 있었으므로, 거기에 가면 그녀의 자유분방한 성품은 그곳 원주민들과 금방 친숙해져 … 자유롭게 살 수 있음에도 불구하고, 하필 자기를 수치의 전형처럼 생각하는 이 고장을 오직 자기의 고향이라 부르며 사는 것은 참으로 이상하게 보일지 모르나, 이 세상에는 숙명이라는 것이 있게 마련이고, 이것은 운명처럼 거역할 수도 피할 수도 없는 것이다. (42-43)

결국 헤스터에게 숲은 양가적인 의미의 공간으로 인식된다. "헤아릴 수 없이 깊고 어두운 숲"(43)으로 들어가면 그곳은 청교도 사회에서 겪는 율법적인 억압과 감시와 저주를 받지 않으며, 지은 죄로 인한 속박의 굴레에서 벗어나는 자유의 공간이다. 숲속에 들어가면 헤스터의 무의식적인 본성은 자연스럽게 발현되고, 그녀는 숲과 동화되어 자유인이 될 수 있다. 호손은 "그녀의 죄와 치욕은 그녀를 땅속에 깊이 뿌리박게 하였다. 그것은 … 당시의 순례자들이나 방랑자들마저도 과히 달갑잖게 생각하던 숲지대를, 황량하고 쓸쓸하지만 그래도 헤스터의 평생의 고향으로 만든 것과 마찬가지였다"(43)라고 말한다. 자유분방한 성격의 그녀에게 숲과 들판은 육체의 정욕과 사랑을 마음껏 쏟아낼 수 있는 자연스러운 자유의 공간이다. 호손은 다음과 같이 서술한다.

> 치명적인 일이 있었던 산야와 그 길이 있는 이곳에 그녀를 묶어 두는 또 다른 이유를 그녀는 알고 있을지도 모른다. 아니, 알고 있을지도 모른다는 정도가 아니라 확실히 알고 있을 것이다. 헤스터는 물론 이 감정을 자신에게도 숨겼고, 그 감정이 마치 뱀이 구멍에서 기어 나오듯이 자기 가슴에서 기어 나오려 하면 새파랗게 질리곤 했다. (43)

어느 날 헤스터가 벨링햄 지사의 집으로 호출되었을 때 원로급 목사들과 여러 사회지도자가 안방에 모여 있었고 딤즈데일 목사도 보였는데, 그들은 그녀의 딸인 펄을 교육적, 도덕적인 목적에서 엄마로부터 어떻게 격리할 것인가에 대해 엄숙한 격론을 벌이고 있었다. 헤스터는 이른바 격리 방안이 제안되었을 때 강력하게 저항하여 아이와는 떨어질 수 없다는 강경한 뜻을 관철한다. 그런데 그녀가 지사의 저택을 나섰을 때 지사와 함께 살아가는 지사의 누이동생인 히빈스 여사(Mistress Hibbins)가 그녀를 보고 그날 밤에 함께 "숲속으로 악마를 만나러 가자"는 제안을 한다. 히빈스는 몸에 마귀가 들어가 정신병을 앓고 있으며 나중에는 마녀재판을 받고 사형이 집행된 여인이다. 히빈스가 헤스터에게 던지는 말에서 알 수 있듯이 숲은 부정적인 이미지와 결부되는데 숲-마녀-악마-히빈스-헤스터는 동일한 계열에 속한다고 할 수 있다. 히빈스 여사의 이와 같은 괴기스러운 언행은 작품의 몇 장면을 통해 다시 등장하지만 그녀는 마치 헤스터의 어린 딸 펄이 '숲의 요정'처럼 괴이하게 말하고 행동하는 것과 부분적으로 닮아있다. 이런 신비스럽고 비현실적인 측면은 이 작품의 장르가 '로맨스'에 속한다는 점을 고려하여 이해해야 할 것이다. 다음의 인용문에서 작가는 히빈스가 헤스터에게 던지는 말로써 숲속이 어떻게 부정적인 메시지와 결부되는지를 보여준다.

> "이봐요, 헤스터." 하고 히빈스가 불렀다. 그 여자의 불길한 인상이 이 경쾌한 저택에 암울한 그늘을 던져주는 듯했다. "오늘 밤에 우리와 함께 가지 않겠소, 숲속에 즐거운 친구들이 모이기로 되어있는데? 예쁜 헤스터 프린도 한데 끼게 될 것이라고 악마에게 약속했는데." "못 가서 미안하다는 말이나 전해주세요." 의기양양한 미소를 지으며 헤스터가 대답했다. "난 집에 남아서 펄을 돌봐주어야 합니다. 그 사람들이 이 아기를 빼앗아 갔다면 기꺼이 당신과 함께 숲속에 들어가 악마의 장부에다 내 피로 서명을 하겠소만!" "멀지 않아 당신은 그곳으로 가게 될 걸?" 마녀는 눈살을 찌푸리고 창문 안으로 얼굴을 감추었다. (87-88)

다른 한편으로 한없이 자유분방하고 뜨거운 정열을 소유한 헤스터에게 숲은 사회적인 간섭과 감시와 억압으로부터 해방될 수 있는 도피처 역할을 한다. 이미 앞에서 잠깐 언급한 바 있듯이 헤스터가 재판을 받고 형기를 마친 후에 딸 펄과 함께 살아갈 거처를 마련한 장소는 바닷가의 숲으로 가려진 오두막집이었다. 그녀의 집은 숲으로 보호를 받았으며 고독하지만 자유가 보장되는 공간이다.

> 그 집은 숲이 우거진 산기슭 분지를 건너다보면 서쪽 바다가 훤히 내다보이는 해변에 자리를 잡고 있었다. 이 반도에 특유한 관목 숲이 있었다. 이 관목 숲은 사람들의 시선으로부터 이 집을 가려주고 있다기보다는 차라리 이 집이 그 수풀 뒤에 숨으려는 듯이, 또는 숨겨야 할 집이 여기 있다는 듯이 서 있었다. (44-45)

숲은 다양한 잠재력이 내재된 자연계의 신비한 영역이 되는데 작품의 문맥에 따라 긍정과 부정의 양가성을 나타내는 장면들이 교차한다. 작중인물들의 처한 상황에 따라 숲이 나타내는 기능은 그때마다 변화한다. 헤스터의 오두막집에 자라고 있는 나무들이 그녀의 마음에 전달해주는 효과를 묘사하는 대목에서 "검고 장엄한 노송(老松)이 바람에 흔들려 신음하거나 탄식하는 여러 가지 소리를 낼 때, 그 나무들은 그대로 청교도의 연장자들이 된다. … 마당에 돋아난 무성하게 자란 잡초도 마찬가지로 청교도들의 자식들로 여겨진다"(62). 나무와 숲은 그 기능이 다시 긍정에서 부정적인 이미지로 변화된 것이다. 펄은 이럴 때 엄마의 마음을 아는 듯이 그런 잡초들을 무자비하게 짓밟고 뽑아버린다. 이 아이는 '숲의 요정'과 같이 영특하고 신비로운 재능을 가졌다. 일찍부터 엄마와 젊은 목사, 그리고 칠링워스 사이의 은밀한 관계와 비밀을 훤히 꿰뚫고 있는 듯이 말하고 행동한다.

이와는 달리 칠링워스에게 숲은 건강과 치료를 위해 약초를 발견하고 수집할 수 있는 유용한 장소이기도 하다. 그는 때로는 숲속에서 젊은 딤즈데일 목사와 함께 오랫동안 산책도 하고 약초를 찾아다닌다. 그가 숲속을 산책할 때 나뭇가지 끝에서 들리는 바람 소리는 "엄숙한 찬송가"로 느껴진다.

> 이 두 사람은 연령 차이가 많았음에도 불구하고 차츰 많은 시간을 함께 보내게 되었다. 목사의 건강을 생각해서, 또한 의사가 약초를 수집할 수 있도록, 이 두 사람은 해안과 숲속을 오랫동안 산책했다. 때로는 파도가 속삭이며 부서지는 곳을, 때로는 나뭇가지 끝에서 바람이 엄숙한 찬송가를 부르는 곳을 그들은 여러 가지 얘기를 나누며 걸었고, 또 연구와 은둔의 처소로 삼고 있는 집을 서로 방문했다. (94)

위 인용문에서 두 인물로부터 나타나는 숲의 기능은 긍정적이다. 건강, 약초, 산책, 엄숙한 찬송 등의 언급으로 볼 때 두 사람은 그들의 고독한 은둔생활과 연구활동에서 지치거나 막힐 때 숲으로부터 심신을 달래고 활력을 얻는다. 그러나 뉴잉글랜드의 청교도 사회에서는 숲의 창조적이고 구원적인 기능이 발휘되지 않는다. 호손의 미학적 상상력에서 숲과 도읍(도시)은 서로 대립적인 공간이다. 도시, 도읍은 문명적 공간이며, 숲은 원시와 야만의 공간이다. 문명세계에서 살아가는 뉴잉글랜드의 청교도들은 숲의 창조적인 기능을 인식하지 못한다. 그러나 헤스터는 숲속에 들어가면 특별할 만큼 자유롭고 따뜻해지며 활기에 차고 신비적인 사람으로 바뀐다. 역동적으로 되며 원초적인 본능과 감각을 발현한다. 그녀는 숲속에서 자연과 동화되며 조화를 느낀다.[8] 그런데 이 작품의 전체적인 구성을 보면 제16장에서 제19장까지는 이전까지 부분적으로 언급되었던 숲의 장면과 그 영향이 집중적으로 나타난다. 제16장의 표제는 「숲속의 산책」, 제19장은 「시냇가의 어린이」이다. 여기서 '시냇가'란 세 사람, 즉 헤스터, 딤즈데일 목사, 펄이 한 가족으로서 재회했던 숲속을 흐르고 있는 숲의 개울을 말하고, '어린이'는 이제 일곱 살이 된 헤스터의 딸아이 펄을 말한다. 제20장부터는 세 사람의 숲속 재회가 끝나고 다시 청교도적인 문명사회로 되돌아온 이후의 이야기이며, 마지막 제24장은 앞장에서 딤즈데일이 죄를 고백하고 감동적인 설교를 마친 다음에 헤스터의 품속에서 눈을 감고 숨을 거두는 사건이 일어난 이후로서 세상에 남겨진 헤스터와 펄의 삶에서 일어난 '뒷이야기'다.

딤즈데일 목사가 숲속에 들어가서 가족이라 할 수 있는 헤스터와 펄을 만나 회한을 마음껏 풀고 문명사회로 돌아온 이후의 이야기는 매우 흥미롭다. 그에게 강렬하고 신비한 영향을 끼쳤던 숲지대의 힘은 계속 남는다. 헤스터와 만나고 돌아오는 길에 딤즈데일 목사는 감정적으로 고양되고 흥분하여 이전에 없었던 원기가 솟아난다. 숲속의 산길을 올라갔을 때의 기억으로는 천연적인 방해물이 많았고 황량하고 험악하고 사람의 발자취가 덜한 것

8 박양근은 13-19장에서 미국 생태문학사의 대표적인 글 읽기를 볼 수 있다고 언급한다. 박양근, 『나다니엘 호손 연구』(부산: 세종출판사, 2011), p.36.

같았다. 그러나 내려올 때는 올라갈 때의 기억과는 달랐다(207). 딤즈데일이 돌아온 마을까지의 거리는 이제까지와 다름없는 거리였지만 산속에서 돌아온 이후로는 예전과 같은 거리가 아닌 것이었다. 그가 길에서 만난 친구에게 "나는 당신이 생각하는 것 같은 사람이 아니오! 나는 그 사람을 저 산속의 은밀한 골짜기에 있는 이끼 낀 통나무 옆과 시냇가에 버리고 왔소! 그의 수척한 몸, 그의 여윈 볼, 고통으로 주름 잡힌 희고 침통한 이마, 그런 것이 마치 벗어 던진 옷처럼 거기에 팽개쳐져 있지 않나 가보시오!"라는 말을 했다고 해도 과히 틀린 말이 아니었을 것이라고 작가는 기술한다(208-209). 20장에서는 딤즈데일이 숲속에서 마을로 돌아왔을 때 가까워진 거리와 눈에 띄기 시작한 낯익은 광경들은 전혀 다른 인상을 준다. 모든 것이 변했다는 느낌이 계속되는 것이다. 거리에서 만나는 잘 아는 사람들이나 이 마을에 알려진 사람들의 모습도 그들에게 전혀 변한 것이 없었지만 목사의 느낌은 그들이 변했다는 것이다. 자기는 지금까지 꿈속에서만 교회를 보았거나 아니면 지금 자기가 꿈을 꾸고 있는 것인가 하는 두 가지 생각 사이에서 방황한다. 갖가지의 형태로 나타나는 자연과 우주의 현상은 외면적인 변화가 조금도 없었지만 눈에 익은 풍경의 변화는 너무나 급작스러운 것이었고 또 중대했기 때문에 그 사이에 있었던 하루가 마치 수년이나 되는 것처럼 목사의 의식에 어떤 신비한 작용을 일으켰다. 그에게 길거리는 이제까지와 다름없었지만 다른 길거리처럼 보였고 "나는 당신이 생각하는 것 같은 사람이 아니요! 나는 그 사람을 저 산속의 은밀한 골짜기의 이끼 낀 통나무 옆과 시냇가에 버리고 왔소! 그의 수척한 몸, 그의 여윈 볼, 고통으로 주름 잡힌 희고 침통한 이마, 그런 것이 마치 벗어 던진 옷처럼 거기에 팽개쳐져 있지 않나 가보시오!"라고 말한다(208-209). 숲의 영향은 시각적으로 환상을 볼 만큼 신비롭고 극화되어있다.

제20장에서 딤즈데일은 너무나 큰 변화가 자기에게 일어난 데 대해 두

려움이 생긴다. 세속적인 욕망으로 강한 유혹을 일으키는 느낌에 휩싸였기 때문이다. 그래서 그가 만나는 사람들에게 하마터면 자기도 모르는 실수의 말을 건네고 위험한 행동을 할 뻔했다. "나를 이렇게 괴롭히고 유혹하는 것은 대체 무엇일까?"라는 의혹이 들어서 드디어 그는 길거리에 멈춰서 손으로 이마를 치며 속으로 외쳤다. "내가 미친 것일까? 아니면 내가 악마의 수중에 넘어가 버린 것일까? 내가 숲속에서 악마와 계약을 하고 피로 서명을 했던가? 그래서 악마는 지금 자기가 상상할 수 있는 모든 악행을 수행하라고 암시함으로써 그 계약의 이행을 촉구하는 것일까?"(213). 그러나 그는 다행히도 이러한 위기를 무사히 넘긴다.

"아, 목사님, 숲속에 다녀오셨군요."라고 마녀로 등장하는 히빈스 여사는 운두 높은 두건을 까딱거리면서 말한다. "다음에 가실 때는 제발 미리 좀 알려주십시오. 그럼 기꺼이 길동무가 되어드리겠어요. 자랑은 아닙니다만 제가 한마디 하면 목사님도 잘 아시는 그 왕(악마)은 아무리 낯선 신사라도 잘 접대해주시니까요!" 목사가 "저는 마왕을 만나려고 산중에 들어간 게 아닙니다. 또 앞으로도 그런 사람의 은고를 입을 생각은 전혀 없습니다."라고 대답하자 히빈스 여사는 "대낮에는 그렇게 말하는 도리밖에 없겠지요! 참 솜씨가 능란하구려! 그러나 한밤중, 숲속에서는 얘기가 달라질 것이오"(214)라고 말한다. 이처럼 과거의 목사와는 달리 그는 너무나 충격적으로 변화된 것이다. 작품은 제20장에서 계속하여 변화된 딤즈데일 목사를 "산에서 돌아온 사람은 딴 사람이다"(216)라고 표현한다.

제22장은 새로 부임한 주지사의 부임 경축 행렬이 열리는 날의 거리 풍경이 묘사되는데 숲속에서 헤스터, 펄, 딤즈데일 목사의 만남을 폭로하는 장면이 두 번에 걸쳐 언급된다. 폭로하는 사람은 역시 악마의 일당에 참가하는 마귀가 들린 노파 히빈스이다.[9] 그녀는 거리에 나타나서 세 사람이 만난 사실을 폭로한다.

"어찌 인간의 상상력으로써 그런 것을 생각해낼 수 있을까!" 노파는 헤스터에게 은밀히 속삭였다. "저기 저 목사 말이오! 사람들이 살아있는 성자로 우러러보는 저이. 겉보기는 정말 그렇구려! 방금 행렬 속에 끼여 통과한 저 목사가 바로 며칠 전 자기 서재에서 나와 성경의 히브리 문구를 입속으로 중얼거리며 숲속에 소풍 갔다고 누가 생각할 수 있겠소? 여보, 헤스터 프린, 숲속에 소풍 간 까닭이 무엇인지 우리는 잘 알고 있잖아요! 그러나, 정말 저 사람이 그 목사라고는 믿어지지 않아요. 지금 악대 뒤에 많은 신자가 따라가는 것을 보았지만, 그 사람들은 어떤 양반(산속의 마왕)이 바이올린을 켰을 때 함께 장단 맞추어 춤추던 사람들이라우! 우리들은 인디언의 마술사나 래플랜드의 마술사들과 손을 잡고 춤을 추는 수도 있었지요. 그러나 세상을 아는 여자가 보면 그런 것은 아무것도 아니오. 하나, 참 저 사람이 당신이 산속의 오솔길에서 만났던 그 사람이라고 자신 있게 말할 수 있소?" (237-238)

한편 집으로 돌아온 헤스터는 침침했던 산속의 광경을 회상한다. 거기에는 쓸쓸한 골짜기가 있었고, 사랑과 번민이 있었고 또 그들이 손에 손을 맞잡고 구슬픈 시냇물 소리에 맞추어 슬프고도 정열적인 얘기를 나누던 곳에 이끼 낀 통나무가 있었다. "그때는 그들이 얼마나 깊이 서로를 이해했던가! 지금의 이 사람과 그때의 그 사람은 같은 사람일까?"(235). 그런데 지금의 그는 거의 낯선 사람 같았다. 제23장 '주홍글자는 나타나다'에서 목사는 다시 반전의 마음으로 극적인 태도를 보여서 헤스터를 충격으로 몰아넣는다. 그

9 작품에서 곳곳의 대목을 통해 히빈스가 사탄의 영이 입혀졌다는 점이 언급된다. 예를 들면 다음과 같은 구절이 있다. "이 늙은 마녀는 딤즈데일 목사의 외침 소리를 듣고서 그 소리가 반향하고 메아리치는 것으로 미루어 보아, 자기가 늘 숲속을 함께 거니는 악마나 요귀들이 소란을 피우는 소리로 해석했음이 분명했다."(p.125) 그리고 "히빈스 여사는 밤새 숲속을 쏘다니느라 한잠도 못 잤을 테니 아주 언짢은 기분으로, 숲의 잔가지들을 옷에 묻힌 채 나올 것이다." (p.128)

가 자신의 죄를 스스로 폭로하겠다는 것이다.

> "우리가 숲속 그 골짜기에서 허황하게 세웠던 계획보다는 이것이 차라리 낫지 않소?" 그는 낮은 음성으로 물었다. "모르겠어요! 모르겠어요!" 그녀는 급히 대답했다. "더 낫다고요? 글쎄요, 이대로 우리도 죽고, 어린 펄도 죽는 것이 차라리 나을지 모르지요!" "당신과 펄은 하나님께서 명령하시는 대로 따르시오!" 목사가 말했다. "하나님은 자비롭소. 이제부터 나는 하나님이 내 눈 앞에 명백히 밝혀주신 뜻을 실행하겠소, 헤스터. 나는 죽어가는 사람이기 때문이오. 그러니 빨리 내 수치를 고백하게 해줘요." (251-252)

딤즈데일 목사는 대중이 모인 장터에서 사람들에게 자신의 죄를 고백하고 숨을 거두는 마지막 순간이 가까웠을 때 헤스터의 품에 안겨 어린 딸 펄을 바라보며 말한다. "귀여운 펄, 이제 내게 키스해주겠니? 산속에서는 싫다고 그랬지? 그러나 지금은 키스해주겠지?"라고 하자 펄은 그의 입술에 키스했고 그들을 묶었던 악마의 속박은 풀렸다(254). 이 극적인 한 장면이 어린 아이에게 연민과 인정을 움트게 했다. 이 어린아이가 딤즈데일에게 '산속의 숲'에서는 키스하기가 싫다고 했다는 말은 그때는 숲이 목사의 간음 죄와 결부되어 그러한 죄로부터 태어난 펄이 자신의 정체성에 대해 거부감을 표현했기 때문이라고 할 수 있다. 그러나 이제는 지난날의 죄를 회개하고 하나님을 부르면서 죽어가는 '아버지'를 보고 눈물을 흘린다. 목사의 뺨에 떨어진 눈물은 펄 자신이 인간다운 기쁨과 인간다운 슬픔 사이에서 성장했고, 언제나 세상을 상대로 싸우려 들지 않고 정숙한 여인이 되겠다는 맹세를 했던 데서 나온 눈물이었다(254). 이와 같은 대목은 펄이 아버지와 어머니에 대해 얼마나 복합적인 심리가 작동했는가를 보여준다.

지금부터는 작품에 묘사된 숲의 기능이 위에서 살펴본 것과 유사하면서도 색다르게 나타나는 장면을 살펴보자.[10] 헤스터는 그녀의 남편이었던 칠링워스가 간교한 복수계획을 세워 딤즈데일 목사의 정신과 영혼과 육체를 지옥에 빠진 것 같은 고통으로 몰아넣고 그의 인격을 파탄시키려고 무서운 음모를 꾸미고 있다는 사실을 딤즈데일 목사에게 알려주기로 결심한다. 목사는 심신의 고뇌와 피로를 달래기 위해 해변과 부근의 숲속을 산책하는 습관이 있다. 이를 잘 알고 있는 헤스터는 그를 만나려고 며칠 동안 기회를 보았으나 성공하지 못한다(165). 마침내 펄과 함께 세 사람이 만나는 극적인 일이 있게 된다. 헤스터와 펄이 바닷가로부터 육지에 들어서자 겨우 한 사람이 걸어 다닐 수 있는 오솔길이 나 있다. 이 길은 신비스러운 원시의 숲속으로 꼬불꼬불하게 휘어져 있었다. 원시적인 숲은 길 양쪽에 빽빽이 들어차 있고, 숲의 그늘 때문에 머리 위의 햇빛마저 침침했다. 헤스터는 이 숲이 바로 그녀가 오랫동안 방황했던 도덕적인 광야를 상징한다는 생각이 들었다. 머리 위에는 잿빛 구름이 울적하게 끼어 있었지만, 약간의 미풍에 흘러가고 있었다. 그럴 때마다 햇빛이 반짝하며 쓸쓸한 길 위를 희롱했다. 그러나 이런 명랑한 햇빛의 장난은 숲속의 오솔길 저쪽 끝에서만 아롱거렸다(166). 그쪽을 향해 다가가던 헤스터가 손을 내밀자 햇빛은 사라지고 말았다. 펄은 얼굴 위에 햇빛이 춤추어 밝은 표정인 것으로 미루어 보아 이 애가 햇빛을 자기 몸속에 흡수했다가 나중에 자기들이 컴컴한 그늘 속으로 들어갈 때 발산하여 길을 밝혀줄 것이 아닌가 하는 생각이 들었다고 서술된다(167-168). 숲속은 나무들이 우거져서 이처럼 어둠과 빛이 교차하는 공간이 되는데, 그때 어둠은 악마를, 빛은 악마와 대립하는 존재를 암시한다.

---

10 호손 작품의 숲에 관해 상당히 폭넓은 연구를 한 논문으로는 송한나, 「Nathaniel Hawthorne의 작품에 나타난 '숲' 연구」(한국외국어대학교 대학원 석사학위 논문, 2001)이 있는데 두 편의 단편 "Roger Malvin's Burial", "Young Goodman Brown"과 장편소설 *The Scarlet Letter*에 관해 분석했다.

"악마 얘기 있잖아, 그 얘기 해줘…. 악마가 산속에 드나들고 책을 갖고 다닌다는 얘기-크고 두껍고 무쇠 장식이 달린 책-그리고, 이 수풀 속에서 만나는 사람에게 그 책과 철(鐵) 펜을 내놓으면 사람들은 자기 피로 그 책에 서명을 한다지? 그러면 악마가 그 사람 가슴에 표시를 한다는 그 얘기 말이에요. 엄마, 엄마는 그런 악마를 만나본 일이 있어요?" (168-169)

헤스터가 펄에게 누가 이와 같은 얘기를 하더냐고 물었을 때 "엄마가 어젯밤에 병구완하던 집 있잖아? 그 집 난롯가에 앉았던 할머니가 한 얘기야."라고 펄은 대답한다. "그런데, 그 할머니가 얘기할 때 내가 잠든 줄 알았나 봐요. 그 할머니가 그러는데, 이 산속에서 수천 명의 사람이 악마를 만나 그 책에 서명을 하고 가슴에 매다는 표지를 받았대요. 그 성미 나쁜 히빈스 여사도 그중의 한 사람이래요. 그리고 엄마 가슴의 주홍글자도 악마가 준 표지라면서, 엄마가 한밤중에 이 어두운 숲속에서 그 악마를 만날 때면 글자가 이글이글 불타듯이 빛나 보인대요. 그게 정말이에요? 또 정말 엄마가 한밤중에 악마를 만나러 가요?"(169)라고 묻는다. 이와 같은 대화에서 보듯이 원시림으로 가득 찬 숲은 악마의 거주지와 결부되었고, 헤스터나 히빈스의 언약의 끈이 이어져 있으며, 그들이 숲속의 마왕으로부터 피로써 서약을 받은 후에 죄악의 표지를 받았던 장소이다. 헤스터가 마왕으로부터 받은 'A'라는 주홍글자는 '죄로 수놓은 장식물'(the embroidered sin)이며,[11] 문명세계와 격리된 원시적인 숲으로부터 나온 것이다.

헤스터가 숲속으로 들어갔을 때 그녀의 가슴에 달고 있는 주홍글자는 일곱 살에 불과한 펄의 입을 통해 악마를 만난 표시라고 언명된다는 것은

11 수놓은 죄의 표지 장식물이라는 주제에 대해서는 Dennis Foster, "The Embroidered Sin: Confessional Evasion in *The Scarlet Letter*," Seymour Cross, et. al. ed. *The Scarlet Letter of Nathaniel Hawthorne*, pp.423-433.

이 작품이 '어두운 꽃의 우화적 로맨스'로 설계되었기 때문이다.[12] 헤스터와 펄은 얘기를 나누면서 산길을 지나가는 사람들의 눈에 띄지 않을 만큼 깊숙이 산속으로 들어간다. 두 모녀와 함께 작품의 스토리는 숲속 원시림의 신비한 풍경 묘사로 이어지고 양가적 의미가 교차하는 도덕적 알레고리를 보인다. 그들은 수북하게 이끼가 낀 돌 위에 걸터앉았다. 이 돌은 아마도 이전의 어느 시기에는 으슥한 숲 그늘에 뿌리를 뻗으며 하늘 높이 올라가던 거대한 늙은 소나무가 있었던 자리인지도 모른다는 생각이 헤스터에게 든다. 그들이 앉은 곳은 작은 시냇가인데, 나뭇잎이 깔린 둑이 양쪽으로 약간 높다랗게 놓였고, 시냇물은 가랑잎이 가라앉은 바닥 위로 흐르고 있었다. 시냇물 위에 휘늘어진 나뭇가지가 군데군데 흐르는 물을 막아서 여기저기에는 소용돌이와 깊은 웅덩이가 생겨 있었다. 그러나 물살이 센 곳에는 조약돌과 누렇고 반들반들한 모래가 있는 개울 바닥이 말갛게 비쳐 보였다. 헤스터는 시냇물의 흐름을 눈으로 따라가면 숲속의 가까운 거리에까지 물 위에 반사되는 햇빛을 볼 수 있었다. 그러나 나무가 빽빽이 들어선 수풀과 잿빛 이끼가 덮인 바위들 틈으로 흐르는 물줄기는 사라지고 자취를 찾을 수 없었다. 이 거대한 나무들이나 바윗덩어리들은 이런 시냇물 줄기가 흐르는 수로를 숨겨주려는 데 열중하고 있는 듯했다. 마치 그 시냇물이 끊임없이 수다를 떨어서 이 숲속의 가슴 속 깊이 간직된 얘기를 흘러간 그곳에 가서 지껄이거나 어디엔가 가서 물이 괴었을 때, 그 수면 위에 숲속의 비밀을 거울처럼 반사하는 것을 두려워하는 듯했다(170-171). 헤스터는 시냇물에 대해 호기심을 가지고 질문하는 펄에게 "네게 무슨 슬픔이 있으면 시냇물은 그 슬픔에 관한 얘기를 해준단다."라고 대답한다. "마치 저 시냇물이 나한테 내 슬픔을 얘기해주듯이

---

12 '로만스 장르의 어두운 꽃'의 이야기라는 주제에 대해서는 Joel Porte, "The Dark Blossom of Romance," Seymour Cross, et. al. ed. *The Scarlet Letter of Nathaniel Hawthorne*. pp.375-384.

말이야! 그런데 펄아, 산길을 걸어오는 사람의 발소리와 나뭇가지를 헤치는 소리가 들리는구나. 저기 오는 저 사람하고 엄마는 얘기를 좀 할 테니, 너는 저만큼 가서 혼자 놀고 있거라, 응?" 헤스터가 이렇게 말하자, 펄은 "저이가 악마예요?"라고 묻는다. "어서 가서 놀지 못하겠니?" 하고 헤스터가 되풀이하면서 "숲속으로 너무 깊이 들어가지 마, 길을 잃어버린다! 나중에 내가 부를 때, 첫마디에 되돌아오도록 해야 한다"(171-172)라고 말한다. 시냇물은 이 침울한 산속의 수풀 속에서 이전에 일어났던 구슬픈 사연의 비밀을 무언지 알 수 없게 지껄이는 듯하며, 아니면 장차 일어날 일의 비애를 예언하는 듯하고, 좀처럼 탄식하기를 그치지 않는 듯하다(172). 모녀가 숲속에서 만나게 되는 딤즈데일 목사는 아이러니컬하게도 숲의 악마로 둔갑한다. 목사는 평소에 '검은 옷'을 입고 한 손에 성경책을 들고 숲에서 마을의 주민들을 만나면 그들에게 기도해주는 거룩한 신분의 사람이지만 동시에 그의 외모는 '블랙맨'(Black Man)인 악마를 연상시키는 것이다.

헤스터에게 가까이 다가온 딤즈데일 목사는 마음이 내키지 않았지만 어떤 필연성 때문에 마지못해서 하는 것처럼 두려움에 떨며, 주검처럼 차가운 손을 뻗어 헤스터의 싸늘한 손을 잡았다. 이 악수는 비록 차디찬 악수였지만 두 사람 사이에 깃들었던 무서운 공기를 제거해주었고, 적어도 같은 세계에 사는 사람으로 느껴졌다. 두 사람은 그 이상 더 말도 하지 않았고 다만 무언의 합의로 조금 전에 헤스터가 걸어왔던 숲속으로 다시 걸어갔고 헤스터와 펄이 앉았던 이끼 더미 위의 고목에 가서 걸터앉았다. 이윽고 말문이 열리게 되자 딤즈데일 목사는 이렇게 말한다.

> 내가 무신론자였다면, 양심이 없는 사람이었다면, 거칠고 잔인한 본능만을 아는 비열한 인간이었다면, 오래전에 마음의 평화를 찾았을 것이오. 아니, 찾았을 것이 아니라 아예 잃지 않았을 것이오! 그러나, 내 영혼이 이런 상태

에 있으니만큼 하나님이 고르고 골라서 내게 내려주신 마음속의 모든 능력 —원래는 선량했던 모든 능력이 이젠 나의 정신을 고문하는 고문자가 되었소. 헤스터, 세상에 나처럼 비참한 사람은 없을 거요! (175)

이러한 목사의 고통스러워하는 토로에 대해 헤스터는 "사람들은 당신을 존경합니다."라고 말하고 나서 "당신은 사람들을 위하여 좋은 일을 많이 하고 계십니다. 그것만 가지고는 마음의 위안이 안 되십니까?"라고 묻는다. 목사는 "더 비참하오, 헤스터! 그러기에 더욱 비참해지오!"라고 대답하고 쓸쓸하게 미소를 지으면서 다음과 같이 말한다.

내가 좋은 일을 많이 하는 것 같지만, 아무 신념도 없이 일하고 있는 것이오. 따라서 그것은 망상에 불과할 뿐이오. 이렇게 파멸된 영혼을 가진 사람이 어떻게 남의 영혼을 구제할 수 있겠소? 또, 더럽혀진 영혼을 가지고 그들의 영혼을 어찌 깨끗하게 할 수 있단 말이오? 사람들이 나를 존경한다지만, 존경이 아니라 차라리 그것이 경멸과 증오였으면 좋겠소! 헤스터, 내가 설교 단상에 올라서면 그 많은 사람의 시선이 내 얼굴에 쏠리어 마치 내 얼굴에서 천상의 빛이라도 비쳐나오는 것처럼 쳐다보는데, 그것을 위안이라고 말할 수 있겠소? 진리에 굶주려서 나의 말이 흡사 오순절의 하나님 말씀이나 되는 것처럼 열심히 귀를 기울이고 있는 그들을 대하면서—그들이 우상화하는 내 속을 들여다보면, 사실 그게 흉측한 암흑이라는 현실을 깨닫는데—이것을 위안이라고 할 수 있느냐 말이오? 나는 표면적인 나와 내면적인 나를 비교하고 어처구니없이 마음이 괴로워 차라리 웃어 버린 일이 한두 번이 아니었소! 그것을 본 악마도 웃소! (176-177)

…

헤스터, 그렇게 가슴 위에 주홍글자를 달고 버젓이 다니는 당신은 행복한 사람이오. 내 주홍글자는 남모르게 불타고 있소! 7년 동안이나 고민해온 끝에 나의 정체를 알고 있는 사람과 이렇게 마주 대한다는 것이 얼마나 위안이 되는지 당신은 모를 것이오. 모든 사람이 입을 모아 나를 칭찬하는데, 구역질이 날 때 친구라도 한 사람 있어서—아니, 제일 무서운 원수라도 좋지만—매일같이 그 사람을 찾아가 내가 죄인 중에서도 가장 비열한 죄인이라는 것을 알려줄 수 있다면 차라리 내 영혼이 살아날 수 있겠소! 그 정도의 진실만 밝혀도 나는 구원을 받을 수 있을 것이오! 그런데, 지금은 모두가 거짓이고 모두가 공허여요! 모두가 죽음뿐이오! (177-178)

위와 같이 헤스터와 딤즈데일이 대화를 주고받을 때 주변의 숲은 어두침침했으며, 바람이 불 때마다 바스락 소리를 냈다. 그들의 머리 위에서는 나뭇가지들이 흔들렸으며, 장엄한 고목이 밑에 앉아 있는 한 쌍의 남녀에게 슬픈 얘기를 전하기나 하듯이 혹은 앞으로 닥쳐올 그들의 액운을 예언하기라도 하듯이 주변의 다른 나무들에게 구슬픈 사연을 신음하면서 전달하고 있는 것 같았다. 황금처럼 찬란한 햇빛도 그들에겐 이 어두침침한 숲속보다 더 소중하지 못했다. 목사 이외에는 누구의 시선도 받지 않는 이곳에서 주홍글자는 이 타락한 여인 헤스터의 가슴을 태울 필요가 없었다. 그녀 이외에는 누구의 시선도 받지 않는 이곳에서 하나님과 인간에게 함께 거짓을 범한 딤즈데일도 잠시나마 진실할 수 있었다(182-183). 이와 같은 측면에서 보면 숲은 선과 악, 빛과 어둠, 생명과 죽음 등을 함께 내포하고 있는 '양가적인' 특성을 나타내는 작품의 상징이라 할 수 있다.[13]

딤즈데일 목사가 헤스터에게 "그 기쁨의 싹은 내 마음속에서 이미 죽은

13 이 작품이 양가적인 성격을 지닌 스토리텔링이라는 논점에 대해서는 David Leverenz, "The Ambivalent Narrator of *The Scarlet Letter*," Seymour Cross, et. al. ed. *The Scarlet Letter of Nathaniel Hawthorne*, pp.416-423.

줄 알았는데요! 오, 헤스터, 당신은 나의 천사요! 병들고 죄에 더럽혀져 암담한 내가 이 숲속의 낙엽 위에 몸을 내던졌다가 전혀 다른 인간이 되어, 다시 일어나서 새로운 힘을 가지고 자비하신 하나님을 찬미할 수 있게 된 거나 다름없소! 이것만으로도 이미 새로운 생활이어요! 왜 이런 것을 진작 발견하지 못했소?"라고 말할 때, 헤스터는 "저는 이 표지와 함께 일체의 과거와 인연을 끊고, 전혀 새로운 인생을 갖겠습니다!"라고 응답한다. 그렇게 말하면서 주홍글자를 가슴에서 떼어 멀리 낙엽 속으로 던져버린다. 그러자 그 신비스러운 표지는 시냇가에 떨어졌다(191). 이처럼 헤스터가 그 죄악의 표지를 떼어버리고 나서 긴 한숨을 쉬자 그 한숨과 더불어 수치와 고뇌가 그녀의 정신으로부터 사라졌다. 너무나도 감미로운 안도감이 생기면서 자유를 맛보게 되고 비로소 여태까지의 짐이 무거웠다는 것을 새삼 느끼게 된다. 그리하여 새로운 충동으로 그녀는 머리를 감싼 거추장스러운 모자를 벗었다. 순식간에 검고 숱이 많은 머리카락이 어깨를 덮었다. 그 풍부함 속에 명암이 동시에 나타나고 그녀의 얼굴에 부드러운 매력을 주었다. 여기서 '검은 머리카락'은 상징성을 지녔는데 죄와 정열을 암시한다고 하겠다. 검은 머리를 풀자 그녀의 가슴 속에서 솟아나는 밝고 부드러운 미소가 입가에 넘쳐흘렀고 그녀의 눈에서도 빛이 났다. 여러 해 동안 그렇게도 창백했던 그녀의 볼이 주홍색으로 달아올랐다. 사람들은 과거는 돌이킬 수 없는 것이라고 하지만, 과거로부터 그녀의 여성스러움과 젊음과 아름다움이 마술처럼 되살아나서 지배하는 순간이 되었으며, 처녀와 같은 희망과 미처 몰랐던 행복이 한데 어울려 엉기기 시작했다. 그러자 여태껏 땅과 하늘의 침침했던 기분은 두 사람의 우울한 심정의 탓이었다는 듯이 사라졌고, 그들의 슬픔은 끝났다. 그때 하늘이 갑자기 웃음을 터뜨린 것처럼 햇빛이 나타나 컴컴한 숲속에 폭포수같이 쏟아져 내려왔다. 그래서 나뭇잎 하나하나까지 즐거워 보였고, 떨어진 누런 낙엽은 황금빛으로 변했으며, 엄숙한 고목나무의 기둥은 반짝였다. 여태껏 희미했던 사물들이 모두 환히 빛났다. 반짝이는 시냇물 줄기도 깊은 산골짜기의 신비로운 가슴 속까지 더듬어 올라가는 것처럼 느껴졌다. 한 번도 인간의 법칙에 굴복한 일이 없고, 높은 진리의 광명을 받아본 일도 없는 거칠고 황량한 대자연이 두 영혼의 축복에 공명을 표시했다. 작품에서 작중 화자는 숲이 아직까지 침침한 그늘을 지니고 있었다고 할지라도 헤스터와 딤즈데일의 눈에는 휘황찬란하게 보였을 것이라고 말한다(193).

원시의 숲속에서 고백과 애원으로 전개되는 헤스터와 딤즈데일의 스토리텔링을 보면 두 남녀가 남성과 여성으로서뿐만 아니라 남편과 아내라는 사적인 관계로 대화하는 내용이다. 딤즈데일이 헤스터에게 보스턴을 함께 떠나자고 애원할 때 그녀가 기쁜 나머지 머리를 풀어 내리고 칠 년 동안 가슴에 달았던 주홍글자의 낙인을 떼어낸다. 그런 과감한 행동을 할 수 있도록 만든 곳이 숲이다. 그녀는 숲속에서 비로소 자연 본래의 성애의 아름다움과 젊음의 열정을 자유롭게 표출하는 여인으로 변화할 수 있다. 그런 변화는 숲이라는 공간, 그리고 숲이 만드는 어둠 가운데서 햇살이 비치는 마술적인 경계 안에서만 가능하다.[14] 헤스터가 숲속으로 들어섰을 때 목사를 만나기 위해 기다리는 언덕의 묘사를 보면, "둔덕이 부드럽고 낙엽이 수북하게 깔린 위로 물이 흐르는 작은 개울"로 묘사된다. 노골적일 만큼 여성의 은밀한 부분에 일치되는 계곡은 인간의 발자국이 없는 자연성을 고스란히 지키고 있다. 그녀는 숲의 자연성이 보존된 곳에서 햇빛의 투명성과 개울의 흐름을 의식하며 목사에게 보스턴을 떠나자고 설득한다. 헤스터가 딤즈데일을 격려하면서 검은 긴 머리카락을 감추게 했던 모자를 벗어 던졌을 때 그녀는 자연의 축복을 받아 아름다움과 애정이 충만한 여인으로 변신했다. 이럴 때 숲은 여성의 육체적 상징으로 확대되었다고 할 수 있다.

---

14 박양근, 같은 책, p.63.

그녀가 딤즈데일을 격려하는 장면을 면밀히 보면 좌절에 빠진 목사의 영혼을 구하려는 베아트리체다운 여성이 아니라 남성을 다시 타락시키는 '어둠의 여성'(Dark Woman)이거나 청교도주의의 도덕성을 무너뜨리려는 이교도의 여사제를 연상시킨다.[15] 정욕적인 헤스터는 숲속의 마녀와 숲속의 딸로 변신하여 성애주의를 받아들이도록 젊은 딤즈데일 목사를 유혹하고 있는 것이다. 그녀가 달성하려는 욕망은 목사의 정신적 부활이 아니라 그를 소유하여 순종적인 남편으로 만들어 가정을 가지려는 욕망으로 이해될 수 있다. 숲은 도덕성을 초월하는 "무한대의 구역"이다.[16] 딤즈데일은 숲속에서 자아 정체성의 위기를 맞이하였을 때 "죽는 것 외에는 무엇이든 하라"(198)는 헤스터의 요청에 현혹되지만 현실의 암담한 필연성이 무엇임을 동시에 깨닫는다. 그들이 함께 앉았던 나무둥치는 "단 한 시간의 휴식과 위안"(214)의 장소일 뿐이며 영원한 거주지가 될 수 없는 것이다.

다른 한편으로 숲속에서 놀고 있던 어린 딸 펄의 이미지는 어떤 사물이나 환경에 의해서도 구애받음이 없는 순진 난만하고 자유로운 숲속의 환상과 같은 요정으로 나타난다. 이 아이는 햇빛이 나뭇가지 사이로 비쳤을 때 마치 빛나는 옷을 입은 환영처럼 보이며, 광선은 아지랑이인 듯이 아롱거려 펄의 모습이 때로는 어둡게, 때로는 밝게 비쳤다. 그때마다 이 어린아이는 현실 세계의 어린아이와 같았다가, 다시 어린아이의 혼령같이 보이기도 했다. 숲속에서 펄은 혼자서 마음껏 노는 시간을 보내었지만 엄마가 목사와 얘기하는 동안 심심하지 않았고 아주 즐거웠다. 넓고 어두운 숲속은 속세의 죄악과 고통을 품속으로 끌어들인 두 사람에게는 근엄하게 보였지만 이런 외로운 요정과 같은 어린아이에게는 한껏 놀이 동무가 되어주었다. 숲은 침울

15 박양근, 같은 책, p.85.

16 R. W. B. Lewis, *The American Adam* (Chicago: The University of Chicago Press, 1975), p. 114.

하면서도 가장 친절한 기분으로 이 어린아이를 받아준다. 숲은 지난 가을에 열려 새봄에야 무르익은 덩굴딸기를 펄에게 진상했다고 서술되고 있다. 그 열매들은 시든 잎사귀 틈에서 마치 핏방울처럼 빨갛게 맺혀 있었다. 이 열매를 따 모으며 펄은 그 속에 풍기는 자연의 맛을 즐겼다.

이 광야와 같은 숲속의 작은 동물들은 펄이 걸어가는 길을 비키려 하지 않았다. 몇 마리의 새끼를 거느린 자고새 한 마리가 펄을 위협하듯이 달려왔다가 자기의 지나친 행동을 뉘우치고 새끼들을 보고 꾸꾸 거리며 무서워할 필요가 없다는 듯이 울어댔다. 나뭇가지에 홀로 앉은 비둘기 한 마리는 펄이 바로 밑에 다가서도 도망가지 않고 인사 반, 경계심 반이 섞인 소리로 꾸꾸 거리고 울었다. 다람쥐 한 마리가 높은 나무 꼭대기의 둥우리에서 성이 난 것인지 즐거운 것인지 모를 소리로 재잘거렸다. 원래 다람쥐는 성을 잘 내고 장난기가 많은 짐승이기 때문에 그 기분을 알아맞히기란 어렵지만 이 어린 아이를 보고 뭐라고 재잘거리다가 밤 한 톨을 머리 위에 내던졌다. 그것은 묵은 밤이었고 벌써 날카로운 다람쥐의 이빨에 갉아 먹힌 것이었다. 펄의 가벼운 발소리에 잠이 깬 여우 한 마리가 머뭇거리며 펄을 쳐다보았다. 늑대 한 마리가 나타나서 펄의 옷자락 냄새를 맡았을 때, 펄이 그 사나운 머리를 쓰다듬어주어도 가만히 있었다. 작중 화자는 이런 얘기는 좀 의심스러웠다고 말하면서 그렇지만 대자연의 숲과 또 그 숲이 먹여 살리고 있는 짐승들이 어린아이에게서 자기들과 통하는 어떤 야생의 맛을 발견하고 좋아했다는 것만은 확실했다고 말한다. 양쪽에 푸른 잔디가 있는 식민지의 길거리나 어머니의 오두막집에서보다도 펄은 이 원시림의 산속에서 더 얌전했다. 피어 있는 꽃들도 그것을 알아차리고 펄이 지나갈 때마다 “아름다운 아가씨, 나를 꺾어서 아가씨를 치장해주세요!”라고 속삭였다. 펄은 이러한 청을 들어주느라고 오랑캐꽃이니 아네모네꽃이나 미나리꽃 또는 고목에 돋아난 아주 싱싱한 잎사귀들을 꺾었다. 그리고 이것들로 머리와 허리를 장식하여 어린 요정처럼 되었다(194-195).

헤스터는 어린 딸 펄을 보고 목사에게 다음과 같이 말한다.

> "저 애가 참 예쁘다고 생각하지 않으세요? 아무것도 아닌 저런 꽃들을 가지고 몸치장을 한 솜씨를 보세요! 숲속에서 진주, 다이아몬드, 루비와 같은 보석을 모았다 해도 저렇게 어울릴 수는 없을 거예요. 참 놀라운 애죠! … 들꽃으로 장식한 저 애가 얼마나 아름다워요! 마치 사랑하는 영국 땅에다 떼어놓고 온 요정이 우리를 맞이하도록 저 애를 치장해준 것 같아요." (196)

마침내 헤스터가 딤즈데일 목사와 함께 쓰러진 고목의 그루터기에 나란히 앉아 대화를 나누다가 갑자기 머리를 풀고 가슴에 달고 있던 주홍글자 'A'를 떼어 숲속의 시냇가로 던져버리는 행동을 했을 때, 펄은 이러한 엄마의 행동에 대해 저항적인 태도를 보인다. 헤스터의 주홍글자를 내던지는 행동은 자기를 죄의 올가미로 감금하고 있는 청교도 사회의 율법을 부정하는 것을 암시한다. 엄마가 그와 같은 행동을 할 때 숲이 떠나가도록 펄이 비명을 지르고 엄마를 비난하는 것은 간음의 죄를 지은 엄마가 주홍글자를 부정하는 것에 대해 인정할 수 없다는 뜻이다. 이 순간의 펄은 마을의 법과 질서를 거부하고 여성으로서의 행복을 추구하려는 엄마를 거부하는 살아있는 주홍글자가 된 것이다. 일곱 살에 지나지 않은 펄은 숲의 요정처럼 이해하기 어려운 행동을 하면서 신비감을 자아낸다. 이것은 펄이 공동체의 규율을 어기고 삶을 왜곡된 방향으로 이끌어가려는 헤스터와 딤즈데일을 바로잡는 역할을 수행하는 인물임을 암시한다.[17] 펄이 자연을 닮은 요정처럼 자유분방하게 행동하고 말하는 맥락에서 볼 때 그녀는 숲의 정기와 생명력의 화신이 된

17 이에 대해서는 김종두, 「성서의 다윗 이야기와 호손의 주홍 글씨」, 『성서와 영문학의 만남』, pp.259-276.

인상을 받는다. 요정(정령)이 신화와 우화에서 중요한 존재가 되는 것은 인간의 본성, 즉 자연성을 반영하기 때문이라고 할 수 있다. 인간에게는 자유롭게, 역동적으로 공간을 이동하며 행동하고 싶은 심리가 꿈처럼 남아있다. 그런 꿈이 현신한 존재가 곧 요정이라 할 수 있다. 작가의 펄에 대한 묘사 장면은 숲이 인간과 자연을 물활론적인 존재로 변화시킬 수 있다는 점을 상기시킨다.[18]

숲속의 요정으로 변신한 펄은 딤즈데일 목사에 대해서도 모든 속사정을 잘 알고 있는 듯이 "목사님은 우리를 사랑하나요? 우리 셋이 함께 손을 잡고 마을로 갈까요?"라고 말하면서, 마을로 함께 가서 세 사람이 식구임을 밝힐 것을 요구한다. 헤스터든, 딤즈데일이든 펄은 부모의 거짓을 용납하지 않겠다는 태도다.[19] 이처럼 펄이 두 사람의 속마음과 내면적 고뇌를 모두 들여다보고 완전히 알고 있는 초월적 존재가 되어 요정처럼 말하고 행동하는 것은 신비적인 우화적 인물로 창조되었음을 뜻하며 그렇게 될 수 있는 곳이 바로 숲이다. 숲은 불가사의한 존재들의 비밀이 숨겨져 있고 그것이 드러나는 공간이며 풍성한 생명체들이 서로 어울려 조화되고 결합되게 하며 소통시켜주는 창조적인 기능을 수행한다고 할 수 있다.

헤스터와 딤즈데일 목사가 숲속의 재회를 끝내고 헤어져야 할 시간이 되었을 때 숲속의 안쪽으로부터 아래로 걸어 내려와서 갈림길에 이르자, 그들은 막상 떠나지 못하고 머뭇거린다. 여기서 딤즈데일의 성격에 관해 자세히 보면 뉴잉글랜드의 세일럼 사회의 정신적 지도자라고 숭배를 받고 있지만 감수성이 예민하고 충동적인 성격의 소유자여서 유혹에 쉽게 굴복하고

---

18 인디언들의 사상과 친화적인 호손의 물활론 사상과 정신적 변신 효과에 관한 언급으로는 박양근, 『나다니엘 호손 연구』(부산: 세종출판사, 2011), 제1장 「호손의 생애와 작품의 현대성」, pp.35-39.

19 김종두, 같은 책, p.275.

자기 생각을 쉽게 행동으로 옮기지 못하는 우유부단한 사색가다. 은밀한 간음의 죄를 짓고 양심의 가책에 눌려 초췌한 모습으로 지내왔지만 앞에서 살펴본 것처럼 숲속에 들어와서 헤스터와 펄을 만나 새로운 힘을 얻었다. 하지만 그가 이 소설에 등장하는 기간은 칠 년인데 그동안 일관되게 보여주는 인상은 고민하는 모습이다.[20] 헤스터의 경우는 자신의 죄가 대중 앞에 공개적으로 공표된 후 새롭게 선행을 실천함으로써 치욕의 상징인 'A' 글자를 명예롭게 바꾸었지만 딤즈데일은 자신의 가슴에다 남모르게 'A' 글자를 달고 다니면서 죄로 속박되어있었기 때문에 시간이 지날수록 더욱더 큰 고통과 양심의 가책을 느끼면서 살아왔다. 그러나 그가 숲속에서 헤스터와 펄을 만나 사랑을 재확인하게 되었을 때 해방감에 젖고, 헤스터가 보스턴을 떠나 유럽에 가서 함께 살자는 과감한 제의를 하자 희망에 부푼다. 이때 유약한 그는 강한 성격을 지닌 헤스터의 자유분방하고 과감한 말과 행동에서 새로운 힘을 얻고 억눌렸던 마음에 활력을 찾게 된다. 이러한 심리적 변화는 숲속에 들어와서야 가능했다.

딤즈데일 목사가 숲속의 재회의 결과로 그 후 새 총독이 부임하는 축제날에 초만원을 이룬 교회에서 청중들에게 감동적인 설교를 한 후 헤스터의 반대에도 불구하고 그녀와 딸 펄의 손을 잡고 형단 위로 올라가서 영감에 넘친 목소리로 죄를 고백하고 대중의 영혼을 흔드는 설교를 할 수 있었던 것은 그의 의지력이 강해져서가 아니라 숲속에서 헤스터와 펄을 만남으로써 숲으로부터 동화했던 새로운 생명력과 자연이 준 힘과 용기 때문에 가능했던 것이다.[21] 딤즈데일 목사가 숲속에서 실제적인 가족들과의 재회가 끝난 뒤 "새로운 목사"가 되어 마을로 돌아오게 한 것도, 절망과 비애에 감싸인 그

20 김종두, 같은 책, pp.270-271.

21 김종두, 같은 책, pp.271-273.

에게 열정과 사랑과 생기를 회복하게 해주었던 것도 숲이다. 작품의 마지막으로 접어들면서 딤즈데일 목사가 숲속에서 일종의 정신적 혼란을 겪고 마을로 돌아와 타락의 구렁텅이에 빠져 이상스러운 행동을 하다가 상승하는 과정을 보이는 것은 반전의 반전이며 극적인 아이러니다.[22] 딤즈데일이 자신의 위선적인 외양을 벗고 실제성을 되찾기 위해 처형대 위로 이동하는 행동을 하는 것도 역시 숲속에서 받은 어떤 초월적인 생명력과 긴밀하게 연결되어있다고 할 수 있다.

## 나가며

이제까지 앞에서 살펴본 바처럼, 숲지대는 온갖 나무와 시냇물과 거기에 함께 서식하는 대자연의 여러 동식물이 모두 한 가족이 되어 조화로운 생태계를 이루고 있는 낙원과 같으면서도 신비한 힘과 생명력이 내재하는 초월적인 공간이다. 숲속의 대자연은 현실세계에서 간음의 주홍글자를 가슴에 달고 살아가는 두 연인에게 그들의 슬픔과 비애의 마음을 따뜻한 활기로 품어주고 힘과 용기로 격려해주는 기능을 한다. 숲은 위로, 안식, 치유의 위대한 터전이다. 헤스터와 딤즈데일이 애초에 만나 운명적인 사건의 계기를 만드는 것과 그리고 간음죄를 범하여 죄악을 상징하는 검은 색깔의 '검은 옷'을 입고 정욕을 상징하는 '주홍글자' 표지를 달고 가족관계라고 할 수 있는 세 사람이 만나면서 살아갈 새로운 힘과 용기와 희망을 얻는 장소도 숲이다. 그들은 숲속에서 머무는 동안 심중의 생각과 감정을 솔직하게 털어놓고 대화를 나눌 수 있었다. 이처럼 숲속에서는 자신들의 사회적 가면과 위선을 떨

22 박양근, 같은 책, p.89. 원서 Roy R. Jr. Male, *Hawthorne's Tragic Vision* (New York: W.W. Norton & Company Inc., 1957), p.12에서 인용된 부분을 재인용 했다.

쳐버릴 수 있고, 숲속에 들어가면 녹색생명의 가족이 되어 죄악의 무거운 짐에서 벗어나 생명력을 얻어 새로운 삶을 시작할 수 있다. 하지만 작품에서 숲은 단순히 생산적인 기능만을 나타내지 않으며 매우 복합적인 기능을 가진다. 헤스터와 딤즈데일의 검은 옷은 그들의 신분을 드러내고 죄악을 암시하는 상징적인 표지가 되면서도 동시에 죄와 죽음에서 해방되어 새 생명으로 소생되는 색깔을 암시하는데 이것은 더욱 깊은 이면에서 보면 숲과 동일시된다. 이처럼 호손은 수사학적으로 반어법과 역설의 장치를 여러 지점에 배치하기도 한다. 전체적으로 보면 숲은 선과 악, 문명과 야만, 빛과 어둠 등 이원론적인 요소들이 서로 교차하고, 혼합되는 방식이 작동하는 공간이다.[23]

뉴잉글랜드의 매사추세츠주에 있는 콩코드의 숲은 호손이 실제로 친숙하게 알고 있었던 곳이었다. 그래서 작가는 보스턴의 세일럼의 변방에 있는 숲지대를 『주홍글씨』에서 중요한 배경으로 설정한 것이다. 숲은 긍정적인 기능에만 그치지 않고 양가성을 가지고 있어서 청교도들에게 어둠의 존재인 악마들의 거주지로 간주되면서도, 죄로 타락한 인간들이 원초적인 야생의 생명력을 전수하여 도덕적인 억압과 박해로부터 자유와 사랑과 위무를 받는 창조적인 공간이 된다. 이처럼 흥미롭고 깊이 있는 내용과 구조로 이루어진 호손의 이 소설은 고전적 가치를 지닌 걸작임을 누구도 부정할 수 없을 것이다.

23 박양근, 같은 책, p.61.

제2장

# 근대의 영국과 미국의 호반지대 숲과 낭만적, 초월적 인간

근대 영국의 워즈워드와 미국의 소로는 아름다운 호수와 숲을 배경으로 하여 자연을 탐험하고 즐기는 자연주의 작가였다. 그들의 작품에 묘사된 나무와 숲은 낭만주의적, 초월주의적인 자연사상을 형성시켰던 중요한 요소다.

잉글랜드의 북서부 지방에 있는 세계적으로 널리 알려진 '호반지대'(Lake District)는 영국의 낭만주의 시인인 워즈워드의 고향이 있는 곳이다. 워즈워드는 다양한 나무와 숲과 호수가 함께 어우러져 조화를 이룬 경이로운 풍광을 즐기며 수많은 사람의 심금을 울리는 감동적인 낭만시를 썼다. 근대 유럽의 낭만주의 문예사조는 워즈워드로부터 시작되었다. 그는 산자수려한 숲과 호반을 두루 밟으면서 자연에 내재한 영적 존재로부터 경이로운 영감을 받았다. 그에게 외경심을 불러일으키는 성스럽고 불가사의한 '자연령'과의 접신적 교감을 통한 시적 체험의 기록은 『서정시집』(*Lyrical Ballads*)과 수많은 자연시편에 수록되어있다.

미국의 소로는 2년 2개월 동안 뉴잉글랜드의 월든 호수의 숲지대에서 자아실험의 시간을 보냈다. 실험적인 자연생활의 체험을 일지(일기) 형식으로 『월든 숲속의 생활』에서 기록하고 있다. 이 책에서 빠르게 성장하고 있었던 산업기술 사회의 물질주의로 인해 타락한 미국인들을 비판하며, 상업적 이윤 추구에 함몰된 자본주의 풍조를 신랄하게 고발한다. 당대의 산업문명은 숲지대를 개간하기 위해 마구 벌목하고 나무를 무자비하게 훼손하는 주범이었다. 숲은 소로에게 물질을 뛰어넘는 정신적, 영적인 근원이었으며, 생명과 영감을 위한 원천이었다. 그는 영국의 낭만주의 문학과 동양의 자연사상의 애호자였고, 미국문학에 낭만적인 초절주의가 시발되게 했던 중심인물 중의 한 사람이다.

2-1

# 영국 레이크 디스트릭트의 숲
## —워즈워드의 자연시들과 낭만적 자아

### 영국의 산업혁명과 녹색문학

영국의 국민은 18세기에 이르면 과학기술의 발전과 산업혁명으로 삶에 엄청난 변화를 겪는다. 전통적인 영국 국민은 녹색의 전원사회에서 자연친화적이고 목가적인 조용한 생활을 해왔다. 그러나 워즈워드(1770~1850)가 살던 시기에 이르면 공동체는 붕괴하기 시작하고 전원적인 사회로부터 산업화한 도시사회로 급격히 이동하였다. 당시의 산업혁명은 전국에 걸쳐 대대적인 엔클로즈 운동(enclose movement)이 일어나게 했는데 이것은 양모산업에 필요한 목양지 확보를 위해 토지에 울타리를 쳐서 경계를 표시하는 작업이었다. 이를 위해 전국적으로 토지개간과 숲벌채가 성행하였고 이로 인해 농민들은 집을 잃고 고향으로부터 쫓겨나거나 혹은 부자가 되려는 열망을 품고 돈벌이를 위해 도시로 몰려들었다. 이러한 시대적 변화를 따라 사회는 물질주의 풍조가 만연했으며, 이로 인해 지금까지의 전원적인 생활 패턴은 예상치 못한 불안정과 여러 가지 부작용이 발생했다. 토지와 숲지대의 개간 사업이 점점 더 확대됨에 따라 풍요롭고 아름다웠던 자연은 훼손과 파괴의 모습을 더해갔다. 지금까지 전통적인 자연은 영국인들에게 소박하고 순수한 삶 속에서도 풍요와 경이와 신비의 원천이었고, 기쁨과 찬미와 감사의 대상이었지만 이제는 급격한 사회구조의 변화로 인간성은 타락하고 도덕과 윤리도 위기에 처했다. 전원경제에 바탕을 둔 영국인들의 안정적이었던 가족관계와 인간관계는 나날이 해체되는 길을 걸었으며, 사회적 불안은 고조되어갔다. 녹색의 전원과 나무와 숲지대는 날이 갈수록 눈앞에서 점점 더 사라졌으며 인간과 자연의 유대는 무너지고 그 유기적 관계는 단절되는 사태에 이르렀다.

산업혁명기 이전의 영국인들의 삶은 기본적으로 녹색적이다. 같은 맥락에서 전통적인 영문학은 자연친화적인 녹색문학이다. 영문학에 투영된 생명력으로 가득 찬 나무와 숲은 녹색의 이미지를 형성한다. 본질적으로 녹색은 자연과 생명의 색깔이라고 할 수 있다. 워즈워드가 살던 18세기의 초중반까지 영국의 작가들은 나무와 숲과 전원을 바라볼 때 눈앞의 자연 자체를 '녹색의 언어'(green language)로 된 '녹색의 책'(green book)으로 여겼다. 그러나 산업혁명기를 맞아 작가들에게 영국의 전형적인 특색이라 할 수 있는 녹색의 전원(자연)은 조금씩 사라져갔고, 아름답고 풍요로운 영국 특유의 나무와 숲은 일상생활과 거주지로부터 점점 소실되어갔다. 이러한 상황에 처한 작가들의 상실감과 절망감은 커졌고, 한탄과 울분을 억누를 수 없었다. 이에 따라 작가들은 타락한 사회를 고발하고 비판하며 나름대로 대안을 제시하고자 했다. 워즈워드는 근대 영국의 초중반기 산업화 시대의 한가운데서 피폐해가는 인간성 회복과 고갈되는 녹색생명체의 복원과 보존을 위해 매우 중요한 역할을 수행한 사람이다.[1] 워즈워드는 향리가 있던 잉글랜드 북서부 지방의 산자수려하기로 유명한 '레이크 디스트릭트'에서 자연을 찬미하며 우주적인 영과 교통하고 격조 높은 순결한 감정에 고무되는 낭만적 인생을 살았던 낭만파 시인이었다. 그를 선봉으로 사우디(Southy)와 코울리지(Coleridge)를 사람들은 '호반시인'이라 불렀으며 그들은 그래스미어(Grasmere)에 정착하여 서로 교류하면서 낭만주의 시풍의 터전을 일궈냈다.

방대하게 뻗쳐있는 레이크 디스트릭트는 그래스미어, 윈드미어(Winderemere)와 같은 지점에서는 여러 아름다운 호수들로 빼어나고, 스키도(Skiddaw)와 같은 지점에서는 산악으로 빼어나 많은 사람이 찾는 관광지다. 워즈워드는 당시에 레이크 디스트릭트에 있는 기존의 철도를 윈드미어(Windermere)와 케스윅(Keswick)에 연결하는 철도연장 프로젝트에 대해 이런 철도부설이 숲(산림)을 심각하게 훼손한다며 신문에 항의하는 두 편의 편지글을 써서 'The Morning Post'에 기고했다. 그러한 철도연장 프로젝트는 켄달(Kendal) 지역으로부터 윈드미어(Windermere)의 맨 위쪽에 가까운 로우 우드(Low Wood) 지역에 이르기까지 철도를 확장하려는 계획이었다. 유서 깊은 아름다운 풍경을 볼 수 있는 이 지역에 랭커셔주의 기존철도를 확장하여 많은 관광객을 유치함으로써 돈벌이 수단으로 삼으려는 것이 실제적인 의도였다. 이런 철도가 부설된다면 이후에 앰블사이드(Ambleside)와 그래스미어(Grasmere)를 관통하는 철도를 개설하지 않는다는 보장이 없다는 점을 지적했다. 만약 그런 시도가 추진된다면 그것은 특정 지역에 국한된 문제가 아

1 이러한 시대적 변화에 따른 영국 시인들의 자연 친화를 표현한 녹색언어의 재창조에 대한 시적 모색에 대해서는 Raymond Williams, *The Country and the City* (St Albans, Herts: Granada Publishing Ltd., 1975), 제13장 "The Green Language," pp.158-175를 참조했다. 이 책의 저자는 18세기 전후의 여러 시인을 다루는데 예를 들면 William Wordsworth (1770-1850), Joseph Addison (1672-1719), James Thomson (1700-1748), George Crabbe (1753-1832), John Clare (1793-1864), Gilbert White of Selborne (1720-1793), Stephen Duck (1705-1756), Robert Bloomfield (1766-1823), Mandeville (1670-1733) 등이다. 필자는 윌리엄즈의 「녹색언어」("green language") 부분을 『오늘의 문예비평』 1997년 겨울호에 번역 게재했다. 제목은 「영국 전원시에 나타난 풍경의 변천과 녹색 언어」(pp.131-154).

니며 제대로 된 취향을 가진 모든 사람이 함께 관심을 가져야 할 중대한 문제라는 것이었다. 켄달과 윈드미어 지역에 철도가 부설되는 계획을 워즈워드가 반대하는 근거 중의 하나는 "그림 같은 낭만적인 풍경"(picturesque and romantic scenery)을 감상한다는 문제는 느리지만 점진적으로 교양을 계발하는 과정에 의해서 이루어질 수 있으므로 사업 발주자들이 내세우는 명분과는 다르다는 것이었다. 이런 아름다운 지역에 저소득층 사람들이 철도를 통해 더 빠른 접근을 한다고 해서 실제로 이 지역의 주민들이 물질적 혜택을 본다는 것은 가능하지 않다는 것이다.[2] 당시의 철도사업 발주자들은 가난한 사람들도 레이크 디스트릭트 지역에 여행을 즐길 수 있도록 해주자며 겉으로는 호의적인 명분을 내세웠지만, 속셈은 가난한 사람들을 선동하여 수익을 내고 자신의 호주머니를 불리려 한다는 비판을 받았다. 만약 이 지역으로 철도가 연장된다면 수많은 행락객이 드나들면서 자연 훼손이 일어나고 아름다운 풍경을 망가뜨릴 염려가 분명했기 때문이었다. 의식 있는 지식인들은 돈벌이에 눈먼 자본가들의 상업적 탐욕으로부터 아름다운 자연을 보호하고자 했던 것이다. 워즈워드는 호반지대 중에서 그래스미어(Grasmere)에서 9년간, 그 뒤에 리달 마운터(Rydal Mount)에서 1813년부터 서거한 1850년까지 37년 동안을 살았다. 참고로 이러한 철도연장 계획을 완강하게 반대했던 또 다른 작가들로는 러스킨(John Ruskin, 1819~1900)과 소머빌(Robert Somervell)이 있다.[3] 이와 같이 여러 지식인이 항의문을 발표한 결과로 잉글랜드 북부의

---

2 Raymond Williams, *The Country and City*, p.306.

3 Duk-Yong Kong, *British Essays* (Seoul: Shina-sa, 1987), pp.358-359. 러스킨은 소머빌이 쓴 「레이크 디스트릭트의 철도연장에 대한 항의문」("A Protest against the Extension of Railways in the Lake District", 1876)을 읽고 크게 감명을 받아 호소력 있는 두 편의 긴 글을 신문사에 투고했고 소머빌의 훌륭한 말을 인용했다. 「레이크 디스트릭트의 철도연장에 대해」("The Extension of Railways in the Lake District"), 「윈드미어의 철도 종착역을 케스윅을 통과하도록 연결하는 프로젝트에 대해」("A project to connect the railway terminus at Windermere with the line running through Keswick")라는 글이다. 러스킨은 사회, 경제 분야에서 많은 논문을

컴블랜드(Cumberland)와 웨스터모어랜드(Westmoreland)에 뻗어 있는 산악지역에서 레이크 디스트릭트를 지나가는 철도연장 계획은 철회되었다. 이에 대해 워즈워드는 레이크 디스트릭트의 여러 섬에 거주하는 모든 다른 사람과 함께 한탄과 분노를 표현할 수 있도록 호의를 베풀어준 신문사에 감사한다고 밝혔다.

워즈워드의 시대는 산업화에 뒤따라 발생한 토지와 자연에 대한 기존의 신뢰는 절망감, 우울, 회한으로 변했다. 한 세기 동안에 걸쳐 진행된 토지개간과 배수, 개척사업과 같은 개발과정에서 거꾸로 변화되지 않는 야생지대와 원시적 자연을 향한 동경심과 경외감이 부산물로 생겼다. 들판과 산과 숲의 야생지대는 대부분이 신비의 대상이 되었다. 대중들 가운데는 이와 같은 야생지대로 여행하는 시대적 유행이 생겨났다. 그들 대부분은 경제적으로 능력이 있었던 사람들이었으며 농지개량과 무역으로 얻은 이익을 이름난 명소를 찾아 여행하는 데 사용했다. 그들은 그러한 경험을 서로 교환, 비교하였는데 그것은 당시 유행계의 일반적인 형태였다. 이와 같은 상황에서 어떤 사람들은 특정 지역들에 대한 여행과 관광을 촉진하고 기념하는 예술적

---

발표하였고 사회개혁에 앞장섰던 지식인으로서 미술비평과 시창작에서도 명성이 높았다. 그는 우려하고 한탄했던 당대의 영국 산업화와 자연훼손의 위기상황을 『이러한 종말에 관해』(*Unto This Last*, 1862)라는 글에서 다음과 같이 기술했다. "만약 모든 영국은, 그렇게 선택한다면, 하나의 공업도시가 될지도 모른다. 영국인들은 전체 사람들의 이익에다 자신들을 희생시켜 소음과 어둠, 치명적인 가스 배출 가운데서 단축된 삶을 살지도 모른다. 그러나 세상은 공장이나 탄광이 될 수 없는 것이다. 어떤 분량의 발명의 재주도 철이 백만 단위로 소화되도록 만들 수는 없을 것이며, 수소를 포도주로 대체하지는 못할 것이다. 인간의 어떠한 탐욕과 격정도 그들을 먹여 살리지 못할 것이다. 침묵의 대기는 감미롭지 않다; 지상의 낮은 물결의 소리로 가득할 때 오직 감미롭다—새들의 3중주 음악과 곤충들의 중얼거림과 지저귀는 소리 … 생명의 기술을 배울 때 마침내 모든 사랑스러운 사물들이 역시 필요하다는 사실을 알게 될 것이다; 키우는 옥수수뿐만 아니라 길가의 야생화도; 기르는 가축뿐만 아니라 야생의 새들과 숲의 생물들도; 왜냐하면 인간은 빵만으로 살지 않기 때문이다." (Jonathan Bates, "Acknowledges," *Romantic Ecology: Wordsworth and Environmental Tradition*, New York: Routledge, 1991)

표현을 담은 시집과 잡지, 그림, 판화 등을 출판하여 이익을 얻었다. 그러나 그와 같은 여행은 진정성이 있거나 깊이가 있는 감수성의 변화라기보다는 기호의 첨가 수준이었다. 이러한 여행 지역 중에는 워즈워드가 태어나고 살면서 시를 썼던 잉글랜드 북서부의 레이크 디스트릭트, 웨일즈의 와이강 계곡 지대, 남웨일즈와 북웨일즈의 새로운 숲지대(the New Forest), 스코틀랜드의 고지대 등은 인기가 높은 관광지이자 심지어 순례지가 되었다. 하지만 일반적인 여행자들이 가졌던 자연관은 매우 낙후한 것이었다. 왜냐하면 그들이 자연을 바라보는 시각은 개량적이었지만 자연을 바라보는 더욱 진지한 시각은 원초적인 존재로서의 자연을 볼 수 있어야 하는 것이기 때문이다. 이와 같은 여행의 과정에서 일부의 사람들로부터 자연을 바라보는 높은 수준의 경험들이 나왔다. 이런 사실은 워즈워드나 다른 자연시인들의 작품을 보면 알 수 있다.[4]

영문학 작품에 나타난 자연환경의 훼손과 파괴에 관한 여러 문제를 역사지리적 시각으로 폭넓고 날카롭게 분석한 문화비평가로 레이몬드 윌리엄즈가 있다. 그는 명저인 『도시와 전원』의 첫 지면을 낭만주의자이자 자연시인으로서의 워즈워드를 인용하면서 시작한다.[5] 윌리엄즈의 주장에 따르면 워즈워드의 시에서 도시와 시골은 이분법적으로 인식되었고 근대 영국의 도

---

4 Raymond Williams, *The Country and City*, pp.158-59 참조. 여행의 열기가 높았던 지역은 윌리엄 길핀(William Gilpin, 1724-1804)의 직접적인 영향을 받았다고 한다. 그는 1780년대부터 그림을 넣은 여러 권의 여행도감 연재물을 발간하여 유명해졌다.

5 이를 위해서는 손현, 「영국 낭만시에서 도시와 시골 차이의 해체적 구성-블레이크, 워즈워스, 피학성애」, 『영어영문학』 제61권 4호(2015), p.638. 그리고 이외에도 워즈워드가 보여주는 당대의 산업화, 도시화, 과학, 산업, 상업주의, 물질주의 등의 문제에 관한 비판적 태도와 입장을 언급한 논문으로는 김재오, 「사회비판과 시적 진실 사이에서: 워즈워스의 「컴블랜드의 늙은 거지」」, 『신영어영문학』 제53집(2012); 박혜영, 「자연과 여성: 워즈워스의 「폐허가 된 오두막」 다시 읽기」, 『신영어영문학』 제34집(2006); 신양숙, 「도시와 시골-워즈워드」의 경우」, 『영어영문학』 제57권 1호(2011) 등을 참조할 수 있다.

시화, 산업화에 대해 매우 비판적이다. 자연을 사랑했던 워즈워드는 그의 고향이 있는 잉글랜드 북서부의 레이크 디스트릭트를 찾아오는 당대의 여행객들과 지역 거주민들을 위해 산문으로 자연, 역사, 생활을 소개하는 「안내서」("a guide", 1835)를 썼다. 그는 레이크 디스트릭트의 호수, 산, 계곡, 초원, 강, 숲, 기후, 색깔 등과 함께 로마제국의 속주였던 시기의 유적지, 유물, 공예품, 그리고 교량, 오두막집, 예배당, 공원, 저택, 사회풍속 등의 다양한 소재를 소개한다. 워즈워드가 밟았던 발자취를 따라 레이크 디스트릭트의 여러 장소를 순례하기를 원하는 여행자들에게 도움을 주는 책자로는 밀와드가 쓴 『영국의 시인들과 장소들』이 있다. 여기에는 「레이크 디스트릭트의 서문－워즈워드를 가이드로」라는 글이 수록되어 있다. 저자는 이 지대가 워즈워드의 자연시의 원천이며, 낭만적인 자연시는 시인이 호반지대 전역을 널리 답습하면서 그의 피와 살, 심장과 몸으로 깊이 느꼈던 체험을 감동적으로 표현했다고 밝힌다.[6]

## 워즈워드의 자연시와 나무, 숲

워즈워드의 자연시에 언급된 장소에는 특유의 역사성과 현실세계의 풍경이 반영되어 있다. 이제부터 그중에서 특히 나무와 숲이 어떤 양상으로 묘사되고 있고 그것들의 의미는 무엇인지를 자세히 살펴보고자 한다. 그런데 무엇보다 〈다양한 소네트〉("Miscellaneous Sonnets")[7]의 시편에는 앞에서 잠시

6 Peter Milward, *English Poets and Places* (Tokyo: Kinsedo, 1980), pp.44-45.

7 Thomas Hutchinson, ed., revised by Ernest De Selincourt, *Wordsworth: Poetical Works* (Oxford: Oxford University Press, 1939), p.147. 이후 본문에서 워즈워드 시의 인용은 이 책에 의하며 Hutchinson으로 약기한다.

언급한 레이크 디스트릭트의 철도연장 발주공사 계획에 반대하는 내용이 들어있으며, 당시에 전국적으로 퍼지고 있던 산업화와 도시화와 과학 물질문명의 폐해가 상당히 구체적으로 언급되고 있다.[8] 이 시집에서 I부 2번의 시는 '훈계'('Admonition')라는 제목을 달고 있는데 레이크 디스트릭트를 방문하는 사람들에게 이 지역의 순수성을 해치지 말라는 내용이다. 이곳의 소박한 자연은 워즈워드가 "수호 피난처"로 간주하며, 이곳을 찾는 방문객들은 "자연의 책으로부터 이 소중한 책장을 모질고 불경하게 찢어내려는 침입자들"이라고 표현된다. 시인은 이곳의 자연을 종교적 차원으로 높이면서 외부인들이 이권을 노린다면 모든 것이 "사라져버릴 것"이라고 경고한다(Hutchinson, 199). 시인은 자연을 인공적인 도시와 대조하면서 외적인 화려함에 얽매인 도시인을 개탄한다. 자연과 물질의 대조가 시의 군데군데에 나타나며, 특히 III부의 마지막에 집중되어 있다. 과학에 대한 회의감(III부 41번 시), 상업적 이익을 위해 레이크 디스트릭트에 철도를 부설하려는 세력들에 대한 비난(III부 45번, 46번 시)도 나타난다(Hutchinson, 224). 45번 시는 특별히 제목이 달려있는데 「켄달과 윈드미어 철도 프로젝트에 대해」("On the Projected Kendal amd Windere Railway")로 되어있다.

III부의 21번 시는 자연과 문명의 관계에 대한 워즈워드의 생각을 읽을 수 있다. 시인은 거친 야생지대(자연)를 거쳐서 마침내 마주친 도시, 채스워스에 대해 "그대의 웅장한 저택, 그리고 그대 영토의 자랑거리"는 험한 계곡에 거주하는 사람들의 집들과 "묘한 대조"를 이룬다고 느낀다. 산골에 사는 사람들은 "완벽한 만족의 모든 외관을 갖추고" 살아가며 "소박한 자연은 너무도 친절하다, 정말 그렇다!"라고 읊는다. 도시의 웅장한 저택은 허식에 지나지 않는 물질문명 자체라고 생각한다. 인간의 근본은 허식에 있지 않고 소

8 이에 대해서는 김문수, 「워즈워드의 〈다양한 소네트〉에 관한 연구」, 『영미문학교육』 제19집 2호(2015)에서 잘 설명하고 있어서 이를 참조했다.

박한 자연에 있으며, 허식은 "소중한 삶의 마지막"을 지켜주기 위해서 최소한으로 필요하다(Hutchinson, 219). 여기에 워즈워드의 자연과 물질의 대조에 대한 견해가 들어있다.

III부 48번 시 「퍼니스 수도원에서」("At Furness Abbey")는 1123년에 설립된 레이크 디스트릭트의 퍼니스 수도원에 모여 있는 철도 노동자들의 모습을 묘사하고 있다. 시인은 한낮의 휴식 시간에 이곳 수도원에 모여 찬송가를 부르고 있는 순박한 노동자들의 모습에 존경심을 보내지만 이와는 대조적으로 상업적인 이득에 눈이 먼 철도사업자들에 대해서는 약탈자로 부른다. 시인의 눈에 소박한 노동자들은 이 성스러운 유적지에서 "장소의 영을 느끼는 듯"이 보인다고 읊는다.

그리고 어느 목소리에서 나온 아름다운 화음의 찬송가가
오래전에 사라진 성가대를 다시 신성화시키고,
그 주위의 낡고 음산한 대지를 일깨운다.
다른 사람들은 위로 쳐다보며, 눈길을 고정하고 경탄한다,
저 넓은 아치가 어떻게 세워졌는지,
저 강함과 우아함을 어떻게 공중으로 높이 떠받치는지 놀라면서:
모든 사람들이 이 장소의 영을 느끼는 듯하고,
다 함께 경배하며 신께 찬미를 올린다:
불경스러운 약탈자들아, 책망도 받지 않고 서 있느냐,
이 소박한 마음씨의 사람들은 이렇게 감동받고 있는데도? (Hutchinson, 225)

이 시를 좀 더 자세히 들여다보면 장소적인 의미의 부여가 깊다. 수도원과 이곳의 자연은 겉으로 폐허가 되었지만 다시 회복되고 있다. 같은 장소를 소재로 하여 5년 전에 집필된 III부 47번 시에서는 자연이 지닌 "위로의

영"을 언급하였다. "불경스러운 약탈자들", 다시 말해 철도사업자들은 자본주의의 막강한 힘을 행사하지만 노동자들, 즉 "소박한 마음씨의 사람들"은 물질문명의 침투를 막고 있으므로 궁극적으로 노동자들이 승리자가 될 것이라고 시인은 믿는다(Hutchinson, 225).

I부의 19~22번 시까지 모두 4개의 시(Hutchinson, 203)는 물질문명이 자연계에 깊숙이 침투하여 과거의 아름다운 전통들이 사라졌음을 개탄하는 내용이다. 19번에서 시인은 "이제 오두막집의 물레가 침묵하니" 비애와 근심도 사라졌지만 사랑도 기쁨도 떠났다고 말한다. "물레질"은 과거에는 "습관이 아니라, 일에 대한 진실한 사랑으로 행해졌던 일"이었으며, "우리의 생명줄을 잣는 일"이었고, "가정의 미덕"이었다고 시인은 말한다. 그래서 시인은 기계문명이 소박한 자연 속에서 살아가는 인간의 마음마저 약탈해 갔다고 강력히 비난한다. 21번 시에서 "악용되는 기계들"이 없었던 시절에는 "다정한 자연의 온갖 재산"을 공유했다며 과거를 오히려 그리워한다. 그런 시절은 "숭고한 신앙심"이 있었다면서 "옛날의 신앙심은 영원히 사라졌는가?"(22번 시)라고 한탄한다. 자연은 회복과 치유의 힘이 있으므로 "한결같은 평안"을 주며(I부 15번 시, Hutchinson, 202), "위로의 영"(III부 47번 시, Hutchinson, 225)을 지녔다고 읊는다. 이러한 표현에는 워즈워드의 낭만주의적인 문학관이 반영되어 있는데 이러한 문학관은 III부의 중반 이후에 자주 개진된다.

워즈워드는 신고전주의 학파가 강조하는 '기술'(art)에 대해서는 가능한 제어를 하고 자연, 자유, 상상력의 가치를 강조한다. 이것은 인위적인 기술보다는 원초적인 자연을 추구하기 때문이다. 이어서 "법칙에 따라 웃고, 규칙에 따라 눈물을 흘려야 하는" 신고전주의 시인들이 추구하는 "기술"에 대해 반발한다(27번 시). 워즈워드는 신고전주의 시론에 맞서 "그대의 기술은 자연이어야 한다"라며, 예술의 본질은 "자유"에 있다는 진리를 선언한다. 자연에 있는 꽃과 숲속 나무들의 자유롭고 웅장하고 신성한 생명력이 이러한 사실을 말해준다는 것이다. 즉 그런 생명력은 형식적인 틀을 씌워서 나오는 것이 아니라고 말한다.

> 어떻게 초원의 식물이 그 꽃을 펼치는가?
> 그 사랑스러운 작은 꽃이 뿌리 깊게 자유롭고,
> 그 자유 안에서 힘차기 때문이다.
> 마찬가지로 숲속 나무의 웅장함은
> 형식적인 틀을 씌워서 나오는 것이 아니라,
> 그 자체의 신성한 생명력에서 나온 것이다. (Hutchinson, 220)

그러면 이제 숲지대와 호숫가에서 자유로운 몸짓으로 생명의 춤을 추는 시, 「수선화」("The Daffoldils")를 감상해보자. 이 시는 〈상상의 시편〉(*Poems of the Imagination*)에 속해 있으며 「나는 구름처럼 외로이 떠돌았지」("I wandered lonely as a cloud")라는 제목으로 불리기도 한다. 그래스미어에 살았을 때 1804년에 작시하여 1807년에 출판되었다. 워즈워드는 숲의 가장자리에서 호숫가에 무리 지은 수많은 수선화를 본다. 그의 여동생 도로시가 일기에서 밝힌 바에 따르면, 두 남매는 어느 봄날에 산책하던 중이었다.[9] 두 사람이 고바로우 공원 너머의 숲속에 있었을 때 그들의 눈앞에는 호수의 물가에 몇 송이의 수선화가 바싹 붙어있는 모습이 보였다. 처음에는 호숫물이 수선화들을 물가로 떠밀어내어 수선화 무리가 공중으로 솟아있다고 상상했다. 그러나 그들이 계속 걸어서 가까이 다가가자 수선화가 더 많이 있었고, 마침내 호숫가에 있는 나무들의 가지들 아래에 이르자 수선화가 넓은 간선도로의 물가를 따라 긴 띠를 이루고 있었다. 도로시는 지금까지 결코 그처럼 아

9 김종갑, 『워즈워스: 삶으로서의 문학』(서울: 건국대학교 출판부, 1994), p.60.

름다운 수선화를 본 적이 없었다고 말한다.[10]

워즈워드에게 수선화들과의 대면은 온몸에 새로운 영적 생명을 각성시키고 신성한 환희를 불러일으키는 신비한 경험이 되었다. 마치 계시적인 환상을 보는 듯한 순간이었고, 영혼의 부활이 일어난 엑스타시 체험의 순간이었다고 한다. 여기서 잠시 이곳에 대한 장소적 특화에 주목해보자. 이와 같이 아름다운 특별한 수선화들은 숲지역과 호숫가에서 나무 및 숲과 어울려 자리를 함께하고 있다. 그러한 수선화들은 특별히 그 지점에 공간적으로 배치되었다고 생각해볼 수 있다. 그 결과로 고유한 장소적 특성을 부여받은 것이다. 이러한 장소적 특화는 워즈워드의 여러 자연시를 가로질러 보편화되어 있다.

워즈워드는 케임브리지대학에 입학하여 학업을 시작했을 때 도시적 환경에 머물면서 공부하기를 즐기기보다는 야외를 돌아다니며 자연을 훨씬 더 즐겼다. 그는 어디에 가든 고향인 레이크 디스트릭트의 깊은 산악지대에 펼쳐진 아름다운 나무들, 숲들, 호수들의 풍경을 잊을 수 없었다. 그곳에서 산악의 언덕과 숲을 방랑하면서 고독 가운데서 자족하고 희열에 가득 찬 시간을 보냈던 것이다. 잘 알려진 대로 그는 프랑스의 루소처럼 홀로 산보하기를 즐기는 '고독한 방랑자'였다. 젊은 시절의 워즈워드는 루소의 책을 읽고 시민혁명 사상과 "자연으로 돌아가라"는 낭만적 자연주의 사상에 큰 감명을 받았다. 자연을 친구로 삼고 산악과 언덕, 나무와 숲을 찾아다니면서 산보하는 것이 더없는 기쁨과 행복이었다. 그에게 이러한 대자연은 벗이자 교사이며 대화를 함께 나누는 살아있는 인격체였다. 그는 심장으로, 육신의 살아있는 감각과 피부로 눈앞에 바라다보이는 대자연을 비범한 시적 감수성으로 느낄 수 있었던 낭만적 자연주의자였다. 그가 교류하는 자연의 어떤 개체들도 차

---

10 차정남, 「Wordsworth의 시적 체험에 관한 연구」(전남대학교 박사학위 논문, 1990), p.12.

별이 없는 신성하고 존귀한 존재였고 그에게는 그 모두가 즉자적(卽自的)인 대자(對自)였다. 워즈워드의 자연관에서 각 존재들은 제각기 독립적인 인격성과 가치를 지닌 실체였기 때문이다.

「개암나무 열매 따기」("Nutting", 1798)를 살펴보자. 이 시의 주인공은 소년으로 되어있다. 여기에 등장하는 소년의 자서전적인 요소는 워즈워드의 반영이며 시인 자신이 주인공이다. 시인은 소년 때에 개암나무 숲을 발견하고 그 안쪽으로 들어갔는데 처녀지에서 느끼는 순수함을 만끽하고 흥겨워한다. 여기서 워즈워드는 장소를 특성화(특화)하고 있다. 그런데 안타까운 일이 마음에서 일어난다. 마음에 기쁨이 넘치면서 동시에 자연을 정복하고 싶은 유혹을 느끼게 되는 것이다. 이것은 자연을 자신과 분리된 대상으로 보아 자만심이 발생했음을 뜻한다. 즉자(卽自)가 아닌 대자(對自)인 셈이다.[11]

> 나는 들었네 그 중얼거림과 아침의 소리를
> 　저 달콤한 기분 속에서 기쁨은
> 　평안의 공물 주기를 기뻐했네
> 그 확실한 기쁨을
> 　심장은 무심한 사물들과 함께 기쁨으로 넘치고
> 그 자비로움을 아낌없이 베풀었네 돌과 쌓인 물건들 위에
> 그리고 빈 허공에. 그런 다음 나는 일어섰다네, (Hutchinson, 147)

소년은 일어서서 개암나무를 세게 잡아당기니 가지의 끝이 땅에 닿았다. 이때 나뭇가지는 뚝 소리를 내면서 끊어졌다. 소년의 욕심은 가지가 끊어지는 결과를 초래하였고 그렇게 하여 개암나무는 제 모습을 박탈당했으며,

---

11 David B. Pirie, *William Wordsworth: The Poetry of Grandeur and of Tenderness* (London: Methuen, 1982), pp.35-36.

소년은 개암나무와의 관계를 잃게 된 것이다.

> 그늘진 아늑한 곳에 개암나무들로,
> 그리고 녹색으로 이끼 낀 그늘에
> 꺾어져서 음울하게 되어, 인내하며 내려앉았다
> 말 없는 존재가 되었다: 그래서 나는 지금
> 지나간 일로써 내 현재의 감정들을 당황케 하지 않았더라면
> 불구가 된 나무 그늘에서 몸을 틀기 전에
> 그 힘차고 풍성했던 수많은 왕과 같은 나무들로부터
> 나는 쳐다봤을 때 내 감각에 고통을 느꼈다
> 그 말 없는 나무들을, 그리고 내려앉는 하늘을 (Hutchinson, 147)

소년은 자신의 자랑스러운 힘으로 세계를 정복하여 자만심으로 의기양양하였지만 이제 세상은 고아가 되고, 싱싱한 생명이 상실된 섬뜩하게 죽은 세계가 되어버려 스스로 벌을 받는 결과가 되었다. 영원히 힘차게 "말을 하는" 나무가 나와는 관계가 단절되어 "말 없는 나무"로 변해버린 것이다. 소년의 욕심은 처녀림을 망쳐버림과 동시에 자신의 마음도 망쳐버렸다. 왕들보다 더한 풍요를 누리려 세계를 휘어잡을 것 같았던 기회를 성취했는데도 모든 것을 박탈당하고 남는 것은 고통뿐이다. 개암나무 열매를 딴 소년은 인간의 정복욕이 존재들 사이의 연합과 조화를 깨뜨린다는 각성을 얻는다. 소년은 자기중심적인 독선과 자만으로 개암나무와 자기를 둘 다 망쳐버렸을 때야 비로소 자연의 힘을 알게 되어 성모에게 기도할 수 있었다고 밝힌다. 올바른 관계란 자연의 모든 존재는 서로 정복과 복종의 권력적인 것이 되어서는 안 된다는 것이다. 각자는 본질적으로 평등한 가치를 부여받은 존재로 인정하고 서로를 존귀하게 받아들일 때 파괴적인 결과를 회피하고 화합과 합

일의 기쁨을 얻을 수 있다고 하겠다.[12]

워즈워드가 자연 속에서 방랑자로 산보하면서 자연과 교감하는 장면을 보면 그와 자연 사이에서 일어나는 교감 형식은 남녀 사이의 성적 교합 또는 결혼의 방식이 되는 때가 있다.[13] 「산보」("Excursion")의 서문은 비유적인 결혼 이야기를 통해 인간의 마음이 잠에서 깨어나 우주와 현묘하게 결합한다는 점을 밝힌다. 인간과 우주와의 위대한 결혼은 워즈워드에게 합일과 화합의 극치를 이루는 주제이다. 워즈워드는 시적 언어를 이처럼 은유적, 비유적으로 사용하는 방식을 택함으로써 일반적인 표현법으로는 불가능할 수 있는 어떤 초월적인 의미를 전달할 수 있다.

> 인간의 마음은 얼마나 현묘하게
> (그리고 아마도 그 진행하는 힘은
> 전체적인 종에서는 적지만) 외계의 우주에 대해서
> 화합하는가: —그리고 얼마나 현묘하게, 역시
> 사람들 가운데서 이런 주제는 거의 듣지 못하지—
> 외계의 우주는 인간의 마음에 화합하는지;
> 그 창조는 (낮은 이름으로는 불릴 수 없는 것이지)
> 그들은 혼합된 힘으로
> 성취할 수 있는 것: (Hutchinson, 590)

이 시에서 인간의 마음과 외부세계(우주)는 성공한 결혼만큼이나 확실하게 화합하는 삶의 즐거움을 생산한다. 희열의 감정은 두 사람이라는 '복수'

12 차정남, 같은 논문, p.20.

13 차정남, 같은 논문, p.21.

에 의해서 이루어지는 것이 아니라 화합된 전체가 발휘하는 '통합된 힘'에 의해서 생긴다는 교훈을 시인은 말한다. 앞서 살펴본 「개암나무 열매 따기」에 적용해볼 때, 한쪽 사람이 상대방에게 일방적이고 독선적인 행동과 주장을 강제한다면 화합이 붕괴한다는 것을 알 수 있었다. 워즈워드가 의도하는 메시지는 서로의 양립이 가능한 화합과 합일이다.[14] 이러한 주제의 시는 여러 편이 있다. 산속에서 나무와 숲과 폭포수가 등장하고 여러 사물이 함께 어우러져 하나의 장관이 연출되는 풍경을 「케임브리지와 알프스」("Cambridge and Alps")에서 살펴보자. 워즈워드는 알프스 산의 심프롱 고갯길을 하산하면서 힘차게 흘러내리는 계곡의 폭포수, 나무, 숲, 바위 등이 함께 어우러지는 장엄한 풍경을 눈으로 보고, 귀로 들으면서 완전한 합일의 경지를 경험한다. 시인이 지난날을 회상하자 그곳을 여행했을 때의 어둠과 빛, 격동과 평온이 최고조의 합일을 이루었으며, 물과 바위가 함께 어울려 한목소리를 내고 있었다는 내면적 풍경을 상상력으로 떠올린다. 이 시는 「서시」("Prelude") 제6권의 끝부분에 나온다.

측량할 수 없는 높은 곳
숲들은 쇠퇴하고 있지만, 결코 쇠퇴하지 않으며
웅덩이진 폭포들의 분출들.
찢어진 물웅덩이를 따라 곳곳마다
바람은 바람을 내던지고, 어지럽고 망연하며,
홍수는 맑은 푸른 하늘 위에서 쏜살같이 떨어지고
부딪치는 바위들은 우리 귀에 가까이서 중얼대며
길옆에서 말을 하는 아찔한 검은 틈새들

14 차정남, 같은 논문, p.18.

한목소리가 거기에 있는 듯이, 아픈 광경이
겁탈하는 개울의 아찔한 광경들
족쇄 없는 구름들, 광대한 하늘 지역,
소란과 평화, 어둠과 빛은
모두가 한마음의 작용들 같고, 특징들은
똑같은 얼굴이며, 한 개의 나무에 많은 꽃들과 같고
위대한 묵시록의 등장인물들처럼
영원한 형태들과 상징들처럼,
처음이자 마지막이며, 중간이자, 끝이 없었네. (Hutchinson, 536)

이와 같은 산속의 풍경은 마치 한 얼굴의 여러 모습을 단절된 단편으로 왜곡시키지 않는 것이며, 한 나무에 핀 꽃들을 여러 단편으로 잘라버리지 않는 조화와 합일의 상태와 같다. "숲들은 쇠퇴하고 있지만, 결코 쇠퇴하지 않으며"의 뜻은 역설적 진리로서 숲속에 있는 각각의 개체적 나무는 쇠퇴하더라도 숲 전체의 모습은 변함이 없다는 것이다. 바꿔 말해 숲은 나무들을 자라게 하므로 나무는 쇠퇴하지만 숲은 영원히 변하지 않는다. 숲에서는 삶과 죽음이 합일하며 생명은 영원하다. 마찬가지로 폭포와 강물도 영원한 흐름과 고정된 모습이 조화를 이루어 역설적인 정적 상태가 된다. 이러한 경험의 의미를 확장하면 우주는 살아서 움직이며, 그 안에서 일어나는 모든 움직임은 일체가 서로 동참하고, 계속되며, 회전한다. 시인은 산속의 풍경에서 다자들이 일자로, 일자가 다자로 화합하는 상황에서 '동중정', '정중동'의 균형 상태를 포착했다.[15] 이 시에서 풍경의 다양한 상태를 묘사한 여러 개의 현재분사는 영원성과 영원한 생명력이 잘 나타난다. 'decaying'(쇠퇴하고 있으며),

15 차정남, 같은 논문, p.23.

'thwarting'(내던지고 있으며), 'shooting'(쏜살같이 떨어지며), 'drizzling'(아찔하게 하며), 'raving'(겁탈하고 있으며) 등의 표현과 비슷하게 중단 없이 활동하는 세계는 '중얼거리고'(mutter'd) '말을 했다'(spake)고 읊는다. 이런 표현들에서 알 수 있는 것은 여러 사물은 일체가 되어 행동하는 세계이지만 타자를 지배하지 않고 있다는 점이다. 즉 단절된 개체들의 경쟁을 표현하는 것이 아니라 부분들이 상호 간에 긴밀한 관련을 맺는 역동적인 양식이다.

〈상상의 시편〉에 실려 있는 「한 소년이 있었네」("There was a Boy")에서 보면, 소년은 산속의 계곡에서 여러 물살이 흘러내리는 가운데 숲속에서 부엉이와 끊임없이 대화를 시도한다. 그러나 자기의 주위에 있는 세계의 살아 있는 힘을 발견하는 일에 분명히 실패하고 있다.

 숨을 멈추게 되었을 때
침묵하며 막아버린 그의 최상의 기술:
그런 후에, 때때로, 그 침묵 속에 매달리는 동안
귀 기울여 듣고 있었네. (Hutchinson, 145)

처음에 이 소년은 부엉이의 응답에만 귀를 기울이고 거기에 집착해서 들뜨고 불안한 마음으로 부엉이의 화답을 듣고 있었다. 그러나 자기의 자만심이 깨지고 마음의 긴장이 풀리기 시작하였을 때 놀라운 자연의 형상을 확실히 알게 되었다. 단절된 '나'는 자신의 욕망이 실패하는 순간에 비로소 신비스러운 감동이 마음속에서 일어났고, 계곡을 흘러내리는 물소리가 은은하게 들려왔다. 앞에서 살펴본 알프스 산속에서 계곡의 힘찬 물살이 흘러내리는 장엄한 심프롱 고갯길의 풍경을 느낄 수 있었던 때의 성공적인 일은 시인(워즈워드)이 좋은 자랑거리를 갖고 귀국하겠다는 일종의 욕심이 무산되었을 때였다. 이와 비슷한 맥락에서 위 시에서 시인은 손을 악기로 삼아 부엉이들과 서로 부르고 화답하는 자만심이 좌절되었을 때 비로소 숭고한 계곡의 물소리를 들었다. 즉 지배와 분리를 일삼는 자만심을 버리고 겸허하게, 아주 자연스럽게 순응할 때 자연은 진실하게 다가오며, 세계와의 창조적인 화합이 이루어지고 힘과 희열이 생겨난다. 인간은 이처럼 본래의 창조적인 화합 상태로 돌아갈 때 태초의 낙원인 '에덴동산'으로 들어갈 수 있는 것이다. 아브람즈에 의하면 이런 사상은 유대-기독교의 오랜 전통에 속한다.[16] 워즈워드의 위 시는 도덕적이거나 율법적인 개심, 회개를 강조하는 대신에 인간의 본래적인 자연성과 순수성, 그리고 자유로운 생명성의 회복을 역설한다. 워즈워드에게 이러한 회복은 자만심을 버리고 겸허하고 진솔하게 사물을 대면할 때 성취된다. 외부세계의 타자를 대면할 때는 과학적 논리인 지성, 이성에 의존하여 분석하려는 태도를 보이기보다는 자유로운 창조적 '상상력'을 발휘할 때 '낙원'에 들어갈 수 있다. 이럴 때 시적 엑스타시가 나타나며, 신비한 종교적 희열로 충만하여 낙원에 들어간 마음의 상태가 된다.[17] 워즈워드는 이를 위해 이성적, 지적 인식작용의 파괴적인 위험성에 대해 경고를 할 때가 있다. 이 점에 대해서는 나중에 다시 언급할 테지만 이러한 외부 사물과 더불어 마음의 낙원을 유지할 수 있는 원리는 나무들이 있는 곳과 숲속으로 들어가서 자신을 그곳의 장소적 특성에 깊이 적용해서 동화, 합일되어야 한다는 것이다.

〈상상의 시편〉에 있는 「가엾은 수잔의 몽상」("The Reverie of Poor Susan")에서 시골 소녀 수잔은 어린 시절에 고향을 떠나 분주한 도시에서 살아간다. 그녀는 고향의 길 어귀에 있었던 나무에서 지저귀던 지빠귀 새의 울음소리를 잊지 못하며, 그 새로부터 마음속에 받았던 영향이 회상된다. 과거로부터

16 차정남, 같은 논문, p.31에서 재인용. 원서는 M. H. Abrams, *Natural Supernaturalism*, p.384.

17 차정남, 같은 논문, pp.31-32.

현재의 시점에 떠오른 기억 속에서 당시의 생생한 상황이 재현된다. 수잔은 고향에서 살았을 때 날마다 해가 뜨면 고요한 아침에 '나무 거리'(Wood Street)의 어귀를 지나갔다. 그때마다 지빠귀 새가 큰 소리로 노래를 불렀다. 그 새는 3년 동안 계속하여 노래를 불렀는데 수잔은 그곳을 지나다니며 그 새의 노래를 들었다. 그 때문에 어린 시절의 고향은 항상 기쁨이 가득 찬 낙원이었다. 그러나 지금은 도시의 분주한 생활로 인해 마음에 기쁨과 평안을 얻지 못하고, 외롭고 무기력하게 살아가고 있다. 하지만 다행히도 그녀에게는 고향의 지빠귀 새가 마음속에 살아있어서 그 노래를 들을 수 있다. 왜냐하면 그녀의 상상력을 통해 아름다운 고향의 모습을 기억 속에서 회상을 할 수 있기 때문이다. 1797년에 쓰고 1800년에 출판된 이 시에서 과거의 '기억'(memory), '회상'(recollection), '시간의 지점들'(the spots of time)은 워즈워드의 시론인 '상상력론'(imagination)을 구성하는 중요한 요소들인데, 이들은 소외된 도시의 삶을 살아가는 데 있어 큰 힘을 얻게 한다.

이것은 황홀한 마법의 곡조다; 무엇이 그녀를 괴롭히는가?
산은 솟아 올라가고, 나무들은 환상과 같다;
밝은 여러 갈래의 안개는 로드베리를 미끄러지듯 지나가고,
강물은 칩사이드 계곡을 계속 흐르며,
그녀는 계곡의 한가운데서 녹색의 목장들을 본다,
저 아래로 그녀는 그토록 자주 물통을 가지고 내려갔다;
작은 오두막집 한 채는, 비둘기 둥지 같고,
그곳은 그녀가 사랑하는 지상에서 오직 유일한 거주지. (Hutchinson, 149)

위의 시에서 '기억' 속에 떠오른 '회상'에는 고향의 풍경이 그림처럼 선명하게 나타나는 현상을 볼 수 있다. 외로운 도시에서도 어린 시절은 상상

력을 통해 '마음의 눈' 앞에 산과 나무들이 우뚝 솟아있고, 그것들과 함께 로드베리를 스쳐 가는 빛나는 안개와 칩사이드를 흘러가는 강물이 '기억' 속에 나타난다. 산속 계곡의 중간쯤에서 녹색의 목장들을 바라볼 수 있으며, 계곡으로 물통을 들고 다녔던 즐거웠던 시절이 '회상'된다. 그곳에 있는 비둘기 집과 같은 산속의 조그만 오두막집은 그녀가 세상에서 아주 사랑하는 유일한 곳이다. 이러한 마음속의 내면적 풍경은 '상상력'의 창조성에 의해 재현될 수 있다. 이처럼 상상력은 워즈워드의 낭만주의 시론의 중요한 관심사였다.

이와 같이 어릴 적의 시골 고향의 새소리가 도시생활에서의 무기력한 심리상태에서 벗어나게 하고 새로운 힘과 생명력을 얻게 하는 이야기는 〈상상의 시편〉에 실린 「뻐꾸기에게」("To the Cuckoo", 1802)에서 더욱 극적으로 나타난다. 숲속에서 들리는 뻐꾸기의 두 음절 울음소리는 시인의 어린 시절을 환기하게 하는데 이러한 환기 작용에서 과거의 '시점'은 재생되고 어린 시절의 봄이 기억나게 된다.

> 세 번의 영접, 봄의 연인아!
> 심지어 아직도 너는 내게
> 새가 아니라, 단지 보이지 않는 사물들이다
> 너의 목소리는 하나의 신비다. (Hutchinson, 146)

항상 낭만적인 '고독한 산보자'가 되기를 원했던 워즈워드는 뻐꾸기의 울음소리가 기억에서 살아나자 어릴 적 학창시절에 기대로 부풀어 그 새를 보려고 열심히 찾아다녔던 추억으로 연장된다. 숲속에서, 그리고 하늘에서 그 새의 소리를 들었으며, 무려 일천 번이나 보았다. 시인은 어린 시절에 숲과 초원을 방랑하면서 뻐꾸기를 찾고 또 찾았다. 그만큼 감수성이 예민하고 천진난만했다. 그에게는 자연의 모든 존재를 향한 사랑과 희망이 언제나 솟아났다. 어른이 되어서도 뻐꾸기의 울음소리를 들으면 어린 시절의 희열과 열정을 되찾게 되고, 현재의 시점(the spot of time)을 과거의 기억으로 채운다. "너를 찾아 나는 자주 방랑한다 /숲속을 그리고 초원을 /너는 여전히 희망이고, 사랑이다; /여전히 또다시 황금빛 시간이다."

이 시에서 뻐꾸기의 울음소리에 '듣다'가 반복되는데 이것은 주의를 기울여 오랫동안 듣고 있음을 뜻한다. 회상을 통해 숲속의 나무에서 울음소리를 내는 과거의 새소리에 관심을 집중한 결과는 또다시 어릴 적 황금시절을 재창조하는 신비로 나타난다. 워즈워드는 이런 신비로부터 시인의 소명을 말할 수 있다고 밝힌다. 시인은 어린 시절에 느꼈던 조화로웠던 통일된 세계를 회복시켜서 다시 한번 낙원을 창조해야 한다는 것이다. 이런 사명을 실천하려면 시인은 일상적인 삶을 어린 시절의 추억에 연결해서 도움을 받아야 한다고 제안한다. 이런 신비를 알고 있던 워즈워드는 "그래서 나는 바라기를 내 삶의 날들이 /자연의 경건함으로 묶이기를"[18] 염원한다. 이런 사명을 수행하기 위해서는 고요하고 깊은 묵상이 필요하다. 워즈워드가 「수선화」 시에서 수선화를 "보았다 그리고 보았다"(gazed and gazed)라고 반복적으로 읊었던 것처럼 이 시에서도 뻐꾸기의 울음소리를 계속하여 '듣고 그리고 듣는다.' 왜냐하면 황금의 시간을 얻는 것은 실제로는 뻐꾸기가 아니라 바로 시인 자신이기 때문이다. 워즈워드는 상상력을 사용하여 환희의 황금 낙원을 창조한다. 그럴 때 비로소 지복을 누리는 '새'가 된다.[19]

---

18 John O. Hyden ed., *William Wordsworth Poems*, Volume I (Harmondsworth Middlesex: Penguinbooks Ltd., 1977), p.522.

19 차정남, 같은 논문, pp.34-35.

오 축복받은 새여! 우리는 대지를 걷는다
다시 나타나니
비실체적인 동화 같은 곳에;
거기는 너에게 딱 맞는 집이다! (Hutchinson, 146)

워즈워드의 시에는 나무와 숲이 중심적인 풍경이 되고, '신성한 생령'이 시인의 마음을 황홀하게 고양시키는 여러 시가 있다. 「나의 누이에게」, 「이른 봄에 쓴 시」, 「충고와 응답」, 「뒤집힌 계율」 등을 예로 들 수 있다. 이런 시들은 숲으로부터 엑스타시를 느끼는 서정시로서 영성이 충만하고 종교적인 표현을 많이 사용한다. 이 시들은 봄철의 자연에 가득 찬 하나님의 사랑을 찬양하는 교리가 암시되어 있고, 시인의 개성적인 근본주의 신앙이 은밀하게 묻어있다.[20] 이 시들을 하나씩 살펴보자.

먼저 「나의 누이에게」를 보면, 완전한 제목은 「내 집에서 조금 떨어져서 쓰고, 전달될 사람에게 내 꼬마를 보내서 전달한 시들」이다. 시인은 아침식사를 마치고 숲에 나와 있다. 하지만 누이동생 도로시는 아직 집 안에 머물고 있다. 집 옆에 있는 숲속은 3월의 온화한 날씨를 맞아 "공기에는 축복이 있고, 기쁨의 감각이 감도는 듯하다." 시인은 누이동생에게 빨리 숲으로 나오라고 재촉한다. 책은 가져오지 말고, 숲에서 자연과 유유자적하며 화합하자고 말한다. 낭만적인 워즈워드에게 이와 같은 숲속의 순간은 특별히 거룩한 힘과 생명력이 움트는 시간이다. 만물은 기쁨과 축복의 감정으로 새로운 삶을 시작한다. 숲속의 나무들은 우주가 처음 창조되었을 때와 같이 신성하고, 풀들은 청량하다. 3월의 화창한 날은 새로운 생명들이 시작하는 시기이므로 숲속은 하나님이 만물을 처음 창조했던 에덴동산의 숲과 같은 느낌

20 차정남, 같은 논문, p.48.

이다. 새로운 생명세계가 활짝 열려서 지금의 순간은 하나님의 거룩하고 찬란한 축복이 숲동산에 충만해 있다. 저명한 종교학자인 엘리아드는 종교적인 사람에게는 매년마다 세상은 새롭게 창조된다고 말했다.[21] 신화와 원시시대의 사람들은 자연과 만물로부터 거룩함을 온몸의 감각으로 느꼈다. 그래서 그들은 사실상 순수하게 종교적인 품성을 지녔던 사람들이었다.

이 시에서 워즈워드가 생명의 숲속으로 누이동생을 초대하는 것도 종교적인 거룩한 희열과 축복의 감정이 솟아나고 있기 때문이다. 새로운 생명체들의 힘과 자연의 거룩한 숨결이 느껴지는 숲속의 시점(the spot of time)은 워즈워드에게 한 해의 새로운 시작이다. 일반적인 세상의 달력에서는 1월부터 12월까지가 순차적으로 진행되지만 워즈워드에게는 자연이 재생하는 바로 이런 순간이 한 해의 시작이다: "기쁨의 형상들을 만들어낼 것이다 /우리의 살아있는 달력을; /우리는 오늘부터, 나의 친구여 날짜를 시작할 것이다 /한 해의 시작을." 나무와 숲과 산에는 생명이 '지금' 일어나고, 이 순간은 사랑이 만물들 사이에, 서로에게 전파되고 충만해 있다. 여기서 시간적 개념으로 '지금'이 강조된다. "사랑은, 지금 우주의 탄생을. /심장에서 심장으로 몰래 다가오고 있다, /대지에서 사람에게: /그것은 느끼는 시간이다." 이와 같이 '지금'은 매우 중요한 시점이며 '몰래 다가오고 있다'(stealing)에서 보듯이 현재 진행형의 시제가 사용된다. '지금'은 성화의 시간이며 희열이 증가하는 때이다.[22] 워즈워드는 이런 비밀을 발견하고 누이동생에게 그가 있는 '숲지대'로 빨리 나와서 태양을 바라보라고 재촉한다. 숲속 낙원의 거룩한 장소와 거룩한 시간에 생명의 사랑과 희열은 사람의 마음에서 마음으로, 대지에서 사람에게로, 사람에게서 대지로 옮겨간다. 봄날의 숲속에 들어서면 세상적

---

21 Mircia Eliade, *The Sacred and Profane: The Nature of Religion* (Willard R. Trask trans, Sandiego: Harcourt Brace Jovanovich, 1959), p.75. 차정남, 같은 논문, p.50.

22 차정남, 같은 논문, p.51.

인 일과 사소한 감정에서 벗어나 완전한 축복에 젖을 수 있게 된다. 이와 같은 이유로 시인은 누이동생에게 집안에서 하는 일을 멈추고 빨리 거룩한 숲지대로 나오라고 권유할 수밖에 없다. "그러니 오라, 나의 누이여! 오라, 나는 기도한다, /빠른 걸음으로 너의 숲지대의 옷을 입고." 숲으로 빨리 나와야 하는 이유는 '지금'의 매 순간이 중요하기 때문이다. 이 거룩한 시간을 놓쳐서는 안 되기 때문이다.

누이동생은 빨리 와서 숲지대의 푸른 옷을 입어야 한다. 여러 해 동안 이성적으로 수고하여 받는 것보다 더 많은 것을 이 순간이 줄 수 있기 때문이다("One moment now may give us more /Than years of toiling reason"). 세상적인 일을 할 때 사람들은 흔히 지성과 이성으로 분석하고 판단하는 수고의 방식을 취하지만 워즈워드는 이러한 지성적, 이성적 분석을 잘못된 오류라고 비판하는 것을 다른 시들에서도 보여준다. 생명의 숲속으로 나와서 자연의 모든 존재를 지금의 상태 그대로 온전하게 감각적으로 수용하라는 것이다. 이런 감각적, 직관적 방식은 어린이에게서 잘 나타난다. 어린이는 자연을 순수하고 단순하게 수용하기 때문에 존재를 전인적인 감각으로 체험할 수 있다. 봄의 숲지대는 추운 겨울을 보내고 비옥하고 생기가 넘친다. 생명을 재생시키는 신선한 공기와 따뜻한 햇볕의 힘을 받는다. 이런 숲속과 호응하지 않는 사람은 자연과의 교감과 대화에서 얻는 거룩한 사랑과 희열을 놓치게 된다. 하르트만은 이와 같이 거룩한 장소와 거룩한 시간에서 발생하는 감정 상태를 "충만"이라 했고,[23] 제임스는 "내외적인 깨끗하고 아름다운 새로움의 감각"[24]이라고 밝혔다.

---

23 J. R. Watson, *Wordsworth's Vital Soul: The Sacred and Profane in Wordsworth's Poetry* (London: The Macmillan Press Ltd., 1986), p.154에서 재인용. 차정남, 같은 논문, p.51.

24 William James, *The Varieties of Religious Experience* (London: Longmans, Green, and Co., 1902), p.248.

워즈워드는 두 개의 병렬적인 시편인 「충고와 응답」("Expostulation")과 「뒤집힌 계율」("The Tables Turned")을 같은 날에 썼다. 1978년의 늦은 5월 혹은 이른 6월로 추정하는 시들이다. 그래서 후자의 시는 "같은 주제에 관한 저녁 장면"이라고 부제가 붙어있다. 전자의 시는 아침 장면에 해당한다.[25] "이처럼 어느 날 아침에, 에스웨이트 호숫가에서 /인생이 감미로운 때에, 왜 그런지 난 몰라, /나의 착한 친구 매슈가 내게 말했지, /그래서 난 그렇게 응답했지."

「충고와 응답」은 친구인 윌리엄과 매슈 사이에 질문과 응답을 주고받는 형식으로 되어있다. 워즈워드의 시적 표현 형식에서 자주 나타나는 특징 중의 하나는 사건과 일화를 사용하여 메시지를 전달하는 것인데 이를 '담시'(譚詩)라고 부른다. 이런 시적 담화는 시인이 의도하는 주제를 훨씬 더 효과적으로 전달한다. 윌리엄은 봄에 야외의 숲지대에 나와서 유유자적하게 자연을 즐기는 자연주의자인 반면에, 매슈는 집안의 서재에 틀어박혀 책만 보면서 대자연의 생명과 계절의 변화에 무관심하고 자연의 녹색풍경을 즐기는 일을 무시하는 학구적인 사람이다. 숲속의 나뭇가지에 활짝 피어나는 녹색 생명의 나뭇잎들은 매슈가 지금 몰두하고 있는 생명력 없는 글자 박힌 책의 지면과 대조된다. 봄의 숲속에서는 활기찬 생명력이 솟아나고 푸른 들판에는 햇살이 쏟아진다. 이 시는 나뭇가지들과 숲, 푸른 들판과 호수를 배경으로 하는데 아침과 저녁의 시간은 신비롭고 환상적인 풍경을 빚어내고 있다. 윌리엄은 이와 같은 아침의 시간에 호수 옆에 있는 숲지대의 검은 회색빛으로 빛나는 바위에 앉아서 자연의 풍경을 즐기고 있다. "왜, 윌리엄, 너는 저 검은 회색 바위 위에, /이토록 긴 반나절을, /왜, 윌리엄, 너는 이렇게 홀로 앉아, /꿈결 속에 시간을 허비하니?" 그러나 친구 매슈는 윌리엄이 인생을 살아가는 방식과는 달리 늘 서재에 틀어박혀 학문적인 독서를 하면서 시간

25 Michael Mason, *Lyrical Ballads* (London: Longman Group UK Limited, 1992), pp.97-98.

에 쫓기며 살아간다. 그래서 윌리엄은 친구의 이러한 삶의 방식을 안타깝고 답답하게 생각하고 훈계한다. 친구에게 "봄의 숲에서 나오는 생명의 충동"의 중요성을 인식하고 야외로 나와서 느끼며 배워보라고 권유한다.

시인은 「뒤집힌 계율」에서 "봄의 숲에서 나오는 생명의 충동은 /네게 인간에 관하여, /도덕적 선과 악에 관하여 더 많이 /가르쳐줄 수 있으리라 모든 현자들보다."라고 읊고 있다. 야외는 나무와 숲지대가 호수와 들판을 마주하고 있고 그림과 같이 아름다운 풍경을 빚어내고 있다. 윌리엄은 매슈에게 제발 빨리 서재에서 야외로 나와서 바로 이 순간을 놓치지 말고 직접 보고 느끼기를 소망한다. 친구에 대한 윌리엄의 절박한 권유에는 '지금의' 야외에 임재한 비교적(秘敎的)인 시점(the spot of time)이 강조된다고 할 수 있다. "일어나! 일어나!"로 시작되는 이 시의 첫 행은 '내 친구'라는 말을 제외하고는 훈련장의 체육 코치를 연상케 한다. 그만큼 윌리엄의 마음에는 훈계하고 싶은 절박하고 진지한 열기로 가득하다. 이러한 말로써 시의 첫 행이 시작되었다가 제3연에 가서 '책들! 그것은 지겹고 끝없는 싸움'이라는 표현이 등장하는데 이런 구성과 문장의 흐름은 서로 좋은 조화를 이룬다고 할 수 있다. 자연의 현장으로, 숲으로 나오라는 강력한 훈계는 바로 앞에서 다룬 시 「나의 누이에게」와 같은 주제를 표현하는 것이다. 「충고와 응답」과 「뒤집힌 계율」은 둘 다 똑같이 윌리엄과 매슈가 대화를 나누고 토론하는 형식이다. 이성을 중요시하는 매슈는 책을 읽어야 한다고 말하고, 감정을 중요시하는 낭만적, 시적 성품을 가진 윌리엄은 자연에서 직접 진리를 배워야 한다고 말한다. 이처럼 두 사람은 이원론적인 대결을 이룬다. 매슈는 분주하고 윌리엄은 한가하다. 매슈는 책과 연구를, 반면에 윌리엄은 꿈꾸듯이 보내는 한가한 시간을 권유한다. 매슈가 윌리엄에게 하는 말을 들어보면 실제로 윌리엄이 무의식에서 거룩한 순간을 느끼고 있다는 사실을 알 수 있다. 「충고와 응답」에서 매슈는 이렇게 말한다.

네 책들은 어디에 있지?—쓸쓸하고 눈먼 자들에게
남겨진 저 빛은!
일어나! 일어나! 그리고 죽은 사람들이
이 세상 사람들에게 불어 보낸 정신을 들이켜라.

너는 대지를 둘러보는구나,
마치 대지가 목적 없이 너를 낳은 듯이;
마치 네가 첫아들이고,
아무도 네 앞에 살았던 사람이 없었듯이. (Hutchinson, 377)

이 거룩한 순간은 지극히 높고 선량한 우주의 본질이 나타나는 창조의 시간이다. 매슈는 부지중에 이 순간을 포착했고 농담 삼아 위와 같은 말을 한 것이다. 그러나 윌리엄은 정확하게 『창세기』의 아담과 똑같은 위치에 있다. 윌리엄에게는 이 순간에 비교적(秘教的)인 신성의 감정을 느끼며, 세계가 『창세기』의 시점에서처럼 새롭게 창조된 것처럼 느끼고 있다. 그에게는 종교적일 때의 "경이로운" 의식으로 충만해 있다. 매슈가 말하는 "대지의 어머니"라는 표현에는 생명의 근원에 대한 원시적인 신앙과 신화적인 모형이 내재해 있다. 대지에서 살아가는 모든 인간과 모든 생명체는 흙으로부터 나와서 흙으로 돌아간다. 윌리엄은 매슈의 농담대로 "대지의 어머니"의 감정에 충실하다. 윌리엄과 같이 대지의 어머니를 감성적으로 강력하게 감지할 수 있는 사람을 위해서 세계는 의미로 가득 찬다. 그리고 마음에 생명의 힘을 충만케 해준다. 이러한 사람은 강력한 물활론의 세계를 경험한다. 이런 세계 앞에서는 그저 조용하게 수동적인 자세로 대자연의 생명의 힘을 그저 받아들이면 된다. 자신이 주권자가 되면 안 되는 것이다.

또 나는 생각해 우주에 여러 세력들이 있어
저절로 우리 마음에 인상을 준다고.
우리가 현명한 수용의 태도로써
우리의 이 정신에 먹이를 줄 수 있다고. (Hutchinson, 377)

윌리엄은 이와 같은 종교적 성향의 사람으로서 숲지대의 바위에 앉아서 명상적인 모습으로 자연과 교감하고 동화, 합일을 구한다. 그 결과로 그는 주객합일의 엑스타시 상태에 젖어 든다. 이 시에서 숲지대는 호수와 들판을 마주하고 햇볕이 넘실대는 바위에 앉아 있는 윌리엄으로 하여금 명상과 관조를 즐기게 한다.

영원히 말하고 있는 이 온갖
만물 중에서, 너는 생각하는가.
저절로 나타나는 것이 하나도 없고
우리가 늘 모색해야만 한다고? (Hutchinson, 377)

윌리엄이 바위에 앉아서 아침부터 해지는 저녁까지 온종일 하는 일이란 고작 자연과의 이런 성스러운 교감과 대화일 뿐이다. 이런 행동이 숲속에서 일어나고 있다. 그는 "보는 자"(gazer, seer)인 것이며 그러한 자에게는 자연의 만물과 "강력한 통합"에 성공한다. 그에게 경이로운 자연은 감각적인 실재가 변화되어 초자연적인 실재가 되었으며, 자연은 스스로 우주를 만드는 신이라는 사실을 보여주는 듯하다. 달리 말해 우주 전체가 '밀교적인 상태'(hierophany)에 있다. 이와 같은 감정으로 자연과 만물을 느끼는 것은 범신론적인 물활·정령 종교의 영역에 속한다.

그렇다면 묻지 말게 왜 여기서 홀로,
내가 이 검은 회색 빛깔의 바위에 앉아서,
꿈결 속에 시간을 허비하느냐고,
내가 자연과 영교하고 있을지도 모르니까. (Hutchinson, 377)

「뒤집힌 계율」을 보면 방안의 서재에서 책을 보면서 머리로 습득하는 공부와 녹색의 나무와 숲이 있는 야외로 나와서 눈, 귀, 심장, 그리고 온몸으로, 즉 오감으로 직접 경험하면서 배우는 공부는 우열이 역전된다. 워즈워드에게는 후자가 전자보다 훨씬 바람직한데, 자연은 곧 책이기 때문이다. 조규성은 『숲 교육 질적 연구』에서 아이들은 교실에서만 배우는 것이 아니라 교실 밖으로 나와서 숲속에 들어갔을 때 숲이 교실이 된다고 말한 바 있다.[26] 워즈워드의 이 시는 두 친구가 주고받는 대화 형식을 통해 서재에서 책만 보지 말고 밖으로 나와서 나무와 숲에 충만한 대자연의 축복과 아름다움과 신성함으로부터 진리를 직접 보고 듣고 배우라고 촉구하는 것이다. 이 시는 친구 사이인 윌리엄과 매슈의 대화로 된 앞의 「충고와 응답」과 한 쌍이 되는 구조다. 그런데 앞의 시는 시간이 오전이었으나 이 시에서는 오후 시간이다. 윌리엄은 매슈에게 급박한 공세적 태도로 밖의 자연으로 나와서 황혼이 물들고 있는 산의 나무와 숲, 들판의 햇빛과 푸른 색채를 보고, 숲속에서 노래하는 새들의 음악을 들으라고 말한다. 그러면 더 많은 지혜를 얻을 수 있기 때문이라는 것이다. 노래하는 홍방울새와 티티새는 지혜를 전하는 설교자이며, 자연은 교사이고 현자이다. '봄의 숲에서 일어나는 생명의 충동'은 인생과 도덕적 선악에 관해 더 많은 것을 가르쳐줄 수 있다고 윌리엄은 말한다. 그는 쾌활하게 노래하는 티티새는 결코 시시한 설교자가 아니라고 말

26 조규성, 『숲 교육 질적 연구』(서울: 이담, 2010), p.153.

하는 재치를 보여준다.

> 일어나! 일어나! 내 친구여, 그리고 책을 버려라,
> 그렇잖으면 반드시 허리가 굽어지게 될 거야;
> 일어나! 일어나! 내 친구여, 그리고 밝은 표정을 지어라.
> 왜 이렇게 힘들여 괴로워하느냐? (Hutchinson, 377)

매슈가 책만을 중요시하고 이성, 지성만을 신봉하는 것은 자연을 신비주의적으로 수용하는 종교적 시각을 위협하고, 신비한 생명을 살해한다고 본다. 윌리엄은 매슈가 철저하게 믿는 분석적인 지혜를 불신하고 거부한다. 왜냐하면 그런 방법은 자연의 아름다움을 파괴하고 사물을 잘라내고 파편화하여 살아있는 완전한 생명체를 죽이기 때문이다. "자연이 주는 학문은 아름답다; /우리의 참견하는 지성은 /추하게 만든다, 사물의 아름다운 형상을— /우리는 해부함으로써 죽인다." 이런 이유로 윌리엄은 쓸모없는 책을 덮어버리고 관찰하고 분석하는 이성적 학문을 던져버리라고 재촉한다. "학문과 예술은 그만 집어치워; /그 불모의 책장들을 덮어라; /나오라, 그리고 가져오라 너와 함께 /관찰하고 수용하는 마음을." 매슈는 자기 자신과 세계의 거룩함을 배제하면서 완전한 절대자가 된 듯이 여긴다. 그는 만물의 신비성을 베어버릴 때 비로소 완벽한 절대자, 전능자가 될 수 있다고 생각하기 때문에 최후의 신을 살해할 때까지 그는 진정한 자유를 얻지 못할 것이라고 읊는다.[27] 이와 같은 관점에서 최상의 선택은 자연을 바라보는 주체인 나와 객체인 자연과의 합일, 즉 주객합일인 것이다.

숲과 나무들 속에서 자연과 깊은 교감을 나누는 워즈워드의 「이른 봄

27 차정남, 같은 논문, p.55.

에 쓴 시」를 읽어보자. 이 시를 읽은 한국의 어느 독자는 영국의 워즈워드는 "봄철의 숲속에서 솟아나는 힘은 인간에게 도덕적인 악과 선에 대하여 어떠한 현자보다도 더 많은 것을 가르쳐준다"라고 어느 일간지의 칼럼에서 밝히면서 "다가오는 주말에는 가까운 숲속의 산책길이라도 걸으면서 인생의 가르침을 얻어야겠다"라고 썼다.[28] 이 시의 전문은 다음과 같다.

나는 들었다. 천 개의 혼합된 가락을,
숲속에 몸을 기댄 채 앉아 있는 동안,
즐거운 생각들이 슬픈 생각들을
마음에 생각나게 하는 저 감미로운 기분에 젖은 채

자연은 그녀의 아름다운 작품들에
내 몸속을 달리는 인간영혼을 연결시켰다;
그래서 인간이 인간을 어떤 꼴로 만들었나
생각하니 내 가슴 몹시 쓰라렸다

저 푸른 나무 그늘 아래, 앵초 덩굴 속을,
빙카가 화환을 꼬리처럼 끌고;
그리고 내 신념은 모든 꽃은
들이쉬는 공기를 즐겨야 한다는 것.

새들이 내 주위에서 깡충깡충 뛰고 논다,
그들의 생각을 나는 측량할 길 없다—
그러나 그들의 가장 적은 동작도,

28 국제로터리에 근무하는 한수민 씨가 『미주 한국일보』 주말 에세이에 기고한 글(2016.4.9).

기쁨의 전율처럼 여겨졌다.

봉우리 터지는 가지들은 부채를 펴고
미풍을 잡는다, 아무리 생각해도
나는 생각하지 않을 수 없다,
거기에 기쁨이 있었다고.

만약 이 믿음이 하늘에서 내려온 것이라면,
만약 이런 것이 자연의 성스러운 계획이라면,
나는 탄식할 이성을 가지지 않는다
인간이 인간을 어떤 꼴로 만들었나! (Hutchinson, 377)

이 시는 제목과는 달리 「나의 누이에게」보다는 봄이 깊어진 때에 쓴 것이다. 산에서는 빙카꽃과 앵초의 덤불로 덮이고 나뭇잎이 없던 나무에서는 새잎들이 부채처럼 피어나고 있다. 시인의 관심은 감미로운 분위기를 제공해주는 자연의 아름다움을 느끼는 순간에 집중된다. 새들이 노래하고 꽃들이 피어난다. 이런 새들과 꽃들은 삶의 기쁨을 즐기고 있는 것 같다. "내 주변의 새들은 뛰고 놀았다, /그들의 생각을 나는 측량할 수 있다: /그러나 그들은 지극히 작은 움직임이었다. /그것은 기쁨의 전율인 듯했다." 이처럼 자연세계의 거룩함이 시인에게 전달되고 있다. 시인은 새싹이 돋아나는 나뭇가지는 생명이 있어 신선하고 부드러우며 건강에 좋은 바람을 붙들려고 그 잎들을 부채처럼 펼친다고 느낀다. 자연이 기쁨을 느끼고 있다는 것이 확실하게 전해진다. 그래서 꽃이 들이쉬는 공기를 우리가 즐겨야 한다는 것이다. 왓슨은 "아무리 생각해도"("do all I can")라는 이 시의 표현이 기묘하다고 논평하면서, 이것은 종교 개종자들이 자기들의 비생산적인 성격의 강압성과 완고성을 강조한다고 알려졌는데 그것과 똑같은 방식으로 "자연의 밀교적인 힘"(the hierophanic power)에 의해 축출되고 있는 "설명할 수 없는 합리주의"에 대한 워즈워드의 태도가 가장 적절하게 나타난 부분이라고 밝힌다.[29]

워즈워드는 이성에 의해 분석을 일삼는 것은 찌꺼기 같은 합리주의에 집착하는 것으로 간주한다. 봄철의 숲속에서 직관적으로 체감되는 경이로운 순간의 생명력은 과학적인 증거가 허용하는 한계를 초월한다. 시인은 성스러운 계획과 성스러운 힘은 분명히 있다는 진리를 설득시키려 한다. 마지막 연에서 이렇게 읊는다. "만약 이 믿음이 하늘에서 내려온 것이라면, /만약 이런 것이 자연의 성스러운 계획이라면, /나는 탄식할 이성을 가지지 않는다 /인간이 인간을 어떤 꼴로 만들었나!" 숲속에서 느끼는 성스러운 희열은 워즈워드가 다른 시에서 잘 표현하지 않았던 이성과 과학의 오류와 그것의 잔인성에 대비된다. 이와 같은 맥락에서 시인은 숲지대가 제공하는 거룩하고 경이로운 생명력을 의식하는 순간에 인간이 인간에게서 만들어내는 오점을 관찰한다. 이런 오점을 제2연에서는 이렇게 표현한다. "자연은 자신의 아름다운 작품들에 /내 몸속을 달리는 인간 영혼을 연결시켰다; /그래서 인간이 인간을 어떤 꼴로 만들었나 /생각하니 내 가슴은 몹시 쓰라렸다."라고 표현한다. 숲속에서 새들은 뛰놀고, 꽃들은 서로 얽히며, 나뭇가지들은 봄바람을 맞으려 싹에서 잎들을 키워낸다. 이런 자연의 행위들은 기쁘고 자유로운 본성적인 삶을 살아간다는 진리의 표현이다. 그러므로 이것은 인간이 세상에서 수행하는 행위와는 다르고, 타인들이나 생태계에 어떠한 폐해를 끼치지도 않는다.

차정남에 의하면, 시적 진리에 의거하여 워즈워드는 이중적 신분을 갖는다고 해석한다. 첫째는 그도 인간에 속하므로 죄와 슬픔에 참가하는 일반

---

29 J. R. Watson, *Wordsworth's Vital Soul: The Sacred and Profane in Wordsworth's Poetry* (London: Macmillan Press Ltd., 1986.), p.16.

적인 인간으로서의 신분이고, 둘째는 성력(聖力)을 받는 순간에 참가하여 신과 같이 되는 시인으로서의 신분이다(57-58). 워즈워드의 앞의 시에서 윌리엄이 친구 매슈에게 권유한 "숲속의 거룩한 곳"으로 나왔을 때 얻을 수 있는 이득은 무엇일까? 종교학자 엘리아드의 원형분석적 심리학의 이론으로 해석한다면 "경건한 자아", "엑스타시의 자아" 혹은 "원초적 상태"로 재통합된 자아라고 볼 수 있을 것이다.[30] 워즈워드의 숲지대는 이러한 자아를 창조하는 거룩한 공간이다. 워즈워드는 윌리엄을 통해 마치 『창세기』의 아담과 이브가 에덴동산에서 그랬던 것처럼 숲속을 거닐면서 새로운 자아로 재탄생하는 인간을 갈망한다. 지금까지 살펴보았던 나무와 숲을 배경으로 하는 네 편의 시, 「나의 누이에게」, 「이른 봄에 쓴 시」, 「충고와 응답」, 「뒤집힌 계율」에서는 워즈워드의 종교적인 영성과 개성적 신앙이 반사되고 있다[31]는 사실이 이목을 끈다.

이제는 「틴턴 사원에서 몇 마일 떨어져 쓴 시」("Lines Composed A Few Miles Above Tinturn Abbey")에 대해 고찰하고자 한다. 이 시의 축약한 제목은 「틴턴 사원」("Tinturn Abbey")이다. 워즈워드는 정신적으로 심한 갈등과 어려움에 처해 있었던 1793년에 웨일즈의 와이강 계곡과 틴턴 사원을 처음으로 방문했다. 5년 후인 1798년에 다시 이곳을 찾았으며 이때 이 시를 썼다. 무운시로 쓴 159행의 상당히 긴 시이며, 철학적이고 지적인 요소가 많다. 다시 찾은 장소의 풍경은 변함이 없었고 5년 전의 기억이 새롭게 회상되었다. 첫

---

30 Eliade, ibid., p.91.

31 워즈워드의 종교적 영성과 개성적인 신앙에 대해서 레규스는 영성이 충만하고 종교적인 표현이 사용되었고(Emile Legouis, *The Early Life of William Wordsworth, 1770-1798*. New York: Russell & Russell, 1965, p.465), 피니온은 대자연에 가득하게 펼쳐지는 하나님의 사랑에 관한 교리가 나타나 있으며(F. B. Pinion, *A Wordsworth Companion*. London: Macmillan Press Ltd., 1984, p.81), 왓슨은 개성적인 근본주의가 나타나 있다고(J. R. Watson, *Wordsworth and the Credo in The Interpretation of Belief*. London: Macmillan Press Ltd., 1986, p.163) 각각 논평했다.

번째 방문했을 때 받았던 대자연의 은혜와 축복, 현재의 계곡과 강물의 장엄한 아름다움, 시인을 둘러싼 주변의 갖가지 음향과 시각적 풍광의 혼연일체, 대자연의 형언할 수 없는 신비로운 조화 등과 같은 다양한 감정이 나타난다. 산악지대의 숲속에 흐르는 와이강의 계곡지대는 여러 다양한 자연의 요소들이 장려한 풍경을 형성한다. 산의 원천들에서 흘러나오는 강물, 가파르고 높다란 절벽, 울창한 단풍나무, 덤불, 과수원, 산울타리, 수풀, 목가적인 농가들, 오두막 집터, 고요한 하늘 등이 주마등처럼 나타난다. 자세히 살펴보면 대지(지상계)와 하늘(천상계)가 이원론적 구조로 연결되어있고, 모든 자연물은 어우러져서 거대하고 장려한 조화의 세계를 이룬다. 제1연에 묘사된 자연풍경은 다음과 같다.

다섯 해가 지나갔다; 다섯 긴 겨울과 함께
다섯 여름이! 이제 다시 나는 듣는다
이 강물 소리를, 부드러운 육지의 속삭임을.
산중의 원천에서 굴러 흐르는. 다시 한번
나는 바라본다, 저 가파르고 높다란 절벽을
황량한 격리된 장면에
한층 더 깊은 격정의 생각을 심어주고,
풍경을 하늘의 고요와 연결 지어주는.
내 다시 여기서 쉴 날이
왔다, 이 울창한 단풍나무 아래서, 그리고
이 계절이면 덜 익은 열매로
녹색 일색의 옷을 입어, 숲과 덤불 속에
모습을 잃어버리는 이 오두막집의 터,
이 과수원 숲을 볼 날이. 다시 한번 나는 본다

이 산울타리들을, 울타리라기보다, 오히려 제멋대로
자란 나무들의 가는 줄을; 바로 문간까지 푸른,
이 목가적 농장을; 그리고 나무들 사이로,
조용히 솟아오르는 꽃다발 같은 연기를!
그것이 집 없는 수풀 속에 있는 유랑하는 거주자나,
화롯불 가에 은자가 홀로 앉아 있는
어느 은자의 동굴이 있는 듯
어렴풋이 알려준다. (Hutchinson, 163-164)

이 시의 풍경 묘사는 듀란트에 의하면 유사와 대조의 원리에 따르고 있다.[32] 제1연의 3행부터는 소리와 경치, 즉 청각과 시각이 중심이 되는데 계곡을 흐르는 물소리가 은은하게 들려오고, 깎아지른 높은 절벽이 나타날 때까지 시인의 마음은 계곡 깊숙이 안쪽으로 들어간다. 과거 5년 전을 회상하는 마음의 눈이 안쪽으로 계속해서 들어간다. 숨겨진 계곡은 더욱 조용해지고, 높은 절벽을 따라 올라가면 드디어 고요한 하늘에 이른다. 눈앞에 보이는 농가의 나무들은 수직으로 하늘을 향해 서 있고, 나무들 사이로 연기가 솟아오른다. 조용하고 평화로운 전원의 풍경이다. 생울타리들은 오두막 집터와 집이 없는 숲지대를 적절하게 연결하고 있다. 조화를 이루고 있는 인간의 삶터와 자연의 생명체를 한 폭의 풍경화처럼 보여준다. 숲 사이로 오두막집에서 솟는 연기는 계곡을 차지한 숲지대에서 자연과 인간의 화합을 느끼게 한다. 이 숲지대의 풍경은 『창세기』의 에덴동산에 대한 이미지를 상기시킨다.

이 시는 워즈워드가 5년 전에 와이강 계곡을 방문했을 당시의 '시점'(spot of the time)이 '기억'에서 '회상'되고 현재의 시점에서 '상상의 세계'에

---

32 Geoffrey Durrant, *Wordsworth and the Great System: A Study of Wordsworth's Poetic Universe* (London: Cambridge University Press, 1970), p.87.

또다시 발생하는 새로운 감동을 표현했다. 지나간 5년 전의 와이강의 숲지대와 계곡의 풍경은 그동안에 잊혀있었다고 생각했지만, 사실은 시인의 마음속에 무의식으로 남아있었다. 이와 같이 실제로는 시인 자신도 모르는 사이에 감사해야 할 혜택과 축복을 지속해서 공급받았던 것이다. 여기에까지 생각이 연결되자 시인은 인생과 자연을 찬송한다. 이와 같은 맥락에서 이 시는 일종의 찬송가라고 할 수 있다.

워즈워드의 생애를 들여다보면 사실상 1793년에는 살아온 인생에서 최대의 고민에 빠져있었다. 경제적으로 미래를 살아갈 방안이 없었으므로 프랑스로 건너가서 영어 가정교사를 하여 돈을 벌고자 계획하였고 어느 가정집에 찾아가서 하숙하였다. 그런데 집주인의 딸 아네트 발롱(Annette Vallon)과 사귀게 되었고 딸까지 낳았다. 그래서 부모의 동의를 얻어 결혼하려고 하였으나 실패하고 영국으로 돌아와 있었다. 처음에는 프랑스에서 일어난 혁명, 즉 '프랑스 혁명'으로 공화정치를 알게 되었고 그러한 공화정치가 좋아서 꿈에 부푼 그는 이 혁명을 열렬히 지지했다. 그러나 반동적인 보수파의 역전으로 혁명이 실패로 돌아가 절망에 빠져있었다. 그런데 설상가상으로 영국과 프랑스 사이에 '영불전쟁'이 일어나자 이제는 다시 프랑스로 들어갈 수가 없었다. 영국이 프랑스와 전쟁을 하는 상황이었으므로 조국을 남달리 사랑했던 워즈워드는 애국심과 상반되는 자신의 행동을 의식하면서 동포들의 차가운 눈길을 견디며 살아야 했다. 젊은 청년 워즈워드는 고통의 날들을 보냈다. 그런 가운데 런던에서 잠시 도시생활을 하는 동안 도시의 소음과 혼란스러움, 복잡한 삶에 혐오감을 느꼈다. 레이크 디스트릭트의 고향에서 자연을 벗 삼아 자유로운 산보자로서 살아가기를 좋아했던 낭만주의자인 워즈워드는 앞에서 살펴본 바처럼 당시에 확대되고 있었던 영국의 산업화와 도시화에 대한 선도적인 문명비평가였다. 이와 같은 맥락에서 그의 자연시를 읽으면 시의 의미가 한결 명료해질 수 있고, 거기에 담긴 낭만주의적인 철학과 종교적인 사상을 더욱 깊이 있게 이해할 수 있다. 독자들이 워즈워드의 자연시를 제대로 해독하려면 그의 인생 편력에 관한 역사전기적인 배경지식을 반드시 필요로 한다.

제2연의 시작 부분은 제1연에서 제시한 와이강 계곡과 숲지대의 풍경을 구성하는 "아름다운 형상들"로 시작된다. 이러한 형상들은 시인이 도시생활을 하는 동안에 겪었던 시련과 소외감을 치유하였으며, 안식과 희열, 평정과 조화로써 상처받은 자아를 회복시켜주었다. 숲지대의 계곡을 따라 흐르는 와이강의 아름다운 나무와 숲, 그 밖의 모든 자연의 풍경은 시인에게 마음의 무거운 짐과 정신적 외상을 다스려주는 치료제라고 할 수 있다.

이 아름다운 형상들은,
오래 찾아보지 않았어도, 내겐
장님 눈에 그림 격은 아니었고;
자주, 외로운 방에서, 그리고 읍내와 도시들의
소음 속에서, 나는 그들에게 신세 졌었다,
지리한 시간에, 감미로운 감각들을.
핏속에서 느끼고, 심장을 따라 느끼고,
한결 순수한 내 정신 속으로까지 스며들어,
고요히 간직되는 감각들을—또한 기억에서
잊혀버린 쾌락의 느낌들을; 그런 것이, 어쩌면,
선량한 사람의 생애의 최선의 부분에,
그의 작고, 이름 없는, 기억되지 않는,
사랑과 친절의 행위에 보잘것없지 않은
영향을 끼친다. 이에 못지않게 나는 믿는다
그 형상들에 한결 숭고한 또 하나의 선물을

신세졌다고; 신비의 짐이, 이 모든 불가해한
세계의 무거운 짐이 가벼워지는,
저 행복스러운 기분을-애정이 부드러이,
우리를 인도하여, 마침내는 이 육신의 숨결과
우리 인간의 혈액의 운동조차 정지되어,
우리가 육체에서 잠이 들고, 살아있는 영혼이 되는
저 평정한 행복스러운 기분을;
한편 조화의 힘과 환희의
깊은 힘에 의해 고요해진 눈으로
우리는 사물의 생명을 투시한다. (Hutchinson, 164)

와이강 계곡이 흐르는 산악 숲지대의 여러 풍경은 지난 5년 동안 뇌의 기억 공간에 저장되어 있었으며, 그런 기억된 풍경들이 살아오면서 겪은 인생의 근심과 고통을 완화하였고, 상처받았던 마음을 치유해주었던 것이라고 시인은 회고한다. 기억 속에 보존된 자연의 풍경들은 시인의 무의식을 지배하면서 그런 치유의 기능을 했던 것이다. 그래서 5년의 세월이 흐르는 기간에도 숲속을 흐르는 와이강과 함께 어우러진 여러 장엄한 풍경들은 장님의 눈에 아무것도 보이지 않는 것과 같은 시간을 보낸 것이 아니다. 기억의 공간에 새겨졌던 과거의 자연풍경들은 시인이 한때 거주한 런던의 도시생활에서 느꼈던 심한 소외와 고독의 세월 속에서도 다른 사람들과 화목하며 좋은 관계를 유지할 수 있게 했던 것이다. 그러한 자연풍경의 여러 형상은 시인의 무의식 속에 잠재하면서 은밀하게 시인을 치유하고 회복시켜서 더욱 더 친절하고, 더욱 도덕적인 삶을 살 수 있게 했던 것이라고 밝힌다. "저 축복받은 기분, /그 속에서 신비의 짐이 /무겁고 피로한 무게는 /이런 모든 알 수 없는 세계로부터 /가벼워진다." 도시생활을 했을 때 세상은 너무나 소란스럽고, 혼란스럽고, 복잡하고, 낯설어서 시인에게 세상은 이해할 수 없는 무질서였다. 그래서 시인의 마음은 질서를 세울 힘과 능력을 갖추지 못했다.

하지만 지금의 시점에서 지난날의 와이강을 생각해볼 때 시인의 눈앞에 펼쳐지는 회상된 자연세계는 이해가 불가능한 세계가 아니다. 와이강의 계곡, 숲, 산악, 하늘의 별들과 같은 그러한 자연의 풍경에 마음의 눈을 되돌렸을 때 모든 만물은 하나의 체계 중의 한 부분으로 이해될 수 있으며, 소원하는 관계와 질서에 상응될 수 있다. 숲속 계곡을 흐르는 와이강의 질서와 조화가 마음에 기억되면 그런 기억은 소란스럽고 피곤한 세상(대도시 런던) 속에서도 자연의 풍경과 동일한 질서와 조화를 마음속에 불러일으키는 것을 시인은 알게 된 것이다. 이제 와서 런던에서의 도시생활을 돌이켜 볼 때 세상의 혼란과 소음에 부대끼면서 살아갔던 시인에게 다시 방문한 '숲속의 와이강'(sylvan Wye)은 자신도 모르는 사이에 놀라운 치유능력이 되었다. 아래 시에서 시인은 '숲속을 걷는 방랑자'(wanderer thro' the woods)이다.

> 어둠 속에서, 그리고 기쁨 없는 낮의
> 많은 형체들 속에서; 안타까운 몸부림이
> 소용없고, 이 세상의 열병이,
> 내 심장의 고동에 매달렸을 적에—
> 얼마나 자주, 마음속에서; 나는 네게 돌아갔던가
> 오 숲속의 와이강이여! 그대는 숲속을 걷는 방랑자. (Hutchinson, 164)

워즈워드는 도시에서의 암울했던 시기를 회상하면서 "숲이 우거진 와이강"을 다시 찬미하고, 실제로는 자신이 "숲속의 방랑자"였다는 사실을 자랑한다. "오 숲이 우거진 와이강이여! /그대는 숲속을 걷는 방랑자, 그 얼마나 자주 내 마음은 네게 돌아갔던가!" 여기서 이러한 자연의 힘에 대한 찬양이 표출될 수 있는 것은 '기억'과 '회상'을 매개자로 하는 '상상력'에 의해 과거의 경험을 현재와 연결하고 통합시키기 때문이다. 워즈워드의 상상력은 세계를 총체적이고 한층 깊이 있게 파악할 수 있도록 하며, 조화와 합일의 감정으로 이끌어준다. 이것이 유명한 워즈워드의 낭만주의적인 시론이다.

그런데 시인이 와이강을 5년 전에 방문했을 때 산악의 짙게 우거진 숲 속을 가로지르며 계곡을 힘차게 흘러가던 폭포는 하나의 욕정이었고, 정감이었고, 사랑이었다. 이와 같은 시인의 감정은 워즈워드가 주장하는 인간의 품성에 관한 성장발전 단계론(세 단계)에 의하면 첫 방문 당시의 시기는 순수하고 무의식적인 소년(어린이) 시절의 첫 단계를 지나서 원숙과 안정의 마지막 단계인 성년기에 이르기 이전의 청소년기 단계에 속한다. 이 시기에는 동물적인 쾌락으로 들뜬 특성이 내면을 지배한다. 시인은 와이강을 방문했던 그때 눈으로 보고, 귀로 듣고, 몸으로 느꼈던 그 격정의 감정을 자신의 청소년기와 연관 지어 이렇게 읊는다.

> 내가 처음 이 산들에 왔을 때의 나,
> 사슴처럼(자연이 이끄는 곳은 어디든지-자기가 사랑하는 것을 찾는 사람이라기보다 흡사
> 그가 두려워하는 어떤 것에서 도망치는 사람처럼)
> 내가 산 위를, 깊은 강의 둑을,
> 외로운 시냇물을 뛰어다녔던 때의
> 나와는 달라지긴 했지만, 왜냐면 자연은 그 시절엔
> (내 청소년 시기의 천박한 쾌락과
> 그때의 즐거워하던 동물적 운동은 모두 사라져)
> 내게 있어 모든 것이었다-나는 그려낼 수 없다
> 그때의 나를.) (Hutchinson, 164)

워즈워드는 이런 청소년 시기를 지나 정서적으로 차분해지는 성년기가 되면 소년 시절의 순수성과 청소년기의 열정은 잃게 된다고 본다. 버트에 의하면 워즈워드의 시는 동적인 면과 정적인 면으로 구분할 수 있는데 정적인 시는 불변을, 동적인 시는 생성과 발전을 가르쳐준다고 하였다.[33] 그런가 하면 호지선은 워즈워드의 지적인 성장을 동적인 관점에서 세 단계로 구분하였는데 소년 시절에는 감각을, 청소년 시절에는 감정을, 성년 시절에는 사고를 통하여 세계를 인식한다고 말한다.[34] 워즈워드는 「틴턴 사원」에서 아래와 같이 과거의 회상을 통해 이러한 세 단계를 언급하고 있다.

왜냐면 자연은 그 시절엔
(내 청소년 시기의 천박한 쾌락과
그때의 즐거워하던 동물적 움직임들은 모두 사라져)
내게 있어 모든 것이었다.—나는 그릴 수 없다
그때의 나를) 우렁찬 폭포가
격정마냥 나를 사로잡았었고; 높은 바위,
산, 그리고 깊고 어둑한 숲,
그들의 색채와 형상들은, 그때 내겐
하나의 욕정이었다; 하나의 정감 그리고 하나의 사랑이어서,
사색이 공급해주는 심원한 매력이 필요 없었고,
육안을 빌지 않은 어떠한 흥미도 없었다.—그때는 지나갔다,
그 모든 고통스러운 환희는 이제 사라져버렸다,

---

33 John Butt, *Wordsworth* (London: Oxford University Press, 1969), pp.11-12. 차정남, 같은 논문, p.61.

34 John A. Hodgson, *Wordsworth's Philosophical Poetry 1779-1814* (London: University of Nebraska Press, 1980), p.30. 차정남, 같은 논문, p.61.

그리고 그 모든 아찔한 황홀도. 이 때문에 내가
낙담하거나, 슬퍼하거나, 투덜대지 않는다: 다른 선물들이
잇달았다; 내가 믿기엔, 그런 상실에 대한,
충분한 보상이. (Hutchinson, 164)

청소년 시절의 생각과 감정을 지배한 것은 "쾌감의 원리"(pleasure principle)인데 위의 시에서 "동물적 움직임들"이라고 표현한 부분이다. 이와 달리 소년 시절에는 자연에서 아름다운 것을 감각적으로 받아들였으며 하고 싶은 것은 무엇이나 자유롭게 했다. 그래서 미와 공포를 통해 얻는 짜릿한 기쁨, 그리고 즐거움과 죄의식이 미분화된 감정상태의 희열이 있었다. 그런 다음 청소년기에 이르면 활력에 넘치는 자연으로부터 역동적이고 장엄한 모습을 깨달았다. 시인에게는 폭포를 이뤄 흘러내리는 물소리가 격정으로 다가왔고, 높은 산과 바위, 깊고 컴컴한 숲의 색채와 형상들은 하나의 욕정이 되었고, 정서와 사랑이 되었다고 회고한다: "소리 내는 폭포는 /정욕처럼 내게 달라붙었고: 큰 바위와, /산과 깊고 어두한 숲은, /그들의 색채들과 형상들은, 그때 내게는 /욕정이 되었고; 정서와 사랑이 되었다." 마침내 이런 단계를 지나면 과거의 모든 것을 초월하여 조용히 관조할 수 있는 단계, 즉 성년의 단계가 오는 것이다. 위에서 그런 초월은 선물과 보상이 되는 것이라고 밝혔다. 워즈워드가 1798년에 와이강을 다시 방문했을 때는 첫 단계의 소년 시절과 둘째 단계의 청소년 시절을 지나서 셋째 단계의 성년 시절이었을 때였다. 그런데 위에 묘사된 청소년기의 자연의 장관에 대한 경험은 소년 시절에서는 벗어났지만 약간은 여전히 남아있는 소년의 본능적인 성향에 따라 느낀 감정이라 할 수 있다. 위의 시에서 "고통스러운 환희", "아찔한 황홀"은 "나의 이전의 쾌락"이라고 표현되어 있다. 마지막으로 사색의 원숙한 단계인 셋째 단계는 아래와 같이 표현되고 있다.

왜냐면 나는 자연을 바라보는 법을
배웠기 때문에, 철없는 젊은 시절처럼은 아니라, 자주
격렬하지도 귀에 거슬리지도 않는, 하지만 마음을 맑게 하고
녹일 풍성한 힘을 지닌
인간미 띤 고요하고 슬픈 음악을
들으면서, 그리고 나는 느꼈다
고양된 사상의 환희로
내 마음 설레게 하는 한 존재를; 한층 더 깊이
침투되어있는 어떤 존재의 숭고한 느낌을, (Hutchinson, 164)

시인은 자연과의 교류로부터 놀라운 혜택과 축복을 선물로 받는다고 말했다. 그가 눈으로 바라보고 귀로 소리를 듣는 모든 사물이 하나같이 자연의 은총이다. 이 시에서 시인의 눈앞에서 기억을 가로지르며 회상되는 자연의 풍경은 "가장 순수한 생각들의 닻"이며, "마음의 유모", "안내자", "보호자", "도덕적 존재의 영혼" 등의 이미지로 발전한다. 그러므로 시인은 "한결같이 / 풀밭과 숲과 산을 그리고 /우리가 이 푸른 대지로부터 /바라보는 모든 것을 사랑하는" 것이라고 읊는다. 눈으로 보고, 귀로 듣고, 몸으로 느끼는 자연의 모든 것을 '사랑하는 사람'이 곧 시인이다. 시인은 자연에 대해 파트너로서 동참하는 사람이 되어 "지각하고 창조하는 행위를 하고 그것을 언어로 표현하기 때문에 절반의 창조자, 절반의 깨달은 자로서 즐거워한다." 여기에 표현된 '절반의'라는 말은 시인 자신이 전능한 신으로서의 창조주가 아니라 단지 신에 의해서 창조된 모든 피조물(자연)을 축복과 선물로서 제공받고 기쁨으로 누리는 존재이기 때문이다.

워즈워드는 와이강 계곡의 재방문에서 동행자였던 누이동생 도로시를 '친구'라고 부르면서 너무나 감흥에 취하여 시인 자신이 스스로 발견하고 체

험하는 자연의 세계에 대한 경이와 감동과 환희를 똑같이 읽을 수 있도록 기도한다고 밝힌다. "그대는 내가 가장 사랑하는 친구, /나의 사랑하고, 사랑하는 친구; 나는 너의 목소리에서 붙잡는다 /나의 이전의 심장의 언어를, 그리고 읽는다 /쏜살같은 등불들 속에서 내 이전의 기쁨들을 /너의 야성적인 두 눈에서." 이처럼 동생을 위한 기도를 하는 것은, 자연은 결코 자연을 사랑하는 사람의 마음을 배반하지 않는다는 사실을 알고 있기 때문이다. 자연은 인생의 세월을 통해 그의 특권으로 기쁨에서 기쁨으로 인도하며, 인간 내면의 정신을 가르치고, 고요함과 아름다움으로 인상을 지어주고, 높은 사색으로 먹여준다. 그뿐만 아니라 자연은 전능한 특권이 있기에 타인의 거친 말이나 경솔한 판단도, 이기적인 사람들의 미소도, 친절이 깃들지 않은 인사도, 온갖 일상생활의 황량한 교제도 자연을 사랑하는 사람을 이기지 못하며, 눈으로 바라보는 모든 것이 축복으로 가득 차 있다는 시인의 쾌활한 신념은 그 누구도 흩트리지 못한다고 읊는다. 이러한 자연의 특권을 잘 알고 있는 워즈워드이기에 그는 밤에도 홀로 산책하기를 즐기는 '고독한 산보자'가 되어 달을 보기를 즐긴다. 또한 안개 낀 산악의 호수에 거침없이 불어대는 산바람을 즐긴다. 워즈워드는 자연을 남보다도 훨씬 더 따뜻한 사랑을 품고 사랑하며, 남들보다 더욱 깊은 열정과 더욱 거룩한 사랑을 지니고 자연을 숭배하는 사람이다. 요컨대 '자연 숭배자'다. 이처럼 낭만적인 자연시인으로서 워즈워드는 통상적인 사람의 마음으로부터 차원 높은 경지에 도달한 초월자로 변화되었다. 워즈워드는 이런 경지에 오른 시인으로서 누이동생을 동반자로 하여 함께 와이강 계곡을 다시 방문한 것이다. 그의 마음은 "온갖 아름다운 형상들을 위한 저택"이 되며, 그의 기억은 "모든 감미로운 소리와 조화"를 위한 "주택"이 된다. 시인은 누이동생 도로시도 같은 마음의 소유자가 되어 이런 경지에 도달한 자기를 이해하여주는 사람이 되어달라고 호소한다. 자기와 같이 되는 사람은 자연이 주는 "부드러운 기쁨으로 치유하는 생각들"을 가질 수 있다고 말한다. 자연은 워즈워드에게 '치유자'이기 때문이다. 도로시가 이처럼 자연을 이해하고 사랑하는 사람이 된다면 기억에 저장된 와이강 계곡의 자연풍경은 미래에도, 비록 지금 이곳을 떠나서 몇 년이 지난다고 할지라도 마음에 영원히 남아서 방랑하는 삶의 길에 늘 잊히지 않을 깊고 높은 사랑을 공급할 것이라고 읊는다. 그래서 와이강의 높은 절벽들과 가파른 고지의 숲들, 녹색의 나무와 숲으로 된 전원마을의 목가적인 풍경 등은 그것들이 존재한다는 사실 때문에, 이에 더하여 동행한 누이동생이 있다는 사실 때문에 한층 더 사랑스러워졌다는 추억을 잊지 못할 것이라고 시인은 생각한다.

자연의 수많은 사물 중에서 특히 나무와 숲은 워즈워드의 자연시에 등장하는 비율로 보면 아주 많다. 왜 그럴까. 일반적으로 나무와 숲은 녹색의 옷을 입은 모습으로 상상한다. 색채학적으로 보면 녹색은 살아있는 생명체들의 색깔이다. 녹색에는 생명체들의 본질이 들어있다고 여긴다. 그런 연유로 사람들은 누구나 나무와 숲을 찾아가고 싶어하고, 보고 싶어하고, 그것들을 실제로 사랑한다. 숲지대로 들어가면 여러 다양한 나무들이 함께 모여 있는 숲은 이미지적으로는 생명을 잉태하고 낳는 자궁으로 여겨지기가 쉽다. 상징적인 측면에서 사람들에게 숲이 생명 창조의 원천으로 여겨지는 것은 어렵지 않다. 사람들은 나무와 숲에서 신선한 공기 · 호흡 · 숨결(산소)와 생명의 활력소를 얻을 수 있다는 사실을 무의식적으로 알고 있다. 이와 같은 점에서 나무와 숲을 보면 동화되고 싶고, 합일되고 싶고, 일체성을 이루고 싶어진다. 다름 아니라 그런 방식으로 나무와 숲에 접근하여 그와 같은 관계 맺기를 이상적으로 실행했던 대표적인 자연시인이 곧 워즈워드였다.

## 나가며

워즈워드는 나무와 숲에 대해 강력한 친화력과 지향성을 보인다. 식물학적으로 말하면 식물들이 햇빛이나 물이 있는 방향으로 강한 의지를 가지고 지향하는 '향성'의 특성이 있는 것처럼 워즈워드는 녹색의 나무와 숲을 찾아가는 향성을 지녔던 시인이었다. 낭만적 자연시인인 워즈워드는 녹색의 나무와 숲을 남달리 좋아하여 찾아다녔다. 그런 녹색의 생명체들과 만나서 함께 있고, 그들과 동화되고 싶어하고, 합일하고 싶어하고, 일체가 되고 싶어했다. 워즈워드에게 그것들은 생명의 근원이며, 자궁이어서 생명의 고향이 되어 늘 거기로 돌아가고 싶어했던 것이다.

워즈워드는 살아서 움직이는 생명력이 만물 속에 모두 들어있다고 믿는 물활론과 범신론에 대한 감수성과 사상을 지니고 있었으므로 물활론적, 범신론적인 예민한 감각을 숲속에서 가장 실제적으로 활성화했다. 숲속의 생명체들을 거룩하고 신성한 존재, 곧 신적 존재로 바라보고 느꼈다. 그는 그러한 녹색생명체들과 일체화되어서 존재론적으로 거룩한 신적 존재로 변화되는 수많은 신비적 경험을 했다.

앞에서 살펴보았던 나무들, 숲들과 관련된 워즈워드의 자연관은 동양의 전통적인 자연관과 비교할 때 여러 측면에서 상통한다. 동양의 종교인들이나 철학자들, 사상가들은 특히 산중에서 나무들이 우거진 숲과 전원을 (고향)집으로 삼고 오랫동안 기거하면서 자연과의 일체화, 동화, 합일의 도(길)를 추구했다. 그런 자연관은 중국의 도교, 주역, 성리학 그리고 인도의 (선)불교, 힌두교 등에서 찾아볼 수 있다는 점은 이미 앞에서 언급했다. 그런데 워즈워드를 그와 같은 자연관을 중심으로 서양과 동양을 비교한 연구자가 있다. 이충호는 석사학위 논문에 이어 후속적인 연구 결과를 정리하여 단행본 저서를 출간했다. 「Wordsworth와 장자의 자연관 비교연구」(1988, 석사학위 논문)와 석사학위 취득 후 10년 만에 출판된 『장자와 워즈워드』(2001)이다.[35] 이 두 연구물은 필자의 나무와 숲의 주제를 직접 다루지는 않았지만 넓은 범주에서 '자연관'에 관한 것이므로 필자의 주제에 대해서도 접근하는 논점과 원리가 그대로 적용될 수 있는 공통성이 있다. 아시아인(동양인)들이 전통적으로 자연을 어떻게 바라보고 느꼈는가에 대해 조명하고 고찰한 연구는 상당히 많지만[36] 동양과 서양의 자연관을 비교연구한 논문이나 논저는 지금까지 많지 않은 편이다.

동양의 선불교가 자연관에 있어서 워즈워드와 상통한다는 논점은 백원기가 쓴 저서 『선시의 이해와 마음치유』의 글에서 발견된다.[37] 이것을 뒷받침할 수 있는 작품으로 고려 후기의 충지 선사가 쓴 '무애'라는 제목의 4행 선시가 있다. 원감국사였던 이 선사는 1266년 여름에 김해에 있는 감로사의 주지로 부임했는데 어느 날 그의 법력을 시험하고자 한 선덕이 찾아와 "무엇이 부처님입니까?"라고 물었다. 이에 선사는 다음과 같이 응답한다(36-37).

봄날 계수나무 동산에 꽃이 피었는데 (春日花開桂苑中)
그윽한 향기는 소림의 바람에 날리지 않네 (暗香不動小林風)

---

35 석사학위 논문은 「Wordsworth와 장자의 자연관 비교연구」(영남대학교 대학원, 1988), 저서는 『장자와 워즈워드』(서울: 도서출판 세손, 2001). 그리고 이상란, 「워즈워드와 송강의 비교: 시간과 자연관」(인디애나대학교 대학원 박사학위 논문, 1974). 학회지 게재 연구논문으로는 자연관 또는 나무나 숲을 주제로 다룬 것은 아니지만 전북대학교 교수인 강신욱, 「시적인 철학자와 철학적인 시인-공자와 워즈워스의 삶과 시론 비교 연구」, 『영어영문연구』 제43권 제2호(2017년 여름), pp.1-25 등을 참조할 수 있다.

36 동양의 전통적인 자연사상과 환경철학에 관한 논문을 편집한 단행본으로 Baird & Roger T. Ames, ed., *Nature in Asian Traditions of Thought: Essays in Environmental Philosophy* (New York: State University of New York Press, 1989)이 있다. 이 책은 중국, 인도, 일본의 자연 및 환경에 대한 전통적인 사상과 철학을 다룬 여러 학자의 에세이를 게재했다.

37 백원기, 『선시의 이해와 마음치유』(서울: 도서출판 동인, 2014).

오늘 아침 열매 익어 감로사를 적시니 (今日果熟沾甘露)

무수한 사람과 하늘이 단맛을 함께하네 (無限人天一味同)

위의 시에서 작가(선사)의 응답을 위해 표현된 구절에서 파악할 수 있는 행간의 논점들 가운데 하나는 동산, 나무, 꽃, 꽃향기, 바람, 사찰, 사람, 하늘 등이 제각기 서로에게 분리, 단절되어있지 않고 상호적으로 긴밀하게 연결되어있으며, 차별이 없고('無差別'의 사상), 서로 차별이 없는 각 존재들의 연결로 인해 동화, 합일, 조화가 성취되어서 유익을 준다. 이런 존재가 다름 아닌 부처라고 할 수 있다. 불교의 중심사상인 불이(不二)는 둘이 아닌 한 몸, 즉 일체가 되기를 소망하는데 이와 같은 소망이 이루어진 사람이 곧 부처이다. 부처가 되면 어떤 일에서나, 어떤 인간관계에서나, 또 자연과의 관계에서나 모두 걸림(장애물)이 없고 완전한 자유를 얻는다. 이것이 무애(無碍)인데 이 선시의 제목이 되어있다. 이런 경지를 증득한 존재인 부처의 반열에 오르게 되면 (대)자유인이 되고 자연화, 우주화된 인간으로 살아갈 수 있다.

이 시에서 녹색 숲지대인 동산의 나무는 앞에서 말한 부처로의 존재론적인 변화를 이루는 데 있어서 그 무엇보다도 잘 도와주는 매개자가 된다. 그런 의미에서 이 시에서 맨 먼저 나오는 언어가 동산이고, 또 바로 뒤이어 나오는 언어가 그곳의 (계수)나무이다. 이 시의 주인공(시인 자신)은 다른 어떤 사물보다 제일 먼저 동산의 나무를 (마음의) 눈으로 보았다는 사실이다. 많은 사물 중에서 시인의 마음(의식)에 최초로 붙잡힌 것이 제일 중요한 의미를 부여받는다. 이런 측면에서 시인이 보았던 행위의 시발점이 되게 한 것이 곧 나무라면 그 나무가 다른 무엇보다 가장 중요한 가치를 내포했다는 뜻이다. 다시 말하면 동산의 나무는 맨 먼저 시인의 마음(의식)을 사로잡았다. 이런 사실을 주목할 때 동산의 나무는 이 시에서 제일 중요한 위치를 차지한다. 동산숲의 나무는 다른 인접해있는 사물들과 순차적으로 접속하고 연결되어 나중에는 그 나무의 열매가 생겨나고 그것이 열매의 향기로 이어져서 다시 사찰 전체로 전달되고, 더 나아가 대지의 사람들에게 이어지고, 한 걸음 더 나아가서 하늘과 연결(접속)되어 결국 땅과 하늘(천지)이 연결되고 결합한다. 이것을 되돌려 전체적인 구도로서 다시 살펴보면 하늘과 땅 사이에 있는 일체만물이 함께 화답하고 조화되는 화엄의 경지, 즉 꽃처럼 피어나 조화를 이룬 우주, 달리 말해 '화장세계'가 창조되었으며, 이것을 깨달았으므로 전 우주에 기쁨과 희열로 충만한 부처의 나라(불국토)가 펼쳐진 것이다. 요약하면 이 선시의 제목인 '무애'가 성취되고 '무엇이 부처님입니까?'에 대한 응답이 내려진 것이다. 이 모든 과정에서 시발점은 가장 강조되는 것이라 할 수 있으므로 깨달음의 첫 매개자인 동산의 나무를 잊지 말아야 한다. 말하고자 하는 필자의 요지는 다른 무엇보다 동산의 나무가 선사의 마음을 강력하게 붙잡았다는 사실이다.

이런 선문답의 시(선시)는 진리(실재, 실체)를 가리키고(지시하고) 또 가르치는 것이다. 이 시의 주인공은 '부처가 무엇인가'라는 질문에서 실재(실체, 진리)를 꿰뚫어 보았기에 걸림(장애)이 없는 무애(無碍)를 증득했다. 시인(선사)의 이런 진리의 언술은 천지를 울리고 화답하는 사자후가 된다. 진리를 깨우쳐주는 선사는 동산의 나무로부터 시작했다는 바로 그 지점을 우리 독자는 주목할 줄 아는 안목이 있어야 한다. 이처럼 나무와 숲동산을 통해 진리를 증득하는 사례는 워즈워드의 자연시에서도 전반적으로 발견될 수 있었다. 이러한 사실은 앞의 워즈워드의 자연시들에 관한 분석에서 나타났다. 그런 시들에서 (대)자연과의 연결과 일체화, 바꿔 말하면 동화 · 합일 · 조화의 길(도)로 인도하는 역할을 했던 중개자가 곧 나무와 숲이었다. 동양 선사의 시와 워즈워드의 자연시는 이와 같이 서로 조우하고 교차하는 공통의 지점을 보인다.

그동안 워즈워드에 관한 연구를 보면 자연관을 중심으로 수행한 논문은 엄청나게 많지만[38] 자연 중에서 필자가 관심을 두는 나무와 숲에 집중하여 워즈워드의 사상과 시의 특징을 고찰한 연구는 발견할 수 없었다. 이런 점이 매우 아쉽다.

---

38 석, 박사학위 논문 중에서 자연과 관련된 물활론, 범신론, 상상력, 기억, 회상, 시점(spots of time) 등과 같이 중요주제를 다룬 논문으로는 장세기, 「William Wordsworth의 시와 그 자연관 연구」(부산대학교 대학원 박사학위 논문, 1971); 김진우, 「William Wordsworth의 자연관 및 인간관」(연세대학교 교육대학원 석사학위 논문, 1982); 정용기, 「Wordsworth의 시에 나타난 자연의 신비성」(경남대학교 교육대학원 석사학위 논문, 1989); 장은숙, 「William Wordsworth의 유년시절 자연에 관한 연구」(경남대학교 대학원 석사학위 논문, 1988); 손남, 「William Wordsworth의 자연관과 Pantheism에 관한 연구」(경남대학교 교육대학원 석사학위 논문, 1989); 홍용석, 「William Wordsworth의 시에 나타난 인간, 자연, 그리고 신」(고려대학교 교육대학원 석사학위 논문, 1988); 진종학, "Spots of Time in Wordsworth's The Prelude" (동국대학교 교육대학원 석사학위 논문, 1990). 손현, 「워즈워드 시에 있어서의 재연성(再燃性)과 종교성」, 『영문학과 종교적 상상력』(조신권 편, 1994), pp.309-331 등이 있다.

학회지에 출판된 워즈워드의 자연관을 다룬 소논문들로는 박령, 「워즈워스의 시에 나타난 신비주의와 상상력」, 『새한영어영문학』 제56권 4호(2014); 박령, 「워즈워스의 솔즈베리 시편 연구–'도덕적 위기'를 중심으로」, 『영어영문학』 제45권 1호(1999); 구본철, "Wordsworth's and Coleridge's *Lyrical Ballads*: The Quarrel between the Natural and the Supernatural," *The New Association of English Language & Literature*, No. 26(2003); 주혁규, 「여행자의 집쓰기 행위: 워즈워드, 1798-1802」, 『새한영어영문학』 제57권 3호(2015); 주혁규, 「「노수부의 노래」와 「틴턴 사원」의 통일성」, 『새한영어영문학』 제54권 4호(2012); 주혁규, 「등산과 풍경–워즈워스의 숭고」, 『영어영문학』 제62권 4호(2016); 이만식, 「청각적 상상력의 억압: 윌리엄 워즈워드의 시세계」, 『영어영문학』 제46권 2호(2000); 이규명, 「W. 워즈워스 다시 읽기: 퓌지스(physis)와 시뮬라시옹(simulation)」, 『새한영어영문학』 제46권 2호(2004); 오인용, 「공감과 의무: 워즈워스 시의 낭만적 감정구조와 미학적 계몽」, 『새한영어영문학』 제55권 1호(2013); 오인용, 「계몽/반계몽의 변증법: 워즈워스의 시에 있어서의 루소와 맬더스」, 『새한영어영문학』 제46권 3호(2004); 김종갑, 「워즈워스의 시에서 눈의 폭력의 문제와 응시의 길들이기」, 『영어영문학』 제48권 3호(2002); Hong Kyu Choe, "Romanticism and Antiromanticism in Wordsworth's 'Thorn' and Mant's 'Simpliciad'", 『문학과 종교』 제1집 창간호(1995) 등이 있다.

저서에서 다룬 것으로는 이정호, 「제3장. 워즈워스의 생태적 상상력」, 『영국낭만기 문학 새로 읽기 I』(서울대학교 출판부, 2000), pp.103-138; 주혁규, 『워즈워스와 시인의 성장』(서울: 동인, 2016) 등이 있다.

2-2

## 미국 뉴잉글랜드의 월든 숲
## —소로의 『월든 숲속의 생활』과 초월적 자아

### 소로와 미국의 근대문명

소로는 1817~1862년에 걸쳐 짧은 생애를 살았던 작가이며, 개성이 강하고 시대적 상황에 대해 매우 비판적인 지식인이었다. 미국이 영국으로부터 독립한 것은 1776년 7월 4일이다. 이후 19세기 중반을 전후한 시기는 개발과 성장, 진보와 팽창이 본격화되기 시작했다. 소로의 생존 시기에 과학기술과 물질문명은 놀라운 발전을 거듭하여 강에는 증기선이 드나들고 교역이 활발했으며, 산과 들에는 철도가 개설되고 철마(기차)가 화물을 싣고 달렸다. 연방정부는 동부에서 서부로, 북부에서 남부로 국토를 개발하고 뻗어나갔다. 서쪽으로는 1848년에 캘리포니아에서 금광이 발견되자 골드러시는 서부개척 시대를 견인했다. 1861~1865년에 남부와 북부가 벌인 '남북전쟁'은 4년에 걸친 격전 끝에 북부의 승리로 끝났다. 남쪽으로는 영토 확장을 위해 멕시코와 전쟁을 일으켜 멕시코의 방대한 지역이 미국에 편입되었다. 과학기술을 바탕으로 하는 팽창주의 정책에 따라 농지는 계속 개척되었으며, 자본 집약적인 농업과 산업화된 상공업은 일취월장으로 발전했다. 이러한 과학기술문명은 외형적인 측면으로 보면 국운을 상승시켰고, 국민에게 꿈과 비전을 갖게 하였다.

그러나 소로는 멕시코 전쟁을 불의의 전쟁으로 단정하고 국민이 내는 세금이 그러한 전쟁에 쓰인다는 이유로 6년 동안 납세를 거부하였다. 그 결과 하루 동안 투옥되었다가 감옥에서 풀려나왔는데 이 사건에 관해 쓴 책이 『시민의 불복종』(*The Civil Disobedience*)이다. 이 책에서 소로는 인권수호를 위한 비폭력 저항사상을 보여주는데 후일에 인도의 간디와 마르틴 루터 킹 목사에게 엄청난 영향을 미쳤다. 그가 주장한 인권법은 나라가 제정한 국가법보다도 더 높은 신의 법이라고 주창했다. 이러한 신의 인권법에 복종하는 것은 시민으로서 일차적인 의무이며, 누구든지 미국인이기 이전에 똑같이 존중받는 인간이 되어야 한다는 것이었다. 이러한 소로의 인권사상은 미국의 개인주의적, 민주주의적인 전통을 이해하는 데 참고해야 할 불멸의 기록으로 남았다.[39] 이 책에서 소로는 미국의 국가정책이 약한 자의 생명을 파괴하는 것을 아랑곳하지 않는, 부도덕하고 비인간적이며 폭력적이라고 비난하였다. 이처럼 그는 국가의 폭압적인 지배 권력에 강한 저항감을 보였으며, 스스로 나서서 노예해방을 위해 군중대회를 여러 차례 열었고, 연사로 나서서 노예제도를 반대하는 운동을 강력하게 벌였다. 그는 『시민의 불복종』에서 "식물은 그 본성에 따라 살 수 없으면 죽어버린다. 인간도 마찬가지다."[40]라고 선언했다. 무릇 생명이 있는 모든 존재는 본질적으로 소중하며 인간과 동등하게 존중되어야 한다. 그가 야생의 산야와 숲지대를 거닐면서 나무와 화

---

39 이보행, 『미국사개설』(서울: 일조각, 1995), p.99.

40 Sherman Paul, ed., *The Civil Disobedience* (Boston: Houghton Mifflin Company, 1960), p. 249.

초와 원시의 동식물에 대해서 지극히 친화적이고 따뜻하고 소박한 애정을 보였던 태도는 생명의 자유에 바탕을 두는 자연주의자 혹은 생명주의자로서의 사상에 기인한다.

예민한 양심의 소유자였던 소로는 문명과 성장, 개발과 진보의 이름으로 자연을 훼손하는 반자연적 행위 또는 흑인 노예들과 원주민인 인디언들을 박해하고 착취하는 백인들의 행위에 대해 천부생명권의 이념으로 비판했다. 소로만큼 원주민들의 인권을 존중하고 그들의 고유문화에 대해 우호적이었던 사람을 찾기 힘들다. 이와 같은 점에서 그는 본질적인 의미에서의 진보주의자이며 자연주의자였다. 하지만 그는 단순히 사회적, 정치적 저항가이거나 피상적으로 자연을 좋아하는 사람이 아니다. 자연과 우주를 거시적으로 바라보는 관점에서 내재적인 우주적 생명력을 민감하게 느낄 수 있었던 철학적 예술가다. 소로가 감지하고 깨달았던 우주와 자연에 내재하는 영혼에 대해서 그의 스승인 에머슨은 "대령"(Oversoul)이라고 불렀다. 소로는 이런 우주적 영혼에 대해 깊은 신앙을 지녔던 초월주의자(transcendentalist)였다. 그러나 그는 현실도피적인 의미에서의 초월주의자가 아니라 자연의 실재성에 충실하였으며, 자연친화적인 삶을 통해 우주 자연의 '대령'과 소통하면서 독신자로 살았다. 홀로 고독한 방랑자로서 숲을 찾아다니면서 모험을 즐겼고, 녹색의 숲지대는 그가 자유롭게 노닐면서 생명의 풍요를 즐기는 저택이었다. 그런 측면에서 소로의 글은 소박하면서도 독특한 감동을 불러일으킨다.

### 소로의 저술들과 나무 및 숲

소로가 쓴 글에는 철도부설과 농지개간을 위해 숲을 파괴한 벌목지대가 언급되고 땔감과 숯불의 마련을 위해 나무와 숲을 벌채하여 자연이 훼손되고 파괴된 현장을 고발하고 비판하는 대목이 흔하게 나타난다. 그가 야생과 원시의 산악과 수목과 화초가 우거진 숲속을 소요하고 탐사하는 행적을 일지(일기) 형식으로 기록한 저서와 에세이는 놀랄 만큼 많다. 예를 들면 『일기』(1858), 「매사추세츠주의 자연사」(1842), 「콩코드와 메리맥강에서 보낸 일주일」(1849), 『케이프 코드』(1864), 「도보여행」(1862), 「산보」(1863), 「캐나다에 여행한 미국인」(1853), 「일요일」(1839), 「연달아 있는 숲의 나무들」(1863), 「야생사과」(1863), 「소리들」(1863), 「메인주의 숲」(1864), 『월든 숲속의 생활』(1854), 『소로의 시 모음집』(*Collected Poems*, 1943), 이외에도 숲지대의 답사와 탐험을 소재로 한 수많은 글이 있다. 소로의 여러 글을 보면 당시의 개척, 개발 사업에 따라 동식물들의 서식처인 울창하고 아름다운 숲이 마구 베어내어지고 불태워지는 일들이 넓은 숲지역에 걸쳐 곳곳에서 일어났다는 사실이 기록되어있다. 그럼에도 불구하고 그러한 자연 훼손과 파괴에 대해 사람들은 자신의 잘못을 인식하지 못하고 무감각하며 양심의 가책을 못 느끼는 것이었다. 소로는 그들의 반자연적, 반생명적인 행위를 '이적행위'라고 간주했다. 당시 미국의 개척주의자들 혹은 진보주의자들의 행위는 야성적인 인디언들이 자연 상태 그대로 살아가는 삶의 태도와 대비되었다. 소로는 인디언들이 자연과 순수하게 교감하며 경건하게 살아가는 종교적인 방식에 대해 깊은 감명을 받았다.

미국에서 당시의 방대한 대자연의 숲지대에서 나무와 숲이 어떻게 훼손되고 있었는지, 소로가 그러한 상황에 대해 얼마나 심각하게 생각했는지에 대해 몇 편의 글과 저술을 중심으로 살펴보자. 소로는 대부분의 사람들이 자연을 소중히 여기는 마음이 없고, 자연의 온갖 아름다움을 향유할 수 있는 권리를 일정액의 돈만 받을 수 있다면 팔아넘기는 행태를 보고 통탄한다. "그중 많은 사람은 럼주 한 잔에 그것을 팔려고 한다. 인간이 아직 하늘을 날 수 없다는 것이 얼마나 다행한 일인가! 만약 그가 하늘을 난다면 땅뿐만 아니라 하늘마저도 황폐케 할 것이다."[41] 개발사업자들은 물질적 이익 추구에 탐닉하면서 숲의 훼손과 파괴를 무자비하게 자행했다. 그러한 벌목자들, 숲의 파괴자들은 숲이 왜 소중한지를 알지 못했다. 나무와 숲은 온갖 생명이 호흡하고 생명을 영위하는 서식처이자 안식하는 집인 것이다. 그들은 숲지대와 숲속의 생명체들에게 아무런 흥미도 없다는 듯이 나무와 숲을 마구 베어내고 땅을 밀어서 도시를 만들고, 그러한 도시를 확장하였는데 소로는 그들을 이해할 수 없었다. 많은 사람은 나무와 숲을 베어내고 도시를 개척하는 것이 마치 근면하고 진취적이라고 생각했던 것이다. 그러나 소로에게 숲지대는 나무, 풀, 새, 수많은 생물이 한 가족처럼 살아가는 "초록색 신전"이다. 『일기』에서 발췌한 다음의 글을 읽어보자.

> 여름날 한낮이 다 가도록 한적한 늪에 깊이 잠겨 이끼와 월귤나무의 향기로운 냄새를 맡으며 각다귀와 모기의 노랫소리에 마음을 달래는 것을 사치라고 할 수 있을까. 표범개구리와 열두 시간 동안 다정하고 친밀한 대화를 나누어본다. 태양은 오리나무와 말채나무 뒤에서 솟아 세 뼘 정도 넓이의 자오선으로 씩씩하게 올라갔다가 서쪽 가파른 언덕 너머로 사라진다. 초록색 신전에서 울려 퍼지는 모기떼의 저녁 노래를 듣는다. 알락해오라기는 비밀 요새의 대포처럼 석양 속에서 불쑥 솟아오른다. … 그늘은 햇빛만큼 좋은 것이고, 밤 또한 대낮만큼 좋은 것이 아니겠는가? 독수리와 개똥지빠귀는 언제나 좋은 새로 대접받는데 왜 부엉이와 쏙독새는 좋은 새로 대접받지 못하는가?[42]

41 소로, 강승영 옮김, 「야생사과」(서울: 이레, 1999), p.11.

42 김욱동 편역, 『소로의 속삭임』(서울: 사이언스북스, 2008)에 편집된 『저널』, p.21.

『월든 숲속의 생활』은 경제성장과 산업화, 서부와 남부로의 인구이동과 개척사업의 진행 등으로 숲의 훼손과 나무 벌채가 공공연히 벌어지는 상황을 목격하던 시기에 소로가 고향이 있는 뉴잉글랜드 지역의 매사추세츠주 숲지대인 '월든'으로 들어가 숲속의 호숫가에 통나무로 오두막집을 짓고 자연과 더불어 살아가면서 일기형식으로 기록했던 실험생활에 관한 내용이다. 이 작품은 그의 스승 에머슨의 「자연론」과 함께 미국문학사뿐만 아니라 세계적으로 생태문학 분야에서 고전의 반열에 올라있다. '생태학'이 아직 본격적인 모습을 드러내기에 앞서 나온 이 책은 미국인들에게 자연의 소중함을 일깨워주는 데 크게 이바지했다고 평가된다.[43] 소로가 월든 숲속의 호숫가에 손수 설계하여 지은 통나무집에서 살았던 기간은 2년 2개월이다. 이 오두막집에서 살기 시작한 것은 1845년 7월 4일로 미국의 독립기념일이었다. 콩코드 주민들이 독립을 기념하여 요란하게 폭죽을 터뜨리며 축제를 벌이는 동안 소로는 손수레에 초라한 보따리를 싣고 월든의 숲속에 들어가 호숫가에 정착했다. 이날은 미국이 영국으로부터 식민지배의 굴레에서 해방된 날이었지만 소로는 미국을 지배하고 있는 물질주의와 산업문명으로부터 독립을 선언한 셈이었다.[44]

소로가 이 책에서 기술하는 당시의 숲 훼손과 자연파괴에 관한 부분을 보면 그의 심정이 얼마나 심각하였는지가 잘 드러난다. 그가 맨 처음 월든 숲속의 호수에서 보트를 저었을 때 호숫가는 키가 큰 소나무와 우거진 떡갈나무의 울창한 숲으로 완전히 둘러싸여 있었다. 호수의 몇몇 작은 만에는 포도나무 덩굴들이 물가의 수목 위에 정자를 만들고 있었으며, 그 밑으로는 보트가 지나갈 수 있었다. 그런데 그가 호수를 떠난 이후에 다시 돌아와 보았을 때는 나무꾼들이 호숫가의 나무들을 베어내어 숲속 안쪽으로 멀리까지

43 김욱동, 『문학생태학을 위하여』(서울: 민음사, 1998), p.299.

44 김욱동 편역, 『소로의 속삭임』, p.86.

황폐시켜 놓았다. 앞으로 몇 해가 지난다면 그가 숲속에 나 있는 길을 걸으면서 호수의 풍경을 바라보던 일도 가망이 없을 것 같았다. 그런가 하면 월든의 숲지대를 관통하는 철마(기차)는 귀를 찢을 듯이 소음을 내면서 마을을 뒤흔들고, 그 발굽으로 마귀같이 호수의 물을 마구 뒤집어서 흐려놓았다. 그 철마는 월든 숲속의 호숫가에 울창하게 자라던 나무들을 죄다 잘라먹은 원흉이라고 소로는 비난한다. 이처럼 문명의 이기적인 목적과 인간의 자기중심적인 사고방식으로 인해 자연이 훼손되고 파괴되는 후유증이 어떠했던가를 짐작게 한다. 물질 만능의 편익과 경제적, 상업적인 이득에만 관심을 두는 미국인들의 사려 깊지 못한 마음이 이런 비극을 불러일으킨 것이다.

> 나의 시신(詩神)이 이제부터 침묵을 지키더라도 용서되겠다. 새들의 숲이 잘리고 있는데, 어떻게 새들이 노래하기를 기대할 수 있겠는가? 이제는 호수 바닥에 통나무들과 오래된 통나무배도 그리고 울창하게 둘러싸인 숲들도 없어져 버렸다. 그리고 이 호수가 어디 있는지도 거의 모르고 있는 마을 사람들은 호수에 와서 수영을 하고 물을 마시는 대신에 적어도 갠지스강처럼 신성해야 할 호숫물을 수도로 마을로 끌어와서는 그들의 접시를 씻으려고 궁리하고 있다. 즉 수도꼭지를 비틀거나 혹은 마개를 열어서 월든 호수를 손에 넣으려고 궁리하고 있다. 귀를 찢을 듯한 울음소리로 온 마을을 뒤흔드는 저 마귀 같은 철마는 그 발굽으로 보일링 샘물을 흐려놓았다. 그리고 월든 호숫가의 숲들을 죄다 잘라먹은 것도 그 철마이다. 돈만 바라는 그리스인들이 도입한 저 트로이 말은 그의 뱃속에 천 명을 넣고 있다. 그 철마를 디이프 컷에서 맞아 그 뽐내는 이질 같은 철마의 갈비뼈 사이에 복수의 창을 찌르는 무어 홀의 무어와 같은 이 나라의 용사는 어디에 있는가?[45]

45 Sherman Paul, ed., *Walden* (Boston: Houghton Mifflin Company, 1960), pp.132-133.

위의 글에서 밝히듯이 숲은 새들의 보금자리였는데 그런 숲이 잘려 나갔으니 어떻게 새들이 노래하기를 기대할 수 있겠는가 하고 비통해하는 소로의 마음에 독자도 똑같이 공감할 것이다. 이와 같은 구절은 우리나라의 존경받는 선사인 법정 스님의 에세이집, 『새들이 떠나간 숲은 적막하다』에 나오는 글귀를 연상시킨다. 이 책에서 저자는 겉으로 보기에 아무런 영혼이 없는 것 같은 나무들도 영혼을 가지고 있다고 말한다. "겉으로 보면 나무들은 겨울잠에 깊이 빠져 있는 것 같지만, 새봄을 향해 끊임없이 움직이고 있다." "눈 속에서도 새 움을 틔우고 있는 걸 보라. 이런 나무를 함부로 찍거나 베면 그 자신의 한 부분이 찍히거나 베어진다는 사실을 사람들은 알고 있을까? 나무에도 생명의 알맹이인 영이 깃들어있다."[46] 법정 스님의 이와 같은 표현에는 정령사상이 반영되어있다. 이런 사상은 아메리카 인디언들에게는 보편적인데 소로는 아메리카 인디언들이 숲지대에 살면서 심오한 영성을 가지고 나무나 숲과 더불어 종교적인 삶을 누리는 것에 공감했던 사실을 그의 글에서 보여준다.

월든의 숲지대에 흩어져있는 여러 개의 호수 중에서 시범농장 개발로 가장 황폐된 호수가 프린츠 호수다. 이 호수의 이름은 농장 주인의 이름을 딴 것인데 소로가 이 농부에 대해 표출하는 증오감은 매우 격렬하다. 이 농부는 자연의 아름다움과 소중함을 전혀 모르며, 우둔하고 물질적인 탐욕만 가득 차 있다. 오직 돈을 벌기 위한 야망으로 벌여놓은 토지개간, 과수원 개발, 목장 개척, 가축 사육 등의 사업은 호수 일대의 울창했던 나무들로 인해 아름다웠던 자연풍경을 사라지게 했고, 맑았던 호숫물을 극심하게 오염시켰다. 소로는 이러한 농부의 태도에 분노하면서 탐욕스럽고 무지몽매한 그 농부가 자신의 이름을 아름다운 호수에 붙일 권리가 없다고 비난하면서 그의

46 법정, 『새들이 떠나간 숲은 적막하다』(서울: 샘터, 1999), p.96.

상업주의적인 물욕을 다음과 같이 비난한다.

> 프린츠 호수여! 우리의 작명법은 그처럼 빈약하다. 불결하고 우둔한 농부가-그의 농장이 이 하늘과 같은 물에 접하고 있는 데다 이 호숫가를 무참하게 헐벗겨 놓았는데-무슨 권리가 있어 자기 이름을 이 호수에다 붙였단 말이냐? 자기의 철면피 같은 얼굴을 비춰주고 있는데도 은화나 빛나는 동전을 반사하는 수면을 더 좋아하는 어떤 구두쇠, 그자는 이 호숫가에 정주하는 기러기들을 침입자라고까지 보며 얼굴과 몸은 여자이고 매의 날개와 발톱을 가진 욕심꾸러기 괴물처럼 물건을 탐내어 긁어모으는 오랜 습성으로 그자의 손가락과 손톱은 구부러진 뿔같이 되어있다-그러니 그런 이름은 나에게는 맞지 않는다. 나는 그자를 보기 위해 혹은 그자의 얘기를 듣기 위해 그곳에 가는 게 아니다. 그자는 이 호수를 보지도 않았으며, 거기서 헤엄치지도 않았으며, 이 호수를 사랑하지도 보호하지도 않았으며, 이 호수를 칭찬하지도 않았으며, 신이 이 호수를 만들어놓은 데 대해 감사하지도 않았다. 차라리 이 호수의 이름은 이 속에서 헤엄치는 물고기나 이곳에 자주 나타나는 새나 네발짐승이나 이 물가에서 자란 야생의 꽃이나 혹은 그 생애의 올실이 이 호수의 역사와 함께 짜인 어느 야인이나 아이의 이름을 따서 짓는 게 낫지 않겠는가? (135)

소로에게 이 농부는 팔 수만 있다면 풍경과 신마저도 시장으로 끌고 갔을 것이라고 여겨진다. 그래서 그의 농장에서 자유롭게 자라는 것은 아무것도 없으며, 과수원에서는 아무 열매도 맺지 않고 오직 돈밖에 맺히지 않는다고 힐난한다. 그러나 소로는 오염이 되지 않은 다른 곳에 있는 '화이트 호수'를 보고 그 순결하고 아름다운 자태를 예찬한다. 도시의 물욕으로 때가 묻은 사람들은 이처럼 천국과 같은 자연의 아름다움과 조화를 이루지 못하며, 야생적인 자연의 미와 자연의 천국을 말할 자격이 없다는 것이다. 소로에게 자연과 도시는 대립하는 개념이다. 그래서 그에게 자연이란 아름다움과 풍요로움을 베푸는 나무, 숲, 야생화, 새, 호수, 천국 등을 상기시켜주며, 도시는 황금만능, 불결, 이기적 욕망, 상업적 탐욕, 불임의 황무지 등을 상기시켜준다. 요컨대 양자는 야생과 문명, 창조와 파괴, 소망과 허무, 생명과 죽음, 건강과 질병, 안식과 피로 등으로 대립되는 이원론적인 인식구조를 보인다.

> 화이트 호수와 월든 호수는 지상의 커다란 수정이며 광명의 호수이다. 만약 이들이 영원히 응결되고 훔쳐 갈 수 있을 만큼 작은 것이라면 아마 보석처럼 제왕들의 머리를 장식하기 위해 노예들이 캐어가고 말았을 것이다. 그러나 이들은 유동하고 광대하며 우리와 우리의 후손들에게 영원히 보장되어 있으므로 우리는 그들을 무시하고 코이누어의 다이아몬드를 뒤쫓는 것이다. 이러한 호수들은 너무도 순결하므로 시장의 시세에 비할 수가 없다. 이들에게는 우리들 인생보다 얼마나 더 아름다우냐! 우리의 인격보다 얼마나 더 투명하냐! 우리는 이들에게서 비굴함을 배우지 않았다. 농부의 집 앞에서 오리들이 헤엄치는 연못보다 얼마나 더 아름다우냐! 이곳에는 깨끗한 들오리들이 찾아온다. 자연에는 자연을 높이 평가하는 인간의 주민이 없다. 새들에게는 유머가 있고 노래가 있으니 꽃과 조화를 이룬다. 그러나 어떤 청년이, 어떤 처녀가 자연의 풍요한 야생미와 합작하는가? 자연은 그들 남녀가 사는 도시에서 멀리 떨어져 홀로 번영한다. 천국을 말하다니! 그대들은 대지를 더럽힌다. (137-138)

뉴잉글랜드에 있는 메인주의 숲지대도 소로가 좋아했던 탐사지역이다. 「메인주의 숲」은 이 지역을 답사한 기록이다. 여기에 들어오면 나무와 숲으로 무성하고, 개울과 폭포들이 있으며, 야생의 꽃과 과일, 여러 동식물을 발견할 수 있다. 이처럼 다양한 동식물들이 서식하는 야생지대에도 개척민들이 들어와서 숲의 벌목과 농지개간을 무분별하게 자행하여 황폐시켜 놓은 곳들이 여기저기에 나타난다. 자연의 다양한 존재들이 함께 어우러져 놀라운 조화와 장관을 이루는 야생지대의 그러한 자연 훼손과 파괴 행위는 소로에게 이해될 수 없는 만행이었다. 개척민들이 자신의 상업적, 물질적 이익을 위해 무차별적으로 나무들을 벌목하고 마구 개간하여 헐벗겨진 지대를 목격한 소로는 그러한 현장을 "악의 실제적인 원천"으로 규탄하면서 거기에 맞서야 한다고 말한다.[47] 소로의 생활 원리와 철학은 도시문명의 파괴적인 욕망을 벗어버리고 물질적 탐욕에 오염되지 않은 야생의 숲지대에서 자연과 더불어 단순하고 소박하게 살아감으로써 오히려 더욱 풍부한 정신적인 부를 누릴 수 있다는 것이다. 그리고 순수한 야생적 자연과 교감하고 소통함으로써 문명인들의 물질적 만족을 훨씬 뛰어넘는 영적 만족을 실현할 수 있다는 것이다. 이와 같은 맥락으로 볼 때 개척민들이 숲속에서 물질주의적인 탐욕에 눈이 멀어 저질러 놓은 자연 훼손과 파괴의 현장은 소로에게 큰 충격이 아닐 수 없었다. 그가 메인주의 숲지대를 여행했던 시기는 월든 숲속에서 실험적인 생활을 하고 있었던 1845~1847년 시기 중에서 1846년이었으며 29세 때였다.

소로가 이와 같이 숲속을 여행할 때 마주쳤던 숲의 훼손과 파괴의 현장을 조금만 더 읽어보자. 탐사하고 있었던 소로 일행은 넓은 계곡과 물방앗간에 도착했을 때, 그곳에는 거친 목재로 깐 철로가 아래쪽 읍내로 달려가고 있었으며, 그들이 강둑에서 한 구역을 더 건넜을 때, 들판은 100에이커 이상의 짙은 숲지대였던 구역이었으나 얼마 전에 나무들이 베어지고 불태워진

47 Carl Bode, ed., "The Maine Woods," *Thoreau* (New York: The Viking Press, 1947), p.89.

것을 알았다. 그곳은 아직도 연기가 나고 있었다. 그들이 지나가던 길은 그곳의 한가운데를 통과하고 있었는데 시꺼멓게 흐려져 거의 잘 보이지 않았다. 베어져서 지금도 불타고 있는 나무들은 완전한 길이로 눕혀서 4~5피트 두께로 쌓여 사방에 널려있었으며, 서로 엉켜 숯처럼 완전히 검게 보였다. 난방용 연료나 목재로 사용하기 위해 불태운 목재들이었다. 소로가 보기에 수천 피트에 걸쳐 쌓여있는 목재들은 보스턴과 뉴욕의 가난한 사람들을 위해 겨울 한철 동안 아주 따뜻하게 월동하도록 할 난방용 숯으로 쓸 수 있을 만큼이나 많았다. 이렇게 대규모로 숲이 벌채된 처참한 풍경을 목격한 소로는 "저 빽빽하고 무한대로 뻗어 있는 숲 전체가 점차로 마치 면도질을 한 것처럼 불살라질 운명에 처해있다. 그러므로 누구도 숲의 화목으로는 더 이상 난방을 할 수 없게 될 것이다"[48]라고 한탄한다. 숲을 훼손하고 나무를 베어내는 당대의 자연파괴 행위가 어떠했으며, 소로가 얼마나 자연과 생명을, 나무와 숲을 사랑하였는가를 짐작할 수 있다.

나무꾼들이 산에서 소나무를 톱으로 베어내는 현장을 묘사한 「한 소나무의 죽음」이라는 에세이가 있다. 이 글에서 소로는 솔개, 다람쥐, 매 등과 같은 야생 생물들의 보금자리였던 소나무가 완전한 모습으로 자라기까지는 200년이나 걸리는데 그런 소나무가 한순간에 사라져 버린 것을 슬퍼한다. 다람쥐는 다른 나무로 달아났고, 매는 다른 곳에서 허공을 빙빙 돌다가 둥지가 있었던 쪽으로 내려가는 모습이 눈앞에 잡힌다. 이제까지 그 소나무가 공중에서 차지했던 자리는 앞으로 200년 동안을 텅 비어 있을 것이라며 소로는 절망한다. 내년에 봄이 와서 솔개가 다시 찾아올 때 소나무 위로 솔개가 늘 앉았던 자리를 찾으려고 헛되이 맴돌 것이며, 솔개는 새끼들을 안전하게 보호해주었던 높이 솟아있던 소나무들이 사라진 것을 슬퍼할 것이라며 소로

48 Carl Bode, ed., ibid., pp.89-90.

는 비탄에 젖는다.[49] 이러한 장면은 '타자'에 대해 배려가 전혀 없고 억압하고 착취하는 행위다. 이런 비극적인 풍경은 요즘 우리나라의 TV 채널 〈TV 동물농장〉에서 방영된 애완동물들이 서식지와 가족을 잃고 갈 길을 찾아 헤매는 애절한 사정과 비슷하여 가슴 속에 비애감이 든다. 김욱동은 『문학생태학을 위하여』에서 미국의 저명한 사회생태학자 머레이 북친을 원용하면서 자연에 대한 인간의 억압과 착취는 사회의 억압과 착취 구조에서 나오며, 인간이 자연을 억압하고 착취하는 것도 본질적으로는 인간에 대한 인간의 억압과 착취에서 비롯된다고 말한다.[50] 달리 말하면 이런 행동은 식물인 소나무, 동물인 솔개에 대해서만 저지르는 악행에 머무르는 것이 아니라 사람들에 대해서도 쉽게 자행될 수 있는 잠재적인 폭력인 것이다.

이와 같이 당시의 미국인들이 숲지대의 나무를 베고, 울타리와 숲을 불태워 개간하는 자연파괴 행위를 소로는 「도보여행」[51]에서도 지적하고 있다. 그런 사람들이 말하는 '개량'이란 것은 단지 풍경을 무용지물로 만들고, 더욱더 길들여서 싸구려로 만드는 것이라고 비난한다. 그리고 "사람들이 (생)울타리를 불태워버리는 일부터 그만두고 숲을 그대로 놓아둔다면 얼마나 좋을 것인가!"라고 안타까운 심정을 토로한다.[52] 당시의 부유층들은 울타리를 쳐서 구획을 만들고 경계로 삼았는데 소로는 이것이 풍경을 독점하는 이기심이라는 것이다. 그는 문명인들의 '울타리 치기'를 문명의 비인간적, 반자연적인 행위로 간주한다. 누구의 어떤 사유지라고 해서 울타리를 여러 겹으로 치고 위험 표시와 그 밖의 수단으로 다른 사람이 접근하지 못하게 하여 유원

---

49 소로, 강승영 옮김, 「한 소나무의 죽음」, 『야생사과』(서울: 도서출판 이레, 1994), pp.90-91.

50 김욱동, 『문학생태학을 위하여』(서울: 민음사, 1998), p.174.

51 이 에세이는 1862년 *Atlantic Monthly* 지에 "Walking"으로 게재되었으나 다음 해에 "Excursion"으로 출판되었다. 보통 "산보"로 번역되고 있지만 "도보여행"으로 번역했다. "Walking," Carl Bode, ed., ibid., p.592.

52 Carl Bode, ed., ibid., p.598.

지로 만들고 그곳을 다른 사람이 걸으면 땅을 침범하는 것으로 단죄하는 세상의 유행에 대해 소로는 개탄한다. 산보객이나 도보여행자들이 자유를 누릴 수 없게 만들고 소수의 사람만이 제한된 독점적 즐거움을 느끼는 것은 진정으로 자연풍경을 즐기는 것이 못 된다.[53] 한승원의 소설 『연꽃바다』(1997)를 보면 돈을 벌고 쾌락을 느끼기 위해 자연환경을 함부로 훼손하는 이와 비슷한 형태의 세속문화에 대해 주인공 풍뎅이 영감이 내놓는 비판의 말에도 역시 '울타리 치기'에 대한 비난이 들어있다. "땅덩어리를 이리저리 측량해서 울타리를 치고 살기 시작하면서 싸움이라는 것은 시작되었던 것이다."[54] 어떤 의미에서 인간의 비극은 사물을 측량하면서부터 시작되었다고 할 수 있다. 모든 재산을 구성원이 함께 소유했던 원시공동체 사회에서는 땅을 이리저리 측량할 필요가 없었다. 그러나 원시공동체 사회가 무너지고 점차 재산의 사유화가 자리를 잡으면서 사람들은 땅을 측량하여 소유하게 되었다.[55] 소로의 여러 일기(일지)형식의 에세이에는 도시와 문명세계를 떠나 멀리 있는 원시적인 야생의 숲지역과 숲속에 들어가서 자유롭게 산보하고 걷기를 즐기는 대목을 곳곳에서 볼 수 있다. 소로에게는 나무와 숲이 울창한 자연은 원시-야생이지만 자유-건강-치유와 관련되며, 사람들이 붐비고 소란스러운 도시는 문명-발전이지만 구속-질병-타락-부패와 관련되어 양자는 서로 대조된다. 소로가 「도보여행」에서 "이쪽 편에서 살면 도시에서 사는 것이고, 저쪽 편에서 살면 야생지대에서 사는 것이다. 그래서 나는 계속 점점 더 도시를 떠나 야생지대로 물러나고 있다"(602)라고 말하는 구절에서 그의 반문명주의적이고 야생적인 자연주의자로서의 면모를 알 수 있다. 그는 야생적인 자연을 즐기는 생활을 통해 살아있는 생생한 '대령'과 교감하였으며,

---

53 Carl Bode, ed., ibid., p.602.

54 김욱동, 같은 책, p.211.

55 김욱동, 같은 책, p.211.

부도덕하고 타락한 문명사회에서라면 얻을 수 없는 높은 도덕성과 거룩한 영성을 보여준다. 소로의 '야성'은 강승영의 언급처럼 그의 자연사상의 한 부분이며, 자연을 통해 더욱 높은 경지에까지 이르려는 그의 열망을 상징한다.[56] 소로는 "야성에서만 세계는 보존된다."[57]라고 말했다.

「도보여행」에서 소로가 역설하는 야생주의 사상의 힘찬 음성을 인용문을 통해 들어보자.

> 모든 나무는 야생을 찾으면서 섬유질을 발사한다. … 숲과 야생지로부터 인간을 감싸는 강장제와 각질들이 나온다. 나는 숲을 믿고, 초원을 믿고, 그리고 옥수수가 자라는 밤을 믿는다. … 나에게 어떤 문명도 그 눈길을 참아낼 수 없는 야생지대를 달라—마치 우리가 생채로 삼키는 얼룩 영양들의 골수를 먹고 사는 것처럼. … 아프리카의 사냥꾼 커밍은 우리에게 방금 죽인 다른 사슴들의 껍질뿐만 아니라 영양의 껍질은 나무들과 풀들의 가장 맛있는 향기를 내뿜는다고 말한다. 나는 모든 사람을 야생의 영양과 아주 많이 닮게 하고 싶고, 자연의 한 부분처럼 보이도록 하고 싶다. 그 사람의 바로 그 인성이 그 사람의 존재에 대한 우리의 모든 감각들을 그토록 감미롭게 광고할 수 있도록, 그리고 그가 가장 자주 찾아다니는 자연의 그러한 지역들을 상기시켜줄 수 있도록 말이다. … 태워진 피부는 존경할 수 있는 것 이상의 무엇이고, 아마도 올리브는 만나를 먹고 사는 숲속의 사람에게는 흰색보다 더 잘 어울리는 색깔인 듯하다. "창백한 백인!" 나는 아프리카 사람이 그 백인을 불쌍하게 여기는 것을 의아하게 생각하지 않는다. 자연주의자인 다윈은 "타히티인의 옆에서 목욕하는 백인은 활짝 펼쳐진 들판에서 자라

56 소로, 『야생사과』, 같은 책, p.6.

57 Carl Bode, ed., ibid., p.609.

고 있는 멋지고 짙은 초록색의 식물과 비교할 때 정원사의 기술로 표백된 어떤 식물과 같았다."라고 말한다.[58]

대자연의 야성에 대한 소로의 흠모와 추구는 「메인주의 숲」을 통해서도 숲지대의 도보여행과 함께 표현되고 있다. 미국의 북동부에서 캐나다 방향으로 나 있는 동쪽 산맥과 아루스툭 계곡에 이르기까지 끝없이 뻗어 있는 방대한 숲으로 이뤄진 전원지역을 바라보면서 "야생적 생명이 저기 한가운데서 요동치는 모습이 어떠할지를 상상해 보라"고 말한다. 이 지역을 여행할 때 마주친 전원과 숲속의 호수, 폭포, 동식물들과 과일들, 오리, 말 등에 대한 소로의 묘사에서 야생적인 아름다움과 경이로움을 느끼게 된다. 소로는 「일요일」에서 "내 생각에 나의 본성에는 모든 야생에 대한 특별한 동경이 있는 것 같다."[59]라고 말한 바 있다.

소로는 야생의 숲속을 산보하면서 메누, 모세, 호머, 초서와 같은 옛날의 예언자나 시인이 그랬던 것처럼 생각하면서 숲속으로 걸어 들어간다. 소로에 의하면 아메리코 베스푸치도 콜럼버스도 그 밖의 여러 사람도 자연의 발견자는 아니었고, 자연에 대한 참된 설명은 자기가 지금까지 읽은 미국 역사서에는 없고 오히려 신화 속에 있다는 것이다.[60] 사실은 아득한 태고시대부터 원시인류의 근원적인 꿈과 무의식이 투사된 문학적 장르가 신화이다. 신화에 그려진 인류는 현대인들처럼 자연환경이 과학기술문명에 의해 훼손되거나 파괴되지 않았고 원시자연 그대로 보존되었던 야생지대에서 자연과 동화하고 교감하는 삶을 영위하였던 것이다. 그들은 자연을 신성한 존재로

---

58 Carl Bode, ed., ibid., pp.610-611.

59 Oscar Cargill, ed., "Sunday," *Henry D. Thoreau: Selected Writings on Nature and Liberty* (New York: The Liberal Arts Press, 1952), p.68.

60 "Walking," Carl Bode, ed., ibid., p.600.

여기면서 자연에 내재한 신성한 영과의 역동적인 교감과 합일을 실천하였다. 소로가 월든 숲속의 야생지대로 들어가서 2년 2개월 동안 실험적인 생활을 했던 목적도 이러한 본질을 찾고 체험하기 위한 것이었다. 『월든 숲속의 생활』에서 소로는 아메리카 인디언들과 인도와 중국의 현자와 성인들에 관한 이야기를 언급하면서 자신의 실험적인 숲속 생활과 비교한다. 또 다른 에세이 「연달아 있는 숲의 나무들」에서도 소로는 자연주의자로서 다른 사람보다 훨씬 자주 숲지대 여행을 통해 많은 자유를 누린다고 말한다.[61] 그는 아메리카 인디언들처럼 자신을 사회의 일원이라기보다는 "자연의 주민" 또는 "자연의 일부"[62]라고 말한다.

소로가 숲지대에서 숲속의 자연과 더불어 야생의 생활을 즐기는 아메리카 인디언들의 문화에 공감한 부분을 조금만 더 살펴보자. 과거 유럽의 식민주의자들은 아메리카 인디언들에 대해 유럽식의 생활방식을 강요함으로써 그들의 고유한 문화를 파괴했다. 원주민들은 백인 선교사들로 인해 유럽인의 옷을 강제로 입었고 그들의 습관과 전통을 완전히 버리도록 강압 당하여 그들의 숫자가 급격히 감소하였다.[63] 그러나 소로는 인디언들의 의식과 사고와 생활방식을 역으로 백인들에게 이식하고자 원했고, 백인의 문명적인 자아를 해체하여 인디언들의 야생적인 자아로 변화되는 문명의 전도를 꿈꾸었다. 아메리카 인디언들의 종교와 문화에 각별한 호감을 보이는 영국의 작가 D. H. 로렌스는 소로가 보여준 월든의 숲속 생활에 큰 감명을 받았다. 로렌스는 아메리카 인디언들의 야생적, 원시적인 자연사상을 장편소설 『날개 달

61 Henry D. Thoreau, *The Succession Of Forest Trees, Wild Apples and Sounds* (Boston: Houghton Mi ft1in Company, 1887), p.34.

62 Carl Bode, ed., ibid., p.592.

63 Clive Pointing, *A Green History Of the World* (New York: Penguin Books Ltd., 1991), p.137. 번역서로는 이진아 옮김, 『녹색 세계사 I』(서울: 심지, 1991), pp.215-216.

린 뱀』에서 재현했다. 그는 아메리카 인디언들로부터 발견한 세계관과 자연종교적 비전을 물질화되고 기계화된 서구 백인들을 구원하는 매개로 삼았다.[64] 이와 같은 로렌스와 소로의 원시주의적인 자연사상은 백인문명의 가치를 충격적으로 전도시킨다. 이런 사상은 프리드리히 니체, 윌리엄 브레이크 등과 맥을 같이한다.

소로는 여행 일기인 「일요일」에서 숲을 즐기는 방랑자와 대비되는, 자유와 활기가 없는 문명화된 백인들을 비판한다. 인디언들은 해마다 단순히 옥수수밭에서 자라나는 어린 소나무들을 신성한 실체로 여긴다. 백인들은 인디언들을 문명화시키는 일에 관해 이야기하지만 그것은 그들의 향상을 위한 일이 아니라고 소로는 반박한다. 인디언들은 어둑한 숲속에서 생활하는 가운데 방심하지 않는 독립성과 초월성으로 자연의 여러 신이나 영과 교감하고 때때로 자연과의 희귀하고 독특한 사교를 실천한다. 소로는 인디언들로부터 문명화된 주택의 객실에서 생활하는 백인들과는 달리 오직 멀리 있어서 희미하지만 끈질긴 별빛과 같은 눈빛을 하고 있다고 느꼈다. 그들의 눈빛은 백인들의 현란하지만 생명이 짧은 촛불의 불빛과 비교하면 희미하지만 만족스러운 별빛과 같았다. 그는 백인의 의식과 인디언의 의식을 비교할 때 인디언에게는 자연과의 교감에서 적어도 각 개체의 위대한 독립성에 대해 인정하는 어떤 것과 고상하고 순결한 어떤 것이 있지만 백인에게는 속되고 추한 어떤 것이 있다. 그렇기에 미국 남부 지방에서처럼 인디언들은 문명사회에서 살게 되면 결국 타락하게 된다는 것이다. 소로는 만약 우리가 오직 한순간 동안 인디언 음악에서 단순한 박자 음악을 들을 수 있다면 왜 그가 그의 야성을 문명과 바꾸지 않으려 하는지를 이해할 것이라고 말한다. 인디언 민족은 변덕스럽지 않으며 강철과 담요가 강력한 유혹물이지만 곧잘 삶

---

64 조일제, 「D. H. Lawrence 문학에 나타난 어둠의 자아: 원초적 실재의 내적 탐색」(부산대학교 대학원 박사학위 논문, 1990), p. 134.

을 지속해 나간다.[65]

소로는 인디언들이 "자연적이고 식물적인 방법"을 선택하였기 때문에 그들의 삶의 방식은 생명을 회복하고 인류를 구할 수 있다고 보았다.[66] 월든 숲속의 생활에서 소로가 선택한 삶의 방식은 하루를 24시간으로 나누어 시계의 똑딱거리는 소리에 먹혀들어 가는 그런 기계적인 것이 아니라 퓨리 인디언처럼 사는 것이었다. 퓨리 인디언들은 어제, 오늘, 내일을 표현하는 데 있어 한 가지 말밖에 없으며, 자연 그대로 사는 것이 하루의 생활이고, 인간의 게으름을 거의 비난하지 않는 아주 고요한 방식이다(78). 그런가 하면 자연과 심오하게 교류하는 인디언들의 영적인 방식은 소로에게 깊은 감동을 주었는데, 예컨대 인디언들의 감사제는 그보다 더 참다운 내적, 정신적인 감사를 눈에 보이도록 잘 표현하는 감사제를 본 적이 없었다는 것이다. 인디언들에게는 계시를 적은 기록물은 없지만 그들의 감사제에는 본래 그렇게 하도록 하나님한테서 직접 영감을 받은 어떤 것이 들어있다(47). 인디언들에게 나타나는 원시시대의 적나라한 생활방식은 적어도 그 소박성으로 말미암아 그들을 언제나 자연 속에 살도록 방치하는 이점이 있다. 인디언들은 음식과 수선으로 원기를 회복하고 나면 다시 하루의 여행을 생각했고, 이 세상을 천막 삼아 기거했으며, 계곡과 평원을 건너고, 마루 위에 오르기도 했다. 그러나 가련하게도 현대의 백인들은 자기가 쓰는 도구로 전락하였다(25).

소로가 시도했던 월든 숲속의 생활은 야생적인 인디언들처럼 살아가는 것이었다. 이러한 삶의 방식은 하나하나가 고결하고 신성한 것이었다. 그가 생명을 함부로 훼손하고 파괴하는 백인사회를 떠나 월든 숲속으로 들어가서 호숫가에 통나무집을 지었을 때 그 통나무집은 바람이 잘 통하고 자연의 여

65 Oscar Cargill, ed., "Sunday," ibid., pp.68-69.

66 Sherman Paul, ed., *Walden*, p.54.

러 소리와 감각에 열려있었다. 숲속의 주거지에서 보내는 자유롭고 유유자적하는 삶에는 소로의 창조적인 감수성과 정신적인 풍요로움이 묻어나고 있음을 아래의 발췌문은 보여준다.

> 내 주거지를 통과하는 바람들은 산등성이를 휩쓸어가는 것과 같아서 빻은 곡식들이나 혹은 오직 천상의 물품들만을 품고 지상의 음악이 휩쓸어가는 것과 같다. 아침 바람은 영원히 불고, 창조의 시는 끊이지 않는다. 그러나 그 소리를 듣는 귀들은 없다. 올림퍼스산은 다만 대지를 벗어난 곳에서 도처에 있다. (58)

로시가 소로에 대해 "그의 눈은 미에 열려있고, 그의 귀는 음악에 열려있다"[67]라고 언급했던 것처럼 소로의 감수성은 참으로 섬세하고 예민하다. 소로에게 잠재된 온갖 창조적인 감각을 끌어내는 월든 숲속의 호수가 묘사된 여러 대목 가운데서 또 다른 일부를 발췌하여 그의 풍성한 녹색의 감수성을 다시 한번 느껴보자.

> 아마 아담과 이브가 에덴동산에서 쫓겨난 그 봄날 아침에도 월든 호수는 이미 존재해 있었으며, 그때엔 벌써 안개가 남풍과 더불어 가만히 내리는 봄비에 얼음이 녹고 있었으며, 수면에는 인간 타락의 소식을 아직 듣지 못한 수억 마리의 오리, 기러기들이 이렇게 맑은 호수에 만족하고 있었으리라. 그때는 호숫물이 불어나기도 하고 줄기도 했다. 그리고 물을 정화해 지금과 같은 물빛을 지녀 세상에서 하나밖에 없는 월든 호수, 즉 하늘의 이슬의 증발기라는 하늘의 특허를 얻어놓고 있었다. 잊히고 말았던 얼마나 많은 민족

---

67 William Rossi, ed., *Walden and Resistance to Civil Government by H. D. Thoreau* (New York: W.W.Norton & Company, 1966), p.329.

의 문학에서 이 호수가 캐스테이리언 분수와 같은 역할을 해 온 것인가? 또는 황금시대에 어떠한 물의 요정들이 이 호수를 지배하였는지 누가 아는가? 이 호수는 콩코드가 화관을 쓰고 있는 최초의 물의 보석이다. (124)

위와 같이 묘사된 월든 숲속의 호수는 로렌스가 고대 아즈텍 인디언 신화를 재현한 『날개 달린 뱀』에서 고대의 신이 다시 돌아와 인간을 구원할 중심 무대가 되도록 설정한 '사유라 호수'를 연상시킨다. 이 호수는 영혼을 소생시키는 신비한 생명력을 지녔다. 이와 같이 자연의 생령과 교감하는 낭만적인 방식은 소로에게서 초월주의인 특성을 엿보게 한다.

월든 숲속에서 소로가 자연과 더불어 유유자적하게 명상하고, 자연과 친교하면서 살아가는 삶의 방식은 동양의 현자들과 상통한다. 그는 인도와 중국의 고대 현자들에 관한 고전들을 읽으면서 그들의 삶을 자신의 삶과 일치시키려 했다. 이러한 동양의 현자들에 관해 언급한 일례를 잠깐 주목해보자. 소로는 통나무집의 문 입구에 앉아 소나무, 떡갈나무들 사이를 바라보면서 방해받지 않는 긴 시간의 고독과 명상을 즐기는 기회를 가졌다. 그때 새들이 노래하는 소리에 불현듯 의식이 깨어났을 때야 비로소 시간이 한참이나 흘러간 것을 알아차렸다. 이럴 때 소로는 동양인들이 일을 포기하는 것과 그들의 명상이 무엇을 의미하는가를 깨닫는다(77). 그런가 하면 월든의 숲과 호수가 자신을 위한 풍요롭고 신성한 생활공간을 만들어주는 풍경을 통해 그의 상상력은 고대 인도의 여러 신의 세계로 날아간다. 고대 인도인들이 갠지스 강변의 사원에 앉아 성전 『베다』를 읽고 있는 모습이 떠오른다. 월든 호수의 맑은 물이 마치 성스러운 갠지스강의 강물과 함께 겹쳐지고, 때로는 『바가바드 기타』에 묘사된 우주에 관한 심오한 철학 속에 자신의 영혼을 목욕시키는 환상이 보인다. 그럴 때 그러한 인도의 대서사시에 비하면 현대세계와 현대문학은 사소하고 보잘것없다고 생각된다(203).

소로에게 숲은 자라나는 아이들의 자연교육을 위해 살아있는 훌륭한 교실이고, 아이들이 다양한 색깔을 학습할 수 있는 교육의 현장이다. 그는 「가을의 빛깔」에서 아이들의 학교를 숲으로 옮기는 것이 가치 있는 일이라고 말한다. 상수리나무가 모두 사라지기 전에 아이들이 그 나무가 어떤 나무인지에 대해 알 수 있도록 그들을 숲속으로 데려가서 가르쳐야 한다는 것이다.[68] 아이들은 다른 어떤 학교나 장소에서보다도 숲속에 들어갈 때 꽃단풍나무들을 바라보며 색깔에 대해 멋진 교육을 받을 수 있다고 보았다.

> 아이들이 단풍나무 그늘에서 뛰놀며 자랄 때 어떤 좋은 영향을 끼치는지 생각해 본 적이 있는가? 아이들의 눈은 끊임없이 단풍나무의 색깔을 빨아들인다. … 색깔에 대한 교육을 제대로 받지 못하고 있다. 아이들은 기껏해야 약국과 상점들의 조잡한 진열장에서 색깔에 대한 교육을 받고 있을 뿐이다. 우리 마을 거리에 좀 더 많은 꽃단풍나무들이 서 있지 않을뿐더러 그나마 호두나무 한 그루마저 없다는 것이 안타깝다. 지금 아이들이 사용하는 물감은 보잘것없다. 우리가 아이들에게 그림물감을 사주는 대신 그 그림물감에 덧붙여 나뭇잎의 자연스러운 색깔에 대해 가르쳐줄 수 있다면 얼마나 좋을까? 아이들이 색깔에 대하여 공부할 수 있는 곳으로 이보다 더 좋은 환경이 어디 있겠는가? 어떤 미술학교가 그와 경쟁할 수 있단 말인가? 미래에 화가, 옷감 제조업자, 종이 제도업자와 벽지 인쇄업자, 그밖에 온갖 직업에 종사할 얼마나 많은 아이의 눈이 이 가을의 색깔로부터 가르침을 받을 것인가? … 나무 한 그루의 안이나 밖을 살펴보거나, 숲속에 들어가 숲을 자세히 들여다보기만 하면 된다.[69]

---

68 H. D. Thoreau, *Slavery in Massachusetts, and Autumnal Tints* (www.ICGtesting, USA: Dodo Press), pp.39-40; 소로, 강승영 옮김, 『야생사과』, 같은 책, pp.118-119; 김욱동 편역, 『소로의 속삭임』, p.167.

숲으로 둘러싸인 월든 호숫가의 오두막집에서 자연의 모든 현존과 더불어 투명하고 적나라한 영적, 감각적인 교류를 하면서 '본래의 나', '근원적인 나', '신성한 나'로 되돌아가는 삶을 추구했던 사람이 소로였다. 틴달은 소로가 자신을 '요기'(요가 수행자)라고 불렀다는 사실을 지적하고, 힌두교에 대한 소로의 지식이나 그의 성격 그리고 월든의 풍토 등이 허락하는 한에서 볼 때 그는 요기가 맞다고 말한다.[70] '자아'가 외부세계의 만물과 하나가 되어 우주적인 근원의 힘을 알게 되는 수행자가 요기이다. 외계의 모든 존재가 '나'와 다르지 않고(불교에서는 '불이'不二라고 한다) 하나임을 아는 사람은 우주화된 인간이 된 것이다. 거기에 도달하려면 모든 욕망에서 벗어나야 하고 모든 집착으로부터 자유로워야 한다.[71] 소로의 말에 의하면, 영원 속의 모든 시간과 장소와 기회는 "지금", "여기"에 존재한다. 신 자체도 현재의 순간에서 절정에 이르게 되며, 모든 시대가 지나가더라도 더욱 거룩해지는 일은 없다. 인간은 자신을 둘러싸고 있는 주변에서 실재를 조금씩 깨달아서 흠뻑 젖을 수 있을 때 비로소 숭고한 것을 파악할 수 있다.[72] 이런 방식은 독일의 현상학 철학자인 하이데거의 표현을 빌린다면 '현존재'로서의 즉자적인 삶이라고 할 수 있는데 소로는 아름다운 호수가 있는 월든 숲속에서 이러한 삶을 실천했다.

---

69 H. D. Thoreau, *Slavery in Massachusetts, and Autumnal Tints* (www.ICGtesting, USA: Dodo Press), pp.40-41; 김욱동 편역, 『소로의 속삭임』, pp.165-166.

70 William York Tindall, *D. H. Lawrence and Susan His Cow* (New York: Columbia University Press, 1939), p.126; 김욱동 편역, 『소로의 속삭임』, pp.165-166.

71 김욱동, 『문학생태학을 위하여』, p.217. 한승원 소설 『연꽃바다』에서 작중인물 박주철의 입을 통해 작가가 하는 말이다.

72 Sherman Paul, ed., *Walden*, p.67.

## 나가며

우리는 월든 숲속에서 2년 2개월 동안 실험생활을 했던 소로에게 숲은 왜 중요한가, 숲에서 무엇을 경험하고 깨달을 수 있는가를 알 수 있다. 숲속의 야생지대는 창조적 감수성과 상상력이 역동적으로 활성화되는 녹색의 생명공간이다. 이와 같은 자연환경은 현대의 산업기술 문명에 의해 생명력이 상실되고, 인간성이 피폐한 도시문명의 환경과 대조된다. 소로에게 녹색의 나무들과 숲지대는 타락하고 부도덕한 인간들이 원초적, 근원적인 자연성, 신성한 도덕성을 회복할 수 있는 창조적, 생산적인 공간이다. 숲속에 들어갈 때 사람들은 기계화, 물질화로 인해 병들어버린 정신과 육체를 되찾아 구원될 수 있다. 소로는 『월든 숲속의 생활』 제2장 「나는 어디서 살았으며, 무엇을 위해 살았는가?」에서 숲속으로 간 목적이 "삶의 본질적 사실들"을 직면하는 것이라고 밝혔다.[73] 그러한 삶의 목적은 월든 숲속이라는 녹색생명의 공간을 통해 실현된 것이다. 월든의 숲지대는 오염되지 않은 자연상태에서 다양한 생명체들이 완전한 생태계를 이루는 우주적인 거대한 집이며, 이러한 집에서 모든 동식물이 한 가족으로서 공존하고 상생한다. 뭇 생명체들과의 창조적인 관계가 형성되고 역동적인 생명의 교감이 이루어지게 되는 곳이 이러한 숲지대다. 폴의 말처럼 소로에게 숲속은 일반적으로 쉽게 연상하기 쉬운 도피처가 아니라 최상의 발견과 선물이며, 영원히 새롭고 생명으로 가득 찬 열린 우주이다.[74]

---

73 "내가 숲속으로 들어간 것은 삶을 의도적으로 살아보고 오직 삶의 본질적인 문제에 직면하여 삶이 가르쳐줘야 하는 것을 내가 배울 수 없는지 알아보고 싶었기 때문이다. 그리하여 마침내 죽음을 맞이할 때 내가 헛되게 살지 않았다는 사실을 깨닫고 싶었기 때문이었다. 산다는 것은 그처럼 소중한 것이기 때문에 나는 삶이 아닌 삶은 살고 싶지 않았던 것이다." (Sherman Paul, ed., ibid., p.62)

74 Sherman Paul, ed., *Walden*, ibid., "Introduction" ix.

위에서 살펴보았듯이 소로가 좋아했던 것은 길들지 않은 야생적인 생명이다. 문명의 억압과 피폐로부터 해방되어 마음껏 생명의 자유와 풍요를 누릴 수 있는 공간이 숲지대이다. 따라서 소로의 생각에 좋은 문학이란 야생적이어야 한다. 그는 문학에서 우리의 관심을 끄는 것은 오직 야성적인 것뿐이라고 말했다. 길들여진 따분함, 즉 문명은 감동을 주지 못한다는 것이다. 이와 같은 점에서 우리를 즐겁게 해주는 좋은 문학은 『햄릿』, 『일리아드』와 같은 작품인데 학교에서 배우지 않은 야생적이고 자유분방한 생각들이 나타나기 때문이다. 참으로 훌륭한 책은 자연스러운 것이며, 마치 서부의 대평원이나 동부의 정글에서 발견된 야생화처럼 예상 밖으로 아름답고 완벽한 종류인 것이다. 이와 같은 기준에서 볼 때 영국문학은 본질적으로 그리스와 로마의 길들여진 문명을 반영한 종류이며 야생적인 생명을 불어넣지 못한다. 영국문학의 가장 멋진 야생지대는 숲이며 그러한 숲의 야생인간은 로빈 후드라고 소로는 말한다.[75] 이와 유사한 맥락에서 소로는 아메리카 인디언과 동양인의 자연관을 유럽의 기독교적 자연관과 비교할 때 훨씬 가치 있고 바람직하다고 생각했다. 인디언들에게 자연은 '거대한 성전'이다. 인디언들 사이에서는 대지와 거기에서 나오는 모든 물건은 공기와 물처럼 대체로 모든 부족이 자유롭게 사용할 수 있는 공동 재산이다. 미국인들이 이러한 자연을 온전하게 보존하지 못하고 파괴한 것이야말로 신성모독인 것이다. 소로에게 자연은 인간의 손으로 세운 예배당보다 더 거룩한 성전이다.[76]

소로의 숲속 생활에 대한 관심과 생태학적인 사상은 북아메리카 인디언들의 사상과 상통하며 그들로부터 영향을 받기도 했다. 그는 인디언들처럼 범신론적인 태도를 보일 뿐만 아니라 때로는 종교 다원주의적인 입장을

75 Carl Bode, ed., "Walking," ibid., pp.615-616.

76 김욱동 편역, 『소로의 속삭임』, 같은 책, p.211.

취하고 동서양의 이단적인 사상이나 신화나 종교를 자신의 사유와 철학에 과감하게 통합한다. 소로의 견해로는 현대의 유럽사상은 동양 철학자들과 비교할 때 아직껏 아무 철학자도 배출하지 못하였다. 고대 인도의 현자들은 열대의 숲속지대로 들어가서 우주자연의 신성한 진리를 깨달았다. 그것이 곧 '거룩한 자의 노래'를 뜻하는『바가바드 기타』였다. 소로의 생각으로는 그런 인도인의 우주적인 철학과 비교하면 영국의 셰익스피어조차도 때로는 미숙하고 현실적인 것으로 보일 뿐이다. 그래서 소로는 서양은 여전히 동양에서 빛을 전수하여야 한다고 주장한다.[77] 인도의 고전인『우파니샤드』,『바가바드기타』는 숲속의 생활을 통해서 얻은 거룩한 지혜이다. 이러한 사실은 동양의 인도와 중국뿐만 아니라, 그리스와 로마를 비롯한 서양의 걸출한 철학자, 문인, 종교지도자, 성자들의 경우에도 적용된다. 소로가『월든 숲속의 생활』전체를 통해 강조하는 것도 숲속에서 얻는 신성한 지혜인 것이다.

77 김욱동 편역,『소로의 속삭임』, 같은 책, p.212.

제3장

# 현대의 영국과 미국의 숲지대와 우주적 의지

하디의 소설『숲속에 사는 사람들』은 작중인물들이 숲지대의 오지마을에서 살아가는 검박하고 순결한 전원생활을 하는 양태를 그려낸다. 그들은 경제적인 궁핍과 시련 속에서 기쁨과 슬픔을 함께 겪지만 그들의 일상생활을 둘러싸고 있는 나무와 숲으로부터 자연의 영향력을 받으면서 피조물의 세계에 미치는 자연의 내재적인 어떤 힘에 포획된 것 같은 삶을 살아간다. 작중인물들은 그들을 둘러싼 자연의 힘과 의지에 대해 비밀을 파악하지 못하고 그들에게 행사되는 자연의 힘과 의지에 순응하며 살아간다. 이러한 작중인물들의 운명은 작가 하디의 자연관과 인생관의 중심이 되는 '우주적 내재의지'(cosmic immanent will)에 관련되어있다. 그러나 묘사된 작중인물들의 삶은 수동적이고 비극적인 힘에만 의존하는 것은 아니며 개인적인 주체성이 가미된 힘과 의지의 아름다움도 동시에 나타난다. 그들의 일상적 삶에서 나무와 숲이 그들에게 어떻게 작용하고 있는지에 주목하면서 자연이 지닌 이중적, 복합적인 성질을 분석할 것이다.

미국의 시인 프로스트의 작품에서 중요한 배경이 되는 나무와 숲에 대한 묘사를 보면 하디의 작품과 유사한 자연의 힘과 우주의 내재적 의지가 나타난다. 시인은 나무와 숲이 행사하는 알 수 없는 어떤 힘과 비밀에 포섭되며, 인간의 자립적인 의지를 초월하는 어떤 운명적인 위력을 느낀다. 프로스트는 숲과 나무들이 은밀하게 역사하는 불가사의한 힘으로부터 경외심과 공포를 느끼는 계기를 많이 가진다. 시인에게 자연은 밝은 측면과 어두운 측면을 모두 가지고 있으며 그에게 미치는 영향력은 이중적이고 복합적이다. 숲이나 나무로부터 암시되는 어떤 신비한 힘에 대해 프로스트는 다양한 이미지와 상징을 사용하여 자신의 감정과 사상을 표현한다. 이러한 감정이나 사상이 그의 자연시를 통해 어떻게 나타나고 있는지를 들여다볼 것이다.

## 3-1

# 숲속의 마을 힌토크
# —하디의 『숲속에 사는 사람들』

### 하디 문학의 전원과 숲

토마스 하디는 1840년 6월 2일에 태어나 1928년 1월 1일에 세상을 떠나기까지 88세의 생애를 살았던 위대한 영국의 소설가이자 시인이다. 장편소설 『숲속에 사는 사람들』의 배경은 고대 영국의 남부 지역을 점령했던 웨섹스의 앵글로색슨 왕국에 속했던 농촌 지역인 도세트인데, 이 소설은 이른바 '웨섹스 소설'로 분류된다. 하디의 어린 시절에는 철도가 들어오지 않았을 정도로 벽촌이었지만 이 소설에서는 마을 주변에 철도가 부설되어있어 기차를 이용한다는 언급이 나온다. 작품의 제목이 『숲속에 사는 사람들』로 표현되어있듯이 사건들은 나무와 숲으로 이뤄진 오지에 있는 '힌토크'라는 작은 산골 마을을 중심 무대로 하여 펼쳐진다. 이 마을은 두 개로 이뤄져 '리틀 힌토크'와 '그레이트 힌토크'로 되어있으며, 전원과 농가들은 나무와 숲이 가득하고, 각종의 화초와 과실수가 자라며, 변화하는 계절에 따라 자연의 풍경이 아름답다. 이곳은 옛날부터 전해오는 오랜 전통과 관습이 사람들에게 배어 있고 지방색이 강하다.

리틀 힌토크에 살고 있는 중요인물들을 보면, 주인공인 청년 자일즈 윈터본은 농장과 과수원을 임차하여 가난하게 살아가지만 순박하고 따뜻한 마음씨를 지녔고, 여주인공인 그레이스 멜버리는 작은 목재상을 운영하는 존 멜버리를 아버지로 두고 있는데 그녀의 아버지는 사업 수완이 있어 상당한 재산을 축적한 소자본가로서 세속적이고 상당히 영악하다. 하지만 그녀의 아버지는 하나뿐인 딸을 양육하고 교육하는 데는 매우 헌신적이며 딸을 지극히 사랑한다. 그래서 그의 딸 그레이스는 산골의 오지마을 출신이면서도 도시로 나가 대학교육을 받는다. 그녀는 학업을 마친 후 고향 마을로 돌아왔을 때 어릴 때부터 마을의 청년인 윈터본(자일즈)과 친구로 지내왔지만 아버지의 권유로 연인관계가 된 윈터본과 맺었던 약혼을 파기하고 몰락한 귀족가문 출신의 성적 방탕자인 외과의사 피츠비어스와 결혼하고 아버지의 집에 일시적으로 거주한다. 피츠피어스는 바깥 세계에서 리틀 힌토크 마을로 흘러들어온 의혹이 많은 인물로 도시에서 의학을 공부하여 외과의사 자격증을 소지하고 있으나 다른 여러 분야의 학문 탐구에도 관심을 두고 있다. 한편 그레이트 힌토크에는 숲에 둘러싸인 저택에서 신비한 베일에 싸인 채 남자들과 염문의 주역으로 소문난 차몬드 부인이 살고 있다. 이 부인은 많은 토지와 장원을 소유한 귀족지주 계급인데 리틀 힌토크 마을에 들어와 갓 결혼한 그레이스의 남편 피츠피어스와 은밀하게 사랑을 나눈다. 피츠비어스는 타락하고 불성실한 남자로서 그레이스와는 사실상 위장결혼을 한 것이다.

이 작품의 1895년 9월 날짜로 명시된 작가의 '머리말'에서 하디는 숲속의 전원마을인 '리틀 힌토크'를 소개하고 있는데, 이 마을은 인접한 높은 지대에서 바라보면 같은 종류의 어떤 풍경에도 뒤진다고 생각되지 않는다고 말한다.[1] 그리고 1912년 4월 날짜로 된 '머리말'의 끝에 첨부한 글에는, 리틀 힌토크의 실제 이름과 정확한 위치에 관해서 독자들로부터 많은 질문을 받았기 때문에 고백하는 편이 좋을지 모르겠다면서 다음과 같이 기술한다.

> 이 마을이 어딘지, 나 자신이 앞에서 기록했고 또 작품 속에서 서술한 것 이상으로는 정확히 알지 못한다. 독자들의 소망을 받아들여 필자도 한번 실제의 장소를 찾아보는 것에 대해 진지하게 생각하고 친구와 함께 여러 시간 동안 자전거 여행을 했다. 그러나 실패로 끝났다. 그런데 여행자들은 그곳을 고생도 하지 않고 발견했다든지, 혹은 작품 속의 묘사와 한 치의 오차도 없이 부합되고 있다고 적극적으로 말해주었다. '하이스토이'와 '법다운 힐'이라고 불리는 전망 좋은 높은 대지는 어떤 마을이 숨어있을 것이라고 여겨지는 풍경이 내려다보이는 곳이다. 작품에 등장하는 인물들의 직업은 철제 기계나 기구 종류를 농업에 사용했으며, 거주민들은 초가지붕을 사용하지 않기 시작한 사람들이다. 수가공업이나 그것에 종사한 사람들의 모습은 지금은 거의 사라져버렸다. (30)

하디의 작품들은 자연풍경의 묘사로 시작되는 것이 특징이다. 이와 같은 풍경 묘사에서 작가가 사용하는 기법은 마치 영화의 원근법과 흡사한데, 카메라가 원근법에 따라 사건이 일어나는 장소와 지역을 비추면서 자세히 소개하는 것이다. 이 작품의 제1장에서 시작되는 부분을 보면, 먼저 사과밭이 여기저기에 있고, 나무와 숲이 있는 오지마을이 나타난다. 나무들은 목재로 사용되는 나무든, 과일나무든지 간에 한결같게 나지막한 가지들이 길 위에 수평으로 뻗어 있어서 마치 허공에 몸을 내맡기고 있는 것처럼 보인다.

---

1 Thomas Hardy, *The Woodlanders* (London: Macmillan Education Ltd., 1975), p.6.
F. B. Pinion의 "introduction"과 "notes"가 첨부되어있다. 본 저서에서 인용한 작품은 여기에 의한다.

그래서 길가에 있는 생울타리는 나뭇가지에서 떨어지는 물방울과 어둑한 그늘 탓으로 울룩불룩하게 되어있다. 2, 3마일 앞쪽으로는 하이스토이 구릉이 깎아 세운 듯이 솟아있고, 블랙무어 분지 근처는 가을이 되면 낙엽이 두툼하게 쌓여 길을 완전히 덮어버렸다(31). 인기척이 없는 쓸쓸한 도로에는 숲속의 빈터나 늪보다도 훨씬 더 깊은 묘지와 같은 적막감이 감돌았다. 숲의 한쪽 끝에서 인근의 도로로 한 발자국 정도 걸어나가서 아무도 없는 길 위에 잠시 서 있으면 단 한 걸음만 내딛더라도 사람이 없는 요귀가 살고 있는 적막한 세계로 옮겨가는 것 같았다(32).

한쪽은 움푹 들어가서 마치 숲을 가위로 오려낸 것 같은 정원과 과수원이 저녁의 어움 속에서 보였다. 작고 아담한 곳에서는 몇 줄기의 연기가 소리 없이 조용히 하늘로 솟아오르고 있었다. 이러한 리틀 힌토크 마을은 세상의 관문에서 가장 외곽에 존재하는 너무나 조용하고 외진 곳이다. 하지만 가끔은 소포클레스 풍의 장대하고 일체감이 있는 드라마가 주민들의 응집된 열정과 밀접한 상호 간의 의존 때문에 현실로 연출되는 일도 있었다(35).

그런데 이와 같은 원근법적인 자연풍경 묘사를 계속 주의 깊게 따라가다 보면 거기에는 장소나 지리나 자연을 단순히 나열하는 것이 아니라 작가의 어떤 의도와 목적이 암시된 복선이 깔려있고 어떤 예언적인 함의가 들어있다는 것을 깨닫게 된다.

그러면 이와 같이 자연풍경을 원근법에 따라 점진적으로 묘사하면서 촬영 카메라가 작품의 중심인물들에게로 점점 좁혀져 가는 장면들과 스토리의 진행을 살펴보자. 그런데 여기서 필자의 목표는 나무와 숲이라는 자연의 배경이 작품을 가로지르면서 가지는 의미에 대한 검토라는 사실에 유념하기 바란다.

이제 밤이 다가오는 숲속의 오지마을 리틀 힌토크에는 이발사인 남자 퍼콤 씨가 머리칼이 좋기로 널리 알려진 이 마을의 처녀 마티 사우스의 집을 방문한다. 그녀의 머리칼을 가발로 사용하려고 구매해가기 위한 것이다. 은근하게 다가오고 있는 밤은 굴뚝의 연기를 서서히 지워버린다. 새들이 깃털을 둥글게 말아 올려 깃털을 감춘 채 잠자리로 삼고 있는 나뭇가지들과 잎이 다 떨어져 버린 나뭇가지들 사이로 희미하게 보이는 두세 개의 깜박거리는 불빛이 보이고, 그 불빛 아래에 숲으로 둘러싸인 오지마을의 모습이 아직은 분별 될 수 있다(35). 마티 사우스는 능력 없는 농부인 아버지와 단둘이 가난하게 살면서 목재상 멜버리 씨의 작업장에서 나무들을 깎아 모아 쌓는 일을 한다. 마티는 이러한 일로 가난한 집의 생계를 도우고 부양하는 속이 깊고 마음이 굳센 처녀다.

이발사 퍼콤 씨가 길에서 만난 어떤 사람으로부터 "당신이 찾아가는 그 마을에는 대단히 현명하고 유식한 젊은 의사 선생님이 살고 있어요. 치료를 받을 사람이 그곳에 있어서 거기에 거주하고 있는 것은 아니고 어쩌면 그 의사가 악마와 한패이기 때문일 거라는군요"(36)라는 말을 듣는다. 하지만 그는 대답하지 않고 멈춰 서지도 않고 우중충하게 그늘진 길모퉁이로 걸어가 시들어서 떨어진, 분별할 수 없을 만큼 도로를 거의 메워버린 나뭇잎들 위를 조심스럽게 걸어갔다. 마침내 작가의 카메라가 잠시 멈추면서 이러한 멘트가 붙는다. "어떤 집 뒤뜰에서 사과를 으깨는 향기와 사과주가 발효되며 내는 소리로 마을 사람들이 요즘 무슨 일을 하고 있는가를 알 수 있었고, 발부리 아래의 낙엽이 썩는 냄새도 그 속에 함께 뒤엉켜 있었다"(36). 그런데 이야기와 사건이 세월을 가로지르면서 멀리 진행되어 작품의 맨 끝장인 제48장에 이르면, 리틀 힌토크 마을이 정말 숲지대 오지의 벽촌이라는 사실이 다시 한번 언급되는 장면이 나온다. 이발사 퍼콤이 장원의 마님인 차몬드 부인의 가발로 사용될 수 있도록 다시 마을을 찾아가서 처녀 마티의 머리칼을 팔도록 강요하자 그녀는 마지못해 스스로 잘라서 내놓게 된다. 이때 이발사는 목재상 멜버리 씨와 나누는 대화에서,

> 그곳에는 3년쯤 전 겨울 저녁때 찾아가본 후에는 가본 적이 없어요. 그때는 그곳을 찾다가 길을 잃었지요. 그런 벽촌에서 여러분은 어떻게 살 수 있어요. 그레이트 힌토크도 좋지는 않아요. 그러나 리틀 힌토크라면 박쥐와 부엉이 때문에 나 같으면 우울증에 걸릴 거요! 내가 갔던 그날 밤 이후로 기력을 회복하는 데 이틀은 걸렸어요. 멜버리 씨, 주인께서는 돈을 모은 분이니까 이곳에 은거하여 살면서 사회의 혜택을 조금은 보지 않겠습니까? (465-466)

라고 말한다. 이처럼 작품의 맨 마지막 부분인 제48장의 자연풍경과 자연배경에 관한 이야기가 작품이 처음 시작되는 제1장에 나왔던 숲지대의 오지 농촌마을과 동일한 지리적 장소로 되돌아가는 수미상관적 구조를 하는 것은 하디가 자연이라는 장소적 지리적 특성에 얼마나 깊은 의미를 부여하는가를 보여준다. 이 작품은 작가의 이러한 의도를 더욱 더 폭넓게 제시하기 위해 각별히 특성화된 숲지대의 나무와 숲, 나아가 그곳의 여러 동식물에게 묘사의 중심을 둔다.

이미 시작 부분에서 살펴보았던 숲지대의 풍경들을 부가적으로 좀 더 살펴보는 것이 좋을 것 같다. 힌토크 마을은 울창한 나무와 숲으로 둘러싸인 산악지대에 자리를 잡고 있어서 박쥐나 부엉이들과 같은 여러 동물의 서식지이며, 다양한 식물들이 자라는 생태계다. 이발사 퍼콤같이 도시에서 살아가는 사람은 정서적으로 숲지대에 있는 동식물과의 조화와 친화, 교감과 유대가 어렵다. 그러므로 사람이 거의 없는 이런 곳에서는 우울증에 걸릴 수 있으며, 기력을 잃어버릴 수 있는 것이다. 물론 이곳의 자연인들에게는 상당한 정서적, 정신적 문제가 있는 것이 사실이면서도 그들은 고립된 자연과 나름대로 교감하고 소통하는 것이 가능하므로 때로는 생명의 기쁨과 활력을 얻으며 살아간다. 즉 그들의 삶에는 이중성이 있다. 마을과 주변의 숲과 나무, 계곡과 분지, 그리고 계절에 따라 변화하는 여러 다양한 자연의 얼굴을 대면하는 작가의 태도에는 모호하면서도 창조적 혹은 파괴적인 상반된 요소가 교묘하게 혼재한다. 이것은 하디의 이원론 철학과 비극적 세계관이 함께 투사된 것이다. 다음의 인용문에 묘사된, 숲지대를 가로질러 나타나는 나무, 분지, 계곡, 동산, 마을, 사람들 등의 다양한 양태와 모습을 감상해보자.

> 나뭇잎이 떨어지는 계절이 시작되었지만 힌토크의 숲과 동산에는 … 분지들이 있었다. 이곳의 나뭇잎은 언제나 바람이 세게 부는 높은 지역보다도 잎이 늦게 떨어졌다. 그래서 여기저기에 계절들이 뚜렷하게 서로 뒤섞여 있는 것을 볼 수 있었다. … 계곡 안에는 새빨간 열매가 달린 동백나무가 아직도 푸른 잎을 한 떡갈나무와 개암나무의 옆에 있기도 하고, 8월에나 볼 수 있는 짙푸른 찔레와 나란히 서 있기도 했다. … 겨울이 다가오면 아름다운 모습에서 서서히 기묘한 모습으로 변해가는 숲의 변화를 바라볼 수 있었다. … 자연이라는 캔버스 위에 생겨난 돌연한 변화는 … 원시로의 변모이고 … 태평양 섬사람의 기법으로 퇴보하는 것이라고 말할 수 있는 변모였다. … 윈터본은 제정신으로 돌아오는 버릇을 지닌 그의 모습으로 이웃 사람들은 그를 쉽게 알아볼 수 있었다. 다람쥐와 새까지도 그를 알아볼 수 있을 정도였다. (88-89)

하지만 위와 같이 정감 어린 풍경과는 달리 자연의 파괴적인 양상이 두드러지는 장면들도 등장한다. 다음에 인용한 것은 다윈의 진화론에서 영감을 받은 작가의 비극적 자연관이 부상하는 대목이다. 비탄하는 운명에 대한 내재된 '우주적 의지'가 자연과 인간 세계의 곳곳을 침투해있다.

가끔씩 다람쥐 한 마리가 길에 뛰어나왔다가 나뭇가지 뒤로 … '호오, 호오! 당신은 목재상이로군요. 총은 가지고 있지 않군요!'라고 말하는 것처럼 사람을 조롱하는 듯한 시늉을 하기도 했다. 이곳에도 다른 곳과 마찬가지로 운명을 좌우하는 탐욕스러운 우주의 의지가, 도시에 있는 뒤틀린 빈민가의 군중 사이를 마구 할퀴어댄 것처럼 생생하게 나타나 있었다. 나뭇잎은 형태가 망가졌고 … 잎은 찢어졌다. 이끼는 어린 나무의 눈을 교살시키고 있었다. (89)[2]

작품을 시작하는 첫 지면부터 나무와 숲으로 둘러싸인 전원과 시골마을에 관심이 집중된 구조를 가진 하디의 또 다른 작품을 소개한다면 『숲속에 사는 사람들』보다 앞서 출판된 초기의 작품, 『푸른 숲 나무 아래』(1872)를 예로 들 수 있다. 잠시 이 작품의 초반부에 있는 숲과 여러 종류의 나무, 전원, 각양의 자연을 배경으로 펼쳐진 농촌마을의 풍경을 살펴보자.

숲속에 살고 있는 사람들이 보면 거의 모든 종류의 나무는 모양새뿐만 아니라 제 목소리를 지니고 있다. 미풍이 스치고 지나갈 때 전나무들은 흔들리는 만큼 또렷하게 흐느끼듯 신음하듯이 소리를 낸다. 참가시은계목은 제 몸을 비벼대면서 휘파람 소리를 내고 물푸레나무는 부르르 떨면서 슛슛 거린다. 너도밤나무는 편편한 가지들이 위아래로 흔들릴 때마다 살랑살랑 소리를 낸다. 그런데 겨울은 잎이 모두 져버린 이런 나무들의 노랫가락을 변조시키기는 할망정 이들의 개체성을 망가뜨리지 않는다.

…

그가 따라가고 있는 그 외로운 길은 멜스톡 교구의 작은 마을들 중의 한 마

2 번역서로는 김회진 옮김, 『숲속에 사는 사람들』(서울: 영풍문고, 1997)을 참조할 수 있다.

을을 윗마을 멜스톡과 류게이트와 잇고 있었다. 그의 두 눈은 이제 뜻하지 않게 위쪽으로 바라보자 독특한 수풀이 덮인 은빛과 흑색의 자작나무들, 엷은 회색의 너도밤나무 가지들과 갈라진 틈이 생긴 어둑한 느릅나무들이 모두 하나가 되어 하늘에 검고 평평한 윤곽을 만들고 있었다. 거기에는 하얀 별들이 정열적으로 빛나고 있어서 그런 별들의 깜박임이 날개를 펄럭이는 것처럼 보였다. 나무로 평평하게 만든 길에 들어서자 모든 것은 저 지평선 아래서 일체가 무덤같이 보였다. 정자의 양쪽 측면을 두르고 있는 잡목림 판자들은 아주 조밀하게 가지들로 서로 엮여서 올해의 이런 계절에도 심지어 북동쪽에서 불어오는 한 줄기 바람은 옆에서는 바람 한 점 불지 않아서 수로를 따라서 불었다.[3]

작중인물들이 인생을 살아가는 동안 긴밀한 관계를 맺고 상호작용하는 것이 곧 작품의 자연풍경 또는 자연환경이라고 할 수 있다. 그러한 자연의 풍경이나 환경에는 작가의 사상적 철학적 안목과 색깔이 새겨져 있다. 하디 소설의 작중인물들에게 어떤 성질의 힘을 강력하고 은밀하게 역사하는 것이 바로 이러한 자연과 환경이라면 하디 소설을 읽을 때는 그러한 힘이 닿은 지점들에 대해 정밀한 해독과 분석을 시도해야 할 것이다. 하디 작품의 중요한 특색으로서 어떤 시간적, 공간적 계기에 따라 비극을 초래하는 운명론적인 냄새가 스며있기도 하고, 인간의 자율적 독립적 의지를 초월하여 자연에 숨어서 은밀하고 불가사의하게 작용하는 '내재적 우주 의지'가 묻어있기도 한다. 그래서 어떤 경우에는 작중인물들이 영원한 우주리듬의 지배를 받고 있다는 사실을 읽을 수 있다. 순환하는 계절을 따라 산촌마을의 전원생활은 나무와 숲과 자연의 외관은 달라지더라도 그것들의 본질은 언제나 변함없이

3 Thomas Hardy, *Under the Greenwood Tree* (Ware Hertfordshire: Wordsworth Editions Limited, 2004), p.3.

유지되는 장면들이 등장한다.

『푸른 숲 나무 아래』는 하디의 자연관과 세계관의 특성과 원리가 잘 나타난다. 작가는 이 작품을 5부로 나누어 이러한 원리를 적용했다. 제1부는 겨울, 제2부는 봄, 제3부는 여름, 제4부는 가을, 제5부는 결론이다. 숲과 나무가 삶의 중요한 터전과 배경을 이루고 있는 멜스톡의 전원 공동체는 계절의 리듬을 따르는 서사 패턴인데, 한 해뿐만 아니라 여러 세대에 걸쳐서 내려오는 옛 풍습과 의례와 생활방식이 마치 여러 폭의 그림처럼 그려지고 있다.[4] 화자는 사건의 진행 과정을 따라 작중인물들의 관찰력에 기대는 방식으로 자연과 인간의 상호관계와 주인공들의 삶의 모습을 서술한다. 이 소설에는 초원과 숲, 농지와 사냥터가 등장하고, 멜스톡 마을 사람들은 전원공동체에서 농업을 주된 생업으로 전통적인 관습을 보존하면서 세대에서 세대로 살아왔다. 아직 하디의 무거운 철학과 비관주의적인 세계관이 어른거리지 않고 명랑한 희극적 분위기에 로맨스가 활짝 피어나며 활력과 생동감이 넘치고 있다. 이와 같은 점에서 보면 이 소설은 하디 소설의 또 다른 영역을

---

4 이에 대해서 조진래, 「밝고 명랑한 전원 공동체: 『푸른 숲 나무 아래』 연구」, 『근대영미소설』 제6집 제2호(1999) p.205 참조. 이 작품의 스토리와 주제를 요약하면, 시골 사람들의 장점인 순박함, 선량함, 신실함이 부각된다. 스토리는 마을의 토박이 청년 딕과 교사인 팬시의 결혼이 성사되는 사건과 마을교회의 멜스톡 성가대가 현악기를 풍금으로 대체하면서 해체되는 사건이 골격을 이루는 겹 구성적인 플롯으로 되어있다. 청춘 남녀 사이의 구애와 결혼과 사랑이 중심축을 이루는 이야기에서 교사이면서 교회 성가대 반주자인 팬시를 향한 경쟁이 젊은 목사와 돈 많은 부유한 노총각과 마을의 토박이로서 가난하나 순박한 딕 사이에서 벌어진다. 최종적인 선택은 딕으로 결정된다. 팬시는 딕보다는 젊은 목사인 메이볼드가 자신의 지적 수준에 맞을 뿐만 아니라 장차 자신의 능력을 펼칠 기회 보장과 사회적 신분상승의 가능성이 있는 인물임을 충분히 알고 있으면서도 순수한 딕과의 약속을 이행한다는 뜻을 끝까지 고수한다. 결혼식 후에 두 사람이 귀가하면서 듣게 되는 나이팅게일의 행복스러운 낭만적인 노랫소리는 그들의 장래를 축하하는 멜로디로 들린다. 나이팅게일의 노래는 하디가 작품 제목에 포함해서 인용하고 있는 셰익스피어의 희곡 『당신의 뜻대로 하세요』의 시구 II-V의 내용과 분위기로 화답하는 것이다. "푸른 숲 나무 아래에 /나와 함께 누워서 /고운 새의 목청에 맞추어 /즐거운 가락을 뽑아내고 싶어하는 사람아 /이리 와요, 이리로 와요 /여기엔 해코지할 자 없어요, /겨울철의 매서운 날씨 이외엔."

나타낸다.[5] 작품의 최초의 제목은 『멜스톡 성가대』였는데 이것을 셰익스피어의 희곡 『당신 뜻대로 하세요』에서 사용된 구절을 인용하여 다른 제목으로 바꾸었는데, 부제는 '네덜란드 회화파의 전원의 그림'이다. 실제로 작가는 멜스톡 전원마을이 풍성한 숲과 나무와 생동적인 자연을 배경으로 아름다운 그림처럼 그려낸다. 첫 페이지부터 그림과 같은 전원마을의 풍경 묘사가 시작된다.[6]

그런데 여기서 잠시 하디와 로렌스의 공통된 사상과 자연관을 그들의 작품에서 매우 중요한 요소와 배경이 되는 숲, 나무와 연관하여 간략하게나마 언급하고 넘어가려 한다. 로렌스는 토마스 하디를 문학 창작의 스승으로서 존경했고 「토마스 하디 연구」라는 장문의 논문을 쓴 것으로 유명하지만 하디의 『숲속에 사는 사람들』을 읽고 깊은 감명을 받았다고 했다. 로렌스가 오스트레일리아를 배경으로 쓴 장편소설, 『캥거루』의 제12장 「악몽」에는 로렌스 자신을 나타내는 주인공 서머즈가 제1차 세계대전 중에 영국에서 독일 출신인 부인 프리다로 인해 간첩 혐의를 받자, 고향인 더비주를 떠나 모진 시련을 겪으면서 부인과 함께 피신해 다니다가 남서부 콘월 지방의 어느 숲속 마을에 잠시 거주하게 된다. 주인공 서머즈는 거기서 보낸 숲속 마을의 삶을 회상하는 대목에서 당시의 숲속 생활은 지독하게 궁핍했지만 즐거움이 컸으며, 하디의 『숲속에 사는 사람들』의 생활과 같았다고 밝힌다. 왜냐하면 로렌스의 고향이었던 영국의 중동부 지역은 산업화로 인해 극심한 공해로 오염되었는데, 석탄 연기와 돈의 힘만이 득실거렸고, 인간이라고 할 수 없는 수백만 명의 오합지졸들이 살아가는 곳이었다고 말한다. 그러나 오염되고

---

5 조진래, 같은 논문, p.221.

6 "Introduction," Edited with introduction and notes by Anna Winchcombe, *Under the Greenwood Tree or The Mellstock Quire: A Rural Painting of the Dutch School* (Macmillan Education Ltd., 1975), pp.15-16.

타락한 고향을 떠나 잠시 거주했던 곳이 바로 콘월의 숲지대에 있는 오지마을이었다. 주인공 서머즈는 전쟁의 시기라서 식량이 떨어져 갔지만 숲속에서 작은 밤이나 월귤을 주워 먹으면 기운이 회복되고 기분이 좋아졌다. 서머즈에게는 정말 아름답게 느껴졌던 장소가 숲속 마을이었다. 그곳에서 남자들은 열심히 전장에 쓰일 참호용 나무들을 베어내어 주위를 민둥산으로 만들어갔지만 숲속에서 섶나무 가지를 불태우던 남자들이 떠나가면 서머즈는 마을의 가난한 사람들과 함께 추운 어둠 속에서 타다 남은 땔감이나 통나무 주위에 흩어져있는 도끼로 베어낸 황금색의 좋은 향내가 나는 떡갈나무 조각들을 큰 자루에 주워 담았다. 서머즈의 궁핍함은 그들보다 더 심할 정도였어도 여러 가지의 즐거운 일들이 있었다고 회고한다. 그처럼 행복하게 지냈던 지난날의 추억에 남아있는 콘월 지방의 숲속 마을은 서머즈에게는 셰익스피어의 세계와 똑같았을 뿐만 아니라 하디의 『숲속에 사는 사람들』의 세계였다고 기술하고 있다.[7]

대체로 숲지대는 창조적인 기능이 내포해있는 공간이지만 때로는 파괴적, 부정적인 기능이 잠재된 공간이다. 그래서 숲지대에서 살아가는 사람들의 삶에는 생산적이고 창조적인 측면이 있기도 하고 파괴적이고 부정적인 측면이 존재하기도 한다. 이러한 양면성을 하디는 그의 작품에서 형이상학적인 이원론 철학으로 투사하고 있으며, 로렌스는 하디와는 다소간의 차이가 있지만 유사한 이원론 철학을 그의 작품에 반사하고 있다. 그러나 로렌스가 묘사하는 숲과 숲지대는 대부분이 창조적 생산적이지만 하디의 경우는 파괴적, 부정적인 측면이 훨씬 압도한다.

인간의 생활과 정신에 끼치는 숲과 나무의 다양한 기능, 효과에 관해서는 중요한 정보와 지식을 얻을 수 있는 많은 자료가 있다. 이러한 자료 중에

---

7 D. H. Lawrence, *Kangaroo* (Harmondsworth Middlesex: Penguin Books Ltd., 1976), pp.284-285. 이 소설의 번역서로는 김진욱 옮김, 『캥거루』(서울: 생각하는백성, 1999), pp.148-149.

서 본 저서의 주제에 도움이 되는 관련 자료로서 한국삼림학회지 제79권 3호(1990)에 발표된 전경수의 「숲속에 사는 사람, 숲밖에 사는 사람: 생태인류학적 관점을 중심으로」와 차윤정과 전승훈이 공저한 『숲 생태학 강의: 경이롭고 역동적인 자연으로의 안내』(2009),[8] 그리고 베른트 하인리히가 쓴 『숲에 사는 즐거움』(1984)[9]이 있다. 전경수는 숲의 기능인 생산성 · 창조성과 파괴성 · 위험성의 양면성을 실용적인 시각에서 제시한다. 그는 숲의 창조성과 생산성을 인식하지 못하는 사람들의 무지와 위험성에 대해 날카롭게 지적하지만, 특별히 인간과 숲의 관계를 인류문화사적인 관점에서 접근하고 있어서 본 저서의 분석 틀로 사용될 수 있는 개념을 담고 있다. 그 요점을 개략하여 제시한다.[10]

숲은 생태순환계의 순환에서 제1차 생산자 지위를 갖고 있고, 제공하는 혜택으로는 의식주 · 연료 · 도구 · 휴식과 여가 등을 열거할 수 있다. 또한 숲을 관광자원, 산업자원으로 바라보는 입장이 있는가 하면 이용과 착취의 대상으로 바라보는 입장이 있다. 생태주의적인 관점, 즉 보존과 존재론의 측면에서 연성기술(soft technology)을 찬양하는 입장은 대기 중의 산소에 대한 값을 지급해야 하고, 숲의 보존과 존중을 위한 의식을 함양해야 한다. 크게 볼 때 존재론에 입각한 보존론자와 자원론에 입각한 개발론자가 서로 대립한다.[11] 인간과 숲의 관계사를 압축한다면, 존재론적 관점에서 화석인류 대

---

8 차윤정 · 전승훈, 『숲 생태학 강의: 경이롭고 역동적인 자연으로의 안내』(서울: 지성사, 2009).

9 번역서로 나온 책으로 베른트 하인리히, 김원중 · 안소연 옮김, 『숲에 사는 즐거움』(서울: 사이언스북스, 2005).

10 전경수는 서울대학교 인류학과 교수이며, 서울대학교 임학과 주최의 심포지엄, 〈인간, 환경 그리고 산림자원〉(1990년 5월 11일)에 초청되어 이 논문을 발표했다. 이 자료는 「숲속에 사는 사람, 숲밖에 사는 사람: 생태인류학적 관점」, 『한국임학회지』 79권 3호(1990), pp.330-342에 게재되었다.

11 전경수, 같은 논문, pp.338-340.

부분은 숲에서 살았을 것으로 추정한다. 숲은 인간에게 첫출발 단계부터 식량과 휴식처를 공급했으며, 소위 농업혁명 이래로 인간은 광범위하게 그들의 요람이었던 숲을 이용하기 시작했다. 그 후 일어난 산업혁명은 생태계의 관점에서 숲에 대해 적대적인 상황을 만들었다. 이런 두 부류의 농업혁명과 산업혁명은 숲의 희생적 봉헌에 기반을 두고 문명을 건설했지만 이로 인해 인간을 위한 요람인 숲은 경제 개발과 경제적 기적을 위해 계속해서 파괴되고 있다.

숲에 대한 인간의 태도에서 두 개의 유형으로 나눠질 수 있는데, '숲 밖에 사는 사람'은 숲을 오직 이용될 수 있는 자원으로 생각한다. 이에 반해 '숲속에 사는 사람'은 숲생태계의 질서에 잘 적응한다. 자원주의는 숲을 이용하고 착취하는 식민주의 전략을 개발했고 인간을 위해 숲에 대한 적대적인 승리자의 위치를 확보했다. 이런 사고와 행동적 접근은 숲의 이용자, 개발자, 즉 문명의 소유자에게 대립적인 맞불을 불러들였다. '숲속에 사는 사람들'은 대부분 원시인으로 여겨지지만 그들은 숲의 존재론적인 사고를 유지하며 생명에 대한 경외와 감사, 깊은 영성을 소유하고 있어서 숲과 나무들을 종교적 대상으로 존중한다. 숲의 생태계를 들여다보는 '사회자연적 체계'라는 이론적 가정에서 볼 때 숲은 종교와 제의의 의미가 있으며, 숲속에 사는 사람들은 종교적인 어떤 이유에서 숲을 경배한다. '숲속에 사는 사람들'은 이러한 사상을 인정하고 실천한다. 그러나 '숲밖에 사는 사람들'은 이러한 사상을 문명을 누리는 대가로 상실했다. 그들은 스스로 자기들을 숲으로부터 추방했고 식민주의에 따라 숲의 사회자연적 체제를 파괴했다. 삼림농업과 사회적 농업은 숲과 인간을 포함하는 공동체 개념뿐만 아니라 숲의 존재론적 사상을 회복하기 위한 전략들이 될 수 있다. '숲속에 사는 사람들'은 '숲밖에 사는 사람들'을 위해 숲의 미래적 사회, 자연 체제에 대한 전망적 모델로 제시된다. 이러한 맥락에서 생태학적 인류학자는 숲의 전문가들과 공동연구를 할 수 있다.

삼림을 이기적인 돈벌이의 상업적 수단으로 보는 계발주의자에게는 소비에 뒤따르는 재생의 개념이 없다. 이들의 사고를 따르게 된다면 숲의 소비는 쓰레기가 되고 재생되지 않고 쌓여서 엔트로피가 증가하게 된다. 경제학의 소비라는 개념은 생태학의 이용이라는 개념으로 대체하는 것이 미래의 인간을 위해서 바람직하다. 계발주의자 혹은 인간중심주의자들은 생태계를 고려하는 사람들을 지나친 진보주의자로 간주하고 숲에 의존하는 사람들의 추방을 제안한다. 그러나 삶의 터전을 상실케 만드는 계발주의, 인간중심주의는 생태계의 파괴문제와 직결된다. 그들의 주장은 숲의 파괴 문제에만 그치지 않는다. 숲의 희생과정은 숲 파괴와 함께 인간파괴가 수반되는 메커니즘에 직결되므로 숲 회복은 곧 인간회복과 일치한다. 자연적인 생태계 현상을 대표하는 숲은 인간이라는 사회적 현상과 복합적으로 얽혀있는 하나의 체계로 이해된다. 이러한 이해는 생태인류학적인 관점에 속한다.

숲은 인간의 이미지화 능력에 의해 추상적인 대상으로 인식되며 추상화의 정도가 종교적인 이념의 부분까지 연장된다. 그 결과 인간의 생활 속에 깊숙이 작용한다. 숲과 인간의 관계사에서 볼 때 숲은 물리적인 현상으로만 머무르지 않으며, 상징적인 이념 차원의 설명적인 틀로 이해해본다는 것은 숲과 인간의 사회자연체계를 이해하는 데 도움이 된다(334). 이러한 측면에서 숲과 숲을 구성하는 나무는 상징적인 신앙의 차원에서 경배의 대상이 된다. 중국의 음양오행론은 나무를 포함하며, 인도의 보리수는 불교의 상징을 구성하고, 마야에서는 하늘과 땅을 연결하는 우주목을 신앙의 대상으로 삼는다. 아프리카의 여러 부족들에서는 조상을 상징하는 나무가 있다. 시베리아의 여러 민족은 수목숭배사상이 있으며, 한국에서도 숲과 나무에 대한 신앙은 상당히 뿌리가 깊다. 즉 숲과 나무가 조상이 되기도 하고, 생명의 원천이 되기도 하며, 권력의 상징이 되기도 하고, 신이 거주하는 성소라고 생각하기도 한다. 이러한 이념은 나무와 숲에 관한 인간의 보편적 인식을 반영한다.

숲의 지위가 인간의 그것보다 상위에 있으며 숲의 권위가 인간을 지배하고 있다는 사상을 기초로 성립된 종교 형태가 토테미즘이다. 중부 아프리카의 콩고와 같은 열대우림 생태계에서는 숲이 아버지이고 어머니다. 숲은 부모처럼 먹을 것과 입을 것, 잠잘 곳, 따뜻함, 사랑 등과 같은 모든 필요를 제공한다. 콩고의 숲은 거기에 사는 사람들을 자녀로 여기고 그들에게 잘 대접한다고 사람들은 생각한다. 숲은 잠을 자지 않도록 노래를 부른다거나 항상 깨어있도록 하는 효과를 발휘하기도 한다. 숲속에 사는 사람들은 모든 일이 순조로울 때 노래를 부르는데 자신들의 행복을 숲과 함께 나누어 갖기를 원하기 때문이다. 아프리카의 사람들은 밤부터 숲을 위해서 '몰리모'(molimo)라 불리는 종교적인 축제를 벌이며 이것을 가장 큰 행사로 여긴다(Turnbull 1961: 92를 간접인용). 한국에서는 단군신화에 신단수 경배사상이 존재하며, 신라의 계림은 정치권력자의 탄생지였고 권력의 상징이었다. 시베리아의 수목숭배와 한반도의 산악숭배와 산신제, 산제고축(山祭告祝)가 전해 내려오고 있으며, 신라왕관에 새겨진 나무와 사슴뿔은 왕권을 상징하였다. 가장 강력한 권력의 상징으로서 나타나는 나무와 숲에 관련된 사례로는 마을을 보호한다는 신목(神木)과 당산목(堂山木), 그리고 기념식수나 정이품송처럼 나무에 인격을 부여하는 것과 같은 명목(名木) 등이 있다.[12]

---

12 숲의 기능과 효용성에 대해서는 지면의 제약으로 더 언급할 수 없어서 다음과 같이 첨가된 요지를 덧붙인다. 「2. 숲과 인간의 관계사」에서, 과학주의에 입각한 '자연극복'의 이념은 인간이 이룩한 최고봉의 문명으로 칭송받으며 그 문명이 바로 생태계의 혁명을 시도한다. 문명을 메커니즘으로 한 인간의 모습은 더 이상 숲생태계의 종속물이 아니라는 상징구도가 마련된다. 「3. 식민주의와 삼림파괴」에서, 대농장(플랜테이션)은 숲을 일구어 대단위의 농경지로 만들었는데 그것은 식민지 착취의 일환이었다. 인도의 빈곤의 역사가 그 예다. 목장과 위락지의 조성, 놀이터-골프장, 목장-쇠고기 생산 등에 반대하는 운동이 일어났으며, 미국의 인디언 쇼쇼니족의 운동은 어머니인 숲을 팔지 못한다고 외치는 미국 내의 제4세계 저항운

그러나 숲의 세계를 이해하지 못하는 사람들에게 숲은 무서움으로 다가온다. 열대우림 정글에는 뱀들이 나무에 걸쳐져 있고, 나무 뒤에는 숨은 표범이 있으며, 온갖 벌레들이 물고 쏘는 숲은 녹색지옥일 뿐이다(Bates 97, 전경수 334에서 간접인용). 숲은 그 내부자에게는 안식처이지만 외부인에게는 고독과 공포를 느끼게 하는 곳일 뿐이다(Turnbull 12, 전경수 334에서 간접인용). 이 정도만 언급해도 나무와 숲이 갖는 기능, 효과, 가치가 얼마나 폭넓은지 짐작할 수 있다.

위에서 지금까지 개관한 전경수의 「숲속에 사는 사람, 숲밖에 사는 사람: 생태인류학적 관점」을 분석 틀로 하여 하디의 『숲속에 사는 사람들』로 되돌아와서 작중인물들과 숲 혹은 나무들과의 관계를 다시 검토해보고 작가가 의도하는 사상과 지향성을 찾아보자. 이 작품에서 중요인물들은 전원적인 자연친화적 부류와 도시적인 반자연적 부류로 나뉘는 이원론적 대별이 가능해진다. 그레이스와 피츠피어스, 차몬드 부인과 같은 인물은 자본주의적이고 상업주의적이고, 도시문명의 영향을 받아 우정과 사랑의 관계에서 갈등하고 불행을 자초한다. 대부분의 하디 소설의 인물들은 처음에는 모두 자연과의 친화적인 삶을 영위하면서 전통적인 농촌사회와 조화를 이룬다.

---

동이 되어 내부 식민주의에 저항한다. 브라질에서 아마존 강의 열대우림지역 원주민들의 피난은, '숲속에 사는 사람들'이 외부의 강압적인 힘에 의해서 숲으로부터 강제로 이주당할 때 나타나는 현상이며, 숲의 정치경제학적 문제의식에서 각성운동이 일어나 식민주의에 입각한 숲개발이 숲속에 사는 사람들마저 파괴하고 생태적 파괴와 종족 말살을 저지르는 숲의 정치경제학적인 모습이다. 자원에 굶주린 다국적 기업의 목재 벌목과 지하자원 채굴은 유럽인의 팽창주의인 식민주의에서 시작되었다. 숲이 가진 상징적 이미지인 요람 이미지와 숲에 의존하여 숲속에 살던 사람들은 경제적 기적과 문명적 발전의 희생물이 되었다. 「4. 삼림회복의 필연과 전략」에서는, 생태계로서의 숲과 거기에 의존하여 살아가는 인간의 존재양식에 대한 인식은 인류학자들로 하여금 사회자연체계라는 모형으로 숲의 의미를 파악하게 한다. 생태계로서 숲이 갖는 중요성은 사회자연체계에서 살아가는 인간의 생존문제와 직결된다. 숲의 '존재론'은 생명과 힘의 원천으로 인식되는 숲의 본질적 의미를 부각하는 데 매우 중요하다(pp.338-340).

그러나 그들은 거의 대부분 사회변동 속에서 희생을 치르며 도시문명의 비인간적인 상황 속에서 인간성을 상실하고 비극을 맛본다. 그들은 자연과 더불어 순박하게 살아가는 삶의 터전이었던 농촌공동체에 깊게 침투된 산업기술 문명의 영향으로 인해 비인간적이고 적대적인 사회적 관계에 연루되며, 본래의 인간적인 정체성을 상실한다. 작가는 산업화의 물결이 농촌사회로 침투되지 않을 수 없는 역사적 변화과정을 불가피한 현상으로 바라보면서 그로 인해 자연과 공동체가 상실되고 파괴되는 데 수반되는 사회적 문명적 위기를 그려낸다. 여기에는 근본적으로 작가의 운명론적인 허무주의가 깃들어있지만 동시에 하디는 사회적, 반문명적인 비판의식을 동시에 표현하지 않을 수 없었다.[13]

대부분의 사건은 짙은 숲과 나뭇잎들, 숲의 여러 길로 이루어진 벽촌 오지 마을의 오두막집에서 일어난다. 힌토크의 거주민들에게 나무와 덤불, 나무 아래의 풀은 너무나 가득 차서 숨이 막힐 듯한 느낌을 줄 때가 있다. 제33장에서 보면 그레이스와 차몬드 부인이 숲속에서 만나 대화를 나누다 말다툼이 벌어진 후에 각자 헤어질 때 정반대의 길을 택하여 숲속을 걷다가 방황하는 장면이 있다. 여기서 끝없이 펼쳐진 숲지대가 얼마나 위험스러울 수 있는가를 알려준다. 짙은 숲속에서 길을 잃었을 때 인간의 심리와 밤의 숲속을 감싸고 있는 어둠과 두려움에 대한 묘사는 명품이며, 글을 읽는 독자의 뇌리에 강렬한 인상을 남긴다.

> 두 사람은 정반대의 길을 택했고 마침내 나무 그늘과 저녁 어스름 빛에 싸여 보이지 않게 되었다. 두 사람은 … 방향이나 거리는 전혀 신경도 쓰지 않고 이리저리 비틀거리며 계속해서 걸어갔다. 나무꾼들의 소리는 이미 오

---

13 허상문, 「토마스 하디와 생태학적 상상력」, 『신영어영문학』 제6집(1995), p.53.

래전에 멀어져 있었다. … 부근은 나무숲에 싸여 걷기에는 너무 좁은 길이 있을 뿐이었고 가시나무들이 늘어져 있었다. … 나무 밑에서 자라던 관목들이 지금은 높이 자라나 가지들을 늘어뜨리고 있었다. (318-319)

숲지대의 힌토크 마을에서 살아가는 시골 사람들의 생업은 고달프고 가난에서 헤어나지 못한다. 나무들을 심고 손질하고 보살피며, 식수한 나무들이 완전하게 자랐을 때는 시장에 내다 팔기 위해 베어내어 나무껍질을 벗기고 다듬는다. 이러한 일들은 작가에 의해 매우 사실주의적으로 그려져 있다. 작품의 중요인물들인 자일즈와 마티의 하는 일들도 역시 사실주의적인 조명을 받는다. 그들은 흙과 같은 질박한 성실성을 가지고 끝이 없는 고된 일로 살아가면서 자신들의 운명에 대해 무신경하며 묵묵히 받아들인다. 숲은 그것을 생업으로 삼고 살아가는 힌토크의 거주민들에게 고달픈 대가를 요구한다. 이와 같이 숲의 어둡고 부정적인 측면은 다윈의 진화론에 영향을 받은 하디의 적자생존론 사상이 투사된 데 따른 것이라 할 수 있다. 이와 같은 측면에서 『숲속에 사는 사람들』은 초기 소설인 『푸른 숲 나무 아래』에서 나타난 부드러움과 아름다움은 빠져 있다.

작중인물들은 나무들과 식물들에 암시적으로 비유되기도 하는데 자일즈와 마티는 토속적인 나무들이며, 차몬드 부인과 피츠피어스는 외부에서 유입된 식물과 같아서 끝에 가면 스스로 뿌리가 뽑히고 자신들의 성장에 더욱 더 알맞은 기후들을 찾고 있는 인물들이라 할 수 있다.[14] 숲의 부정적인 측면을 바라보는 이러한 관점은 하디가 묘사한 숲의 두 개의 얼굴 중에서 창조적인 측면을 배제한 관점일 뿐이다. 일단 작품을 전체적으로 읽고 나면 숲으로부터 생명의 활력과 아름다움, 불가사의한 역동성과 숨겨진 의지, 경

---

14 "The Woodlanders," Ed. Frank N. Magill, *Masterplots vol. 12.* (Englewood Cliffs, New Jersey: Salem Press, 1976). p.7249.

외감을 불러일으키는 숭고함과 위엄, 부드럽고 따뜻한 감사와 경이로움, 계절과 시간과 장소에 따라 달라지는 신비로운 힘과 생명력 등과 같은 요소들이 강렬한 인상으로 뇌리에 남는다. 여러 사건에 따라 발생하는 작중인물들의 감정과 정서가 움직이는 양상은 숲을 배경으로 하는 경우가 대부분이다.[15] 작가는 숲과 나무들과 동식물을 단순히 자연물리적인 배경으로 삼는 것이 아니라 인간과의 상호 침투 관계와 유기체적인 유대관계로 파악한다. 이러한 관계에는 심리적, 영적인 상태가 투영되어있기도 하고, 인간과 자연의 동화나 조화에 대한 낙관적인 감정뿐만 아니라 위험스럽고, 적대적, 폭력적인 자연환경에 대한 부정적인 감정이 반영되어있기도 한다. 요컨대 전체적으로 본다면 이 소설에 묘사된 나무와 숲은 긍정적, 부정적인 성질을 각각 지닌 이중성이 있거나 아니면 모호하게 혼합된 복합성을 지니기도 한다.

영국 남서부의 숲지대 오지마을인 '리틀 힌토크'에서 일어나는 남녀 간의 사랑과 가족사의 이야기를 다룬 이 작품은 자일즈라는 정직하고 성실한 벽촌 오지의 젊은 농부가 같은 마을에서 자란 처녀 그레이스와 결혼하려다 실패하는 비극적이고 애절한 사연이 담겨있다. 두 사람은 한때 공식적이지는 않았지만 약혼한 관계였다. 하지만 목재상을 하면서 상당한 부를 축적하고 꽤 많은 재산을 모은 그레이스의 아버지는 그가 애지중지하는 무남독녀를 위해 헌신적으로 재산을 투자하여 우월한 교육을 받도록 키운 결과로 자일즈를 더 이상 딸의 결혼 상대가 되기에는 부족하다고 생각하게 된다. 출신

---

15 힌토크 마을은 나무들이 가득하고 짙은 숲들이 곳곳에 있는 오지마을로서, '리틀 힌토크'와 '그레이트 힌토크'로 이뤄진 두 마을은 주변에 있는 다양한 나무와는 수종이 구별되는 숲군락을 가지고 있다. 나무벌채를 한 후에 새로 심은 조림지도 있고, 잡목림도 있다. 작품에 언급된 다양한 나무를 예시해보면 떡갈나무, 참나무, 느릅나무, 자작나무, 사과나무, 개암나무, 호두나무, (너도)밤나무, 단풍나무, 쥐똥나무, 월계수, 전나무, 산딸기나무, 뽕나무, 양치나무, 인동나무, 인동덩굴, 담쟁이, 잡목림, 관목림, 과수원, 스노우드롭, 생울타리 등이 언급된다. 또한 숲속에는 여러 동물들이 살고 있는데 예를 들면, 토끼, 다람쥐, 산비둘기, 부엉이, 두견새, 딱따구리, 박쥐, 참새, 개똥지빠귀, 야생고양이, 도롱뇽, 민달팽이 등이다.

이 양반이며 멋진 외모에 외과의사라는 전문직 자격을 가진 젊은 피츠피어스가 딸 그레이스에게 관심을 두자 딸이 약혼자인 마을 청년 자일즈를 잊어버리도록 종용하고 의사와 결혼이 이루어지도록 끈질기게 설득한다. 그러나 그레이스는 외과의사와 결혼하기 전 어느 날 아침, 같은 마을에 사는 행실이 좋지 않은 말괄량이 처녀인 슈크가 외과의사의 집에서 나오는 것을 목격하면서 의사가 그녀와 잠자리를 함께했다는 의심을 한다. 그레이스는 외과의사와의 결혼문제를 계속 진행하기를 원하지 않는다고 아버지에게 말하여 그녀의 아버지는 크게 분노한다. 나중에 외과의사는 그레이스에게 말하기를 슈크는 치통을 심하게 앓아서 자기를 방문하여 어금니를 뽑는 치료를 받았을 뿐이라고 둘러댄다. 그러나 의사는 몇 주 전부터 말괄량이 슈크와 은밀하게 불륜관계를 시작했던 것이 사실이었지만 그레이스와 결혼을 하게 되었고 신혼여행에서 마을로 돌아온다.

이제 부부인 두 사람은 그레이스의 아버지 집에서 사용하지 않는 다른 집채를 차지하여 일시적으로 살아간다. 하지만 곧 피츠피어스는 교구의 영주이며 부유한 차몬드 부인과도 다시 애정행각을 시작하며, 그레이스와 그녀의 아버지는 이런 불륜사실을 알게 된다. 한편으로 그레이스는 우연히 일전에 성적으로 방탕한 슈크가 치과 치료를 받으러 남편의 진료소를 방문했다는 말이 거짓이었음을 알아차린다. 슈크가 실제로는 치아를 완전하게 가지고 있다는 사실을 발견하였기 때문이다. 부부관계는 점차로 심각하게 틀어지며 남편은 자기의 실제적인 본성을 장인에게 드러낸다. 그 후로 의사는 장인으로부터 우연을 가장한 공격을 받아 몸에 상처를 입는다. 이런 사고를 소문으로 들어서 알게 된 슈크와 차몬드 부인은 모두 다 그레이스의 집에 나타나서 의사가 크게 다친 것을 염려하여 방문했다고 말한다. 그레이스는 남편의 두 연인에게서 내심으로는 이미 그들과 남편과의 관계를 알고 있었다. 그레이스의 남편(피츠피어스)은 이러한 사건이 있고 난 후에 그레이스 곁을 떠나 차몬드 부인과 함께 유럽대륙으로 여행을 한다. 이제야 그레이스는 자기가 실제로는 오직 어릴 때부터 친구였던 마을의 청년인 약혼남이었던 자일즈를 사랑했다는 것을 깨닫지만 남편과는 법률적으로 이혼이 전혀 허용되지 않는 현실사회의 벽을 알게 되어 자일즈에 대한 새로운 사랑은 희망이 없다고 느낀다. 그녀의 아버지가 딸의 이혼문제를 해결하고 자일즈와의 재혼계획을 실행하려 했던 것은 결혼법이 지난해에 변경되어, 그의 딸이 자기 남편과 이혼할 수 있는 행운이 생겼다는 거짓말을 그가 이전에 알고 지냈던 법률사무소의 사무직 변호사에게서 들었기 때문이다.[16] 돈벌이에 눈이 먼 그 변호사는 자일즈를 부추겨서 그레이스에게 청혼할 것을 재개하도록 했지만 피츠피어스의 간통사건은 이혼을 하는 데는 충분한 조건이 못 된다는 사실이 드러난 것이다.

한편 피츠피어스가 차몬드 부인과 함께 여행하러 떠났던 유럽대륙의 여행지에서 그녀의 멋진 머리칼이 실제로는 마티의 머리칼로 만든 가발이라는 사실이 드러나자 서로 다투는 일이 벌어지고 피츠피어스는 리틀 힌토크로 돌아와서 아내와 화해하려고 시도한다. 하지만 그레이스는 가출하여 자일즈의 숲속에 있는 오두막집으로 피신하여 도움을 청한다. 자일즈는 임차토지를 빼앗기고[17] 어두운 숲속의 집에서 건강이 좋지 않은 시간을 보낸 후

16 작품의 이러한 이혼과 재혼에 관한 법률 개정의 사회적 이슈는 실제로 1858년의 영국사회를 시대적 배경으로 한다.

17 이러한 사건은 영국의 빅토리아 왕조시대에 시행된 토지와 주택의 종신계약기반 임차제도에 관련한 것이다. 이 제도의 역사적 변동사항이 작품의 여기저기에 조금씩 반영되고 있지만 특히 제13장의 시작 부분에서는 상당히 구체적인 내용으로 언급된다. 이런 산재한 부분들을 종합하여 요약한다면 다음과 같다.

만약 마티의 아버지 존 사우스가 죽게 되면 윈터본(자일즈)의 집은 차몬드 부인에게 법률적으로 귀속된다. 마티의 아버지가 살고 있는 작은 집과 윈터본이 살고 있는 조금 더 큰 집 그리고 과거 수백 년 동안 힌토크 마을의 여러 가족이 소유했으나 지금은 윈터본의 소유로 되어있는 여섯 채의 집은 이제는 차용 기한이 만료되어 영주의 소유물로 흡수되는 상황이다. 윈터본은 얼마 전에 마티의 아버지가 병에 걸렸을 때까지만 해도 소유권이 회수되는

유증으로 인해 위중한 병을 얻었으나 회복되는 중이었다. 그는 폭풍우가 치는 날씨에 그레이스를 위해 자기의 오두막집에서 자신의 잠자리를 내어주어 그녀가 휴식을 취하도록 허용하고 자기는 초라한 거처에서 잠을 자겠다고 고집하여 고결한 성품을 보여준다. 자일즈의 이런 행동의 결과로 그는 쓸쓸한 숲속에서 숨을 거두면서 생애를 마감한다. 그런 후에 그레이스는 단지 일시적으로는 자기에게 회개하는 남편에게 돌아가는 것을 스스로 허용한다. 자기의 운명을 불성실한 남자의 아내가 되는 것으로 봉합한 것이다. 한편 같은 마을에서 가난하게 자기 아버지와 함께 단둘이 살아온 처녀 마티는 내심으로는 자일즈를 진심으로 사랑해왔다. 마음이 순박하고 강직한 편인 마티는 힌토크 숲속의 농촌마을에서 가난하지만 순결하고 성실하게 살아오는 자일즈와 둘이서 나무를 함께 심으면서 일할 때가 많았다. 자일즈가 그레이스를 사랑하고 자기를 사랑하지 않는다는 사실을 알면서도 마티는 그에게 마음으로부터 순결한 사랑과 존경을 계속 간직한다. 그러나 자일즈가 병으로 죽고 난 후에는 그레이스와 마티는 매주 날짜를 정하여서 자일즈의 무덤을 방문하고 애도한다.

그런데 앞에서 언급한 창녀처럼 불량한 슈크는 그동안 사귀어 왔던 탱즈와 결혼한다. 하지만 결혼 후에 슈크의 남편은 슈크가 외과의사 피츠피어스와 계속하여 바람을 피워왔다는 사실을 알게 되어 피츠비어스에게 복수하기 위해 숲속의 나무에 사람 잡는 덫을 설치한다. 그러나 예기치 않게 피츠

---

불길한 경우를 생각해본 적이 없었다. 그러나 이제는 위험이 현실로 다가옴을 느낀다. 그래서 그에게 양배추 밭, 사과나무, 집, 사과 창고, 사과 압착소, 마구간, 풍향계 등 모든 소유물이 환등기의 영상처럼 빠져나갈 것이라는 묘한 생각이 들게 된다(137). 또한 윈터본이 처음에 살던 집으로부터 나무와 숲으로 짙게 뒤덮인 마을 밖 변두리 지대의 외진 거처로 이주하고 병을 앓으며 죽게 된 부분도 역시 토지와 주택의 임차제도 변동과 관련되어있다. 윈터본이 이전에 처음 살았던 집은 지주이자 영주인 차몬드 부인의 소유였지만 윈터본과 종신계약으로 되어있었다. 사실 윈터본은 경제적으로 약자의 신분이었으며, 임차한 토지와 주택 문제에서 갈수록 불리한 처지에 내몰리는 것을 알 수 있다.

피어스 대신 그의 부인 그레이스가 덫에 걸려 옷이 찢기는 사고가 일어난다. 이를 계기로 그레이스는 남편이 다른 여성들과의 불륜관계를 통해 불신과 좌절을 안겨주었음에도 남편이 제안하는 화해의 뜻을 받아들여 남편에게로 돌아간다.[18] 완전한 용서를 허락한 것은 아니지만 현실적인 상황을 고려한 선택이었다. 여태까지 그레이스는 마티와 함께 매주 날짜를 잡아 두 번씩 숲 속의 변두리에 있는 자일즈의 무덤을 찾아가서 애도했지만 이제부터는 더 이상 자일즈의 무덤에 나타나지 않는다. 그러므로 이 세상을 떠난 자일즈의 곁을 끝까지 지키며 남아있는 사람은 마티 혼자뿐이다.

마티는 허리를 구부려 그레이스와 함께 지난주에 바쳤던 시든 꽃을 치우고 새로운 꽃을 꽂았다. 그녀는 숲속에 외롭게 묻혀있는 자일즈의 무덤 앞에 서서 그의 영혼을 달래주는 애가를 속삭인다. 지난날 그가 과수원에서 낙엽송 묘목을 심거나, 서까래를 쪼개거나, 사과술을 기계로 짜던 그의 모습을 하나씩 회상해볼 때 노동에 바쳤던 그의 성실성과 인간적인 순결성에 대한 존경과 사랑의 마음이 일어난다.

> "이봐요, 나의, 나의 사랑 …" 그녀는 소곤거렸다. "당신은 나의 것, 나만의 것. 그런데 당신은 그녀를 위해 죽었는데 그녀는 당신을 잊어버렸어요. 그렇지만 난, 아침에 일어나서는 당신을 생각하고 밤에 잘 때도 당신 생각에 젖어든답니다. 낙엽송 묘목을 식수할 때는 당신처럼 할 수 있는 사람은 없었다고 생각해요, 그리고 서까래를 쪼갤 때와 사과술을 짜는 기계를 돌릴 때도 당신같이 할 수 있는 사람은 없다고 말하겠어요. 당신의 이름을 잊을

18 그레이스의 아버지 멜버리는 여전히 사위의 앞날에 대해 불신하면서 혼잣말한다. "딸애가 희망한다면 다시 한번 생각해보겠다! … 그러나 명심해야 할 것이 있다. 오늘밤은 그 남자가 딸애의 목을 안고 있지만 내년에 똑같이 당할 여자가 바로 지금 어디선가 걸어가든가 웃든가 하고 있다는 것을. 작년에는 펠리스 차몬드였고 그 전 해는 슈크 댐슨에게 한 것 같은 … 딸애로서는 쓸쓸한 희망이다. 종말이 어떻게 되든지 간에!" (p.469)

정도라면 나는 집과 하늘나라를 잊었다고 해도 좋을 것입니다. 그렇지만 아니, 아니, 나의 연인, 나는 결코 당신을 잊을 수 없습니다. 당신은 좋은 분이며 좋은 일을 하셨어요!" (473)

작품은 이와 같이 마티가 숲속의 자일즈 무덤 앞에서 이 세상을 떠나버린 그에게 애도의 정념을 쏟고 순결한 사랑을 고백하는 것으로 끝을 맺는다. 그녀가 소곤거리는 애도에는 자일즈가 그토록 변함없이 자연을 사랑했고 자연과 함께했던 자연의 화신으로서의 순결한 모습에 대한 마음으로부터 우러나오는 진정한 존경과 사랑이 나타나 있다.

이렇게 작품이 끝나는 지점에 이르면 독자는 한없는 애통의 감정을 금할 수 없게 된다. 자일즈의 무덤을 둘러싸고 있는 나무와 숲은 자일즈의 존재와 일체가 되는 느낌을 준다. 숲속지대는 인간의 발자취가 끊어져 외롭고 슬픈 모습으로 남을 뿐이다. 고달프고 슬픈 생애를 살았던 자일즈에게 남은 것이라고는 불가사의하고 순결했던 애정의 사연을 묵묵히 지켜보고 있는 나무와 숲이 함께해주고 있다는 것뿐이다. 여기서 마을 밖의 외지에 있는 나무들과 숲은 자일즈의 고독과 슬픔에 대한 비극적 효과를 더욱 고조시킨다.

그러면 작품에서 가장 중심적인 등장인물인 지난날의 청년 농부 자일즈의 삶으로 다시 돌아가 보자. 사실 자일즈는 숲의 주인공이라고 할 수 있다. 다른 작중인물들은 변화하는 사회를 분극화하는 가치관 사이에서 동요하지만 자일즈는 완전히 부동이다. 자연과 그의 결합은 나무 심기와 사과주 제조라는 직업적인 수준에만 머물지 않는다. 그의 신체와 정신에는 자연이 침투되어있고 자연이 인간에 대해서 느끼게 하는 일종의 위력 같은 것조차 나타난다. 그렇다고 해서 자일즈의 진가가 두드러지게 무게와 값을 나타내지는 않는다. 그는 숲의 세계에서 당연히 노동자일 뿐이고 농사기술 쪽에서만 겨우 우세할 뿐이다. 그는 전원적인 세계의 가치를 적극적으로 발휘하지만 도시적인 세련된 생활양식과 대비되어 그의 참된 가치와 위력이 두드러지게 약화되고 있다.

그런데 자일즈와 그레이스의 관계에서 볼 때, 그레이스는 자일즈에 대해 갑자기 변화된 시각과 새로운 관점이 작동됨으로써 그에게서 나타나는 자연과의 동화, 합일의 이미지에 대해 감화를 받는 장면들이 있다. 그레이스는 남녀들 사이의 애정사건이 진척되는 과정에서 남편이 옛날의 애인인 차몬드 부인을 몰래 만나러 가는 것을 알고도 질투를 느끼지 않는 시점에 이르게 된다. 여기서 그녀는 마음에 변화가 일어나자 자일즈에 대해 거의 처음이라고 할 수 있는 심리적인 체험을 하게 된다. 순환하는 계절을 따라 가을철이 되자 자일즈가 과수원에서 사과주 제조에 전력을 쏟을 때 자연 속에서 일하는 그의 모습을 작가가 묘사한 대목은 그레이스의 변화된 시각과 관점에 의한 것이다. "그의 풍모나 내음이 마치 가을의 형제인 것처럼 느껴졌다. 얼굴은 햇빛에 그을려 적동색이 되어있었다. 눈은 수레국화같이 푸르고 소매와 각반은 과즙으로 얼룩졌고 손은 달콤한 사과즙으로 끈적거렸으며 모자에는 사과 씨가 흩뿌려 있었고 …"(275). 이러한 묘사는 자일즈에게 그녀의 마음이 처음으로 열리고 움직였을 때 그녀의 눈에 비친 자일즈의 모습이다. 이제야 그의 본질을 올바르게 파악할 수 있게 된 것이다. 이 시점에서 그레이스는 시각, 후각, 촉각이 작동하여 자일즈의 몸 전체를 자연의 색깔과 냄새와 감촉이 둘러싸고 있음을 직관한다. 그의 몸은 햇볕에 그을어진 소맥의 빛깔이 나타난 모습이며, 그의 몸과 노동복은 사과의 색소와 사과즙과 사과 씨앗과 같은 여러 구체적인 자연의 요소들을 흡수하고 융합하는 장소가 된다. 자일즈에게 가을철의 자연은 왕성한 생명력을 배어들게 하여 그는 완전히 새로운 피조물로 재탄생된 이미지이다.

계절을 동화한 자일즈의 현상학적 모습은 그레이스가 특별하게 눈을 떠서 새롭게 인식한 것이지만 숲속에서는 자주 볼 수 있는 일이며, 숲속의 사람들에게는 지극히 당연한 일이다. 그러나 그레이스가 도시로 나가 대학에서 지식과 교양, 문화의 세례를 받고 숲속 마을로 돌아왔을 때 그와 같은 자일즈의 모습과 전원생활은 그녀의 눈에는 전혀 매력이 없는 일로 보였으며, 조잡하고 비문화적인 가련한 대상마저 되었다. 하지만 그레이스는 남편이 다른 여성들과 외도와 불륜을 즐기는 사실을 알게 되자 불신과 절망에 빠지게 됨으로써 여태까지 자일즈를 바라보았던 시각과 판단에 변화가 생긴 것이다. 변화된 그녀의 시각과 판단은 일시적이기는 하지만 어린 시절부터 숲지대의 자연 속에서 길러진 순박한 자아로 되돌아간 것을 의미한다. 그레이스는 도시에서 대학교육을 받은 이후로 자기가 받은 교육과 지식으로 인해 체면과 가식으로 포장된 부자연스러운 삶을 살아왔던 것이다. 다시 말해 자일즈처럼 숲속의 자연과 깊은 유대를 맺고 자연친화적인 삶을 영위했던 과거의 자아를 그동안 상실한 것이었다. 이제 그레이스는 사건이 진행되는 과정을 따라 두 개의 자아 사이를 왕래하게 되고 분열하고 갈등한다. 때로는 두 개의 자아가 혼재하고 복잡하게 섞이는 일도 있다. 그녀의 이러한 자아의 모습은 숲속의 나무에 비유된다.

> 그녀의 마음은 최근의 슬픈 추억에서 큰 나뭇가지가 반동해 되돌아오는 것처럼 튕겨져 갑자기 모든 감각이 꾸밈없는 자연으로 되돌아온 듯이 들떠 있었다. 이 순간에 그녀는 남편의 직업에 맞추어 품위 있게 행동하지 않으면 안 된다는 생각과 현대적인 학교에서 터득한 형식적인 절차 등을 버렸고 옛날 그대로의 본능을 간직한 소박한 시골 아가씨가 되었다. (276)

그레이스가 받았던 교육과 도시적 문명의 영향력은 그녀로 하여금 인간을 바라보는 태도에서 비교와 우열로 사람들을 판단하고 평가해버리게 했던 것이다. 도시, 교육, 문화는 자연, 원시, 순결과 대척된다. 전자는 어릴 때부터 숲속 마을에서 몸과 마음에 동화되었던 순결한 자연의 생명력과 자연의 본성을 보지 못하도록 덧씌우는 가리개의 역할을 했던 것이라 할 수 있다. 그레이스가 지금처럼 자연 그대로의 시골 아가씨로 되돌아옴으로써 그녀의 길들여진 인공적인 가면은 잠시나마 사라지게 된 것이다. 그러나 거짓과 꾸밈이 없는 자연 상태로 돌아오게 된 것은 일시적인 자기 각성일 뿐이다. 그녀는 곧 이어서 그런 각성 자체가 더욱 커다란 환상에 지나지 않는다고 생각하게 된다. 자일즈가 비록 숲속 산골에서 성실하고 순결한 농부로서 자연의 주인공이 되어 그의 모습이 숲과 자연의 힘과 냄새가 동화된 인물로 신비화되었다고 하여 그의 힘 혹은 위력을 과대평가할 필요는 없다. 작가가 묘사하는 자일즈의 모습은 영속적인 위력과 확고한 위엄으로 계속하여 작동하는 것은 아니다. 이 작품에서 현실적으로 실제적인 힘을 가지고 있는 사람은 자일즈가 아니며, 부를 소유한 목재상인 그레이스의 아버지 멜버리이며, 더욱 강력한 힘의 소유자는 귀족계급의 지주인 차몬드 부인이기 때문이다.

비록 가난하지만 자연과 친화적이고 스스로 자연과 동화시켜 살아가는 순박하고 성실한 자일즈는 그가 비록 그레이스를 사랑하고 있지만 그녀는 자기와 같은 시골 농부와는 결혼생활이 불가능하다고 판단한 것이다. 그녀는 교육을 받아서 사회적 신분과 지적 수준이 달라진 사람이 되었으므로 두 사람의 비교로부터 생기는 틈새는 자일즈가 그녀에게로 이끌리는 힘에서 벗어나야 한다. 현재의 그레이스의 처지가 귀족 가문 출신의 외과의사인 피츠피어스와의 결혼생활에서 불성실하고 거짓말하는 남편과 멀어진 상황이기는 해도 자일즈는 접근해오는 그녀를 거절할 뿐이며 그의 태도는 완강하다. 자일즈는 작품의 전반부에서 이미 그레이스와의 결혼이 불가능함을 간파했다. 그의 체념에서 나타나는 자기 극기와 그녀를 위한 배려는 놀랍다. 하지만 그녀에 대한 그의 고결한 행위는 기대하는 만큼 값있는 보상이나 결실을 거두는 것은 아니다. 그의 행동에서 고귀함 때문에 오히려 그는 취약해진다. 그는 숲속의 전원에서 자연과 함께 살고 모든 자연의 요소와 힘을 몸에 체현한 인물이지만 끝까지 버텨서 허식적이고 인위적인 세계를 무너뜨리는 시도조차 하지 않는다. 오직 사랑하는 그레이스를 위해 있는 힘을 다해 자신의 미덕만을 아낌없이 바치는 고결한 행동을 할 뿐이다. 그럼에도 불구하고 그의 병든 몸은 숲속에서 며칠 동안 내리는 비와 안개, 어두운 냉기로 인해 병약해져서 쓸쓸히 쓰러져 흙으로 돌아간 것이다. 그의 죽음의 과정은 세상과 고립된 적막한 숲속의 분위기와 결합하여 독자의 마음에 형언하기 어려운 비극성을 느끼게 한다. 하지만 하디는 자일즈에 관한 이야기와 이미지로부터 단지 부정적인 이미지만 부각하는 것이 아니라 이와 더불어 창조적인 이미지도 동시에 구현한다. 하디의 이러한 이원론적 관점을 참조하여 자일즈를 바라본다면 그의 이미지는 숲의 주인공, 숲속의 자연인으로서 존경과 사랑을 받을 인물로 평가된다.

## 자연에 대한 이원론적인 비전과 숲, 나무들

하디의 이원론에서 비극적, 허무주의적인 측면을 중심으로 작품에 나타난 인간과 자연(나무, 숲)과의 관계와 그 양상에 대해 보다 더 깊게 들어가 보자. 틴달에 의하면, 하디는 자연 애호가이지만 자연을 비극과 멜로드라마의 배경으로 나타내며, 자기를 다윈주의자로 내세운다는 것이다. 숲과 나무, 동식물 등에 의한 풍성한 전원생활에 대해 자연과 동화하며 살아가는 시골 사람을 자연인으로서 나타내는 취향을 여러 장면으로써 보여준다. 그러나 워즈워드나 로렌스와 같은 자연친화적인 작가들과는 달리 자연의 인식에서 자비와 악의를 동시에 포착하여 양면성을 표현한다. 하디 소설의 자연관은 워드워드와 다윈의 다툼의 결과물이 되도록 한다. 자연풍경과 시골 사람들을 병치할 때도 자연은 단순한 장식물이 아니라 작중인물들의 삶과 현실, 영혼에 대한 원천이 된다. 때때로 작중인물들은 병들고 황폐한 도시문명에 등을 돌리고 나무, 동식물이 서식하며 역동적으로 변화하는 원시적인 자연으로 돌아가서 구원을 얻는다. 이처럼 자연이 하나의 구원을 위한 탈출구가 되기도 하지만 때로는 많은 대목에서 보여주듯이 어둡고 파괴적인 측면을 드러낸다. 하디는 중산층 계급, 특히 가난한 농민들에 대한 묘사에서, 또는 나무, 꽃, 동식물 등에 대한 자연의 묘사에서 병적으로 기우는 비극적 비전을 보여주는 경우가 많다.[19]

하디에 따르면, 자연의 모든 존재는 우주적인 차원의 절대적이고 숙명적인 어떤 힘에 의해 조종·지배된다고 보며, 그와 같은 우주적인 힘을 '내재적 의지'(Immanent Will)라고 불렀다. 자연의 생명체들뿐만 아니라 인간의 자유의지마저 그런 우주적인 힘 앞에 무력하며 그런 힘을 마음대로 벗어날 수 없다는 것이다. 작품을 자세히 읽을 때 이러한 운명 의식 같은 힘이 침투

---

19 William York Tindal, "10, myth and natural man," *Forces in Modern British Literature 1885-1956* (London: Longman Group Ltd., 1985), p.302. 틴달에 의하면, 하디는 광산촌에서 태어난 로렌스로 하여금 도시로부터 전원으로 눈길을 돌리게 했으나 하디의 농촌·전원 원시주의를 버리게 했으며 보다 더 이국적인 유형을 추구하게 했다. 그러나 로렌스는 『채털리 부인의 사랑』에서 하디의 전원으로 복귀했다(p.302). 전원을 지향하는 작가들로서 메리 웹은 여우를 사랑하는 여주인공을 창조하여 일종의 로맨스와 같은 에피소드를 설정하고 조지 왕조시대, 즉 조지 5세(1865~1936), 조지 6세(1936~1952)에 시골에서 사는 남주인공을 등장시킨다. 또한 존 카우퍼 포위스는 루소적인 작가이며 자신을 워드워드적인 사람으로 말했는데, 전원의 아름다움 때문에 도시를 떠났으며, 자연의 아름다움에 황홀해하였고, 시골 농촌의 전원과 자연을 좋아하며, 시골 농촌 사람들과 친화하면서 도시문명에서 도피한 사람으로 살았다. 그는 작품에다 고대의 고전 목가를 부활시켰다(p.302). 그리고 전원적, 목가적인 조지아 시대의 작가부류에 로렌스도 포함된다고 언급한다. 왜냐하면 목가적인 관심 때문이다(p.306). 로렌스는 조지아 시대의 문인들만큼이나 식물적이다. 그는 스스로 부자연스러운 과거로 빠지게 했다. 과거를 찾는 작가들은 어린 시절과 역사에 몰입한다. 그래서 워즈워드의 의미가 명백해졌으며 과거는 다시 포착되었다. 역사도 낭만주의자들이 몰입한 분야였고 고고학자와 인류학자들의 도움으로 다시 포착되었다. 자연을 풍요하게 하는 것이 그들의 의도였다(p.307).

해있다는 사실을 느낄 수 있다. 이와 같은 하디의 비극적인 사상은 독일의 쇼펜하우어와 영국의 다윈에게서 영향을 받았다. 쇼펜하우어는 저서 『의지와 표상으로서의 세계』(1819)에서 존재와 사물에 대한 허무주의 사상을 표현하였으며, 다윈은 『종의 기원』(1859)에서 자연선택과 적자생존의 원리에 의한 비극적인 진화론 사상을 표현하였다. 반스에 의하면 하디의 부정적인 진화론 사상은 하디의 『숲속에 사는 사람들』에서 가장 명백하게 나타난다는 것이다. 생명의 빛이 바랜 숲속의 나무들, 또는 진화의 과정에서 앞으로 나아갈 곳이 사라져 버린 운명에 놓인 나무들, 성장하지 못하는 나무들을 통해 표현된다고 본다. 이러한 자연의 특성은 자일즈 윈터본과 마티 사우스에게서 때때로 볼 수 있는 생기가 사라져버린 모습에 대한 은유로서 나타나기도 한다고 본다.[20]

랭바움은 하디 소설의 자연풍경에 대한 로렌스의 논평을 소개하면서, 하디 소설은 작중인물들보다 배경과 풍경이 더 중요하다고 말한다. "거대한 배경은 생명력에 넘치고 생생하며, 거기서 활동하는 사람들보다 더 중요하다."[21] 그런 점에서 로렌스는 암시적으로 하디를 문학의 스승으로 삼았다. 로렌스는 하디가 존재론에서 사건들을 어설프게 일치시킨다고 비난하지만 그러한 형이상학 철학과는 별도로 심오하고 위대한 소설가라는 것이다. 하디는 철학에는 미약하지만 감수성에는 강하고 무의식적인 자아를 놀랍도록 잘 드러낸다는 것이다. 이와 같은 맥락에서 로렌스는 하디의 철학으로부터 무의식적 혹은 비인성적인 정체성에 대해 새로운 인식을 얻는다. 이에 대한 구체적인 예로는 하디가 작중인물들을 자연풍경과 관련을 지울 때 자연풍경

20 Norman Vance, Chapter 29 "George Eliot and Hardy," ed., Andew W. Hass David Jasper, Elisabeth Jay, *The Oxford Handbook of English Literature and Theology* (Oxford University Press, 2007, reprinted, 2011), pp.490-491.

21 Robert Langbaum, "Lawrence and Hardy," ed., Jeffrey Meyers, *Lawrence and Tradition* (London: The Athlone Press, 1985), p.75.

을 성적인 변용이 되도록 한다는 것이다. 하디의 작품에 묘사된 이러한 양상의 사례는 로렌스와 닮았다.[22] 샌더스도 로렌스의 하디 문학에 대한 그와 같은 통찰력을 높이 평가하면서 에세이 「자연에 관해 한마디 하며」에서 로렌스의 비범한 재능을 밝힌 바 있다.[23]

『숲속에 사는 사람들』의 작중인물들을 두 부류로 대별하면 숲속의 자연에서 태어나 순박하고 가난하게 살아가는 토박이들과 이와는 대조적으로 도시에서 교육을 받고 문명의 세례를 받아 세련되었지만 자연 그대로의 순수성을 잃고 체면의식과 인위적인 허식에 가득 찬 문명적, 도시적인 인물들로 나눌 수 있다. 이런 두 부류의 인간들은 빅토리아 조의 대영제국의 눈부신 문명의 발전에 따른 변화의 물결이 침투하는 과도기적인 상황을 반영한다. 힌토크라는 산촌마을의 바깥 세계는 산업, 기술, 자본주의 문화 등에서 혁명적인 진화가 계속 일어나고 있다. 숲속의 마을은 바깥 세계인 도시로부터 유입되는 힘과 영향을 받으며, 사람들 가운데는 정서와 가치관, 삶의 방

---

22 Robert Langbaum, "Lawrence and Hardy," ibid., p.72. 작품의 예시로는 『귀향』에서 잘 표현된다고 말한다.

23 Scott Russell Sanders, "Speaking a Word for Nature," Cheryll Glotfelty and Harold Fromm, ed. *The Ecocriticism Reader: Landmarks in Literary Ecology* (Athens, Georgia: University of Georgia Press, 1996), p.182. 로렌스의 주장에 의하면, 『귀향』에서 통제적 요소는 인간의 행동이 아니라 그런 행동이 일어나는 배경, 즉 엑돈 황야다. 이 작품에서 비극의 실질적인 소재는 황야다. 그것은 원시적, 원초적인 대지이며, 거기서 본능적인 생명과 삶이 솟아난다. 이곳은 이러한 일체의 삶들의 사소한 내용들이 이끌려나오는 깊고 검은 원천이다. "하디 소설은 작중인물들보다 배경과 풍경이 더 중요하다" "생명력에 넘치고 생생한 거대한 배경이 하디 소설에는 존재하고, 그것은 거기서 활동하는 사람들보다 더 중요하다. 어둡고 열정에 넘치는 엑돈 황야의 배경을 중심으로 미세한 삶의 구도가 그려진다. 삶과 생명 자체의 거대하고 탐험되지 않은 도덕, 이른바 자연의 비정함, 또는 비도덕성이 영원한 불가해성 속에서 인간을 둘러싸고 있으며, 그 가운데서 보잘것없는 인간의 도덕극이 심각하게, 불길하게 계속되며, 주인공들 중의 누군가가 주술에 걸려있는 세계로부터 우연히 시선이 빠져나와 주변이 온통 분노로 가득한 황야를 바라본다."(p.182). 여기에 로렌스가 인용한 그의 책의 출처는 "Study of Thomas Hardy," *Phoenix: The Posthumous Papers of D. H. Lawrence* (London: Heinemann, 1936), p.415.

향과 목적에 있어서 균열과 갈등이 생기기 시작한다. 이러한 시대적 변화로 인해 작중인물들은 숲속 마을에서 본래의 원시성이나 순수성을 간직하고 전원의 생명세계와 함께 연결되어 살아가는 '자연인' 부류, 그리고 이와는 달리 인위적인 세련성과 허위의식으로 가면을 쓰고 인생을 살아가는 '문명인' 부류로 대별된다. 이 작품을 드라마틱하게 이끌어가는 요소는 서서히 변화되고 있는 시대적 배경이라고 할 수 있다. 작품의 중심 무대가 되는 힌토크의 숲속 마을에서는 자연의 풍요와 신비와 경이가 표현되고 있지만 계절적, 기후적, 일기적인 변화와 함께 예측할 수 없는 어떤 운명적인 불가피한 힘 아래서 사건이 진행된다는 느낌을 받는다. 그러한 힘은 하디의 비관주의적인 철학에서 중요한 요소가 되는 우주적인 '내재적 의지'라고 할 수 있다.

나무와 숲으로 이뤄진 오지마을의 자연에 대해 묘사한 장면들에서 문장의 대부분은 의심할 바 없이 이 소설을 아름답고 사랑스럽다고 불릴 수 있게 한다. 작가는 자연의 변화에 따른 계절의 아름다운 풍경을 독자가 맛보도록 한다. 가을의 풍경에서 정원과 과수원들은 주홍색과 황금빛의 과일로 장식된 모습이며, 빛나는 라벤더 색깔의 안개가 저 아래 멀리까지 뻗쳐있다. 여름의 숲속은 힌토크 사람들이 태양을 보지 못하도록 나무들은 우거져 있고 나뭇잎들을 통해 무수한 작은 별들이 빛나는 모습으로 나타난다. 하디의 손길이 닿으면 숲은 완전할 정도로 살아있게 된다. 변화하는 계절에 따라 사과와 불타는 것 같은 숲의 향내뿐만 아니라 농부들이 목재의 껍질을 벗겨내고 서까래 재목을 다듬을 때의 광경과 소리는 자연과 인간을 하나로 묶어주어 친밀감과 조화의 감정을 창출하는 매력을 불러일으킨다.[24]

하디가 독자에게 보여주는 숲지대의 아름다움과 신비로움과 경이로움

---

24 Richard Carpenter, "Thomas Hardy, chapter 3. Fiction: The Major Chord, IV The Woodlanders," *Twayne's English Authors Series 13*, edited by Sylvia E. Bowman (Boston: Twayne Publishers, A Division of K. Hall & Co., 1964), P.118-119. 이후 표기는 카펜터로 함.

이 묘사된 문장들은 인간이 수행한 일 또는 그러한 일 자체와의 싸움과 부패로 인해 발생한 파괴적인 자연의 이미지들과는 대조된다. 그러나 이와 같은 자연의 매력적인 환경 속에서도 숲속에 사는 사람들의 자연과 동행하는 삶에는 동일한 악이 잠재한다는 암시가 느껴진다. 일례를 들자면, 피츠피어스가 어느 날 말을 타고 숲과 전원을 가르면서 나아가는 모습을 그레이스가 뒤에서 볼 때 그 장면은 멋지게 보인다. 이때 가을은 화이트 하트 계곡이 화려한 가을 풍경을 빚어내는 동안 붉은 사과들과 딸기들, 나뭇잎들로 빛나는 과수원들이 주위를 둘러싸고 있다. 풍경은 기울어가는 석양으로 한층 강렬하게 보인다. 대지는 더없이 풍요롭고 최고의 풍성한 순간이 일어난다. 도토리들과 밤껍질들이 발아래서 소리를 내며 밟히고 수확물들은 잘 정렬되어서 판매시장으로 나간다. 그럼에도 불구하고 피츠피어스는 차몬드 부인과 사랑의 밀회를 즐기려고 말을 타고 한가롭게 자연 속을 걸어가고 있다. 그레이스는 피츠피어스의 이런 거만한 쇼의 핵심에는 그녀 자신의 상황처럼 불건강함이 있음을 안다. 이처럼 작가가 묘사하는 나무, 숲, 대지, 계절 등의 풍경에는 외면적으로는 풍요와 아름다움이 있지만 피츠피어스와 차몬드 부인의 불륜에서 나타나는 것과 같은 악, 추함, 불성실, 질병과 같은 부패는 역시 존재하는 것이 현실이다(카펜터, 119). 이러한 대비적인 양상은 우주와 자연에 내재한 두 개의 얼굴에 관한 하디의 이원론 철학을 반영한다.

## 작중인물들의 신화적, 인류학적 형상화

그레이스는 남편의 불륜, 기만, 농락에 반발하여 이혼할 수 있는 길을 찾으면서 고뇌에 찬 시간을 보내고 있었을 때, 아버지가 또다시 만나보았던 법률변호사로부터 수정된 새로운 이혼법이 있다는 소식을 듣는다. 그녀의 아버지는 딸이 변경된 이혼법에 따라 옛날의 약혼남이고 연인이었던 자일즈와 관계를 회복하여 다시 결혼할 수 있다고 말한 바 있다. 그레이스는 아버지의 이러한 전언을 들었을 때 자일즈에 대해 갑자기 생겨난 존경과 흠모로 인해 낭만적인 공상에 빠진다. 그녀의 이러한 공상 장면에서 자일즈는 '숲과 자연의 신성한 존재'로서의 이미지가 그림같이 펼쳐진다. 그는 과일의 신, 숲의 신이며, 자연의 형제와 같고, 신화의 남자처럼 여겨진다. 다시 말해 자일즈는 그녀를 위해 신화적인 인물로의 존재론적 변형이 일어난 것이다.

> 그녀는 그에 관한 공상을 실제보다도 더 낭만적으로 만들고 있었다. 그가 과일의 신이 되기도 했으며, 숲의 신이 되어 그녀의 기억에 되살아났다. 가끔은 이전에 과수원에 있는 수액이 풍부한 큰 나뭇가지 사이로 바라보았던 것처럼 그가 푸른 잎에 스며들어 녹색의 옷을 입고 있었다. 그런가 하고 생각하면 블랙무어 계곡의 사과 양조장에서 돌아올 때 만난 것처럼 커다란 술통과 압착기 곁의 사과주에 물들어 사과 씨가 별 모양이 되어 가득 달라붙어 있기도 했다. 그녀의 마음의 밑바닥에는 아직도 자일즈를 연모하고 있다고 분명하게 말할 수 있는 열정이 있었으며, 그 열정은 그녀의 아버지의 그것만큼이나 강했다. (384)

위와 같은 자일즈의 모습은 숲의 모든 순수성과 유기체적인 생명력으로 재창조된 숲의 정령이며, 허식적이고 궤변적인 도시문명에 대립하는 자연의 정령인 것이다. 자일즈에 대한 하디의 묘사에서 그는 "가을의 직접적인 형제"이며, 그의 얼굴은 태양에 그을려 밀의 색깔이고, 그의 두 눈은 들국화처럼 푸르고, 그의 양쪽 소매와 두 다리에 두른 각반들은 과일 자국들로 물들어있으며, 양쪽 손은 사과들의 향기가 나는 수액들로 진득하다. 그레이스가 자일즈를 바라보았을 때 이와 같은 모습으로 그녀에게 비치는 시점은 그녀가 남편 피츠피어스의 외도와 결혼에 대한 불성실을 발견하고 매우 분노하고 있을 때다. 이 시점에서 자일즈는 그레이스에게 "치유하는 자연의 영향력"이 된다(카펜터, 120). 그녀에 대한 심리적인 묘사에서 "그녀의 심장은 마치 늘어진 나뭇가지처럼 때늦은 비애로 솟아올랐다. 그녀의 모든 감각은 들뜬 기쁨으로 갑자기 가식이 없는 자연으로 되돌아갔다"라고 작가는 기술한다(카펜터, 120). 그레이스는 자일즈로 대표되는 자연과의 살아있는 관계를 맺기 위해 참된 인간성의 깊은 필요성에 대한 반응을 순간적으로 보인 것이다. 그레이스가 바로 이런 시점에 있게 되면 그녀에게 자일즈는 참된 자연인이며, 순수하게 원초적인 인간으로 느껴진다. 이와 같은 교감의 시간을 현실에서 두 사람이 지속한다면 그들은 순수하고 진실한 교제를 할 수 있을 것이다.

그렇지만 위와 같이 들뜬 낭만적 공상에 빠져 있던 그레이스는 새로 개정된 이혼법이 자기에게 적용될 수 없다는 사실을 다시 알게 되자 자일즈에 대한 신화적인 이미지는 사라져버릴 운명이라는 사실을 알게 된다. 그리하여 그녀는 과수원에 들어가서 자일즈의 뒤를 따라 보이지 않게 빠져나가게 된다. 그때 그는 "반은 사람, 반은 양인 숲의 요정처럼 녹음으로 뒤덮인 숲속으로 사라져 갔다. 그레이스는 잘못 생각하고 있었다. 엄청나게 틀린 생각이었다"(377). 카펜터에 의하면, 이와 같은 장면들을 전체적으로 조망했을 때 숲, 나무, 자연은 그 중요성으로 보면 단순히 이미지와 메타포의 문제가 아니라고 본다. 이 소설은 신화적 또는 인류학적인 모티프를 다루며, 자연배경은 이와 같은 모티프에 대한 보충물로서 기여한다는 것이다(카펜터, 119-124).[25] 시간과 장소에 따라서 때때로 그레이스의 기억에서 자일즈는 보통의 피와 살을 가진 젊은이로 보이지 않고 더욱 의미 있는 어떤 존재, 예컨대 쉬지 않고 변화하는 자연을 닮은 '과일의 신'과 '숲의 신', 달리 말해 '자연

25 카펜터는 여기서 '신화적인'이란 말보다 '인류학적인'이라는 용어가 더 적절할 수도 있다고 말한다.

인'으로 기억이 난다는 것이다.

카펜터에 따르면 마티 사우스(마티)는 "자연의 자녀"를 대표하는 데 있어 자일즈와 비슷하다. 한 지점을 확대하여 보면 그녀는 자일즈의 숲의 신과 동료인 숲의 님프로 볼 수 있다. 힌토크 마을과 세계의 모든 여인 중에서 그녀만이 오직 자연과의 지적 교류에서 윈터본의 수준에 근접했다(카펜터, 120). 마티는 자연과 매우 친화적이고 교감능력이 뛰어난 자연인이다. 그녀가 자연환경과 동식물에 대해 감각적으로 민감하게 파악하는 능력이 돋보이는 장면을 나타내는 한 가지 예로서, 숲속 마을이 석양에 접어들자 작은 가지들이 석양을 배경으로 높이 떠올라 있게 되는데, 그곳을 잠자리로 삼아 둥지를 만든 세 마리의 꿩이 목과 몸을 움직이고 있을 때 마티는 붉은 석양빛을 받은 눈동자로 꿩을 가만히 바라보며 윈터본에게 이렇게 말한다. "내일은 날씨가 좋을 거예요. … 새들이 큰 가지 끝 부근에 웅크려 앉아 있기 때문이지요. 태풍이 불어올 것 같을 때라면 밑동에 꽉 달라붙거든요. 날씨는 새가 생각하지 않으면 안 될 전부가 아닌지 모르겠어요. 그런 것 같지 않아요, 윈터본 씨? 그렇기 때문에 새들이 우리보다 마음이 편할 것이 틀림없어요"(110). 보통의 문명화된 사람들과는 달리 윈터본과 마티는 둘 다 힌토크라는 숲속 마을의 나무들의 수액과 나뭇잎들의 경이로운 세계를 이해한다. 그들에게 밤과 겨울, 바람과 폭우 등의 광경과 소리는 짙은 나뭇가지들 가운데서 단순하게 일어나는 일들이며, 때로는 그녀에게는 무시무시하고, 심지어 초자연적인 세계와의 접촉으로 느껴진다. 그들은 그러한 것들의 원천과 지속과 법칙들을 예지하였다. 그들이 나무들을 심을 때 부드러운 마술사의 손길로 하는 것 같고 혹은 그들이 함께 숲속에서 일할 때 그들은 대지와 인간이 접촉하는 긴 경치들을 불러낸다. 다시 말해서 그들은 생명의 성장을 견인하는 사람들이다. 그들은 인자하고 깨끗하게 만들어주는 자연의 영향을 보여주며, 한 존재가 원시적인 활동에 잠김으로써 발생하는 육체와 정신의 건강을 나타낸다(카펜터, 120).

신화적, 인류학적인 유산에서 분리된 사람은 위에서 살펴본 것과 같은 맥락에서 보면, 자연에 정착하지 못하고 불안정하며 불완전할 것이다. 그런 사례로서 피츠피어스와 차몬드 부인은 둘 다 자일즈와 마티에게 존재하는 자연의 덕목이 결여되어 있다. 피츠피어스는 호사가의 취향을 지닌 '파우스트 박사'와 같으며, 지적으로 마술이나 밀교적인 지식으로 장난질하는 사람이다. 그러나 그는 자기 주위의 자연과 전원을 거의 보지 않는다. 농부들이 하는 말에 의하면 그는 신비하고 심오한 탐구에 빠진 양반이라는 것이다. 그가 자기의 영혼을 사악한 영혼에게 팔아버렸다고 소문이 난 것은 그렇게 추측할 만한 충분한 이유가 있다. 다른 사람들에 대해 신중한 배려가 없이 환상을 좇는 파우스트와 같은 사람은 도덕의 결여로 사악하기 때문에 거대한 파괴를 퍼뜨리도록 방치하면 위험하다. 그는 의사 직업을 가졌으나 과학이라기보다 연금술과 마술에 관심을 보이며 환자에 대해 의료적인 처방과 치료를 한다는 분위기만을 풍긴다. 이런 점은 진지함과 성실성이 많이 모자랐음을 말해준다. 그는 남의 눈을 피해 은밀하게 만나서 밀회를 즐기는 차몬드 부인과 다르지 않으며, 생명의 근원인 자연과의 접촉과 교류에는 관심이 없고 자연과 분리되어있다. 하디는 피츠피어스와 같은 귀족계급뿐만 아니라 차몬드 부인과 같은 젠트리(신사) 계급에 대해서도 호의적이지 않다. 차몬드 부인의 저택은 영양가 없는 호사스러움의 상징과 같고 습기가 가득 찬 공허한 집터에 서 있다. 그녀는 저택에 붙어 무성하게 자라는 무거운 담장이 덩굴과 관목들을 계속 잘라낸다. 이것은 그녀가 자연과 관계를 맺는 것을 귀찮게 생각한다는 점을 뜻한다. 그녀는 나무와 숲에 싸인 집에서 시간을 보내는 것보다는 집에서 멀리 떨어진 곳에서 더 많은 시간을 보내기를 좋아한다. 오만하고 괴변에 찬 여신과 같은 인간으로서 풍요로운 자연과의 교류를 거부하며, 유기적인 생명의 원천과 분리되어있다.

그레이스와 그녀의 아버지 멜버리 씨는 평범하고 혼란스러운 유형에 속한다. 그들은 삶의 양식과 자연의 영향 사이에서 분열되어있다. 그레이스는 자기가 받은 교육을 비통한 마음으로 후회하면서도 적절한 예의에 관련된 부적절한 처지에 대해서는 어정쩡한 태도를 보인다. 자기 남편으로부터 가출하여 자일즈가 옮겨간 숲속의 오두막집에 피신해 있을 때, 자일즈가 자기 안방을 그녀에게 양보하고 바깥의 숲속에서 떨어지는 비가 새어 들어오는 낡은 헛간에 누워 쇠약해진 몸으로 병을 앓고 있어서 오히려 그녀에게 의지하지 않으면 안 될 상황이었지만, 그가 죽음의 문턱에 이를 때까지 방치하고 그를 구하러 나가보지 않았다. 그녀의 아버지 멜버리 씨는 더 심하게 멍청하며 자기 판단력에 대한 믿음을 잃은 사람이며, 그의 자기비하는 너무 지나치다. 그는 날씨, 시간, 과일 수확의 시기에 대해 추측하는 것을 거의 두려워하는 느낌이 있다. 이러한 태도는 자연과의 접촉을 상실한 인간임을 뜻한다. 이 작품의 누구도 그러한 멜버리 씨보다 더 애처로운 인물은 없다. 그렇다고 자연과의 접촉 상실을 인위적인 문명의 지원으로 대체할 수도 없다 (카펜터, 121-122).

마티의 아버지 사우스(존 사우스)가 등장하는 나무와 관련된 스토리를 보면, 인간과 나무의 양자 간에는 자연의 초월적인 뭔가의 힘 또는 초자연적인 어떤 신비한 힘이 작용하고 있고, 나무가 인간에게 심대한 영향력을 행사한다. 집에서 그가 방안의 침대에 누워서 창문을 통해 눈앞에 바라다보이는 바깥의 느릅나무로 인해 나무의 악령에 시달림을 당하고 강박증에 사로잡혀서 점차적으로 계속 파괴적인 방향으로 빠져들어 병을 앓다가 결국에는 죽게 된다. 그가 나무에 대해 가지고 있는 괴이한 생각과 사상은 표면적으로 보면 미신에 속하는 것이지만 작품에서 그렇게 단순한 이야기는 아니다. 왜냐하면 여기에는 신화적, 인류학적인 사고방식과 사상이 복합적으로 투사되어있기 때문이다. 그는 자기가 집에서 침실의 창문을 통해 눈앞의 느릅나무를 계속 응시할 때 그 나무가 넘어져 자기를 박살 낼 것으로 생각한다. 이런 현상은 그의 발병과 죽음의 원인이 나무에 있으며, 나무 때문에 죽은 것이라는 미신적 증상을 입증한다.

잠깐 주목할 부분으로 집의 '창문'은 인간과 나무를 잇는 대신에 양자를 오히려 분리하는 역할을 한다. 그는 방안에 박혀 방 밖으로는 한 발자국도 나가지 않으려 하기 때문에 집 밖의 살아있는 유기적인 자연세계와 분리된다. 다시 말해 집의 창문은 자연을 그와 분리하는 기능을 한다. 사우스가 자기를 스스로 가두어 놓는 창문 안쪽의 방은 생명력 없는 폐쇄적인 세계이다. 사실 이 소설을 자세히 살펴보면 여러 곳에서 창문은 인간과 자연 사이를 단절시키는 분리의 상징이 된다. 자일즈와 그레이스 사이에서도 이러한 창문이 놓여있고 두 사람을 분리, 단절시킨다. 도로시 돈넬리에 의하면 그와 같은 창문들은 행동 없는 지식을 나타내며, 민속담에서는 보편적인 모티프가 된다고 한다(카펜터, 122).

다시 사우스에게로 돌아오면, "바람이 불 때마다 그 나무는 흔들리고, 그것의 움직임을 보고 그것의 징조적인 소리를 듣자 점차로 이 숲의 사람의 마음에 무서운 환상을 키운다"(카펜터, 122). 느릅나무의 나이는 사우스의 나이와 똑같다. 그 나무는 자기가 태어났을 때 싹이 터서 의도적으로 자기를 통치하고 그것의 노예로 삼으려 한다고 생각한다. 간호를 하고 있던 그의 딸 마티가 아버지를 위해 자일즈에게 와서 도와달라고 요청했을 때 집안에 들어온 자일즈는 낮게 널어져 있는 나뭇가지들을 감싸고 가리게 하여 사우스의 마음에 짐을 덜어주려고 애쓰지만 그 느릅나무는 그에게 더욱 커 보이고 더 무서워 보인다. 가난한 농부로서 고된 삶을 살아왔던 심약한 마티의 아버지는 자기 침실 앞에 높게 버티고 서 있는 느릅나무로부터 발산하는 어떤 힘에 사로잡혀 침대에 누워 우울증을 앓고 있는 상황이다. 저 느릅나무가 바람이 불면 쓰러질 것 같고, 그렇게 되면 자기가 죽게 될 것이라는 생각이 든다. 그는 창문 밖의 느릅나무를 자신과 동일시하고 있으며, 그가 태어난 날에 그 나무가 심어졌다고 생각하면서 서로가 떨어질 수 없는 동일체라는 강박적인 편집증에 사로잡혀 있다.

의사인 피츠피어스가 연락을 받고 도착했을 때 그가 제안하는 합리적인 방식은 그 나무를 아무도 모르게 베어버리라는 것이었다. 이런 제안에 따라 자일즈는 나무를 베어버리기 위해 나무의 아래로부터 나무의 위쪽으로 높이 쳐다보면서 하늘을 향해 기어 올라간다. 나무를 타고 올라가면서 가지들을 모두 다 자른 후에 결국 이 나무를 베어서 쓰러뜨려 버린다.[26] 다음 날 아침에 이 사실을 알게 된 사우스는 충격으로 인해 죽음을 맞는다.

자일즈가 나뭇가지를 자르면서 점점 더 높이 하늘을 향해 올라가는 장면에서 작가는 자일즈의 모습을 신화적인 차원으로 형상화한다. 그런데 그레이스가 밑에서 쳐다보고 있다.

> 그녀가 모습을 보여주지 않고 서 있는 동안 자일즈는 그녀의 마음을 파악한 것 같았다. 그는 서둘러 일에 착수하여 훨씬 높이까지 올라가 달빛 아래에서 벌어지는 세계와의 일체의 교제로부터 점점 멀어졌다. (140-141)

…

26 사우스는 나무를 베어낸 것을 보았을 때 발작하며 죽음을 맞는데, 그의 느릅나무로 인한 병적 증상이 여러 곳에 기술되어있다. 이에 대해 조금만 더 알아보자. 아버지와 딸 마티 사이의 대화에서 "아버지 필요한 것은 없으세요?" 침실 안에서 가냘픈 목소리가 들린다. "저 나무만 없다면 내일이라도 상쾌해지겠는데!" "또 나무예요? 늘 나무 말씀만 하시는군요. 아버지 그렇게 신경 쓰지 마세요. 해로울 것이 전혀 없다는 것을 알고 계시잖아요." "나무가 머지않아 내 생명을 빼앗을 게다." "그만하세요. 알고 계시잖아요. 어떻게 그런 일이 가능해요?"(p.43)

그리고 의사 피츠피어스가 방문하여 마티에게 말하는 장면에서 "나무의 모습이 악마처럼 그에게 붙어 다니는 것 같습니다. 나무는 자신과 똑같은 나이이고, 인간의 감각을 지니고 있으며, 자신을 노예로 만들어 지배하기 위해 자신이 태어났을 때 생겨났다고 말합니다. 이전에도 힌토크에 그런 사람이 있었습니다." "아, 나무가 이쪽으로 흔들리고 있구나. 틀림없이 닥쳐온다. 그렇게 되면 몇 채의 집만큼이나 가치가 있는 나의 가련한 목숨도 확 날아가버릴 것이다. 아! 아!"(pp.150-151).

> 그녀가 잠시 몸을 숨겼던 곳으로 되돌아왔다. 이번에는 그의 눈에 띄지 않았다. 그녀는 그의 가슴 속에서 아직 계속해서 살아있는 듯한 희망에 종지부를 찍어야 한다는 것에 마음이 내키지 않아 그의 무의식적인 행동을 아쉬운 듯이 가만히 쳐다보았다. (141)

지상으로부터 자일즈를 지켜보는 그레이스는 어디까지나 지상의 여자이며 천상의 자일즈와 대치된다. 지상으로부터 나무를 타고 점점 더 높은 곳으로 멀어져 가는 자일즈는 그레이스와 함께 지상에서 살아가려고 하는 것이 아니라 비현실적이고 추상적이지만 천상에서의 삶을 살고 싶은 욕망을 나타낸다. 하디가 설정한 이런 장면에는 나무를 지상과 천상을 이어주는 중개자로 여겨 신성시하는 고대 신화의 개념이 암시되어있다. 이러한 대목에서 나무의 우주화된 초월적 의미와 기능을 주목할 수 있다.

인간의 생명과 나무의 생명 사이에 존재하는 신화적 연결은 카펜터에 의하면, 원형적인 것의 본질에 속하며, 나무가 "세계의 중심"이라는 고대사상에 나타난 것과 같다. 사우스의 반응은 의심할 바 없이 의사 피츠피어스의 이성적인 관점에서는 심신증 환자로 설명될 수 있다. 피츠피어스는 그와 같이 설명하겠지만 그 의미는 이성을 초월한다. 비록 실증주의적인 사고로는 그것을 인식할 수 없겠지만 사우스와 느릅나무 사이의 연결은 실제적이다. 그런 일은 어떤 조건 아래서 인간과 자연은 불가분하게 서로 연루되어있으며, 그것의 분리는 인간 개인에게뿐만 아니라 사회에 대해서도 재앙적인 결과를 불러일으킬 수 있다는 것을 암시한다. 숲속의 자연속에서 사우스의 느릅나무는 어떤 의미에서 힌토크 세계의 중심이다. 결국 자일즈가 느릅나무를 베어버린 일로 인해 재정적으로 그가 의존하고 있던 사우스가 죽게 됨으로써 자일즈 역시 이후에 몰락의 길을 밟게 되고 현재 살고 있는 임차한 집을 비워주고 마을의 변두리에 있는 숲속의 허물어져 가는 낡은 집으로 이주하여 거기서 병을 얻고 앓다가 죽게 된다. 한 그루의 나무 때문에 하나의 왕국이 사라지게 된 것이다. 왜냐하면 이 숲속 마을에서 농부인 자일즈가 집을 자기에게 소유되게 하는 것은 사우스에게 연결되어있고 그의 삶과 죽음에 의존하기 때문이다(카펜터, 122). 자일즈의 재정적인 위상은 사우스가 영구 임차한 집들을 다시 하도급 식으로 임차계약을 해서 살고 있는 집에 대부분 기반을 둔다. 당시의 영국에서 이와 같은 노동자 계급과 농부의 집의 대부분은 영국의 법률에서 생활의 독특한 공급원이 되었다.

이 작품의 신화적인 차원은 당대의 취향에 공감을 주었으며 작품 전체를 가로지른다. 자일즈가 느릅나무에 올라갔을 때 그는 "어두운 암흑세계"에 둘러싸였는데 이런 환상적인 현상은 북유럽 신들의 안개의 나라와 그런 나라의 냉한과 죽음의 상징이다. 자일즈가 나무 위로 점점 더 높이 올라가는 바로 그런 행동은 달빛 아래의 지상세계와 교류를 단절하는 것이며, 하늘을 향해 나무를 올라가는 승려의 원시적인 의식을 반사한다. 이와 같은 장면은 다른 세계의 영향과 자일즈와의 관계를 나타낸다. 자세히 살펴보면 그레이스, 피츠피어스, 차몬드 부인과 같은 인물들에게는 그 배경에 고전의 참조가 내포되어있고 신화적인 배음이 들어있다. 작중인물들이 사건을 벌이는 어떤 장면들에서는 그런 인물들이 '한여름 밤의 전야'에 벌이는 고대의 풍요신 축제를 재현하는 듯하다. 이와 같이 다양한 무늬와 층위를 내포한 신화적이고 인류학적인 의미가 주입되어있는 작품이 『숲속에 사는 사람들』이다. 이 작품은 여러 고전의 인유들이 사용되고 있고, 희생양으로 죽는 왕의 계절적 제의, 그리스의 소포클레스적인 비극 등이 극적으로 함의된 신화적 기반을 갖추고 있다. 이런 측면들은 사회적 심리학적인 주제들을 넓히고 심화한다.

이 작품에는 하디의 최상의 작품에 나타나는 악한들인 찬스(Chance), 운명(Fate)과 시간(Time) 등에 대한 필연성이 내재해 있다. 이런 것들은 작품에서 중요성이 무시돼도 좋을 만큼 처리되고 있지만 실제로는 배경에 암시적인 의미로 내재해 있다. 작품이 전달하는 것은 혼란과 애상, 당황스러운 여러 갈래의 예상치 않은 충돌, 어둑한 숲을 방황하는 사람들의 내적 의식 등에 관한 모습이며, 무엇보다 자기중심성에 의해 파멸을 겪지만 본질적으로 선량한 사람들에게서 풍기는 삶의 비애이다. 자일즈는 분노와 보복의 인간이 아니며 오히려 생명력에 넘치는 디오니소스적인 남신 혹은 북유럽 신화에 등장하는 아름다움과 평화의 남신인 발더(Balder)라고 할 수 있다. 발더 신은 어느 날 생명에 관한 불길한 꿈을 꾸었다고 전한다. 이 작품에서 중심 인물인 자일즈의 죽음은 물질적 탐욕과 육체적 욕망, 그리고 지성, 문명, 교육으로 인해 타락한 인간들의 세계에서 꼭 필요한 유기적인 소중한 생명력의 상실을 뜻한다. 자일즈의 생애는 비록 짧았지만 그는 숲의 사람, 자연인, 자연의 아들, 자연의 직접적 형제로서 변함없는 인생을 살다가 생명을 마감했던 것이다(카펜터, 123-124). 그는 작품의 마지막에서 마티가 말한 것처럼 근본이 선량한 인간이며 선량한 일들을 했다. 그녀는 자일즈에게서 발견했던 '참된 진리'를 그가 묻힌 숲속의 무덤에 가서 홀로 애도하면서 명확하게 선언하였다. "낙엽송 묘목을 식수할 때는 당신처럼 할 수 있는 사람은 없었다고 생각해요. 그리고 서까래를 쪼갤 때와 사과술을 짜는 기계를 돌릴 때도 당신같이 할 수 있는 사람은 없었다고 말하겠어요"(473). 자일즈가 그렇게 선량한 삶을 살 수 있었던 것은 숲속에서 변함없이 자연과 동화되고 자연과 친화적인 삶을 살았기 때문이다. 자일즈에게서 나타나는 신성한 힘과 생명력은 신화에서 보게 되는 양상들과 유사한 것이다.

## 나가며

잉글랜드 남서부에 위치하는 울창한 숲지대의 오지에 있는 힌토크는 외부세계와의 교류가 흔치 않은 고적한 마을이다. 이 산촌마을에서 살아가는 작중인물 중에서 선량한 부류에 속하는 주역 인물은 자일즈와 마티이다. 전자는 아버지로부터 물려받은 영구 임대토지에 의지하여 자영농업으로 살아가는 청년 농부이고, 후자는 소규모 목재소에서 일하는 처녀 노동자이다. 그들은 경제적으로 가난하고 힘들게 살아가지만 숲지대의 전원과 숲속의 생활로 자연과의 유대와 조화를 이룸으로써 생명의 활력과 살아있는 감수성을 잃지 않은 자연인이다. 그들은 자연과의 친화적인 삶을 통해 인간적인 따뜻함과 순박성, 성실성을 지니고 있다. 숲속의 오지 시골마을은 계절의 순환과 일기와 기후의 변화를 따라 다채롭고 풍성한 생명의 세계를 펼친다. 자일즈와 마티는 이러한 자연에 순응하고 나무와 숲이 베푸는 생명력에 감응하면서 내면적으로는 풍요한 삶을 영위한다. 선량한 자일즈와 마티는 비록 물질적으로는 어려움이 많지만 전원과 숲지대에서 동화한 포용성과 순수성을 가지고 있어서 깊고 애절한 감동을 준다.

이들과 대비되는 부류의 부정적인 인물들로는 피츠피어스와 차몬드 부인을 들 수 있다. 전자는 귀족계급의 후예로서 고등교육을 받았고 외과의사 자격증을 가졌으며, 후자는 지주계급 출신으로서 지방의 영주이며 세속적인 부를 소유하고 있다. 그들은 상류계급 사람들이 흔히 보이는 권세와 힘에 의지하여 타인들에게 오만하고 허세적이며 부도덕하고, 자연이 제공하는 생명의 풍요와 다채로움, 변화와 리듬에는 무관심하다. 그뿐만 아니라 각종 나무와 동식물로 가득한 풍요로운 숲지대에서 서식하는 생명체들과 유기적인 유대관계를 맺지 못하고, 자기중심적이고 이기적이며, 세상적인 탐욕과 쾌락을 좇아서 살아간다. 기본적으로 인간관계에서 가장 필요로 하는 참된 생명력과 사랑, 진정성과 성실성을 상실하였다. 그러한 삶의 결과는 우울증과 무기력, 공허감과 결핍증, 피폐성과 폭력, 냉기와 갈증 등이다.

위와 같은 두 부류의 상반된 인물들 사이에서 경계선을 넘나드는 인물이 그레이스이다. 그녀는 상당한 부를 축적한 목재 사업가인 아버지 멜버리의 사회적 신분상승에 대한 욕망과 자식에 대한 사랑에 힘입어 대학교육을 받았으며, 같은 마을에서 어릴 적부터 친구로서, 연인으로서 사귀어온 순박한 자연인인 농부청년 자일즈와 오랫동안 약혼관계에 있었다. 그럼에도 불구하고 아버지의 권유를 이기지 못해 자일즈와의 약혼을 포기하고 도시에서 힌토크 마을로 흘러들어온 성적으로 문란하고 자기중심적인 외과의사 피츠피어스와 결혼한다. 그레이스의 결혼은 아버지가 딸을 교육시켜 신분상승을 도모하려는 강한 세속적 욕망에 의한 것인 만큼 그리고 그녀 자신이 도시에서 받은 교육과 문화의 영향으로 인한 허영심과 세속적인 허위의식에 의한 것인 만큼 실패하는 인생으로 나아갔다. 그레이스의 남편이 된 피츠피어스는 결혼생활에서 불성실하고 부도덕한 본성을 드러내고 내밀하게 벌여왔던 다른 여성들과의 불륜관계를 끊지 않는다. 그레이스는 이러한 사실을 알게 되자 절망하여 옛 연인 자일즈에게로 다시 마음이 기울어지게 되지만 이러한 마음의 변화는 일시적인 꿈으로 끝나버린다. 그레이스는 자일즈와 만나 대화를 나누는 기회를 몇 차례 갖는 동안, 그리고 과수원에서 일하는 그의 순박한 노동의 모습을 지켜보면서 잠깐이나마 지난날의 시골 처녀로서 지녔던 순수한 감정을 회복하고, 숲속의 나무와 자연을 향한 감수성과 교감력을 회복한다. 하지만 결국에는 상당한 희망을 품고 기다렸던 이혼법률이 개정되지 않자 이혼 계획은 무산되며 어쩌지 못해 불성실한 남편 피츠피어스에게 되돌아갔다.

그레이스는 자연과 문명, 전원과 도시, 순수와 오염의 상반된 영역을 넘나드는 경계선적인 인물로서 '분열된 자아'를 표출한다. 도시적 문명과 물질적 부를 인생의 기준으로 삼아 남편을 다시 한번 선택했지만 그녀의 장래는 아버지가 하는 말에 나타나 있듯이 남편의 약속은 불안스럽고 안정된 생활은 불확실하다. 그녀의 남편이 어떤 도시든 큰 도시로 나가서 병원을 개업

하여 행복한 삶을 누리도록 하자는 제안은 듣기 좋은 말로만 끝날 수도 있다. 남편이 제안하는 도시에서 성공하는 삶의 꿈이 앞으로 보장될 가능성은 작을 수 있다. 그레이스는 숲과 전원의 녹색자연에서 어릴 적부터 시간을 보내면서 어릴 때와 소녀시절을 거치면서 한때 지녔던 생명에 대한 참된 감수성과 자아의 내적 순결성을 이제는 이미 잃어버린 여성이다. 오랜 삶의 정체성의 뿌리가 되는 숲의 자연과 단절, 분리됨으로써 부부관계나 인간관계에서도 역시 진정한 유대와 교류에 성공하기란 어렵다. 그녀는 도시적인 교육과 기능적인 지식, 허식적이고 인공적인 문화에 침식되어 살아왔던 기간이 짧다고 할 수 없기 때문에 결국에는 도시와 문명의 세계에서 불안정하고 파괴적인 인생을 반복할 확률이 훨씬 높다.

이 작품의 전체적인 줄거리를 개관할 때 힌토크의 숲지대는 다양하고 수많은 나무와 동식물과 뭇 생명체들이 거주하고 서식하는 풍요로운 공간이다. 이곳의 자연은 문명의 침투를 거부하고, 인위적인 권력의 강압에 저항하는 공간이라고 할 수 있다. 자일즈와 마티는 이러한 자연 속에서 숲의 생명체들과 동화하고 교감하면서 안정과 조화, 자족과 행복을 누리기를 원한다. 그러나 피츠피어스, 차몬드 부인과 같은 인물들은 자연에 순응하는 인물들과는 달리 지속적으로 자연을 거부하고 이탈하여 소모적이고 기능적인 쾌락을 좇아다님으로써 자연에 순응하는 선량한 인물들과는 달리 분열적이고 파괴적인 삶을 살아간다고 할 수 있다. 그들은 반자연적인 인물로서 '숲 밖의 인물'로 분류될 수 있는 유형에 속한다. 반면에 자연에 순응하고 친화적인 자일즈와 마티는 '숲속의 인물' 유형에 속한다고 할 수 있다. 이 작품은 도시적인 문명과 교육적 요인이 자연과 숲에서 살아가는 사람들에게 어떤 영향을 미치는지에 관한 통찰의 탁월성이 나타난다.

전체적으로 보면 가장 압도적인 정서는 숲지대 오지마을의 사람들이 숲속의 자연처럼 순박하고 가식 없는 마음과 자연에 대한 순응과 신뢰의 마음을 품고 살아간다는 측면이다. 그들은 자연과 하나가 되고 조화를 이루며, 자연이 제공하는 갖가지의 아름다움, 생명력, 풍요를 공유한다. 비록 하디의 자연관, 세계관에 비관주의적인 '내재적 의지' 혹은 '우주적 의지'가 작용하기는 해도 선량한 유형의 작중인물들은 자연을 거부하거나 이탈하지 않고 자연과 조화를 이루면서 생태주의적인 세계관으로 삶을 영위한다. 이와 같은 측면은 여전히 세대를 통해 이어져 오는 자연친화적, 자연주의적인 영국의 전통을 유지하고 있다는 사실을 입증한다. 그러면서도 17세기 이후부터 진행된 산업혁명과 과학기술과 도시문명의 획기적 발전에 발맞춰서 부정적인 사회적 영향력이 세차게 작용하였던 현실이었다. 이에 따라 기계론적, 유물론적, 물질주의적인 세계관이 부정적인 유형의 작중인물들 가운데서 나타나는 것이다. 요컨대 작중인물들을 유형별로 정리하면 유기적 생태주의적인 세계관과 기계론적 물질주의적인 세계관을 두고 양극화로 분화되거나 아니면 양자가 만나는 경계선상을 왕래하면서 이중성 혹은 분열성을 보이는 세 부류로 나눌 수 있다고 하겠다.

이 소설은 하디의 보편적인 주제들을 반영한다. 농촌의 소박한 자연환경, 결혼한 짝들의 보상 없는 사랑, 사회적 계급의 이동, 자연의 내재적 의지로 인한 불확실한 삶 등이 다루어지고 있다. 그뿐만 아니라 다른 대부분의 작품과 마찬가지로 삶의 완성과 행복을 위한 기회가 포기되거나 지연되는 패턴도 나타난다. 또한 나무와 숲을 배경으로 자연세계와 녹색전원의 삶에 동반되는 다양한 요소들이 들어있다. 변화하는 계절과 하루의 일기와 기후를 비롯한 농업, 목재업, 과수원의 노동으로 살아가는 서민계급의 일상적인 생활의 양상과 분위기 등에 관한 많은 시적 묘사나 세밀한 사실주의적인 서술을 볼 수 있다. 이상에서와 같은 여러 가지 측면에서 볼 때 이 작품이 지니는 의의와 가치는 대단한 것이다. 이 소설은 작가의 섬세한 예술적 감각과 재능에 대해서 높은 평가를 받는 고전에 속한다.

이 소설은 영화, 라디오 낭송, 오페라 등으로 제작된 여러 종류의 각색본이 있다. 1997년에는 영화로 만들어졌는데 에밀리 후프와 루퍼스 씨웰이 주연으로 등장한다. 430만 파운드의 예산이 소요되었다. 1970년에는 BBC TV 방송에서 페리시티 켄달과 랠프 베이츠를 주연으로 하는 영화 각색본이 나왔다. 그리고 BBC 라디오 7번 채널에서 〈토마스 하디의 2009년 고전 시리즈〉로 낭송되었다. 그뿐만 아니라 스티븐 파우러스에 의해 오페라로 각색되어 1985년에 세인트 루이스 오페라 극장에서 공연되었다.[27]

하디의 두 번째 부인인 프로렌스 에밀리 하디의 기록에는 1874년에 하디는 원고를 쓰고 있었던 "『숲지대 이야기』를 제쳐두었다"라고 말하면서 이것을 10년 후에 『숲속에 사는 사람들』로 발전시켰다고 밝힌다. 이 작품은 1874년에 출판된 『광란의 무리를 멀리하고』의 후속편으로 의도되었지만 다른 일들 때문에 묻어 두었다고 한다. 하디는 『맥밀란 잡지』의 편집자가 1884년 10월에 새로운 연재물을 요청하자 그 후에 자기의 『숲지대 이야기』로 되돌아가기로 결심하였다. 이것은 이 잡지의 연재물로 출간되었고, 1887년 3월에 미국에서 세 권의 『하퍼즈 바자르』의 첫 번째 판본으로 출간되었다. 출판되었을 당시의 작품에 대한 평가를 보면 널리 칭송을 받았다. 1887년 4월에 『토요 리뷰』에서 "하디가 쓴 최고의 소설"이라고 했고, 또 아서 퀼러 코우치는 "그의 최고로 멋진 작품이 아니라면 최고로 사랑스러운 작품이다"라고 논평했다. 윌리엄 리용 펠프스는 "하디의 소설 중에서 가장 아름답고 가장 고결한 작품"이라고, 또한 에드워드 뉴톤은 "지난 반세기의 소설 중에서 최고의 소설의 하나"라고 극찬했다. 그뿐만 아니라 하디 자신이 개인적으로 좋아했던 소설이라고 한다. 뉴먼 프라워는 하디가 자기의 "애호하는 소설"이라며 소상하게 말했다고 밝혔다. 출판 후 25년이 되어 하디는 "여러 해가 지

27 인터넷을 검색하여 발췌한 내용이다. 영미권의 여러 학자와 독자들이 쓴 이 작품에 대한 소개와 논평문, 독후 소감문이 사이트에 많이 올라와 있다.

나서 작품을 손에 들고 읽었을 때 나는 나의 모든 작품 중에서 최고의 이야기로서 좋아한다."라고 기술하고 있다.[28]

28 이 글을 끝내면서 지면의 제약으로 숲지대에서의 자연과 인간에 관해 언급하지 못한 많은 자료가 있어서 아쉽다. 국내에서 나온 네 편의 관련 논문의 내용을 간략하게 소개한다. ① 박승윤, 「Thomas Hardy의 작품에 나타난 인간과 자연의 관계」, 고려대학교 대학원 석사학위 논문(1989). 하디 소설의 창작기법이 탁월함을 언급하며, 자연풍경과 환경을 사진처럼 사실적으로 묘사하여 구체적으로 다룸으로써 시각적 상상력을 불러일으키고, 사물의 본질을 간파하는 방법을 터득했다는 점을 주목한다. 하디의 자연관과 인생관은 낭만주의적이지만 동시에 과학적인 측면에서도 다윈의 진화론을 포섭하여 바라보는 관점을 사용한다는 것이다. 그런 양면적 관점과 사물에 대한 이원론적 접근법으로 인간과 자연을 통합한다고 본다. ② 김명환, 「『숲사람들』의 양식 실험」, 서울대학교 인문논총 제51집(2004), pp.79-103. 서술 양식과 문학 장르의 측면에서 볼 때 이 작품은 목가, 사실주의 소설, 풍속소설, 신화, 고전비극 등이 혼용되고 있으며, 멜로드라마적이고, 블랙코미디, 소극, 희극, 비극 등이 복합되어 실험적인 요소를 가진 점을 천착한다. ③ 정정희, 「토마스 하디의 『숲의 사람들』과 목가」, 『근대영미소설』 제3집(1997), pp.211-233. 작품의 배경과 주제의 측면에서 목가적 공동체인 힌토크 숲속 마을을 다루었으며, 목가적인 인물들과 반목가적인 인물들, 그리고 경계선에 놓인 인물(그레이스의 경우)을 분류하여 분석한다. 빅토리아 조 시대의 영국 농촌사회의 사회변화와 계급적 유동성이 일어나는 과도기적인 시대환경에서 작가는 옛날부터 전해오는 전통과 관습이 보존된 목가적인 전원생활이 점차 소멸하는 과정을 묘사하고 있으며 아쉬워한다는 것이다. 힌토크의 숲을 중심으로 하디의 자연관과 목가적 공동체가 어떠한지를 밝힌다. ④ 정진희, 「토마스 하디의 『숲사람들』 연구: 그레이스의 선택과 양식 활용을 중심으로」, 서울대학교 대학원 석사학위 논문(2008). 여주인공 인물인 그레이스 멜버리를 중심으로 하여 그녀가 지니게 된 갈등의 복합성과 선택의 의미를 목가와 멜로드라마의 양식과 연관하여 살핀다. 당대의 과도기적인 시대환경에서 숲속의 전원에서 자라난 여성이 대학교육을 받고 문명의 영향을 받음으로써 배우자 선택과 결혼생활에서 어떤 문제점이 발생되는지를 다룬다. 숲지대 마을이라는 전원공동체 사회에서 외부적인 문명의 유입으로 인해 전통적인 계급의 이동이 일어나며, 결혼과 관련하여 상업주의적이고 물질중심적인 가치관이 부상하여 전통적인 고전에서 볼 수 있는 목가적인 양식과 근대적 사실주의가 문학기법적으로 혼합되었다는 점을 밝힌다. 이러한 네 편의 논문들은 모두 기본적으로 숲이 배경이 되는 전원 공동체에서의 인간과 자연의 유대와 친화를 다룬다.

3-2

# 숲속의 길, 마을, 전원
# —프로스트의 자연시들

## 뉴잉글랜드의 숲과 자연으로의 전략적 후퇴, 시적 요새

프로스트는 시의 창작에서 풍경을 효과적으로 전망할 수 있는 지리적 지점을 선택하는 것이 중요하다고 말한다. 시인이 그와 같은 지점에서 눈앞의 풍경을 바라본다면 넓은 시야를 확보할 수 있고, 그런 지점을 통해서 인간이 살아가는 사회와 자연을 전체적으로 볼 수 있는 이점이 생기기 때문이다. 예를 들면 마을과 도시, 숲과 전원은 이런 지점에서 바라보아야 놓치는 부분이 없게 된다. 풍경을 보면서 시를 쓰는 시인에게 그런 지리적 지점은 '전망의 요새'가 되며, 그런 곳에서 인간과 자연의 관계에 대한 새로운 인식을 얻을 수 있고, 전체적인 삶의 실상을 깨달을 수 있다. 이와 같은 전망대는 군대의 야전전투에서는 '감제고지'라 불리며, 적병과 대치하여 싸울 때 매우 유리한 전략적 요새가 된다. 프로스트는 자신의 시에서 이와 같은 시적 요새를 첫 번째 시집인 『소년의 뜻』(1913)에 실린 「유리한 전망대」("The

Vantage Point")에서 언급하고 있다. 이 시에 묘사된 숲과 들판, 그리고 숲과 마을의 경계선이 전체적인 풍경에서 '유리한 전망대'이다.[29] 프로스트는 시의 창작에서 이러한 전망대를 인간과 자연세계를 전망하는 철학적 요새로 삼는다. 시인이 보다 더 좋은 전망대를 선택해야 풍경에서 무엇이든지 다 볼 수 있고, 전체를 올바르게 파악할 수 있다. 이와 같은 맥락에서 프로스트의 시적 전망대는 세계의 완전한 모습과 실재를 총체적으로 탐구하는 철학적 장소인 것이다.

> 만약 내가 나무들에 지치게 되면 나는 다시 인간을 찾는다, /나는 내가 달려가게 할 곳을 잘 안다—새벽녘에 /소들이 풀과 함께 있는 경사지로 가야지요. /거기서 늘어진 향나무 가운데 기대서, /내 스스로는 보이지 않은 채 명료하게 드러난 하얀 곳에 있는 /멀리 있는 인간들의 집들과, 더욱 멀리 있는 /건너편의 인간들의 무덤들을, /살아있는 것들이건 죽어있는 것들이건, 무엇이든지 인간에게 보인다. / 〔…〕.[30]

프로스트는 20세기의 현대 미국사회를 살아가면서 바쁘고 복잡한 도시를 떠나 보다 더 느리고 조용하고 여유 있게 살아갈 수 있는 녹색지대로 옮겨가서 살아가는 삶을 선택한다. 거기에는 각종 다양하고 수많은 수목과 화초와 동식물이 서식하며 함께 살아간다. 그가 도시와 문명세계를 떠나서 전원, 숲지대로 이주한 것은 '전략적인 후퇴'를 뜻한다. 이와 같은 자연세계에

---

29 구본형, 「내 마음을 무찔러드는 글귀: 〈로버트 프로스트의 자연시: 그 일탈의 미학〉」, 변화경영연구소(2008.11.10.), p.6. (https://blog.naver.com/PostView.nhm?blogId=js9660&logNo=50043827203&beginTi... 2018-02-07)

30 Edward Connery Lathem, ed., *The Poetry of Robert Frost* (London: Holt, Rinehart and Winston, 1977), p.17. 이후 본문에서 프로스트의 시를 인용할 때 이 시집은 *Poetry*로 약기한다.

는 시골마을이 있고 농장, 목장, 채마밭, 개울, 시내, 강이 있다. 인생에서 이와 같은 장소를 소망하고 선택한다는 것은 프로스트에게는 중요한 의미를 지닌다. 참된 자아를 잃고 무미건조하게 살아야 하는 문명의 도시를 떠나 원시와 야성의 자연으로 이동해야 근원적인 자아와 참된 나를 찾을 수 있다. 이렇게 이동하는 것은 곧 시인 프로스트에게는 중요한 '전략적 후퇴'이다. 이와 같은 이유로 그의 수많은 자연시에는 사실상 전략적 후퇴가 반영되어있다. 프로스트는 소로의 『월든 숲속의 생활』에서 깊이 감동하였으며, 그러한 삶을 자신의 인생을 위한 전략적 후퇴의 모델로 삼았다. 앞에서 이미 살펴보았듯이 소로는 아름다운 호수가 있는 월든 숲속에서 실험적인 2년 2개월의 삶을 살았던 초월주의적인 자연시인이자 철학적인 작가였다. 프로스트는 소로에게서 보조를 맞출 동반자를 발견했던 것이다. 한 인터뷰에서 그는 다음과 같이 말했다.

> 소로가 현대적 속도로부터의 독립을 선언한 데서 나는 내 자신의 성향에 대한 가장 큰 옹호를 발견합니다. 그는 의도적으로 살기 위해 숲으로 갔다고 말했습니다. … 내가 여러 곳에 간 이유도 바로 그것입니다. 한 시간에 반 마일까지 속도를 낮출 수 있는 완전한 기어장치가 장착된 자동차의 속도를 내게 주면 나는 하나의 꽃과 또 다른 꽃을 구분할 수 있습니다. 내가 참을 수 없는 것은 현대적 속도를 불평하면서도 여전히 그것을 유지하려고 몸부림치는 무리들입니다.[31]

프로스트는 소로와 유사하게 현대사회의 산업화와 도시화, 과학기술과 물질주의로 인해 상실한 본래적인 참된 인간성을 회복하는 데에 큰 관심을

31 Edward Connery Lathem, ed., *Interviews with Robert Frost* (New York: Holt and Winston, 1966), pp.146-147.

가졌다. 시골의 전원과 숲지대에서 녹색자연과 더불어서 호흡하며 살아가는 농부의 삶은 산업화, 도시화 이전의 전형적인 형태이다. 그러나 현대에는 전원에서 살아가는 농부마저도 산업주의를 모방하고 이에 따라 소유와 경쟁적 생산에 집착하고 일의 노예 상태가 됨으로써 존엄성을 잃고 인생의 많은 즐거움을 포기하는 사태가 일어났다. 무엇보다 프로스트는 농부와 전원의 강점을 되찾는 일이 농부들에게 필요하다고 생각했다. 그는 소로처럼 이러한 문제에 대한 해법을 나무와 숲이 울창하기로 유명했던 뉴잉글랜드 지역에서 찾았다. 프로스트는 가문의 선조들이 대를 이어 살아왔던 그곳의 전원을 너무나 좋아했고, 한동안 영국에 가서 체류하며 시작(詩作) 생활을 했을 때도 한적한 시골집에서 살았다.

뉴잉글랜드 지역에서 사는 동안에는 상공업계보다 정신계에 더욱 밀착하여 살아가는 시골 사람들을 더 좋아하였다. 그는 전원에서 농사를 짓는 일과 학교에서 가르치는 일, 그리고 시를 쓰는 일을 병행하는 삶을 살았으며, 그의 많은 시는 전원의 자연에 대해 깊은 애착심을 보여준다.[32] 다트마우스대학에서 수업할 때는 반복되는 교실 수업이 매우 따분하게 느껴져서 머릿속에 시상이 맴도는 상태로 숲속을 찾아가서 외롭게 걷는 일이 흔했다. 어느 날 가을에 숲속을 거닐다가 죽은 나비의 날개를 보고 그 자리에 주저앉아 시를 쓴 것이 「나의 나비: 하나의 애가」였다.[33] 그는 시골에서 농사를 지으면서 자연을 통해 다양한 갈등도 겪고 수많은 체험을 했던 시인이었으며, 인생과 자연을 서로 관련지어 관찰함으로써 실존적, 초월적인 깊은 진리를 터득했다.

프로스트의 자연에 대한 깊은 애정은 『시 전집』(*Complete Poems*)에 붙인 헌시인 「목장」을 책의 첫머리에 실은 것으로도 짐작할 수 있다. 이 시에서

32 이에 대해서는 심인보, 「I. 생애」, 「II. New England」, 『Robert Frost론』(서울: 형설출판사, 1993), pp.11-44. 이 부분을 참조하면 더욱 자세한 사실들을 알 수 있다.

33 심인보, 같은 책, pp.16-17.

각 연의 끝은 "함께 가볼까요"로 되어있다. 제1연을 보자. "목장의 샘을 치러 나갈까 합니다. /낙엽을 긁어내기만 할 겁니다 /(아마, 물이 맑아지는 것을 지켜볼 생각이지만) /오래 걸리지는 않을 겁니다. 함께 가볼까요"(*Poetry*, 1).[34] 소로의 『월든 숲속의 생활』과 프로스트의 자연시는 모두 다 뉴잉글랜드의 지역적인 중요한 열매이다. 두 사람은 그곳의 숲속에서 자연과 더불어 살아가면서 세속적인 자아를 벗어버리고 참된 내적 자아를 발견하기 시작했으며, 마음의 치유와 평화, 영적 자유와 풍요를 누리기 시작했다. 그렇게 해서 프로스트는 도시의 기계적인 패턴과 상업적인 이익만을 좇아서 바쁜 일상생활을 보내며 살았던 마음의 불안과 피폐함에서 해방될 수 있었다. 그는 숲속지대에서 자연과 동화되고 교감하는 생활을 통해 물질적 가치를 넘어 정신적, 영적인 가치를 찾았다. 프로스트는 소로와 마찬가지로 숲속의 나무꾼이 되어 자신이 만든 도낏자루의 길고 흰 몸뚱이를 쓰다듬으며 숲지대의 나무와 소통하며 자연생활을 즐겼다. 도시의 번잡스러운 일상과 쫓기던 시간의 속박으로부터 풀려나 자유로운 시간을 즐기면서 시인으로서 글을 쓰며 예술적인 삶을 누렸다. 그런데 「자작나무」와 「장작더미」에서 볼 수 있듯이[35] 프로

34 이 헌사에 대해서 설태수는 자연의 섭리와 인간이 할 수 있는 일의 관계와 시인의 절제력에 대해 깊이 있게 나타낸다고 말하면서, 독자를 초대하는 이 시는 이러한 현장으로 독자를 초대하는 것이지만 일일이 설명할 수 없는 세계를 그와 함께 체험해보자는 것이라고 해석한다. 설태수, 『R.프로스트의 세계관』(서울: 형설출판사, 2005), p.29.

35 「자작나무」는 매우 사실적으로 읊는 시로서, 시의 화자는 어두운 색깔의 나무들 사이에서 자작나무들이 좌우로 굽어진 것을 보는데 소년들이 매달려 흔들었을 것이 생각난다. 시인의 상상은 그 자작나무가 겨울철에는 가지들에 쌓인 하얀 눈의 무게로, 그리고 바람이 불면 가지들끼리 부딪쳐서 금이 가고 지쳐서 무게를 이기지 못해 땅 아래로 휘어지고 굽어져서 힘들어하며 버티고 있는 모습이다. 소먹이는 소년들이 자작나무를 타고 오르기를 했고, 그들은 가지들을 흔들다가 땅으로 뛰어내리는 놀이를 해마다 수없이 반복했으며, 시인도 어렸을 때 역시 그랬고, 시인의 아버지도 그랬다고 회상한다. 시인은 그처럼 긴 세월 동안 고통을 겪어온 터라 자작나무들은 기운이 다 빠져 맥없이 늘어지지 않은 것이 한 그루도 없다고 애처로워한다(*Poetry*, pp.121-122). 그리고 「장작더미」도 역시 아주 사실적으로 읊고 있는 시인데, 어느 겨울에 시인이 얼어붙은 늪지로 산책하러 나갔을 때 가던 길을 잠시 멈추고 돌아

스트는 시적 창조에서 우리의 기대와는 달리 사실주의자였는데, 그런 입장에서 그는 신화의 시대를 지향하지 않았다. 따라서 그를 단순한 낭만주의 시인이라고 보아서는 큰 오산이다.[36] 그가 도시문명 사회로부터 전원과 숲지대의 자연으로 후퇴하여 농사를 지으면서 자연(주의)적인 삶을 지향했지만 그렇다고 해서 그가 그려내는 자연은 단순히 낭만적인 성격의 자연은 아니다.

그런데 우리가 그의 시를 읽을 때 유의해야 할 사항으로 그가 도시세계로부터 희망하는 자연세계로 이주했음에도 불구하고 도시를 일탈함과 동시에 계속 머물면서 살아가는 자연도 일탈하고자 했다는 점이다. 이것은 역설적인데, 결국 프로스트는 양자를 모두 일탈함으로써 어느 장소에도 속박되지 않는 도락생활을 즐기고자 했다. 이와 같이 사실주의적인 낭만이나 도락을 추구하는 것에는 '일탈의 미학'이 들어있다.[37] 프로스트는 현대인들이 정신적으로 잠에 빠져 있는데 이런 상태에서 깨어나는 방법을 배우기를 원하였다. 일탈의 미학은 프로스트에게는 인간의 의식과 상상력을 깨어나게 하는 전략적인 수단이었다.

프로스트는 뉴잉글랜드의 숲과 나무가 많은 지역[38]의 농장에서 직접 농

---

갈까 하고 중얼거리다가 계속 걷던 쪽으로 걸어가다가 우둔한 흰 새 한 마리를 만난다. 그 새를 날아가도록 내버려 두었는데 새가 날아간 '장작더미'의 뒤로 걸어갔더니 거기에는 단풍나무들을 자르고 쪼개서 쌓아놓은 장작더미가 있었다. 숙영지 벽난로에서 멀리 떨어져 있는 장작더미가 할 수 있는 일이라곤 연기 없이 천천히 타는 부패로 얼어버린 늪을 데울 수 있을 뿐이었다고 시인은 생각한다(*Poetry*, pp.101-102).

36 구본형, 동일한 사이트, 2018. 2. 7, p.7.

37 신재실, 『로버트 프로스트의 자연시: 그 일탈의 미학』(서울: 태학사, 2004) 참조. 그리고 이 책에 대한 서평으로 봉준수, 「영미시와 일반독자」, 『영미어문학』 제51권 2호(2005), pp.461-464.

38 뉴잉글랜드 거주와 프로스트의 가문과 선조들의 역사에 대해서는 Henry Hart, *The Life of Robert Frost: A Critical Biography* (West Sussex, UK: John Wiley & Sons Ltd., 2017), 제1장 "The New England Frosts", pp.1-7. 그리고 프로스트의 자세한 연보에 대해서는 The Library of America, ed., *Robert Frost, Collected Poems, Prose, & Plays: Complete Poems 1949 In*

사를 짓고 시를 쓴 작가였다. 그가 한때 뉴잉글랜드의 고향을 떠나 영국으로 건너가서 어느 조그만 시골집에서 시 창작에 전념할 수 있었던 것도 자연과 함께함으로써 가능했다. 그가 뛰어난 시인이 될 수 있었던 것은 자연으로 돌아갔기 때문이다. 자연은 전원에서 살아가는 인간에게 자연의 순수성과 인간 자신의 순수한 자아가 무엇인지를 깨닫게 하며 근원적인 삶의 깊이를 알게 한다. 자연은 인간의 태어난 고향이자 무덤이다. 거기에 인간의 모든 것이 있다고 할 수 있다. 인간이 자기만의 울타리 안에 갇혀 닫힌 삶을 살아간다면 거기에는 낭만과 친밀성, 따듯함이 깃들 수가 없다. 그러나 자연은 어머니의 모성애와 함께 아버지의 준엄함도 가득하다. 거기에는 인위성에서 벗어나 만물 본래의 근원이 있다. 그러기에 시는 인간의 근원적 문제를 담아낸다. 위대한 시인은 자연을 멀리하고는 탄생할 수 없다. 프로스트는 자연과 동화하고 합일하는 전원생활을 하였고 자연을 사랑했으므로 자연스럽게 미국이 낳은 위대한 자연시인이 되었다.

프로스트는 그의 아버지가 뉴잉글랜드를 싫어했던 것과는 달리 뉴잉글랜드 지역을 참으로 사랑했다. 1874년에 그가 태어났던 곳은 캘리포니아의 샌프란시스코였다. 10세에(1883년) 저널리스트인 아버지가 음주와 도박에 빠져 결핵으로 사망하자 어머니, 여동생과 함께 할아버지의 농장이 있던 매사추세츠 로렌스로 이사를 간다. 그의 아버지는 남군의 로버트 리 장군의 이름을 그대로 사용하여 아들의 이름을 지었다고 한다. 문학 소년인 로버트 프로스트는 1892년에 로렌스 하이스쿨을 졸업하고 뉴햄프셔의 다트마우스대학에 진학하였지만 두 달 만에 실망하여 자퇴했다. 그의 할아버지는 손자인 프

---

*the Clearing, Uncollected Poems, Plays, Lecturers, Essays, Stories, and Letters* (New York: Literary Classics of the United States, Inc., 1995), pp.929-955. 그런데 한국 학자가 쓴 책에서 정리된 연보로는 신재실, 『로버트 프로스트의 자연시: 그 일탈의 미학』(서울: 태학사, 2004), pp.245-250.

로스트에게 1900년에 뉴햄프셔의 데리 농장을 사준다. 농장주가 된 그는 열심히 농장을 가꾸었다. 그가 농사일에 대해 소박한 전원시를 많이 쓴 것은 이 시기의 경험이 큰 도움을 주었기 때문이다. 하지만 불운이 겹쳐왔다. 이사했던 해에 네 살인 딸이 죽었고, 어머니도 서거하고, 하나뿐인 여동생은 정신병원에 들어갔으며, 마지막 아이는 태어난 지 이틀 만에 죽었다. 농장일이 생각보다 힘들고 재주도 없다고 판단한 그는 1906년부터 인근의 데리에 있는 핀클톤대학에서 교편을 잡고 문학을 가르쳤다. 그의 아이들은 모두 학교에 보내지 않았고 홈스쿨링을 시켰다. 1911년까지 교사생활을 하다가 접고 1912년에 가족들과 함께 영국으로 떠나 런던 북쪽 20마일 지점의 시골마을에서 집을 임대해서 시의 창작에 전념했다. 그곳에서 첫 시집인 『소년의 의사』(1921)를 출판했다. 1915년에 미국으로 돌아와 뉴햄프셔의 프랜코니아로 들어가서 농사를 짓는다. 1917년에는 매사추세츠 앰허스트에 자리를 잡고 시를 쓰기 시작하였으며, 앰허스트대학에서 영문학 교수로서 학생들을 가르친다. 1920년에 대학을 사임하고 뉴잉글랜드에 있는 버몬트의 사우스새춰츠버리 근처에 농장을 구매하고 스톤하우로 이사했다. 1924년에 첫 번째 퓰리처상을 받았고, 이어서 1931년, 1937년, 1943년에도 같은 상을 받아 모두 네 번이나 퓰리처상을 받았다. 1934년에 큰딸(머조리 로빈)이 사망했고, 1938년에는 고등학교 동창이었던 아내(에리노어)가 세상을 떠났고, 1940년에는 아들(캐럴 모리슨)이 자살했으며, 프로스트는 1963년에 88세의 나이에 폐색전으로 영면했다.[39]

프로스트는 소년이었을 때 그의 아버지가 남북전쟁에서 뉴잉글랜드 주민들과는 다른 생각을 가지고 아브라함 링컨의 북군 편에 서는 대신에 남부

39 프로스트의 이러한 전기적인 연보는 Richard Poirier & Mark Richardson eds., "Chronology," *Robert Frost: Collected Poems, Prose, & Plays* (New York: Library of America, 1995), pp.929-955 참조.

동맹의 로버트 리 장군이 이끄는 남군의 편을 드는 것을 이해하지 못했다. 하지만 프로스트의 사고방식과 행동양식도 아버지와 비슷하게 북부의 일반 대중과는 확연히 달랐다. 당대에 인디언 원주민들과 그들의 전사들은 미국인들에게는 적군이었는데 프로스트는 인디언 전사들을 편들었고 인디언들을 찬미했다. 그는 꿈속에서 집을 도망쳐 나와 캘리포니아에 있는 시에라네바다의 인디언 전사들의 무리에 합류하였다. 아버지가 남부동맹군을 이상화했던 방식과 똑같이 프로스트는 미국인들의 배신자였던 인디언 원주민들을 이상화했다. 심지어 소년 시절의 꿈속에서 인디언들 편에 합류했던 그가 원주민들의 적군인 백인들을 맞아 싸워서 그들을 징벌하고 무사히 숲속의 인디언 캠프로 돌아오는 자신을 인디언들은 영웅으로 환영했다. 그는 항상 숲속의 이상향인 인디언 공동체 마을로 아무런 해도 입지 않고 돌아왔던 것이다. 프로스트는 어느 노트북에 "문명은 유토피아와 반대다"라고 썼다. 그는 많은 인생의 시기를 소년 시절의 꿈속에서 그랬던 것과 같이, 실제로 산악 속에서 또는 산악 근처에서 여기저기에 사람들이 흩어져 사는, 사람들이 적게 사는 백인 마을의 문명에서 탈출하고자 시도했다.[40] 이러한 이야기는 프로스트가 인종차별을 지극히 싫어하는 사람으로서 얼마나 열렬한 정의파이며 평화주의자인가를 웅변적으로 말해준다. 인디언들은 나무와 숲으로 가득한 산악지대에 건설했던 공동체에서 자연친화적인 사상을 가지고 자신의 신들을 경배하며 평화롭게 살아가는 민족이었다. 프로스트가 이러한 인디언 원주민들에 대해서 무한한 신뢰와 애정을 표현했던 까닭은 그가 자연을 사랑하고 자연과 조화되어 살아가기를 좋아하는 '자연의 아들', '자연인'이었던 것처럼 인디언들도 같은 방식으로 살아가는 사람들이었기 때문이다.

40 Henry Hart, ibid., p.2.

## 뉴잉글랜드의 숲과 이중성, 복합성

인간은 누구나 살아가는 삶의 역정에서 고난과 환란을 겪는다. 그러나 앞에서 간략하게 언급되었지만 프로스트만큼 불행과 고난과 절망을 겪는 사람은 없을 것이다. 이러한 역사 전기적인 사실은 그의 생애를 가로지르는 가족들에 관한 연보를 보면 알 수 있다. 그의 가족 구성원들에게서 일어나는 시련과 고통과 슬픔은 상상을 초월한다. 그는 양친과 처, 자식, 형제자매, 조부모를 둘러싸고 예기치 않은 비극적 상황에 노출되었다. 그것은 일반인이라면 감내할 수 없는 극한적인 것이었다. 그렇기 때문에 프로스트는 인간이 겪는 삶의 상처와 아픔과 고뇌를 누구보다도 깊이 있게 잘 이해하였으며 '철학적 시인'이 될 수 있었다. 그는 인생의 가시밭길을 걸어가면서 헤쳐나가기 힘든 수많은 난관을 뛰어넘고 극복하는 힘과 용기를 지녔던 예술적, 철학적인 초월주의자였다. 「나는 밤을 아는 사람이다」라는 제목의 시에서 알 수 있듯이(*Poetry*, 255), 어두운 실체를 대면하고 고독 속에서 그것을 정화하였으며, 끝까지 자신에게 진실하였고 성실했다. 인간의 어두운 내면을 잘 이해한 프로스트는 그의 시에서 자신의 내면에 있는 어두운 세계를 자연세계에 투사했다. 그래서 그의 수많은 자연시에서 나무와 숲의 어둠은 불가사의하고, 암시적이고, 상징적이다. 그의 자연시가 초월주의적이면서 형이상학적이고 철학적인 특징을 나타내고 강한 비애미를 풍기는 것은 그의 역사 전기적인 생애를 염두에 두면 이해될 만한 것이다. 때때로 그의 자연시는 얼핏 표면적으로는 도피적이고 회의적으로 느껴지기도 하지만 그것은 사실과는 다르다. 이와 같은 맥락에서 독자는 그의 시들에서 이중성과 복합성, 모호성과 불확실성을 느끼게 되고 '일탈'의 미학을 엿볼 수 있는 것이다.

프로스트 시의 복합성, 이중성(양면성)에 관해서는 「흙 밟는 시기의 두

번 밟기」가 하나의 예시가 될 수 있다. 낮에는 생명을 키울 물도 밤이 되면 살얼음으로 변하고, 햇볕이 따스하고 바람이 잘 때는 5월의 중순으로 느껴지는 4월의 하루가 다음 순간에 구름이 끼고 바람이 불면 '두 달을 뒷걸음쳐 3월 중순'이 된다고 시인은 읊는다. 그러나 "겨울은 다만 죽은 체하였을 뿐, 파랑새는 결코 우울하지는 않다"라고 말한다(*Poetry*, 275).[41] 프로스트의 시에 나타나는 이와 같은 특징은 뉴잉글랜드 지역의 기후적 변덕스러움과 연관되어있을 때도 있다. 문학적으로 뉴잉글랜드 지역 출신의 초월주의 작가들은 프로스트에게 시적인 영감을 주었다. 앞서 언급했듯이 특히 소로의 『월든 숲속의 생활』은 프로스트가 인생의 역할모델로 삼고자 했을 만큼 큰 영향을 미쳤다. 하지만 프로스트의 숲과 자연은 소로나 에머슨과 같은 낙천적 초월주의자들과는 달리, 우울한 어둠, 결핍, 차가움, 불확실, 공포 등의 정서와 밀접하게 관련될 때가 많다. 이러한 부정적인 정서들은 프로스트 자신의 힘들고 고달픈 현실생활에서 기인하는 자아 내면의 어둡고 차가운 고독과 절망을 반영하지만 이러한 정서에만 머무르는 것이 아니다. 뭔가 초월적인 극기의 힘이 숨겨져 있다. 그는 부딪치는 어려운 현실적 상황을 잘 감내하고 극복할 줄 아는 사실주의자로서의 시인이었다. 그뿐만 아니라 실존주의자, 초월주의자로서 '철학적 시인'이었던 점을 고려해야 한다.

시인은 〈산골짜기〉에 들어있는 「가지 않은 길」에서는 어느 어두워지는 저녁의 숲속에 서서 인생의 알 수 없는 미래의 길을 깊이 사색한다. 길은 어두운 숲속에 놓여있고 아직 한 번도 가지 않았다. '가지 않는 길'이 노란 숲속에 덤불과 풀이 우거진 곳에서 낙엽에 묻혀 밟지 않은 채로 어둑하게 시인 앞에 있으며, 숲속의 두 길을 시인은 선택해야 한다(*Poetry*, 105).[42] 프로스

41 프로스트 시의 이중성, 양면성, 복합성에 대해서 더 많은 것을 알려면 이영걸 옮김, 『로버트 프로스트』(서울: 탐구당, 1980), pp.22-23.

42 이 시에 대해서는 이상옥 옮김, 『걷지 않은 길』(서울: 솔, 1995).

트가 읊는 숲에 관해서 보면 어둡고 깊으며 비합리적이다. 시인이 밟아보지 못해 못내 아쉬워하는 것은 '노란 숲속의 두 길이 아니다.' 숲속의 두 길은 오늘 한 길을 가보고 다음 기회에 돌아와 다른 길을 갈 수 있다. 그러나 숲속의 "길은 길로 뻗은 것이기에 되돌아와 다시 갈 수 없는 길"이라는 사실을 알았으므로(*Poetry*, 105) 혼자서 한 번밖에 갈 수 없는 불가역적인 인생의 길이다. 프로스트에게 '숲속의 두 길'은 현실사회에 있는 '인생의 갈림길'을 상징한다. 이런 점에서 이 시는 단순한 서정으로 볼 수 없다. 숲은 어둠으로 앞길을 두르고 있는 실체로서 시인의 미래에 대한 예측과 판단을 불가능하게 하는 하나의 상징이 된다.

그런가 하면 「눈 내리는 저녁 숲가에 서서」는 표면적으로는 숲의 아름다움과 신비에 대해 표현하고 있지만, 내면적으로는 '인생의 갈 길'에 관련되어있고, 결론은 '숲의 유혹'을 뿌리치고 되돌아가야 할 사회적 약속을 강조한다. "숲은 아름답고, 어둡고, 깊다. /그러나 나는 지켜야 할 약속이 있다. /자기 전에 갈 길이 멀다 /자기 전에 갈 길이 멀다"(*Poetry*, 224-225). 숲은 정체를 알기 힘든 어떤 존재이자 시인이 더 다가가서 알아보고 싶도록 이끄는 유혹물이며, 미답과 미지의 세계를 암시하는 하나의 상징으로 사용된다. 여기서 시인은 흥미롭게도 그가 타고 있는 말을 개입시켜 무언의 대화를 나누는 방법을 사용하고 있으며, 인생의 길을 깊이 사유하는 철학자의 모습을 보인다. 이러한 철학적 사유의 모습을 제1연에서 제3연까지를 통해 느껴보자. "이게 누구네 숲인지 나는 알고 있지. /하지만 그의 집은 마을에 있어서 /그는 알지 못하리라, 내가 여기 멈춰 서서 /눈 덮이는 그의 숲을 지켜보고 있음을." 제2연에서는 "내 작은 말은 이상하게 여기리라. /근처에 농가도 없는데 어찌하여 /숲과 얼어붙은 호수 사이에서 멈출까 하고. /올해 들어 가장 어두운 이 밤에." 제3연은 "말은 방울을 흔들어 소리 내어 묻네. /혹시 무언가 잘못된 것이 없느냐고. /그 밖에 들려오는 소리라고는 /고운 눈송이 흩날리는 가벼운 바람뿐”(*Poetry*, 224)이라고 읊는다. 이 시에서 농촌마을에 살고 있는 숲의 주인은 단지 경제적 측면에서만 소유자일 뿐, 눈이 덮인 풍경에는 관심이 없다. 숲의 주인은 한 해가 끝나고 하루가 저물어가는 겨울날 저녁에 눈이 쌓이는 숲을 보기 위해 숲으로 나올 이유가 없다. 그는 단지 경제적인 살림살이에만 관심이 있는 농부에 불과하다. 반면에 시적 화자는 “아름답고, 어둡고, 깊은” 숲을 마음으로 사랑할 줄 아는 심미적 안목을 지녔다. 그가 눈이 내리는 숲을 찾아간 것은 할 일이 없기 때문이 아니다. 지켜야 할 약속도 있고 해야 할 일도 많다. 추운 겨울에 어둠이 짙게 깔린 저녁에 사람이 살지도 않는 곳에서 눈이 쌓이는 숲을 바라보며 그 아름다움에 취해있는 주인의 행동을 이상하게 여기는 말처럼 마을에 사는 숲의 주인도 시인의 모습을 본다면 이상하게 생각할지도 모른다. 이 숲의 진정한 주인은 시적 화자이며 눈이 덮인 숲의 아름다움을 바라다보면서 알 길 없는 인생의 숲길을 깊이 사색한다.[43]

이상에서 살펴본 바로는 프로스트의 숲(자연)은 워즈워드나 소로나 에머슨의 낭만적인 숲(자연)이라기보다는 불확실한 삶을 살아가는 인간실존의 무대를 상징하거나 암시한다. 어떤 점에서 그의 시는 실존의 혼란에 대항하는 하나의 기호, 혹은 상징적 도형이라 할 수 있다. 숲(자연)은 그만큼 복합성과 불확실성을 가진 실체이며, 그것에 대한 프로스트의 문학적 관심에는 20세기의 현대적 감각, 즉 모더니즘적인 감수성이 반영되어있다. 그러나 그것은 초월주의적인 작가들인 에머슨, 소로, 워즈워드의 숲(자연)과 유사한 점이 많기는 하지만 그들과는 달리 도덕적 확신이 아닌 불확실을 암시하는 상징적 언어이다. 따라서 프로스트의 시는 표면적인 단순성에도 불구하고 내면적으로는 복합성이 깃들어있으며, 불확실한 세계를 탐구하는 놀라운 깊이

43 현영민, 「로벗 프로스트 시의 초월주의적 비전」, 『영어영문학』 제48권 2호(2002), p.379.

와 무게를 지닌다.[44]

## 나무, 숲에 대한 사실주의적 풍경 묘사와 초월주의

이제는 앞의 두 장에서 살펴본 프로스트의 삶과 문학-예술을 참고하면서 숲과 관련된 더 많은 자연시에서 그의 감수성과 사상이 어떻게 투영되고 있는지를 시야를 더 넓혀서 알아보자. 이미 언급했듯이 그가 묘사하는 숲은 크게 보면 불가사의하거나 혹은 미지의 신비한 세계와 관련되어있지만, 밝고 긍정적인 측면도 있고, 어둡고 부정적인 측면도 있으며, 또한 밝은 면과 어두운 면을 동시에 지녀서 이중성이나 복합성을 보여주기도 한다. 이상옥에 의하면 프로스트가 쓴 일생의 시편을 연대순으로 배열해놓으면 대체로 세 단계로 크게 나뉠 수 있다고 한다. 초기 단계에는 삶이나 자연 속의 환희를 노래하며, 다음 단계에는 삶과 자연 속의 부정적이고 위협적인 요소를 눈여겨보며, 마지막 단계에는 삶과 자연에 관한 관조와 지혜를 성취하는 지점에 이르게 된다. 물론 이런 도식화된 주장에는 무리가 있을 수 있겠지만, 그의 전집을 통독하는 사람이라면 환희에서 지혜에 이르는 과정이 프로스트의 시에서뿐만 아니라 시인으로서의 예술적 경력을 통해서도 어느 정도 유추될 수 있다는 것이다.[45] 시의 형상화 과정에 대해 프로스트는 홀트 출판사가 1949년 5월 30일에 출판한 1949년 판의 『1949 로버트 프로스트의 시 전집』

---

44 이러한 프로스트 시의 특성과 관련해서 농촌 풍경은 때로는 황량하고 혼란스럽다. "나는 나의 집에 혼자였다 /… 나는 나의 인생에서 혼자였다. … 나에게는 신 이외에 아무도 없었다"(*Poetry*, p.251). 프로스트에게 자연은 무정하며, 그곳에 거주하는 인간은 혼자이고 도와주는 자가 없어 당혹스럽게 느껴진다. 인간은 사회적 집단에 속하면서도 혼자일 수밖에 없는 실존적인 존재라는 사상이 짙게 묻어있다.

45 이상옥 옮김, 『걷지 않은 길』, p.177.

서문에서 시는 "환희에서 시작하여 지혜로 끝난다."라고 말한 바 있다.[46] 최초의 환희는 시인이 알고 있으면서도 알고 있다는 사실조차 모르고 있었던 무엇을 문득 기억해내고 갑자기 느끼는 놀람의 형태를 띠며, 다음에는 일상생활 속의 비근한 사물들에 대해 주의하지 못하고 있다가 어느 순간에 문득 이들을 보다 더 유심히 보고 충격적인 환희를 느끼며, 마지막에는 이런 발견의 환희를 자아의 삶과 주위 세계에 대한 성찰의 계기로 삼아 지혜에 이를 수 있음을 깨닫는다는 것이다.

이러한 시적 형상화 과정을 이해하기 위해 첫 시집인 『소년의 뜻』에 실려 있는 「물 길으러 가기」를 살펴보면 시인은 자연의 풍경에서 환희의 근원을 찾고 경이로운 느낌을 금치 못한다. 그러다가 환희가 경이로움으로 전이하는 과정에서 가뭄으로 우물이 마르자 달밤에 숲속 개울로 물을 길으러 갔던 일을 읊는다.

> 문 옆의 샘이 말랐기에 /우리는 동이와 통을 들고 /집 뒤의 밭 저 켠에서 /아직도 개울이 흐르나 보러 갔었지;
>
> 가을 저녁 쌀쌀하나 쾌적했기에 /외출할 핑계도 싫지 않은 것. /게다가 뒷밭이야 우리 것이고 /개울가의 숲도 우리 것이 아닌가.
>
> 숲 뒤에서 천천히 떠오르는 달, /그 달을 맞이할 듯 달려간 우리, /메마른 가지에는 잎이 없었고 /새도 없고 바람도 없었지.

---

46 홀트 출판사가 1949년 5월 30일에 바로 이 시전집을 출판하여 호평을 받고 잘 팔렸을 때 프로스트는 깊이 만족했다고 한다(Richard Poirier et. al, *Robert Frost: Collected Poems, Prose, & Plays*, ibid., p.951). 이러한 내용에 대해 더 알아보려면 이상옥 옮김, 『걷지 않은 길』, p.169 참조.

하지만 숲속으로 들어간 우리, /달빛을 가려주는 요정처럼 멈췄다가 /달에게 들키면 웃음 웃으며 /새로이 숨을 곳을 찾으려 했지.

손으로 서로서로 제지하면서 /눈으로 보기 전에 들으려 했지. /우리 함께 숨을 죽이니 /귓전에 들려오는 개울물 소리.

단 한 곳에서 들려오는 듯한 그 가락, /쨍그렁 떨어지는 가냘픈 소리 /방울지어 물 위쪽을 떠다니는 /진주 같아라, 은빛 풀잎 같아라. (*Poetry*, 18)

위에서 시의 풍경을 하나씩 단계적으로 조망할 때 특징적인 인상은 밭, 개울, 숲, 달이라는 자연의 대상들이 하나씩 단계별로 나아가면서 전체적인 과정의 조합을 이루는 시적 형상화이다. 여기에 그려진 숲은 나무에 잎이 다 떨어져 나목이 된 상태여서 황량함을 느끼게 한다. 제2연의 끝 행에서 "개울가의 숲도 우리 것이 아닌가."라고 말한 뒤에 이어지는 제3연은 "숲 뒤에서 천천히 떠오르는 달, /그 달을 맞이할 듯 달려간 우리, 메마른 가지에는 잎이 없었고 /새도 없고 바람도 없었지."라고 읊는다. 그러나 시인은 이어지는 제4연에서 "하지만 숲속으로 들어간 우리, /달빛을 가려주는 요정처럼 멈췄다가 /달에게 들키면 웃음 웃으며 /새로이 숨을 곳을 찾으려 했지."라고 말한다. 이 부분에서 숲속은 잎이 없기 때문에 몸을 숨길 수 없다. 결국 몸은 달에게 들키게 되고 그러면 다시 새로이 숨을 곳을 찾아야 하는 상황에 놓여있다. 이런 장면에서 숲은 삶에서 완전하게 자기의 구실을 못 하는 어떤 상징물처럼 느껴지지만 삶에서 희망이 사라진 실존적 상황을 연상시킴에도 불구하고 시인에게 희망은 완전히 사라지지 않는다. 그가 길으러 간 물은 마치 진주처럼, 은빛 칼날처럼 물방울을 떨어뜨리며 개울에 고여 있어서 시는 희망의 환희로 끝난다. 이처럼 시의 마지막 두 연에서 물소리를 들었을 때 시인의 청각적 이미지는 시각적 이미지로 전환되면서 물방울들이 마치 진주처럼, 은빛의 칼날처럼 떨어지는 환희로 끝맺는다. 이러한 과정은 독자의 마음에 커다란 감동을 준다. 결국 숲은 부정적인 이미지로 인상을 남기지 않는 존재로 기억되는 것이다. 숲, 달, 물, 개울, 인간은 개별적 존재이지만 끝내는 하나의 전체적인 자연이 되어 서로가 함께 어우러진 조화로운 풍경을 창조한다.

「봄의 기도」에서도 마찬가지로 시인은 아름다운 자연과 숲의 풍경을 볼 때 환희의 감정은 깨달음의 지혜로 이행되면서 끝이 난다. 이 시에서 과수원의 꽃, 새, 벌, 숲은 하나로 어우러져 한 폭의 아름다운 풍경을 만든다. 시인은 하얀 꽃이 만발한 과수원 숲에서 꽃들 위로 붕붕 날아다니는 일벌들과 함께 행복하게 살 수 있도록 기도를 한다. 시인은 과수원의 숲속에서 인간과 자연이 함께 조화를 이루고 성화된 높은 사랑을 서로 나누어야 한다는 지혜를 자각하는 결말로 마무리한다.

> 오, 오늘은 이 꽃이나 즐기게 하소서. /아직도 너무 멀어 불확실한 수확일랑 /잊어버리고 오늘은 이곳에서 /한 해가 소생하는 광경에 빠지게 하소서.
>
> 오, 하얗게 꽃핀 과수원에서 즐겁게 해주소서. /낮은 더없이 아름답고, 밤은 유령 같은 곳, /나무랄 데 없는 과수 주위를 붕붕 나는 무리들, /그 행복한 벌들 속에서 행복하게 하소서.
>
> 벌들 위에서 별안간 지저귀던 새, /그 쏜살같은 새를 보고 행복하게 하소서. /바늘 같은 부리로 유성처럼 덤비다가 /꽃을 떠나 허공에 가만히 서 있는 새.
>
> 사랑이란 다름 아닌 바로 이런 것, /높은 목적 위해 사랑을 성화함은 /하늘에 계시는 신의 몫이요, /우리는 사랑을 실천할 뿐입니다. (*Poetry*, 12)

프로스트가 일상적인 삶을 살아가는 무대인 농장에는 나무, 숲, 과수원이 있다. 그곳은 꽃들이 아름답게 피어있고, 벌들과 새들이 생명을 마음껏 누리며 살아가는 자유의 공간이다. 참으로 풍요롭고 아름다운 자연의 풍경을 이룬다. 이런 풍경 속에서 시인은 환희를 느끼고 드디어 기도에 이르는 과정이 일어난다. 「방울새 난초」에서도 환희로부터 마침내 이러한 기도로 이행한다. 풀밭은 동그란 자그마한 보석처럼 태양 빛을 받아 아름다우며, 거기에 나무들이 둘러서 있다. 나무들로 둘러싸인 그 풀밭은 바람이 없는데도 많은 꽃이 호흡하여 공기는 숨이 막히도록 향기롭고 열기에 가득한 사원처럼 느껴진다. 시인은 이러한 풀밭이 마음속에서 잊히지 않고 계속 남아있게 되자 거기에 꽃이 피어있는 동안 누구도 여기에 와서 풀베기를 하지 말아 달라고 기도한다.

> 빽빽한 풀밭, /태양이 형성한 작은 보석 같다. /동그란 풀밭이 /둘러선 나무의 키만큼도 넓지 못했다. /그곳은 바람이 배제된 곳, /공기가 숨 막히게 향기로운 것은 /많은 꽃의 숨결 때문인가. /열기로 더운 사원이구나.
>
> …
>
> 그곳을 떠나기 전에 /우리는 간단하게 기도를 올렸다. /장차 온통 풀베기가 시작될 때 /그곳만은 잊히도록 기도했다. /혹시 그런 은혜를 입을 수 없다 해도 /보류를 얻어 /꽃이 어지러이 피어있는 동안은 /아무도 풀을 베지 말아 달라고. (*Poetry*, 13-14)

프로스트는 농촌공동체에 대한 건설적인 생각을 「담장 고치기」에서 표현한 바 있다. 두 번째 시집인 『보스턴의 북쪽』에 실린 이 시에서 이웃 사이에는 농장의 솔밭과 사과밭의 경계를 따라 봄철에 담장을 새로 쌓을 것이 아니라 도리어 허물어뜨릴 필요가 절실함을 읊조리기에 이른다. "… 담장이 있는 곳에 정작 담장이 필요할까요. /그쪽은 솔밭이고 내 쪽은 사과밭, /사과나무가 경계를 넘어 그쪽 솔방울을 /따 먹을 리 없다고 그에게 말해보지요. /그는 대답했어요. '담장이 단단해야 이웃이 좋아져요.'" 이렇게 생각하는 이웃이기 때문에 시인에게 담장을 고치는 봄철은 짓궂은 계절이 된다. 그래서 시인은 이웃 사람을 어떻게든 깨우칠 수 없을까 하고 생각해본다. "… 담장을 쌓을 때면 알고 싶지요. 도대체 /이 담장으로 무엇을 지키고 무엇을 막자는 것인가요? /누구의 마음을 상할까 겁이 나는가요? /무엇인가가 담장을 싫어해서 허물고 싶어한다고요." 그러나 담장을 쌓으려 하는 이웃은 아랑곳하지 않고 부친의 하명을 받고 담장을 쌓으려고 돌을 손에 꽉 쥐고서 숲과 나무의 그늘 어둠 속으로 나타난다. '담장이 튼튼해야 이웃 사이가 좋다'고 하는 생각은 민간에 전해오는 속담인데 이 속담을 맹신하는 이웃 사람의 모습은 구석기 시대의 무장한 야만인의 모습이다.[47] "두 손에 돌을 단단히 잡고 오는데 /… 그는 마치 어둠 속에서 움직이는 듯한데 /그것이 숲이나 나무 그늘 때문만은 아니었지요. /그는 부친에게 들은 말을 의심할 생각은 없이 /그것이 생각나서 다행이라는 듯이 되풀이했어요. '담장이 단단해야 이웃이 좋아져요'라고"(*Poetry*, 33-34). 이 시의 농장에는 그늘지게 만드는 나무와 숲이 등장하는데 솔밭, 사과밭, 사과나무들은 겨울이 지나가는 해빙기를 맞은 봄철의 생기가 일어나기 시작하고 풍요로워지는 생명의 이미지를 느끼게 하면서도 구석기 시대 사람들의 부정적인 어두운 모습과 연결되어있다. 소나무밭은 이웃 사람에게 속해 있고 사과밭은 시인에게 속해 있어서 굳이 돌담을 쌓아 올리지 않아도 명확하게 구분되어있다. 이웃 사람이 무장한 야만인처럼 어둠 속에서 움직인다고 표현한 것은 숲이 어둠과 맞물려 있기 때문이다. 여기서 숲이 주는 느낌은 오스터에 의하면 "두려움과 무지막

---

47 설태수, 「로버트 프로스트 시에서의 숲의 의미」, 『영어영문학 연구』 제52권 4호(2010), p.179. 같은 필자의 저서로는 『R. 프로스트의 세계관』(서울: 형설출판사, 2005)가 있다.

지함"[48]으로 해석한다. 관습에 매몰되어버린 인간사회의 맹신은 어리석음이 될 수 있으며 이 시에서는 어두운 숲의 이미지와 연결된다.[49]

프로스트는 전원에서 농사일을 돌보고 노동을 하면서 자연을 감각적으로 느끼고 지혜를 깨달으며 살아가는 삶의 모습을 보여준다. 농장에는 나무와 과실수와 숲이 아름다운 풍경을 빚어내고 있다. 이러한 자연풍경은 환희의 원천이 되기도 하지만 독자들이 외형적인 모습만을 볼 뿐이라면 그 이면에 있는 많은 의미를 놓칠 수 있다. 프로스트에게 자연은 어떨 때는 악의, 위협, 적대감, 폭력성 등이 숨어있는 원천이며, 두려움과 공포의 대상으로 나타나는 경우가 상당하다. 이렇게 부정적이고 파괴적으로 느껴지는 자연현상이나 자연의 사물 중에서 숲, 밤, 바람 등은 대표적이라고 할 수 있다. 전원의 농가에서는 이러한 대상물들로부터 부정적, 파괴적인 느낌을 받을 때는 어둠의 이미지, 어두운 힘과 연결된다. 시집『소년의 뜻』에 실린「폭풍의 두려움」에서 시인의 농가에 엄습하는 겨울밤의 강력한 바람은 어둠 속에서 가족들을 짐승과 같은 소리로 "밖으로 나오라! 밖으로 나오라!"라고 위협한다. 농가의 뜰과 길에는 눈보라가 몰아치고 위협하는 폭풍 소리에 시인의 가족들은 풀이 죽고 무서워서 바깥의 폭풍과 대항할 힘을 잃는다. 가족들은 난로마저 불이 꺼진 방안에 갇혀 내일 아침의 구원을 기다리지만 마음은 의심한다.「밤과 사귀기」에서 시인은 어느 날 밤에 전원의 자기 농가를 떠나 멀리까지 비를 맞으며 걸어갔다가 걸어서 돌아온다. 밤 산책에서 그는 을씨년스러운 골목도 보고, 순찰 중인 야경꾼을 마주치며 눈을 떨구기도 하고, 멀리서 농가의 집들로부터 희미한 한 가락의 외침을 듣기도 한다. 까마득한 높은 곳에는 하늘을 배경으로 시계탑의 불 켜진 시계가 보이는데 시간이 틀

---

48 Judith Oster, *Toward Robert Frost: The Reader and the Poet* (Athens and London: The Univ. of Georgia Press, 1991, p.178.

49 설태수, 같은 책, p.179.

리지도 맞지도 않다고 알리는 것 같다. 이처럼 시인은 전원생활을 하면서 홀로 밤의 산보를 즐기는 '고독한 산보자'다. 하지만 프로스트에게 루소가 표현한 것과 같은 '고독한 산보자의 꿈'은 나타나 있지 않다. 인생에 대한 불확실성이 느껴지는 대목이다.

「버려진 곳들」에서도 시인은 땅거미가 내리고, 눈이 내리는 겨울의 밤에 빠른 걸음으로 산보를 한다. 지나가면서 들판을 보며, 눈이 부드럽게 덮인 땅에는 몇 포기의 잡초와 나무 그루터기가 보인다. 그리고 숲이 둘러싸고 있는 땅을 보면서 그 땅은 숲의 소유라고 느낀다(*Poetry*, 296). 숲은 말이 없고 어두우며 시인을 압박하는 두려움의 대상이 된다고 하겠다. 이럴 때 시인의 마음은 더욱더 두려운 고독에 감싸인다. 이런 상황에는 손(Sohn)에 의하면 인간에 대한 자연의 무관심이 숲을 통해 드러난다는 것이다.[50]

> 눈이 내린다, 땅거미가 내린다, 빨리, 아주 빨리. /내가 지나가며 바라본 들판, /땅은 거의 눈으로 부드럽게 덮였지만 /몇 포기 잡초와 그루터기가 아직 보였다.
>
> 숲이 그 땅을 둘러쌌으니, 그 땅은 숲의 것. /모든 짐승들은 보금자리에서 숨을 죽인다. /나는 정신이 멍하여 셀 수조차 없는데 /외로움이 어느새 나를 감싼다.
>
> 그 땅은 외로운 곳이건만, 그 외로움 /줄기는커녕 더욱 외로워지리. /어두워진 설원의 텅 빈 흰 빛 /표정도 없고 표현할 것도 없다.
>
> 사람들이 살지 않는 별들, /별 사이의 허공은 무섭지 않다. /내 마음에 더욱 절실한 것은 /내 자신의 버려진 곳들에 대한 무서움. (*Poetry*, 296)

---

50 David A. Sohn and Richard H. Tyre, *Frost: The Poet and His Poetry* (New York: Bantam Books, 1969), p.57.

시인에게는 짐승들의 보금자리인 저 숲에서 짐승들은 숨을 죽이고 있어서 숲의 고요는 외로움으로 다가와 시인을 감싼다. 텅 빈 설원에는 어둠 속에서 흰빛만이 아무 표정도 없이 비출 뿐이다. 사람들이 살지 않는 별들 사이의 허공은 시인에게 두렵지 않다. 하지만 시인은 자신의 마음속에 버려진 텅 빈 곳들은 두렵게 느껴진다고 고백하며 끝맺는다. 〈서녘으로 흐르는 개울〉에 수록된 많은 시에서도 시인은 숲과 어둠과 자연으로부터 느끼는 두려움을 심심찮게 표현한다.

「산골 아낙네」(1916)는 5편으로 구성된 연작시이다. 각각 '외로움―아낙네의 말', '집에 대한 두려움', '미소―아낙네의 말', '자주 꾸는 꿈', '충동' 등으로 엮여있다. 이 시의 스토리에 등장하는 젊은 부부의 아낙네는 지독하게 가난하며, 어둠, 숲과 같은 자연의 상태를 범상하게 받아들이지 못하고 결국에는 죽음에 이르고 만다. 그녀는 집 밖의 어둠보다 집 안의 어둠이 더 무서워서 밤에는 자기의 집에 들어가지를 못한다. "집 밖의 어둠보다 집 안의 어둠이 더 무서워 /그들은 등잔불을 켜기 전에 /문부터 활짝 열어두는 버릇을 익혔다네"(*Poetry*, 127). 그녀가 보기에는 자연 속에는 악의가 숨어있고 인간의 세상마저 적대적으로 비치기 때문에 남편과의 삶에서 아무런 위안을 찾지 못한다. 너무 살림이 가난하여 손님이 찾아왔을 때 빵만 내어놓았기에 그 손님이 미소를 지으며 떠나던 모습이 마음에 걸린다. 그 손님의 미소는 즐거워서 지은 미소가 아니라 젊은 부부의 결혼과 가난한 살림을 비웃던 것이라고 생각한다. 불안과 걱정에 사로잡힌 그녀는 그 손님이 지금은 어디쯤 가 있을까, 남편에게 물어보면서 "어쩌면 숲에서 우리를 지켜보고 있을 거예요"(*Poetry*, 127)라고 대답한다. 여기서 산골의 숲은 몸을 숨겨 상대방을 위협하는 공간이라고 할 수 있다.

이 젊은 산골의 가난한 아낙네는 악몽을 자주 꾸어왔지만 이제는 거대한 검은 소나무가 집에 나타나 창문 빗장을 벗기려 하고, 서투른 손길로 창문을 열려고 해서 그 소나무는 마치 작은 새로 보인다. 그녀 마음에 창문의 유리가 신비한 환상을 만들었기 때문이다. "그들이 자는 방 창문 빗장을 /벗기려 애를 쓰는 검은 소나무, /그 무서움을 표현할 음울한 말을 /그녀는 찾지 못했네. /지칠 줄 모르는 서투른 손길 /창문을 열려고 헛되이 애썼기에 /그 거대한 나무는 작은 새로 보였네. /유리가 빚어내는 신비한 조화"(*Poetry*, 128). 가엾은 이 젊은 아낙네는 괴이한 꿈을 꾸는 일이 계속되는 중에 소나무가 방 안에 들어온 적이 있을 리 없지만 소나무가 무슨 일을 저지른다는 거듭되는 꿈을 꾸며 두려워한다(*Poetry*, 128).

이 젊은 아낙네가 살고 있는 산골은 너무 외롭고 거칠어서 아이도 없이 오직 남편과 두 사람만 살고 있다. 그녀는 농사짓고 나무 베는 일을 하는 남편을 따라 일터에 간다. 베어놓은 통나무에 앉아 혼자서 싱싱한 나뭇조각을 던지며 입술로 노래를 한다. 그런데 산골의 이 숲은 그녀를 유인하여 죽음으로 몰아가는 무서운 장소가 된다. 왜냐하면 어느 날 그녀는 오리나무 가지를 꺾으러 숲으로 들어갔다가 너무 깊이 들어가서 남편이 불러도 소리를 듣지 못하며 실종된다. 결국 돌아오지 못하고 죽게 되었던 가엾은 그녀는 무덤을 남긴 채 세상으로부터 영원히 사라진 것이다(*Poetry*, 128-129). 여기서 어두운 숲은 죽음의 상징이 된다. 이 비극적인 사건에서 숲은 눈앞의 시야를 가려서 볼 수 없게 하고 사람을 찾을 수 없게 하여 죽음을 가져오는 무서운 공포의 대상이 된다. 이러한 숲은 시인에게 인생의 앞날을 가늠하지 못하게 하고 꿈과 소망을 빼앗아버리는 적대적이고 위협적인 어떤 우주적 실체를 상징하는 느낌을 풍긴다. 프로스트의 시에서 자주 나타나는 삶과 우주자연에 대한 어떤 불확실성이 이 시에서는 검은 소나무와 어두운 숲을 통해 표현되었다. 이 시의 비극적인 상황은 비관주의적인 철학자 쇼펜하우어가 말한 우주적인 '내재적 의지'와 유사한 것을 상기시킨다. 이 시의 나무와 숲의 부정적인 이미지는 프로스트의 많은 시의 지배적인 특징인 불확실성뿐만 아니라 이중성,

양면성, 복합성 등을 떠올린다.

> 어느 날 오리나무 가지 꺾으러 /숲으로 간 그녀 /너무 깊이 들어가 듣지 못했네 /남편이 자기를 부르는 소리.
>
> 아무런 대답도 말도 없이 /아낙네는 돌아가지 않았네. /가만히 서 있다가 달려가더니 /고사리 속으로 숨고 말았네.
>
> 남편은 여기저기 찾아봤지만 /아무 데서도 볼 수 없는 아내의 모습. /그래서 그녀의 모친을 찾아 /그녀가 왔었냐고 물어보았네.
>
> 그처럼 갑자기 정황도 없이 /쉽게 무너진 부부의 인연, /남편은 무덤 외에도 /모든 종말을 알게 되었네. (*Poetry*, 129)

프로스트의 여러 시에서 눈, 밤, 숲은 인간의 영역을 감싸고 있는 죽음과 같은 공포의 상징이 된다. 레빈은 『암흑의 힘』에서 프로스트 시의 하얀 눈에도 이런 특징이 나타나고 있음을 언급했다.[51] 프로스트의 많은 시에서 어둠은 압도적인 이미지를 이루고 있다. 그가 때때로 두려워하는 나무와 숲은 어둠의 힘과 공포에 연계되어 나타난다.[52] 그런데 인간은 어떤 점에서 보면 숙명적으로 유한한 생명을 지녔기에 삶과 우주자연에 대해 본질적으로, 근원적으로 외로움, 공포, 위협감을 느낄 수밖에 없는 실존이라고 할 수 있다. 프로스트에게 이와 같이 위협적, 적대적인 세력으로 연상되는 숲은 「들

---

51 Harry Levin, *The Power of Blackness* (Chicago: Ohio University Press, 1958), p.100. 이러한 숲의 어두운 이미지와 공포에 대한 국내 연구논문으로는 이영석, 「로버트 프로스트 시에 나타난 어둠의 상징성」, 『신영어영문학회』(2002), p.131 참조.

52 이상옥 옮김, 『걷지 않은 길』, 「해설: 로버트 프로스트의 삶과 문학」, p.176.

어오세요」에서는 지빠귀 새가 우는 어두운 숲속으로 들어오라고 유혹할 때 거절하는 태도로 나타난다.

> 숲의 가장자리에 이르자
> 저게 지빠귀의 노래 아닌가.
> 바깥에 땅거미 지면
> 숲속은 이미 캄캄해지고,
>
> 너무 어두워 숲속의 새
> 날개를 타고
> 잠자리를 고칠 수 없었지만
> 아직 노래야 할 수 있었지.
>
> 마지막 햇살이
> 서녘으로 사라졌건만
> 아직 지빠귀의 가슴속에 살아남아서
> 노래 하나를 더 부르게 하는가. (*Poetry*, 334)

인간은 외롭고 황량한 들판의 컴컴한 숲가에 홀로 서 있을 때면 고독한 실존이 되어서 숲에 대해 외로움, 슬픔, 두려움 등을 느끼기가 쉽다. 숲은 거기에 내재한 부정적인 어둠의 힘으로 인해 스위니의 언급처럼 숲을 배척하고 싶은 기분이 들 수 있다.[53] 다음의 두 연에서 숲에는 어둠과 슬픔이 있다고 말함으로써 숲에 흔쾌히 발을 들여놓을 수 없는 상황을 보여준다. "멀리

---

53 John David Sweeny, James Lindroth, *The Poetry of Robert Frost* (New York: Monarch Press, 1965), p.67.

나무 둥치 사이로 어둠을 뚫고 /번져 나오는 지빠귀의 노래 /마치 어두운 숲 속으로 들어와 /함께 슬퍼하자는 초대 같아라. /하지만 안 되지, 별을 보러 나왔으니. /숲속엔 들어가지 않으리. /청해도 들어가지 않으리. /게다가 그런 청도 없지 않은가"(*Poetry*, 334). 이처럼 시인은 새소리를 통하여 숲이 "들어오라"라고 말하는 것 같은 유혹을 단호히 거절하고 있다. 여기서 숲은 삶의 부정적이고 적대적인 현장이나 현실을 상징할 수 있다. 이와 같은 맥락에서 생각해보면 인생의 숲에는 부정적, 파괴적인 요소로서의 어둠과 슬픔이 깃들어있는 것이다. 오스터의 언급처럼 저녁 무렵의 컴컴한 숲속은 한 발자국을 내딛기가 쉽지 않을 만큼 어두운데 이것은 앞으로의 삶의 세계가 어떻게 전개될지 알 수 없다는 것을 암시하는 상징성이 함축된 표현이다. 시인이 숲가에 도착하여 들었던 새소리는 숲의 내부와 외부의 경계를 인식하게 하며, 숲가를 경계로 숲의 내부세계와 외부세계의 차이를 느끼게 한다. 숲의 내부세계는 새가 노래하는 낭만적인 세계일 수도 있지만 어둠이 짙어 볼 수가 없고 알 수가 없는 위협적인 영역이다.[54] 시인이 들어가기를 거부하는 것은 내부의 어둠이 너무나 짙은 숲속이기 때문이다. 그런 점에서 인간에게 두렵고 무정해 보이는 검은 숲가에서 시인의 눈길이 별빛에 이끌리는 것은 자연스럽다.[55] 시인의 눈길을 따라 검은 숲 위에서 밤하늘의 어둠 속을 비추는 별빛은 숲속의 어둠과는 대조적으로 밝음과 희망을 상징한다. 이에 반해서 숲이나 숲속의 어둠은 인생의 불확실성과 한계성 또는 불가사의와 같은 삶의 부정적인 차원을 암시한다고 할 수 있다.

한 걸음 더 나아가면 숲이 지니는 어둠의 이미지는 불길한 죽음과 연관되기도 한다. 가장 폭력적이고 적대적인 최후의 힘이 죽음이다. 「공격」이라

54 이영석, 같은 책, pp.118-119.

55 Oster, ibid., p.55.

는 시는 겨울에 눈이 쏟아져 검은 숲을 온통 하얗게 뒤덮는다. 전반부에서 시인은 계속 하늘에서 내리는 눈을 보면서 자연의 냉혹함에 대한 두려움에 비틀거린다. 생명의 종말에 사로잡혀서 해오던 일을 포기하고 죽음을 기다리는 사람처럼 눈의 위협성에 압도된다. 흘러가는 시간에 따라 계속 쏟아지는 눈이 검은 숲을 쉬지 않고 뒤덮어가는 광경은 자연의 무서움과 냉혹함을 배가시킨다. 드디어 눈은 인간이 어떻게 손을 써볼 수도 없는 불가항력적인 위협과 폭력이 되고, 자연의 위력은 그 앞에 서 있는 인간의 교만을 잠재운다. 이런 장면에서 검은 숲은 니치의 언급처럼 하얀 눈과 더불어 "죽음과 숙명의 불길한 조짐"을 암시하는 듯하다.[56]

> 늘 그렇듯이, 어느 운명 지워진 날 밤,
> 마침내 모였던 눈이 쏟아져
> 검은 숲을 온통 하얗게 뒤덮고,
> 겨우내 다시 불러지지 않을 조용한 노래로
> 아직 덮이지 않은 땅에 눈이 내릴 때
> 나는 하늘과 주위를 돌아보며 비틀거린다.
> 종말에 사로잡혀 하던 일을 포기하고,
> 죽음이 내리기를 기다리는 사람처럼,
> 악에 어떻게 해보지도 못하고
> 중요한 승리도 해보지 못한 채,
> 결코 인생이 시작되지도 않은 것처럼, (*Poetry*, 226)

56 George Nitchie, *Human Values in the Poetry of Robert Frost* (Durham, N.C.: Duke UP, 1960), p.98.

「봄의 연못들」에서도 역시 나무와 숲은 시인을 두렵게 하는 대상이다. 이 시에서 연못들은 숲속에 있다. 시인은 봄에 눈이 녹아 여러 개의 연못을 만들었던 물이 나무줄기로 올라가서 "어두운 잎"으로 변화되는 것을 경계한다. 즉 "자연을 어둡게 하는 힘"이 되지 않기를 바란다. 연못들은 그 위에 하늘을 비추고, 옆에 피어있는 꽃처럼 추위에 떨기도 하며, 꽃처럼 사라지기도 할 것이고, 개울이나 강으로 물이 빠져서 사라질 것이다. 그러나 시인은 연못의 물이 나무들의 뿌리를 타고 올라가서 "어두운 잎"을 이루는 것은 바라지 않는다. 나무들이 그와 같은 어두운 힘을 봄의 새싹 속으로 주입하여 계절이 바뀌면 "여름 숲이 되어 자연을 어둡게 하는 힘"(*Poetry*, 245)으로 숨어 있다가 어둡게 나타날 것이라고 시인은 상상한다. 이 시에서 연못의 물이 나무와 숲, 개울과 강으로 이동하는 자연의 순환과 교류의 아름다움이 느껴지는 것도 사실이지만 시인에게 나무와 숲은 부정적인 어두운 힘이 내재하는 위협적인 실체로 부각된다.[57] 프로스트에게 자연은 때로는 낙관적인 낭만성이나 초월성과 더불어 이에 대비되는 비관적인 위협성과 폭력성을 지닌 복

---

57 이런 「봄의 연못들」과 같은 초기의 시들은 자연의 순환과 아름다움을 묘사하고 있어서 워즈워드의 영향을 짐작게 하는 자연애가 근저에 깔려있다. 톰프슨은 워즈워드와 프로스트의 자연시가 일상적 생활의 사건과 환경을 소재로 선택하고 일반인들이 마음으로부터 아무런 억제됨이 없이 느끼는 바를 실제적으로 사용하는 언어로 표현한다는 점에서 유사성이 있다고 말한다(Lawrence Thompson, *Robert Frost*. Minneapolis: University of Minnesota Press, 1963, p.38). 하지만 마리온 몽고메리에 의하면 프로스트는 워즈워드와는 다르게 자연과의 대화에서 몰아적인 애정을 느끼지 않으며 봄의 숲에서 느끼는 어떤 충동도 결코 없다고 본다(Marion Montgomery, "Robert Frost and His Use of Barriers: Man VS. Nature Toward God," *Robert Frost: A Collection of Critical Essays*. Eaglewood Cliffs, New Jersey: Prentice-Hall, 1962, p.138). 여기에 명시한 서지는 간접인용이며, 백태효, 「워즈워드와 프로스트 시의 자연 이미지 비교」, 『신영어영문학』 10집(1998), pp. 30-31에서 인용했다. 백태효에 의하면, 프로스트의 시는 일견 워즈워드에 버금가는 자연관을 지닌 시인으로 볼 수 있을 만큼의 다양한 유사성을 드러내고 있다. 어떤 의미에서 자연은 프로스트의 시의 주제가 되기는 하지만 그에게 자연은 결코 생기 있는 숲이 제공하는 물리적 자극만으로 볼 수 있는 것은 아니며, 그의 가장 훌륭한 시는 자연 속에서 숨 쉬는 인간들이 엮어가는 드라마로 제시되지만, 워즈워드의 시는 파노라마 같은 자연의 세계를 보임으로써 진가를 발휘한다고 언급한다(p.39).

합적인 실존의 모습으로 등장한다. 하지만 이 시에서는 낙관적인 낭만주의나 낙천적인 초월주의의 모습보다는 현실주의적이고 비관주의적인 실존적 체험이 더욱 압도하는 양상이다.

> 이 연못들은 숲속에서도 언제나 /흠잡을 데 없는 하늘을 비추고 / 〔…〕 하지만 개울이나 강이 되어 사라지는 대신에 /뿌리 타고 올라가 어두운 잎을 이루리라. /나무는 그 새싹 속에 숨기고 있으니 /여름 숲이 되어 자연을 어둡게 하는 힘을. (*Poetry*, 245)

나무가 연못의 물을 빨아들이는 것이 이처럼 부정적인 '어두운 잎'으로 될 것을 시인은 두려워하기 때문에 나무에게 비난하듯이 그렇게 하지 말아 달라고 간청한다. "나무여, 다시 생각해다오. 어제 눈이 녹은 물로부터, /그 꽃 같은 물, 그 물 같은 꽃을 /빨아들여 마시고 쓸어버리는 데에만 /그 힘을 모두 써버릴 것인가"(*Poetry*, 245)

이처럼 나무와 숲에 대한 프로스트의 자연시들 중에는 거칠고 냉엄한 현실에 대한 실존주의적인 철학이 깊게 녹아있는 시들이 상당히 많다. 대표작 중의 하나인 「자작나무」도 이런 경우에 속한다. 시인은 어렸을 때 자작나무를 타고 올라가서 나뭇가지들을 흔들며 놀았다. 고향 마을이 도시로부터 너무 떨어진 시골에 살았기에 야구를 해보지 못한 소년들이 스스로 생각해 낸 것이 이런 나무타기 놀이밖에 없었다. 시인은 성인이 된 지금에 그때를 회상할 때 자작나무의 고통을 새롭게 떠올리게 되며, 나무가 겪었을 고난을 깊이 깨닫게 되는 경지에 이른다. 자작나무는 온갖 풍상과 고통을 감내하면서 살아남은 실존적인 인간의 모습에 대한 하나의 상징이다. 이제 이 자작나무는 시인 자신의 그야말로 고달프고 험난했던 고난의 인생 역정을 상징적으로 표현하는 존재가 된 것이다.

더 꼿꼿하고 더 어두운 나무들 사이에서
자작나무가 좌우로 굽어 있는 것을 보면
소년들이 매달려 흔들었을 거라는 생각이 든다.
하지만 흔든다 해서 얼음 실은 폭풍처럼
가지를 땅으로 굽힐 수 있으랴. 이따금 보았으리라,
비 그치고 해 솟은 겨울철 아침
얼음 가득 짊어진 가지들. 바람이 불면 가지들은
저희끼리 부딪쳐 쨍그렁거리고, 흔들리다 금이 가고
흠이 생기면 표면이 오색으로 빛난다.
이윽고 햇볕의 열기에 가지에서 떨어진 수정 껍질들
눈 쌓인 지면으로 부서져 쏟아진다.
이 깨진 유리 더미를 쓸어본다면
하늘이 무너져 내렸다는 생각이 들 것이다.
무게를 이기지 못한 가지들은 시든 고사리 덤불 위로
휘었으나 부러질 성싶지는 않구나. 하지만 오랫동안
굽어 있으면 다시는 바로 서지 못하는 법.
먼 훗날 숲에서 둥근 호를 그리며 굽은 자작나무들
땅 위로 잎을 끌고 있는 것을 보면
두 손과 무릎에 의지하고 고개 숙인 소녀들이
햇볕에 머리카락을 말리는 모습 같으리라.
얼음 실은 폭풍우가 자작나무를 휘게 했다는
엄연한 진실이 끼어드는 것을 어쩌랴. 하지만,
나는 소 먹이는 소년이 들어오고 나가면서
나무에 매달린 때문이라 말하고 싶은 것이다.
도시가 너무 멀어 야구를 해보지 못한 소년이야

스스로 생각해낸 놀이밖에 없어
여름이나 겨울이나 혼자서 놀았던 것이다.
그는 아버지의 자작나무에 거듭 올라가
한 그루 한 그루씩 진압했고
결국은 나무에서 꼿꼿한 기운은 빼버렸으니
맥없이 늘어지지 않은 나무 한 그루도 없고
더 정복할 나무도 남지 않았다. 그가 배울 것은
다 배웠으니, 그건 너무 일찍 오른 나머지
나무가 뿌리째 뽑히게 해선 안 된다는 것.
언제나 균형을 지키며
마지막까지 조심조심 올라갔으니
그 공들임은 마치 넘칠 듯 넘치지 않게
잔을 가득 채우는 것과 같다 할까.
그리곤 허공을 발길질하며
땅으로 휘익 뛰어내렸다.
나도 한때는 그처럼 자작나무를 흔든 적이 있었다. (*Poetry*, 121-122)

프로스트는 어린 시절에 이와 같이 자작나무의 몸통과 나뭇가지를 휘어잡고 오르락내리락하며 즐거운 놀이를 하곤 했지만 자작나무는 몸체가 뒤틀리어 변형되고 땅바닥으로 가지들이 주저앉는 지경까지 이르렀으니 너무나 힘들고 고난으로 가득 찬 삶을 살아왔던 것이다. 그러나 어렸을 적의 시인은 자작나무가 겪는 고통을 고려할 줄 몰랐으며 생명체의 고통에 대해 아무런 인식도 없었다. 이제 성인이 된 시인은 지금까지 살아왔던 삶을 돌이켜보니 "인생은 길도 없는 숲과 같다"라는 사실을 깨닫는다. 그래서 "거미줄을 뒤집어쓴 얼굴이 화끈거리고 따끔거릴 때가 있으며, 한쪽 눈이 가지에 스쳐 눈물을 흘릴 때가 있다"라고 고백한다. 나무들과 함께 숲은 앞길을 알 수 없이 어둡고 깜깜한 인생의 현실 앞에 놓인 실존주의적인 상황을 상징한다고 하겠다.

> 그래서 그 시절로 돌아갈 꿈을 꾸는 것이다.
> 그건 내가 잡념으로 지쳐 있을 때이고,
> 산다는 것이 길도 없는 숲과 같아서
> 거미줄을 뒤집어쓴 얼굴이
> 화끈거리고 따끔거릴 때이며,
> 한쪽 눈이 가지에 스쳐 눈물을 흘릴 때이다.
> 나는 잠시나마 세상을 떠났다가
> 돌아와서 다시 시작하고 싶은 것이다.
> 하지만 운명이 내 뜻을 일부러 오해하고
> 내 소망은 듣는 둥 마는 둥 영영 돌아오지 못하게
> 데리고 가면 어쩌나. 세상은 사랑하기 알맞은 곳,
> 사랑을 위해 더 좋은 곳은 없지 않은가.
> 나는 자작나무 오르기부터 하고 싶다.
> 새하얀 둥치 타고 하늘을 향해 검은 가지를 오르면
> 드디어 나무는 더 이상 견디지 못하고
> 그 꼭대기를 숙여 나를 땅에 다시 내려놓으리라.
> 오를 때나 내려올 때나 기분 좋으니
> 세상일은 자작나무 흔드는 것만도 못하구나. (*Poetry*, 122)

독자들이 만약 프로스트의 처절하고 눈물겨운 삶의 온갖 역경에 대한 역사 전기적 사실을 알게 된다면 위 시에서 시인이 자작나무에 부여한 모든 언어적 표현들이 얼마나 적절한가를 이해할 수 있을 것이다.

## 나가며

지금까지 살펴보았듯이 프로스트의 여러 자연시는 그가 전원과 농장에서 나무, 숲, 들판의 다양한 생명체들과 직접 교류하고 체험을 나누면서 체득하게 된 실존주의적이고 초월주의적인[58] 진리를 담고 있다. 그의 시에서 특히 중심적인 풍경의 하나를 이루는 숲, 나무와 관련하여 볼 때, 어둠의 이미지와 어두운 힘이 압도한다. 밝고 낙천적인 측면이 없지는 않지만 대부분은 자연과 인생의 일탈, 불확실하고 알 수 없는 세계를 암시한다. 대부분의 자연시는 표면적으로는 단순한 자연 묘사로 보이지만 그 이면의 의미는 깊이와 무게에서 예사롭지 않다. 프로스트의 자연시에 묘사된 전원과 시골의 나무와 숲의 풍경은 생활의 아주 일상적인 사실들을 소재로 선택하였고, 문체적으로는 매우 사실주의적이기 때문에 표면적인 차원으로만 읽는다면 어려울 것이 전혀 없다. 그러나 그러한 전원시, 자연시가 겉으로는 볼 때는 아주 평범하고 익숙한 것이라 할지라도 쉽게 읽고 그냥 넘겨버릴 수는 없다. 단순한 전원시, 자연시가 아니라 지극히 철학적인 깊이와 무게를 내포하고 있기 때문에 다시 되새겨 본다면 거기에는 가볍게 단정할 수 없는 인생과 우주자연에 관한 통찰에 있어서 중첩적이고 다층적인 여러 결로 짜여있음을 알게 된다. 거기에는 이중성, 모호성, 불확실성이 함께 새겨져 있고 복잡성과 복합성이 배어있는 것이다. 그런 측면에서 독자는 글귀의 이면을 깊이 되

58 프로스트의 자연시의 초월주의적인 성격에 대해서는 본 저서에서 깊이 있게 언급하지 않았는데, 이에 대해서는 현영민, 「로벗 프로스트 시의 초월주의적 비전」, 『영어영문학』 제48권 2호(2002), pp.371-396을 참조할 수 있다.

씹어 봐야 한다. 그렇게 프로스트의 자연시를 음미한다면 사상적, 철학적으로 깊숙이 함축되어있는 상징적인 힘의 작용에 관한 올바른 인식에 도달할 수 있을 것이다.

프로스트에게 시는 자연과 문화의 변증법적 대립의 소산이다. 신재실에 의하면 '문화언어'의 이전에 '자연언어', 즉 자연의 '소리들'이 있다. 이것은 언어의 근원에 관한 진리이다. 에머슨은 "단어는 자연적 사실의 기호"라고 언명했다. 문화언어는 자연언어의 역사적 산물이다. 프로스트의 자연시는 단순한 도피의 산물이 아니라 실존적인 현실을 다룬다. 프로스트는 20세기 미국 문단의 일상이 되어버린 도시취향적인 모더니즘의 영향에서 벗어나 있다. 그가 도시로부터 뉴잉글랜드의 자연과 농촌생활로 후퇴했지만 그것은 전략적이었으며, 시인으로서의 정체성을 확보하기 위해서였다. 다시 말해 자연으로의 전략적 후퇴라고 할 수 있다. 이와 같은 점에서 그가 자연을 다룬 시들은 전원과 도시, 자연과 문명(문화), 일과 사랑, 사실과 상상력, 일상과 일탈의 변증법적 산물로 이해될 수 있다.

프로스트는 미국 시의 전통으로부터 내려오는 쉬운 예술적 기법을 사용했지만 동시에 모더니즘과 연관된 맥락에 위치한다. 그의 자연시는 동시대 모더니즘의 도회성에서 물러났다기보다는 내면적으로 보면 문화와 자연의 대립적인 요소들의 새로운 통합을 이루기 위한 변증법적인 과정을 품고 있다. 이와 같은 맥락에서 프로스트의 '일탈'에는 초월주의가 내포되어있으면서도 삶 자체를 대변한다. 유사한 맥락에서 그의 자연시는 도입된 전통에서도 현대성이 파악될 수 있다. 프로스트는 과거로부터 보존되어 내려오는 광장, 공원, 오래된 집을 사랑했으며, 미국의 자연과 아름다움에 대해 깊은 애정을 보였다. 그의 시에 복합적인 자아가 포함되어있다는 사실은 지금까지 그에게 붙여진 다양한 별명에서도 알 수 있다. 예를 들면 자연시인, 농부시인, 대중시인, 상징주의자, 무서운 시인, 도피주의자, 모순적인 시인 등의 표현이 그것에 대한 증거다.

케네디 대통령은 자연과 인생의 모든 것을 복합적으로 표현했던 프로스트의 시를 애독했다. 가끔 시간이 나는 대로 그를 백악관에 초대하여 친구로서 환대했다고 한다. 대통령은 프로스트가 서거했을 때 추모 연설을 통해 위대한 철학적 대중시인으로서의 프로스트에 대해 뜨거운 사랑과 한없는 신뢰와 깊은 존경의 마음을 담아 진정으로 애도했다. 프로스트는 깊숙이 숨겨진 인간과 자연의 실재와 진실을 이해한 철학적 시인이었으며, "예술은 진리의 형식이다"라고 믿었을 만큼 '실제적인 시인'이었다.[59] 인생의 긴 여정에서 온갖 고난을 겪었던 프로스트는 그에게 다가왔던 고난을 극복했고, 초월했다. 그는 인간과 자연을 깊이 알았고, 수용했고, 사랑했으며, 뛰어넘었던 시인이었다. 초월주의자로서의 자연시인인 프로스트는 참으로 위대하다고 할 것이다.

59 네이버 블로그 포스트 내용 프린트 및 신재실, 「일탈의 미학. 로버트 프로스트」, pp.4-5. (https://blog.naver.com/PostView.nhm?blogId=gmjslee&logNo=220266771523 2018-02-07)

제4장

# 위기에 빠진 현대문명과 숲유토피아

로렌스가 쓴 만년의 소설 『채털리 부인의 사랑』에서 젊은 귀족인 클리포드는 세계대전에 출전하여 상처를 입고 돌아와 휠체어에 의지하는 불구의 몸이 된다. 거대한 재산을 상속받은 그는 녹색의 숲동산, 저택, 장원, 영지, 그리고 탄광 등을 소유하고 있다. 클리포드는 숲동산 옆에 붙어있는 저택에서 젊은 아내 코니와 함께 살아간다. 그는 경제적, 물질적으로 거부이지만 안타깝게도 이성 · 지성주의와 물질주의에 편향된 사람이기에 생명의 숲동산과 풍요로운 자연의 세계에는 무관심하다. 그의 부인은 허식적이고 공허한 남편의 반생명적인 태도로 인해 육체의 생명력은 쇠락하고 삶의 의미를 상실한다. 그녀가 기계적이고 피폐한 일상생활로부터 탈출구를 찾는 곳이 숲동산이며, 숲관리인으로 고용된 서민계급 출신의 멜러즈를 만나게 되어 깊은 사랑에 빠진다. 멜러즈는 숲속에서 은둔자처럼 조용히 살아가지만 원시적 야생적인 자연과 교감하고 동화할 줄 알며 지성과 감성을 겸비한 사람이다. 코니는 멜러즈와의 육체적인 사랑을 통해 잃어버린 근원적 생명을 재발견하고 생중사의 삶에서 깨어난다. 숲동산은 원초적인 성을 일깨우고 사랑을 완성시켜 창조적인 삶으로 이끄는 중요한 매개자이다. 여기서 멜러즈는 숲동산을 대표하는 '숲의 사람', '자연인'이라 할 수 있다.

환경운동가인 칼렌바크가 쓴 공상적 생태소설인 『에코토피아』에서 20세기의 미국연방공화국은 곳곳에 첨단 과학기지와 공장들이 건설되어 환경 파괴와 공해로 인해 문명의 위기에 빠진다. 언론사 기자인 주인공 웨스톤은 미국연방에서 분리 독립한 신생의 에코토피아공화국으로 취재하기 위해 출국하여 각종 수목과 화초, 녹색 숲으로 조성된 생태학적인 유토피아 국가의 여러 지역을 탐방한다. 그는 여러 방면에서 감동적인 체험을 하고 거기서 알게 된 여인 마리사를 통해 생명의 근원인 숲속에서 원초적인 생명과 사랑을 경험하고 에코토피아공화국에 남기로 결심한다. 이 작품은 환경위기에 처한 현대문명으로부터 인간을 구원할 수 있는 실천적인 대안을 보여준다.

『핀드혼 농장 이야기』는 실직한 몇 사람이 어울려 스코틀랜드의 바닷가에 있는 척박한 황무지를 개간하여 아름답고 풍요로운 농장을 성공적으로 가꿔서 신비로운 영성공동체를 건설하는 이야기다. 주인공들은 이러한 이야기를 일지 형식으로 기록했다. 그들은 다양한 종류의 나무, 화초, 채소 등을 깊은 사랑과 세심한 정성을 기울여 아름답고 풍요롭게 키운다. 그러한 생명체들의 발육과 성장을 위해 경건하고 부드러운 손길로 인격적인 교감과 신비한 대화를 지속함으로써 기적 같은 사건들이 일어난다. 이 녹색 농장은 날이 갈수록 더욱 번창하고 풍요로워져서 소문을 들은 많은 사람의 발길이 이어진다. 주인공들이 농장의 생명체들과 신비한 대화를 나눌 수 있는 현상은 그런 생명체들 속에 깃들어있는 정령들을 볼 수 있고 또 불러낼 수 있는 영적 능력을 소유했기 때문이다. 스코틀랜드에서 일어난 이 놀라운 개척 수목원 농장에 관한 이야기는 세계적으로 널리 알려져 해마다 수많은 해외 방문객이 찾는다.

4-1

# 로렌스의 숲동산
## —『채털리 부인의 사랑』

### 현대 서구사회와 자아 재생의 근원인 숲

20세기의 서구사회는 경제적인 생산과 소비의 효용성을 우선적인 가치로 삼고 과학기술과 이성(지성)에 의해 주도된다. 이러한 현대사회는 유물론적인 사고방식과 물질주의적인 욕망에 지배받게 되고, 현대인들은 자기중심적이고 탐욕적, 기계적인 인간성을 형성하게 되어 참된 생명의 활력과 기본적인 도덕성마저 잃어버리는 상황에 이르게 되었다. 이러한 시대적, 문화적 풍토는 개인과 사회에 대해 심각한 문제를 일으켰다. 사람들 사이의 인간관계 악화는 물론이고 자연을 대하는 인간의 잘못된 사고방식과 태도는 자연환경과 자연생태계에까지 해악을 끼치는 상황을 초래했다. 이러한 현대사회의 병폐를 치료하고 인간의 참된 정체성을 회복하기 위해서는 새로운 도덕과 의식 개혁이 요구된다. 현대사회의 시대적 조류를 올바르게 진단하고 비판하면서 나름의 비전과 대안을 제시하는 유럽의 여러 작가 중에서 로렌스는 크게 주목을 받았으며 그의 통찰력은 지식인들 사이에 놀라운 공감을 불러일으켰다. 서구사회의 현대인들이 물질화, 기계화된 의식을 개혁하고, 자연 속에서 유기체로서의 존재임을 인식하여 상실한 원초적 생명을 되찾고 고갈된 자아의 활력과 건강성을 회복하는 데 있어 나무와 숲은 매우 중요한 역할을 한다. 녹색의 숲은 생명의 원천과 보금자리가 되기 때문이다. 녹색숲의 중요한 역할을 여실히 보여주는 로렌스의 소설이 『채털리 부인의 사랑』이다.

『채털리 부인의 사랑』에서 인간과 자연의 생명력에 역행하는 삶의 태도를 보이는 인물이 클리포드이다. 그는 아버지로부터 부의 보고인 탄광과 영지는 물론이고 그것들과 함께 장원의 숲동산을 유산으로 물려받았다. 그러나 아름답고 활기에 넘치는 풍요로운 숲동산은 이성과 지성을 기반으로 합리적인 효율성과 생산성을 추구하는 사고의 틀에 사로잡혀 있는 클리포드에게는 아무런 영향을 미치지 못한다. 숲에 대해 그는 재산으로서의 물질적 가치 외에는 전혀 관심이 없다. 귀족계급으로서 지식인, 지성인의 반열에 속하지만 감수성과 생명력이 고갈되어버린 물질적, 기계적인 인간의 전형인 그는 비극적인 인물이다. 영국 지식인들의 사교그룹을 대표하는 클리포드이지만 외형적인 화려함이나 명성과는 달리 주지주의, 합리주의에 대한 편향된 신념으로 인해 자기 자신으로부터 생명의 역동성과 활력을 고사당하고 파괴적인 자아상태로 내몰린다. 그 결과로 코니와의 부부관계는 점점 더 악화하고 유기체로서의 자아는 붕괴하고 점점 더 퇴행적으로 되어가면서 품격과 신뢰성을 잃어간다. 작품 속에 묘사되는 녹색의 숲동산은 이와 같이 반생명적인 클리포드와의 잘못된 결혼생활로 인해 육체와 영혼이 모두 병들고 죽어가는 코니를 구원하는 낙원(유토피아)이 된다. 그녀는 우연히 숲속으로 깊숙이 걸어 들어가본 산책을 계기로 '살아있으나 죽어버린' 자신의 자아와 무기력하고 무의미한 일상생활로부터 탈출하여 육체와 영혼을 점차 치유하고 회복시키며 정서의 안정과 영적인 풍요를 누릴 수 있게 된다. 여기서 코니에게 이러한 구원을 가능하게 한 매개자는 '숲의 주인공'인 멜러즈이다. 그는 클리포드 경의 장원에 속한 숲동산의 관리자로 고용되었으며, 신분적으로는 중하층계급 출신이지만 높은 통찰력을 지녔고 지성과 감성을 겸비한 매력에 넘치는 인물로서 조그마한 관리막사에 혼자 기거하면서 숲속의 자연과 더불어 조용하게 살아가다가 우연히 코니를 만난 것이다. 코니는 숲으로부터 멜러즈와 만나는 계기를 통해 자신의 잃어버린 생명을 되찾게 된다. 숲속에서 이루어가는 두 남녀의 사랑은 코니를 죽음의 '자아상태'로부터 해방시켜 원초적인 정체성을 재발견하게 하고 인간과 자연의 중심에 존재하는 미처 알지 못했던 신비로운 비밀과 경이를 알게 하고 죽음으로부터 생명으로 부활시킨다. 그들은 자아의 뿌리가 되는 참된 성애를 알게 되는데 녹색동산의 숲은 그것의 근원이 된다. 이 작품에서 숲동산은 모든 생명체가 죽어가는 위험한 바다에서 희망의 등대처럼 빛을 발하면서 홀로 물 위에 떠 있는 '녹색 섬'과 같은 이미지로 형상화되어있다.

반생명적인 주인공인 클리포드는 코니와 결혼하였으나 제1차 세계대전의 전장에 나가 하반신 마비라는 영구 장애인이 되어 집으로 돌아왔다. 이후에 결혼생활의 불행은 시작되며 멜러즈가 등장함으로써 세 사람 사이에 사랑의 삼각관계가 만들어진다. 클리포드와 그의 저택이 죽음의 세계를 대변하는 데 반해 그의 집에 숲관리인으로 고용된 멜러즈와 숲동산은 생명의 세계를 대변한다. 클리포드는 채털리 가문에서 차남이었지만 형님이 전투에서 전사하자 가업을 물려받는 유산 상속자가 되어 장원에 속하는 숲동산의 바로 옆에 붙어 있는 '래그비 저택'에 정착했다. 그의 저택은 당대의 수많은 저명한 지식인들이 방문하고 출입하며, 사교활동의 중심 무대가 된다. 그는 명문 케임브리지대학 출신으로 한때는 독일에서 탄광기술을 공부한 적이 있는 엘리트이다. 불구의 몸으로 생활하면서 따분하고 지겨운 시간을 견디기 위해 소설을 쓰기 시작하였는데 문단으로부터 그 재능을 인정받아 나름대로 성공을 거두기도 한다. 그는 상류층 그룹의 사교계에 속한 구성원으로서 남성 중심의 가부장적인 인생관을 소유했으며, 지성과 이성을 모든 일 처리의 중심으로 삼는다. 그것은 시대의 유행을 따르는 지식인들의 공통적인 현상으로서 클리포드의 저택에 출입하는 다른 모든 사람도 이러한 유형의 인물이며 하나같이 반생명적이고 반자연적이다. 이와 같은 맥락에서 죽음의 세계와 같은 래그비 저택과 대척되는 세계가 곧 클리포드의 숲동산이다. 여기서 동산의 나무와 뭇 생명체들은 자연을 대변하며 숲은 죽음세계의 인간을 구원하는 자궁과 같고, 작품의 사건 진행에서 중심적인 배경이 된다.

클리포드에게 자연은 언제든지 인간의 필요에 따라 이용되고 훼손되어도 좋은 물질적 객체로 인식된다. 귀족가문의 장자였던 클리포드의 아버지는 일차대전이 일어나자 전쟁터의 참호용 버팀목으로 팔기 위해 숲의 상당한 부분을 벌목했다. 숲에 대한 아버지의 사고방식은 경제적 효용성을 중심으로 하였는데 아들 클리포드에게로 이어졌다. 클리포드는 숲을 생명의 원천이나 보금자리로 생각하는 대신 가문의 경제적이며, 정치적인 전통을 과시하는 물질적 기능재로 생각한다.[1] 아래의 인용문에서 탄광의 소유주인 클리포드와 아내 코니 사이의 대화에서 이러한 사고방식이 잘 나타나고 있다.

> 그래! 여기가 바로 옛날 그대로의 영국이고, 그 심장이야. 그리고 난 이곳을 그대로 지킬 거야.
> "아, 그러세요!" 코니가 말했다. 그러나 그렇게 말했을 때 그녀는 11시에 터지는 스텍스 게이트 탄광의 가스 배출 폭발음을 들었다. 클리포드는 그 소

1 이에 대해 보다 더 상세하게는 김정매, 「『채털리 부인의 연인』 다시 읽기: 생태학적 텍스트로서의 의의」, 『D. H. 로렌스 연구』 9권 2호(2001), p.61 참조.

리에 너무 익숙해져 듣지 못했다.

"나는 이 숲을 완전하게, 누구도 손대지 못하게 하여 이대로 보존하고 싶어요. 어느 누구도 이 숲에 침입하지 못하게 하고 싶어요." 클리포드가 말했다.[2]

위의 대화에서 클리포드가 코니에게 숲을 보존하려는 강렬한 의지를 보인 것은 자연에 대한 사랑에서가 아니라 상류층 가문의 전통을 유지하겠다는 생각에서 비롯된 것일 뿐이다. 그렇기 때문에 그는 이 숲을 위협하는 탄광지대의 가스 폭발음에 대해서 무감각하다. 숲은 상류계급의 전통과 가치를 자랑하는 상징으로 인식되기 때문에 그는 숲을 산책하면서도 갓 피어난 봄꽃의 경이로움보다는 숲을 물려줄 후손을 먼저 생각한다. 자신은 성적 불구자가 되었기에 코니가 어떤 남자와 관계를 맺든 상관없이 아기를 낳아 가문을 이어가기를 원한다. 그에게 아기는 인격체가 아니라 가문을 잇는 기능적인 물체에 불과하다. 그는 이와 같은 반생명적인 사고방식에서 아기를 간단히 "그것"이라고 부른다. 코니는 이런 말을 듣고 강한 저항감을 느낀다. "그녀가 낳을 자식이 그에게는 그저 물건 같은 '그것'에 불과했다. 그것-그것-그것이라니!"(45)[3] 로렌스는 클리포드에 대한 인물평에서 「『채털리 부인의 사랑』에 관한 논평」이라는 에세이를 통해 그에게는 "따뜻함이란 흔적도 없고, 가슴은 차갑기만 하고, 가슴은 인간적으로는 존재하지 않는다. 그는 우리 시대문명의 산물이지만 세계의 위대한 인간성의 죽음이다. 그는 기계적으로 친절할 뿐 따뜻한 인정이 무엇을 의미하는지에 대해서는 알지 못한

---

2 D. H. Lawrence, *Lady Chatterley's Lover* (Harmondsworth, Middlesex: Penguin Books Ltd., 1974), p.44. 이후의 인용은 이 책에 의한다.

3 *Lady Chatterley's Lover*, p.45. 이에 대해 더 상세하게는 서명수, 「로렌스의 『채털리 부인의 연인』에 나타난 숲과 자궁의 의미 상관성」, 『문학과 종교』 제17권 1호(2012), pp.68-69 참조.

다."라고 비판하면서 바로 그러한 이유로 자신이 선택한 여성을 잃게 된다고 밝힌다.[4]

숲에 대해서 코니는 클리포드와 대조되는 생각을 가졌다. 그녀는 숲관리자인 멜러즈가 거주하는 숲속의 오두막집 마당에서 닭의 어미와 함께 지내는 조그마하고 가냘픈 꿩 새끼들을[5] 처음으로 보고 생명의 신비로움으로 감명을 받아 황홀한 기분에 젖는다. 이런 일이 있고 난 뒤로 그녀는 소중하게 여겨지는 작은 생명을 보기 위해 숲속의 오두막집을 자주 찾게 된다. 꿩의 알을 품고서도 희생적인 사랑으로 모성애를 발휘하는 암탉은 코니에게 마음을 따뜻하게 만들어주는 유일한 존재처럼 느껴진다.[6] 그런데 멜러즈는 숲속의 오두막집 마당에서 새끼 꿩들을 돌보며 숲을 보호하고 관리하면서 자연과 조화되어 살아간다. 멜러즈에게 숲은 역동적이고 순수한 생명의 세계로 여겨지지만, 코니의 남편인 클리포드에게는 기업으로서의 탄광이 그렇듯이 숲은 단지 금전으로 환산되는 하나의 소유물일 뿐이다. 클리포드의 몸 내부는 부드러운 과일의 살과 같으나 외부는 기계의 강철로 된 껍질을 가진 인간과 같다(114). 그러나 숲은 생명을 길러내고 문명에 지친 인간의 영혼을 위해 평화와 휴식을 제공하는 위대한 공간이다. 이러한 숲속에서 코니와 멜러즈의 만남이 이루어지는 것이다. 이런 만남은 서로에게 깊고 신비한 사랑의 계기가 되며, 생명에 대한 새로운 각성과 새로운 삶을 향한 변화의 원동력이 된다. 코니는 숲속의 세계에 입문함으로써 오랫동안 잠들었다가 깨어나는 미녀의 이미지로 변화하며, 지금까지의 건조하고 무기력한 일상생활의

---

4 D. H. Lawrence, "A Propose of *Lady Chatterley's Lover*," ed. Harry T. Moore *Sex, Literature and Censorship* (New York: The Viking Press, 1972), p.109.

5 꿩의 새끼들이지만 어미 닭이 자기의 새끼로 여기고 돌보는 현상이다.

6 이옥, 「『채털리 부인의 사랑』과 『월든』: 인간 삶의 본질적 실상에 대한 통찰」, 『D. H. 로렌스 연구』 13권 1호(2005), p.176.

깊은 잠에서 깨어나 새로운 생명세계를 볼 수 있게 된다. 이러한 숲속의 자연세계는 래그비 저택에서 남편 클리포드와 함께 살아오는 동안 지속되어온 공허감이나 무력감과는 전혀 다른 경험을 얻게 한다. 반자연적, 반생명적인 남편과 함께 살아온 래그비 저택은 사실상 생명이 소멸한 죽음의 세계와 같지만 코니에게 숲의 주인공인 멜러즈는 그녀를 구원할 미래의 메시아로 다가온다. 멜러즈는 불화로 별거 중인 아내를 피하여 숲속에서 외롭게 지내왔는데 코니와의 만남을 통해 진정한 정체성을 회복하는 계기를 얻으며 따뜻하고 부드러운 사랑의 의미를 발견하게 된다.[7] 두 사람은 숲속의 자연세계에서 새로운 삶의 기반을 찾고, 존재의 원초적인 힘을 회복하게 된다. 풍요로운 생명의 숲은 그들을 위해 내면의 기쁨을 키워가고 자아완성의 길로 이끌어간다.

코니와 멜러즈의 관계가 발전하는 과정은 대자연의 생명순환의 원리를 따르고 있다. 그들의 만남은 생명이 촉촉하게 살아 숨쉬기 시작하는 봄날에 시작되며, 이러한 시작은 잠들었던 의식이 재생되는 봄의 신화적인 개념과 일치한다. 그들은 조용하면서도 풍요로운 자연의 리듬에 서서히 동화되고, 그들의 사랑은 늦가을에 무르익게 되며, 두 사람 모두 미래에 대한 확신을 갖게 된다. 두 사람의 만남과 사랑의 완성으로 이행하는 데 따르는 계절적 주기는 인간의 변화와 우주적 리듬의 조화에 대한 하나의 사례라고 할 수 있다.[8] 잠들었던 그들의 생명이 깨어나고 그들이 누리게 되는 생명의 풍요와 기쁨이 활성화되는 것은 숲속이다. 이 작품의 여러 지면에서 작가는 과학기술과 물질 중심의 산업사회를 주도하는 상류계급의 지식인들이 이성과 지성을 도구화하고 절대화하여 삶의 본질을 왜곡하고 영혼을 병들게 하는 상황

7 이옥, 같은 논문, pp.176-177.

8 이옥, 같은 논문, p.180.

을 숲속의 생명세계와 병치시킨다. 숲의 바깥 세계에서 일어나는 병폐와 해악은 숲 안의 세계에서 일어나는 생명의 풍요와 충만에 대비되는 패턴이 작품의 여러 대목에서 발견된다. 자아가 강철 같은 껍질에 갇혀 거의 죽어버린 의식을 살려내는 것은 '숲의 안'이다. 클리포드의 래그비 저택에 이어져 있는 숲동산은 '녹색의 섬'처럼 생명이 보존된 유일한 '녹색의 낙원'이다. 이것은 『창세기』의 에덴동산을 연상시킨다. '숲속'에서 코니는 어머니의 자궁 속과 같은 안온함을 느끼며 로렌스가 늘 강조하는 "존재의 충만"(fullness of being)을 경험한다.[9] 숲속은 뭇 생명의 유기적인 생태학적 낙원(유토피아)을 이루고 있는 공간이기 때문에 이곳 안에 들어오면 의식의 분리를 야기하는 지성적, 이성적 사고는 멈춘다. 여기서 주체(자아)와 대상(타자)은 살아있는 역동적 관계로 변화하고 조화를 이루게 된다. 숲은 인간과 자연을 하나로 통합시키는 놀라운 인력(引力)을 품고 있다. 모이나한에 의하면 숲은 로렌스 문학에서 "파노라마의 생명적 중심"이다.[10] 숲은 기계문명에 의해 상처받은 인간의 영적 안식처이자 생명재생의 근원이다. 서명수에 의하면, 숲은 생명 탄생의 원천인 자궁의 의미가 있으며, 이런 숲의 공간 안에 들어온다는 것은 '입자궁'이고, 숲 밖으로 나가는 것은 '탈자궁'이라고 본다.[11] 숲속으로 '입자궁'을 했을 때 코니의 의식이 어떻게 변화하는지를 아래 인용문에서 느껴볼 수 있다. 이 장면은 어느 봄날에 숲속의 작은 오두막집의 마당에서 멜러즈가 몸을 씻고 있었을 때 코니가 멜러즈의 경탄스러운 육체를 보고 감동했던 일이 있고 난 뒤에 또다시 그를 만나러 숲속에 들어갔을 때이다.

---

9 서명수, 같은 논문, p.70.

10 J. Moynahan, *Deed of Life: The Novels and Tales of D. H. Lawrence* (Princeton: Princeton UP, 1963), p.146.

11 서명수, 같은 논문, p.80. 저자가 입자궁 'eis-womb', 탈자궁 'ex-womb'이라고 사용한 용어는 그리스어와 영어를 합성한 조어임을 밝히고 있다(p.77).

> 콘스탄스는 어린 소나무에 등을 기대고 앉았는데, 소나무는 그녀의 기댄 몸을 받치고 묘한 생명력으로 존재하고 힘차게 솟구치듯이 흔들렸다. 꼭대기를 햇살 속에 드러낸 채 꼿꼿하게 살아 서 있는 존재였다! 그녀는 쏟아지는 햇살을 받아 수선화가 황금빛으로 변해가는 모습을 바라보았다. 햇살은 그녀의 손과 무릎에도 따사롭게 쏟아져 내렸다. 타르 냄새 비슷한 희미한 꽃향기가 맡아졌다. 그러자 너무도 고요히 혼자 있는 이 순간에 그녀는 본래적인 자신의 운명의 물결 속으로 흘러들어온 것처럼 느꼈다. (88-89)

이와 같이 코니는 숲속에 들어옴으로써('입자궁') 자연과의 동화와 조화를 통해 본래적인 자아의 모든 감각이 살아나고 생명의 물결의 움직임과 활력을 온전히 회복하게 된다. 이런 것이야말로 곧 재생의 이미지라 할 수 있다.[12] 인도의 여권주의자인 반다나 쉬바는 숲이 인도문명에서 늘 중심이 되어 왔으며, 여신, 즉 아란야니로서 숭배되었다고 언급했다. 그녀는 인도의 '시성'(詩聖)이라 불리는 타골이 숲에 관한 인도의 전통사상을 저서 『타포반』에서 잘 피력하고 있다는 점을 인용하여, 숲은 생명과 풍요의 중요한 근원으로서 거룩한 존재로 여겼기 때문에 아란야니 여신으로 숭배되었다는 사실을 밝히고 있다.[13] 로렌스는 위의 인용문에서 알 수 있듯이 숲을 생명회복의 핵심적인 장치로 설정하고 있다. 코니와 멜러즈 사이에 일어나는 중요한 사건들과 이야기의 대부분이 숲에 관련된다. 코니는 숲에서 멜러즈를 만나고, 숲에서 사랑을 나누며, 치유와 재생의 길은 숲에서 열린다.

사실 로렌스가 작품의 주제를 구상하고 창작을 시작했을 때는 나무 밑

---

12 P. Fijägesund, *The Apocalyptic World of D. H. Lawrence* (New York: Norwegian UP, 1991), p.151.

13 Vandana Shiva, "4. Women in the Forest," *Staying Alive* (Atlantic Highlands: Redwood Bks, 1989), pp.55-56.

에서 할 때가 많았다. 이 작품도 그런 예의 하나이다. 이 소설을 쓰기 시작했던 곳은 부인 프리다와 함께 이탈리아의 플로렌스(피렌체)에 있었을 때 한동안 머물렀던 작은 별장의 뒤편에 있는 숲에서였다.[14] 이 별장은 농부들이 사는 집과 함께 있었는데 마을의 낮은 언덕비탈은 사이프러스, 포도나무, 올리브나무, 밀이 펼쳐져 있었고, 넓고 아주 조용했으며, 상당히 멋진 곳이었다고 로렌스는 한 친구에게 말했다.[15] 아내 프리다의 회고에 따르면 로렌스는 일곱 시 경에 아침 식사를 마치고 책과 펜과 베개를 가지고 존이라는 이름의 개가 뒤따르는 가운데 그곳의 나무숲으로 들어가서 우산과도 같은 솔숲의 그늘에서 나무둥치에 기대고 앉아 아이들이 사용하는 두꺼운 연습장을 무릎 위에 얹어놓고 턱수염이 거의 닿을 정도로 고개를 수그린 채, 아침 햇살을 받으며 졸고 있는 개 옆에서 글을 썼고 점심때쯤에 집으로 돌아왔다고 한다.[16]

시로우는 『채털리 부인의 사랑』에서 숲을 다양한 각도로 분석하면서 이 작품을 위한 전체적인 틀로 규정한다.[17] 여주인공인 코니가 위선적인 남편의 세계로부터 탈출하여 발걸음을 향하게 되는 곳이 곧 녹색자연이 잘 보존되어있는 저택 옆에 이어진 숲이다. 그녀는 남편이 산업과 지식에 몰두하고 있는 가정의 분위기에서 벗어나려고 숲속으로 들어가서 거기에 아직도 보존되어 있는 옛 영국의 모습을 느낀다. 그런데 멜러즈는 코니와 마찬가지로 현대의 기계문명을 혐오하여 클리포드의 숲동산을 위한 숲 감시인으로

---

14 이 글에서 이하의 부분은 이 문단의 끝부분까지가 필자의 논문에서 옮겨온 것이다. 조일제, 「D. H. 로렌스 소설의 숲과 자아변화」, 『로렌스 연구』 제21권 1호(2013), pp.70-71.

15 Ronald Friedland, "Introduction" xiv, *Lady Chatterley's Lover by D. H. Lawrence: The Complete and Unexpurgated Orioli Edition* (New York: Bantam, 1983).

16 Ronald Friedland, Ibid., "Introduction" xiv-xv.

17 김경현, 「D. H. 로렌스 소설의 생태학적 연구」, 영남대학교 대학원 박사학위 논문(2012), pp.124-125.

고용된 일꾼(사냥터지기)로 이 숲속에 들어왔지만 코니와의 예기치 않은 조우로 인해 은둔생활은 막을 내리게 되고 그녀와 육체적인 관계를 맺음으로써 숲의 주인 클리포드를 배반한다.[18] 코니는 광산사업을 위한 정보와 지식을 추구하는 일에 몰입된 남편을 볼턴 부인이라는 가정부에게 맡기고 영지 내의 숲속으로 산책을 다니게 됨으로써 이제까지 밧줄에 묶인 배처럼 생활하다가 풀려난 해방감을 느낀다.

멜러즈는 지금까지 숲속에서 홀로 지내는 것만을 유일하게 바랐다. 그는 바깥세상의 기술, 기계, 물질문명에 대한 강한 반감을 지녀왔으며, 산업과 지식과 이성을 절대시하는 문명사회에 대해 극도의 혐오감을 가져왔다. 멜러즈의 이러한 숲 바깥의 세계, 즉 문명세계에 대한 반감과 혐오감은 작품의 곳곳에서 표출되고 있다. 제10장에서 숲속의 오두막집을 방문한 코니를 맞이하여 시간을 보내다가 어두워져 가는 저녁 무렵이 되자 집으로 되돌아가는 그녀를 전송하기 위해 숲길을 따라 걷다가 그녀와 헤어지면서 숲언덕 꼭대기에 홀로 서서 멀리 보이는 공업지대를 향해 그가 보여주는 숲 바깥의 현대문명에 대한 신랄한 비판은 한 가지 예에 속한다. 멜러즈에게 숲 바깥의 문명사회는 숲과 대척되는 지대이다. 터버샬 탄광과 읍내로부터 어둠 속에서 불길한 불빛이 솟아오르고, 더 먼 곳에 있는 공장에서는 용광로의 빨간 불빛이 보인다. 그곳에는 형언할 수 없는 악의 분위기가 서려 있는 것 같다. 멜러즈에게 공업지대의 모든 것은 공포를 지니고 끝없이 불안해하면서 동요하고 있다고 느껴진다. 건너편에 바라다 보이는 전등은 기계화된 탐욕스러운 세계와 탐욕의 메커니즘 속에서 빛을 반짝였으며, 악마적인 거대한 기계는 뜨겁게 끓는 물과 같은 금속 소음을 쏟아내면서 자기에게 맞지 않는 모든 것을 멸망시키려 하는 것 같았다. 다음 차례로 머지않아 숲은 사멸될 것

---

18 Seelow David, *Radical Modernism and Sexuality: Freud, Reich, D. H. Lawrence & Beyond.* (New York: Pavgrave, 2005), pp.104-107.

이며 히아신스도 피지 않을 것같이 생각된다. 멜러즈는 이와 같은 생각에 이르게 되자 코니가 생각났으며 한없이 부드러운 기분에 젖는다. 그녀는 숲속의 야생 히아신스와 같이 쉽게 상처를 입을 것 같으면서도 결코 현대의 다른 여성들처럼 견고한 고무제품이나 백금과 같은 종류의 여자가 아니라서 현대의 셀룰로이드제 여성에게는 사라지고 없는 히아신스와 흡사한 부드러움이 있다고 생각된다. 이제 두 사람에게 마지막으로 남은 피난처는 오직 숲속일 뿐이다.

문명으로 오염된 숲의 바깥 세계에서 일어나는 위선과 허무를 처절하게 경험하고 있는 코니의 상처는 치유하기 어려운 것이었다. 남편의 세계를 피해 그녀는 도망치듯 숲으로 달아난다. 그녀와 멜러즈에게 마지막으로 남은 숲지대는 약속처럼 주어진 태초세계의 낙원이었던 에덴동산과 같다. 따라서 이 숲속에서 이루어지는 그들의 만남과 사랑에는 공통된 욕구가 맞물려 있다. 숲속은 문명사회의 억압에서 벗어나 생명의 자유와 평화, 신비와 기쁨을 마음껏 누릴 수 있는 공간이다. 그들은 숲을 통해서 온갖 나무와 화초, 노래하는 다양한 새들, 야생의 뭇 생명체들과 함께 어우러져서 조화를 이룰 수 있다. 숲속에 들어오면 병들었던 육신과 지친 영혼이 위로와 안식을 얻으며 미래에 대한 소망을 가지게 된다. 래그비 저택 옆의 이러한 숲동산은 거대한 재산과 부를 과시하는 클리포드의 저택과 대조되면서 터버샬의 탄광지대에까지 닿아 있다. 하지만 멜러즈가 머물고 있는 숲속은 바깥의 문명세계와는 달리 존재들이 서로 분열되거나 단절되지 않았으며, 긴밀한 유대를 맺고 공생하는 아름다운 생태계다. 이곳에 들어온 사람은 자연의 영원한 리듬과 순환을 감지할 수 있고, 존재들 상호 간의 연대와 통일을 이뤄 완전하게 살아있는 역동적인 생명세계를 감지할 수 있다. 이와 같은 숲은 바깥의 문명세계가 생명을 빼앗아가고 적대적인 것과는 달리 생명을 회복시켜주고 영혼의 기쁨과 자유를 누리게 한다. 현대사회의 물질주의와 유물론적 사상이 초래한 이기적인 탐욕과 타락과 부패로부터 해방되어 영적인 충만과 자아실현이 가능해지는 공간이 곧 숲속이다.

숲속에서는 계절을 따라 죽었던 생명이 소생하고 성장하고 열매를 맺으며 소멸한다. 그러나 다시 순환과정을 반복하면서 끊임없는 갱신과 재창조가 일어나는 공간이다.

코니는 숲을 통해 자연의 생명순환의 원리에 대한 체험을 쌓아가면서 숲이 자신의 여성적인 모성애의 근원인 것처럼 느껴지고 아이를 출산하는 자궁과 같다는 생각이 든다. 이것은 숲과 자궁이 동일시되는 비전이다. 실제로 이 소설에서 그녀가 숲속에 들어왔을 때 새로운 생명의 잉태와 출산을 사모하는 그녀의 자궁에 관한 언급이 여러 곳에서 나타난다. 일례로 코니는 숲속에서 숲관리자인 멜러즈와의 밀회가 거듭되는 가운데 어느 날 저녁 멜러즈와 시간을 보낸 후 숲에서 집으로 돌아왔을 때 그녀의 밀회 사건을 어떻게 생각해야 좋을지, 숲관리자가 어떤 종류의 인간인지 생각해본다. 확실하게 알 수는 없었지만 그에게는 "그녀의 자궁을 열어줄 만큼의 당돌하지만 불가사의하고, 따뜻하고 거짓 없는 다정함이 있었다."(126)라고 여겨진다. 먼 옛날부터 숲과 자연은 인간에게 똑같이 성스럽고 풍요로운 여성적 존재였다. 그리스 신화에서 보듯이 지구도 역시 살아있는 '가이아' 여신이었다. 저명한 생태학자인 머천트는 『자연의 죽음: 여성, 생태, 그리고 과학 혁명』에서 고대인들의 '가이아' 신화는 그들이 지구를 살아있는 유기체로서 여성의 몸 혹은 대모 여신의 이미지로 묘사한다고 밝혔다. 그러나 오늘날 현대인들은 이러한 지구를 죽어있는 수동적 물질로 생각하고 통제되거나 지배되어야 할 대상으로 취급한다는 것이다. 다시 말해 고대인의 유기체적인 자연관은 현대인의 기계론적 자연관에 의해 뒷자리로 밀려났다.[19] 머천트는 러브록이

---

19 Carolyn Merchant, "preface: 1990," xv, *The Death of Nature: Women, Ecology, and the Scientific Revolution* (New York: Harper Collins Publishers, 1980). 그리고 같은 책의 제1장,

『가이아』를 통해 밝힌 것처럼 대모 여신인 지구 '가이아'는 신화시대의 여성 생태학적인 자연관으로 되돌아갈 때 병들고 죽어버린 상태로부터 회복될 수 있다고 말한다.[20] 『채털리 부인의 사랑』에서 코니에게 생명력의 원천인 자궁으로서의 숲이 존재하지 않았더라면 그녀를 위한 생명의 회복과 자아실현은 불가능했을 것이다.

코니가 '숲의 주인공'인 멜러즈와 관능을 통해 그동안 죽어있었던 육체로부터 생명의 불꽃을 되살리고 활활 타오르는 불꽃으로부터 신비롭고 경이로운 체험을 했을 때 그러한 생명의 불꽃은 남편 클리포드가 교활하고 능란한 가정부인 볼튼 부인의 품에서 일시적인 심리적 위로와 힘을 얻는 기분전환과는 질적으로 다르다. 그것은 노련한 가정부의 간호와 보호를 받는 동안 퇴행적인 유아의 모습으로 되돌아갔을 뿐이다. 그가 볼튼 부인의 품 안에서 얻은 것은 "성공의 암캐 여신"(19)을 숭배하는 행위에 지나지 않는다. 오직 물질적 성공만을 쫓아다니는 인간으로 살아왔던 클리포드로서는 세속적인 욕망을 충족시켜주는 여인을 필요로 했다. 그가 얻은 것은 여전히 마음의 깊은 곳에서 진정으로 필요로 하는 영적인 충족이 이루어지지 못한 일시적인 감정일 뿐이다. 볼튼 부인은 놀라운 말재주로 클리포드에게 바깥 세계의 돌아가는 상황을 재미있게 전달해주고 클리포드가 원하는 물질적인 야망을 부추겨서 잠시 동안 기분을 고조시켜주지만 그런 기분은 영원한 생명의 불꽃

---

「여성으로서의 자연」에는 더 상세한 정보들이 언급되어있다(pp.1-41). 이 책의 번역으로는 다음과 같은 책이 있다. 전규찬 · 전우경 · 이윤숙 옮김, 『자연의 죽음—여성과 생태학, 그리고 과학혁명』(서울: 도서출판 미토, 2005).

20 캐로린 머천트는 『자연의 죽음』은 바로 이와 같은 거대한 자연관, 세계관의 전환이 생겨나게 된 경제, 문화, 과학적인 변화에 대해 다룬다고 밝힌다(Carolyn Merchant, "Preface" xvii-xviii, *The Death of Nature: Women, Ecology, and the Scientific Revolution*, ibid.). 또한 저자는 훼손, 파괴되고 있는 지구의 치유에 도움이 될 수 있는 자연관을 James Lovelock이 쓴 *Gia: A new look at life on Earth*에서 찾아볼 수 있다고 말한다. '가이아'에 관해서는 James Lovelock, *Gia* (Oxford: Oxford University Press, 1979)를 참조할 수 있다.

으로 자리 잡지 못하고 곧 사라진다. 그래서 그는 참된 자아실현에 이르지 못하며 계속 불구적인 인간으로 남아 코니로부터 점점 더 멀어지고 완전히 거부된다.

### 녹색 숲의 풍요신 디오니소스와 고대 여신

확고한 연인관계로 발전한 코니와 멜러즈는 숲속에서 일상적인 차원을 넘어 풍요신으로의 존재론적인 변화가 일어난다.[21] 풍요신은 고대의 종교사회에서 중요한 문화적 요소를 반영한다. 두 사람이 만나는 숲속의 세계는 머천트가 『진보적 생태학』[22]에서 분류한 생태학의 갈래로 보면 '영성생태론'에 속하는 낙원으로 구현되어 있다. 영성생태론자들은 의식(儀式)을 통해 자연에 대한 경외심을 키우는데 여러 의식 중에서 가이아 명상은 사람들에게 고대의 네 가지 요소, 즉 흙, 물, 불, 공기(地水火風)의 순환에 신화적으로 참여하게 한다. 물이 육체와 체액으로 들어왔다가 나가면 대지의 샘, 강, 구름, 비로 변화하면서 순환한다. 인간의 육체를 구성하는 분자와 세포가 되고, 다시 재와 먼지로 변화한다.

머천트의 해설에 의하면 태양의 불, 육체의 열, 우주의 빅뱅은 동일한 물질과 에너지의 서로 다른 발현 형태이다. 그래서 개별적 존재들은 길게 이어져 있는 창조의 고리를 구성하는 일부이다. 의식 고양 워크숍에서 이러한 상호연관성에 대한 인식은 일체감을 높여주고 행동에 힘을 더해준다

---

21 이 글에서 이어지는 문단들은 필자의 논문에서 옮겨온 것이며 조금 수정했다. 조일제, 「D. H. 로렌스 소설의 숲과 자아변화」, 『로렌스 연구』 제21권 1호(2013), pp.71-72.

22 인용한 책은 Carolyn Merchant, *Radical Ecology* (New York: Routledge Chapman & Hall, Inc., 1992).

(111-112). 남성들은 뿔이 달린 신이나 그리스의 목신 팬, 녹색의 팬 로빈, 마법사 메를린 등과 같이 숲속에서 살아가는 창조적인 존재들의 역할을 맡음으로써 자연과의 영적 관계를 새롭게 한다(113-114). 영성생태론자들은 20세기의 인간이 자연과 관계하는 방식에 대해서 지배자의 윤리가 아니라 동반자의 윤리를 수행하는 새로운 관계를 발전시키고자 한다. 그들은 삶 속에서 종교적 경험이나 숭배가 갖는 중요성을 인식하여 생태중심적인 윤리를 작용시키면서 개인과 사회에 대해 새로운 행동양식으로 이끌어주는 강력한 느낌과 동기를 만들어내고자 한다(머천트, 제5장). 이러한 '자연 영성' 운동의 의식적 방식은 『채털리 부인의 사랑』에서 코니와 멜러즈가 숲속에서 수행하는 몇 가지 행동을 통해서도 발견할 수 있다. 두 사람이 비가 쏟아지는 숲속의 오두막집에서 벌이는 성애 의식의 장면은 주신 디오니소스(박카스)를 받드는 일종의 고대적 의식과 닮았으며 풍요제를 위한 카니발 축제에서의 의식적인 행위와 같은 것이다. 이러한 축제에서 일어나는 감정적 폭발과 나체에 꽃을 장식하는 행위는 거룩한 종교적 의식에 속한다. 여기에 참여한 두 사람은 인간의 차원을 넘어선 풍요신으로의 존재론적인 변화가 일어난 것이며 풍요로운 자연의 생명체들과 동화되고 합일된 존재가 된다. 즉 자연의 화신이 된 것이다. 이와 같은 신화적인 사건이 일어날 수 있는 곳은 생태학적으로 자연환경이 온전하게 보존된 숲속이다.

코니와 멜러즈가 자연과 교감하는 신화적인 특성은 제15장에 묘사된 성애 장면을 자세히 들여다보면 흥미롭게 나타난다. 두 사람의 성애에서는 육체 내부를 흐르는 성의 생명력이 원시적이고 야생적인 자연환경이나 자연현상과 묘하게 연결되어있다. 천둥·번갯불·폭풍우는 멜러즈와 코니의 의식 내부와 긴밀한 심리적 관계를 맺고 있다. 코니가 자아 내부로부터 솟아나는 격렬한 "주신적인 에너지"에 따라 산장의 방문을 열고 비가 쏟아지는 바깥으로 나가서 나체로 춤추듯이 동작을 하는 행동이나 멜러즈가 하늘에서 쏟아지는 빗물을 알몸에 받아들이면서 그녀와 함께 벌이는 성행위나 산장으로 돌아와 알몸 위에 꽃을 장식해주는 행동은 고대의 종교적인 의식에 속한다. 그들은 이와 같은 의식 행위로 내면의 원시적인 어두운 욕망을 충족시킨다. 이러한 행동에 대해 차르니는 "어떤 영웅적, 낭만적 욕망의 충족"을 의미하는 것이라고 언급한다.[23] 이러한 대목에서 코니와 멜러즈는 고대사회의 종교문화에서 이루어졌던 풍요신으로 변화된다. 숲속의 빗물, 천둥, 폭우, 번개, 빗물에 젖은 싱싱한 꽃과 나무는 우주적인 에너지로서의 신성한 존재들이다. 의식적 행위를 통해 일어나는 그들의 내면에 흐르는 성적인 생명 에너지나 리듬은 자연현상과 다르지 않은 상징적인 등가물이 된다. 고대 인도의 우파니샤드 철학을 빌려 말한다면 범아일여의 관계가 되었다. 숲은 풍요신 축제에서와 같은 성애를 통해 코니와 멜러즈를 우주자연의 원초적 생명으로 복원시키는 기능을 했다.

로렌스의 장소에 대한 반응은 매우 영적이고 신화적이다.[24] 그는 장소에 대해 접근할 때 지리학이나 경제학, 건축학과 같은 학문 분야에서 수행하는 방식과는 다르게 한다. 『무의식의 환상』, 제4장 「나무와 아기, 그리고 아빠와 엄마」에서 부모들이 아기를 양육할 때 가장 유의해야 할 원리를 (영적) '지혜'라고 강조하고 아기들에게 추상적인 이상을 심어주려 한다면 아기를 망치는 위험한 일이므로 조심하라고 말한다. 왜냐하면 (영적) 지혜란 "이론이 아니라 영혼의 상태"에 관계하기 때문이라는 것이다.[25] 지혜는 자신을 알고 존재의 복잡성과 본질을 알며, 가까운 사람들과의 심오한 관계를 아는 동력

23 Maurice Charney, *Sexual Fiction* (London: Methuen, 1981), p.71.

24 이 글에서 이어지는 문단들은 필자의 논문에서 옮겨온 것이며 조금씩 수정하였다. 조일제, 「D. H. 로렌스 소설의 숲과 자아변화」, 『로렌스 연구』 제21권 1호(2013), pp.64-70.

25 D. H. Lawrence, *Fantasia of the Unconscious* (Harmondsworth, Middlesex: Penguin Books Ltd., 1977), p.53.

이며, 우리의 존재가 있는 곳에서 '살아있는 영혼'을 위한 책임을 전적으로 받아들이게 한다(53). 로렌스가 아기의 성장과 발전이라는 교육적 주제에 깊은 관심을 가지고 아빠와 엄마가 어떻게 양육해야 하는가에 대해 숙고하면서 이 에세이를 쓴 것은 에번스타인버그 근처의 숲이었다고 한다. 그는 공책과 연필을 들고 집을 나와서 커다란 나무 아래에 자리를 잡고 다람쥐가 도토리를 갉아 먹듯 계속해서 생각이 떠올라주기를 기다렸다. 이때 그의 주변에서 많은 나무가 그를 에워싸고 쳐다보는 것도 같았고, 그가 안 볼 때는 자기들끼리 서로 옆구리를 쿡쿡 찌르는 것이 느껴지기도 했다. 나무들로부터 그들이 움직이고, 생각하고, 기웃거리는 것을 느낄 듯했다. 그때 로렌스에게는 고대의 그리스인과 로마인들이 보여준 신화적 상상력과 감각이 뇌리에 떠올랐다. "그리스인과 로마인들은 모든 것을 인간처럼 보았다. 모든 것에 얼굴과 소리가 있다는 것이다. 사람이 말하면 분수는 물을 내뿜으며 대답한다"(45). 이처럼 로렌스는 숲과 나무로부터 인간의 욕망과 차이가 없는 다양한 욕망의 흐름과 의지를 감지했다. 그들로부터 조용한 비밀, 거대한 신비, 잔인한 야만성 등과 같은 여러 형태의 정서를 마치 인간적인 성질과 동일하게, 다시 말해서 의인화된 형태로서 민감하게 느낄 수 있는 사람이 로렌스다. 이런 신화적 감수성은 비상한 육감적 감수성과 뛰어난 영적 투시력에서 나온 것이라 할 수 있다.

> 커다란 나무들의 고요함에 귀를 기울이며 그들에게서 어떤 장엄한 잔인성 혹은 야만성조차도 느낄 수 있다. 나는 왜 잔인성을 말해야 하는지 알 수 없다. … 느리면서도 힘찬 수액이 나무의 줄기들 안에서 울리는 것이 들리는 듯하다. 알 수 없는 나무의 피로 꽉 찬 거대한 나무들의 소리 없는 울림이 퍼져 나온다. 얼굴도 손도 눈도 없는 나무임에도 수액향의 피가 커다란 몸통을 향해 힘차게 올라간다. 거대한 단일의 생명체로서 우리를 오싹하게

하는 나무의 의지가 그림자처럼 배어 있다. (43)

로렌스가 에번스타인버그 숲속에서 나무들로부터 느꼈던 '오싹하게 하는 나무의 의지'와 같은 공포의 힘은 로마제국 시대에 로마 군단이 독일을 침입했을 때 독일의 헤르시닌 숲이 로마인들을 공포로 몰아넣었던 감정과 유사하다고 말한다. 라인강 지대에 펼쳐진 숲속에서 '검은 숲'(흑림)의 꿈틀거림을 본 로마 군인들은 바깥으로는 평온하게 보였지만 그 숲의 안에는 공포로 꽉 차 있어서 숲과 나무들이 로마인들을 두렵게 했던 것이다. 독일의 '검은 숲'은 오늘날도 세계적으로 유명해져 있지만,[26] 남쪽 이탈리아에서 로마 군단이 바다처럼 펼쳐진 어둡고 습한 나무의 생명력으로 서로 밀착되어있는 숲지대에 도착했을 때 처음에는 참 근사했겠지만 라인강을 건너자 그들이 발견한 것은 침투할 수 없는 거대한 '검은 숲'의 얼굴 없는 침묵이었다. 이러한 숲의 침묵은 너무도 잔인하고 무서웠다. 로렌스에 의하면 아직도 진정한 독일인들에게는 나무의 수액 같은 무엇인가가 몸속에 흐르고 있고, 나무의 원시적인 야만성이 강하게 흐르고 있다는 것이다. 로렌스는 자신의 '무의식의 환상'을 통해서 독일인들은 오늘날도 여전히 나무의 영혼을 가졌고, 그들의 본능은 해골과 전리품들을 숲속 깊은 곳의 신성한 나무에 매달고 있다고 느낀다(44-45).

로렌스는 에번스타인버그의 숲에서 자신을 깊숙이 파고들었던 나무와 숲의 '영'에 대한 잊을 수 없는 체험을 했기 때문에 그 숲은 자신이 죽은 후에 그의 영혼이 떠돌게 될 몇 개의 장소 중 하나라고 밝힌다. 이 숲의 나무들이 자기의 영혼을 너무나 깊이 사로잡아서 일부를 가져갔기 때문이라는

26 전영우, 『숲과 녹색문화』(서울: 수문출판사, 2002), 「독일인의 산림철학」, p.180. 독일의 '흑림'(black wood)은 '슈발츠발트'라고 하며, 프라이부르그 인근에 있는 볼파흐의 전나무 숲이 특히 인상적이라고 한다.

것이다. 이와 같은 체험을 했던 로렌스는 고대인들이 왜 나무를 숭배했는가를 이제는 잘 이해하겠다고 말한다(46). 고대 인도의 아리아인들도 역시 나무의 삶과 지식을 숭배했고, 유럽의 옛 조상들도 '생명의 나무', '지식의 나무'를 숭배했다는 것이다. 그래서 로렌스는 인류에게 전해오는 뿌리 깊은 '나무숭배'의 깊은 동기를 잘 이해할 수 있고, 심지어 예수가 나무 위에 못 박혀 죽은 것을 이해할 수 있게 되었다는 재담까지 한다(43-44). 로렌스가 쓴 『미국 고전문학 연구』에서 제1장의 표제로 사용된 '장소의 영'(The Spirit of Place)은 로렌스의 여러 작품에서 나무와 숲을 통해 특성화되어 나타난다. 이러한 장소의 영은 고대사회에서 찾아볼 수 있는 신화적 상상력의 기본적인 요소다.

로렌스가 「나무와 아기, 그리고 아빠와 엄마」에서 기술하는 나무와 숲의 생명력과 신화적 형상화에 관한 견해는 프랑스의 철학자 · 정신분석학자인 들뢰즈와 그의 동료인 이탈리아의 가타리가 '욕망이론'에서 주장하는 견해와 놀랍도록 유사하다. 들뢰즈와 가타리는 '욕망하는 몸', '기관 없는 신체'과 같은 특수용어를 사용하여 정신분열증적 욕망을 흥미롭게 설명한다. 그들이 공동으로 쓴 『앙띠 오이디푸스』에서 밝히는 욕망론의 일부를 아래에 인용한다. 이 책에서 들뢰즈와 가타리는 로렌스가 피력한 성적 욕망에 관한 견해를 정당하다고 평가했다.

> 우리는 성욕을 '전기의 기둥', '푸르스름한 안개와 푸른 하늘', '오르곤의 푸르름', '생-엘므의 불과 태양 흑점들', 유체들과 흐름, 질료들과 입자들 같은 형태의 우주적 현상들과 관련시키는 것이 모두 우리에게는 성욕을 한심스러운 가족주의의 작은 비밀에 환원하는 것보다는 궁극적으로 더 타당한 것으로 보인다고 말하지 않을 수 없다. 우리는 로렌스와 밀러가 저 유명한 과학성의 관점에서도 프로이트보다 성욕을 더 정당하게 평가하고 있다고 생각한다. 우리에게 사랑에 관하여 이야기해주는 것은 소파에 누운 신경증 환자

가 아니라, 정신분열증자의 침묵의 산책이요, 별들 아래에서 산속을 뛰어다니는 렌츠의 구보이다. 이것은 기관들 없는 신체 위에서 강도들 속을 움직이지 않으면서 여행하는 것이다.[27]

위에서 저자들이 인간의 본능적, 무의식적인 성욕이나 욕망을 전기의 기둥, 푸르스름한 안개와 푸른 하늘, 오르곤의 푸르름, 생-엘므의 불과 태양 흑점들, 유체들과 흐름, 질료들과 입자들 등과 같은 이미지들과 연관을 지어 설명하는 욕망론의 관점은 로렌스의 여러 소설과 시에서 작중인물이나 시적 화자의 무의식의 투사를 통해 신화적인 다양한 이미지로 형상화된다. 들뢰즈와 가타리의 욕망론에 기술된 나무의 욕망 뻗기 형식인 리좀적, 분자적 증식에 관한 내용은 로렌스가 「나무와 아기, 그리고 아빠와 엄마」에서 기술하는 내용과 정확하게 일치하고 있다는 사실은 놀랍다. 아래에 인용한 글은 로렌스가 나무의 신비로운 내적 생명력과 욕망에 관해 언급한 부분이다. 요컨대 로렌스가 느끼기에 나무와 인간의 내적 생명력과 욕망은 서로 다르지 않다는 사실이다.

나에게 소리 없이 다가오는 나무의 용솟음치는 피를 느낀다. 그리고 눈도 없으나 두 방향으로 뻗으며 자란다. … 우리가 단지 시체를 썩힐 뿐인 부식토 밑으로 나무는 뿌리를 힘차게 내리뻗고 우리가 쳐다보기만 하는 높은 공중으로 나뭇가지 끝을 뻗는다. 양쪽 방향으로 모두 크고 힘차고 의기양양하다. 그것은 시종일관 얼굴도 없고 생각도 없으며 단지 거대하고 야만적인 영혼만이 있을 뿐이다. 도대체 나무는 영혼을 어디에다 간직하는 걸까.
돌진하는 거대한 영혼을 가진 나무가 잠시 되어 보고 싶다. 아무런 생각도

---

27 드뢰즈・가타리, 최명관 옮김, 『앙띠 오이디푸스』(서울: 민음사, 2002), p.430.

없고 그저 뿌리의 거대한 욕망만이 있는 나무로 말이다. 우뚝 솟은 나무 밑에 앉으면 편안함을 느낀다. 한때는 그것들의 돌진하는 어두운 욕망을 겁냈으나 지금은 그것을 좋아하고 존경한다. 그것들을 거대한 원시의 적으로 여겼으나 이제 그것들은 내 유일한 힘이며 안식처이다. … 나무의 고요함과 열정, 그리고 욕망과 함께하는 것이 좋다. 그것들은 내 영혼을 살찌운다. (『무의식의 환상』, 44)

위에서 "두 방향으로 뻗으며 자란다"라는 것은 나뭇가지들이 땅에서 수액을 빨아들이면서 하늘로 높이 뻗어가고, 반대로 뿌리들은 땅속으로 깊숙이 뻗으면서 자란다는 것을 말하며, 이것은 곧 로렌스의 '양극성'에 관한 이론에 속한다. 위쪽의 방향과 아래쪽의 방향을 향해 양극성을 가지고 생명력을 뻗쳐나가는 나무들을 섬세하고 예리하게 감각하는 로렌스의 환상적이고 신화적인 체험은 들뢰즈와 가타리가 말하는 리좀적이고, 분자적인 '기관 없는 몸'의 분열, 증식의 양상을 온몸으로 적나라하게 재현하는 듯하다.

『채털리 부인의 사랑』에서 코니와 멜러즈는 고대의 신화적인 사랑과 성애를 완수하기 위해 나무와 숲을 활용한다. 이러한 자연환경의 선택은 로렌스의 나무와 숲에 관한 직접적인 경험이 반영되어있다는 사실은 앞에서 충분히 설명되었다. 두 남녀 주인공은 태초의 에덴동산과 같은 녹색의 '숲낙원'에서 각종 나무와 화초들과 함께 역동적인 유대를 맺음으로써 허무하게 무너진 자아 상태로부터 회복된다. 이제 그들은 육체의 모든 감각이 살아나고 민감해진 감수성에 따라 영적인 풍요와 자유를 마음껏 누린다. 그들에게는 영적으로 부족함이 없으며 지난날의 공허감과 결핍증은 사라졌다. 그들은 존재의 본질적인 변화가 일어나서 근원적, 원초적인 자아로 복귀하였으며 자아실현의 최고경지에까지 닿는 희열과 축복을 누리게 된다. 이러한 주인공들의 존재론적 변화를 가능해지도록 한 것은 다름 아닌 래그비 저택에 대비되는 녹색동산의 나무와 숲이다. 동산의 나무와 숲은 신비로운 자연의 생명력으로 그들을 완벽하게 치유하였고 존재의 완성으로 인도하였다. 코니와 멜러즈는 부패하고 타락한 현대문명과 산업사회로부터 원시와 야생의 숲 속으로 들어감으로써 신화적인 '풍요신'의 신적 경지에까지 변화될 수 있었다. 그들에게 숲은 고대 신화에서 발견되는 인간의 원초적인 욕망과 소원을 실현되게 하는 신비로운 생명의 장이다.

### 숲의 다양한 기능과 몇 편의 추가적인 작품들[28]

로렌스 문학에서 상상력의 중요한 원천이 되는 나무와 숲은 지리적 · 공간적 · 장소적으로 고유한 성격을 가지고 있어서 특화되는 사례를 흔히 볼 수 있다. 그러나 숲이 갖는 특성은 실제적으로는 한정하기가 어려운 경우가 많다. 그것이 나타내는 기능을 단순하게는 창조성과 파괴성으로 이원화할 수 있겠지만 그처럼 단순하게 분류할 수 있는 것은 아니며 긍정적, 부정적인 성격의 이원론적인 구분을 넘어서 이중성(양면성)과 복잡성이 결합할 때도 있다. 로렌스 문학에서 숲의 기능적인 영역을 크게 네 가지 부류로 범주화할 수 있을 것 같다. 첫째, 남녀의 사랑과 성애와 연관된 생명력의 신비, 둘째, 지치고 병든 육체와 정신에 관련된 자연의 치유력, 셋째, 친근하면서도 두려운 힘과 연관된 권력적인 위력, 넷째, 명상 · 묵상과 연관된 영적 지혜. 이러한 네 가지 영역에서 숲의 기능이 로렌스의 여러 소설에서 어떻게 나타나고 있는가를 하나씩 차례로 살펴보자.

첫째, 남녀의 사랑과 성애와 연관되어 나타나는 생명력의 신비는 앞에

28 이 글은 필자의 논문에서 옮긴 것이며 첨삭하여 대폭 수정했다. 조일제, 「D. H. 로렌스 소설의 숲과 자아변화」, 『로렌스 연구』 제21권 1호(2013), pp.61-63.

서 살펴본 『채털리 부인의 사랑』에서 귀족의 부인인 여주인공 코니와 동산의 숲관리인 멜러즈 사이에서 일어나는 육체적 사랑과 성애를 통해서 살펴보았다. 그런데 이 소설의 자매편이라 할 단편소설 「봄의 그늘」에서 유사한 사례를 찾을 수 있다.

「봄의 그늘」에는 여주인공 힐더의 연인으로 두 남성이 등장하는데 사이슨과 필빔이다.[29] 이들 사이에 사랑의 삼각관계를 통해 일어나는 사건의 전개에서 숲속의 사냥터와 농장의 숲은 작품 전체를 통해 중심적인 배경이 되며, 참으로 아름답고 생명감 넘치는 풍경으로 묘사된다. 이러한 숲은 주인공들의 자아와 영혼을 역동적인 생명력으로 충만하도록 작용하는 중요한 공간이다. 여주인공 힐더가 살고 있는 숲속 마을에 등장하여 그녀의 새로운 연인이 되는 젊은 남자가 필빔이다. 그는 숲관리인으로 일하면서 숲으로부터 자연의 힘을 동화하여 활력이 넘친다. 『채털리 부인의 사랑』의 멜러즈와 꼭 닮았다. 그는 문명사회의 병폐와 해악으로부터 완전히 벗어나서 자유롭게 살아가며 원시적인 생명력으로 충만해 있다. 꾸밈없고 거침없는 순박함과 '깊은 어둠의 활력'이 몸에서 배어나와 힐더를 강렬한 매력으로 사로잡는다.

지난날에 힐더의 연인이었던 사이슨이 유럽의 문명사회로 진출하여 몇 년 동안 지적인 뭔가를 공부한 후 귀국했다. 그는 연인이었던 힐더를 만나러 숲속의 농장(전원)을 찾아간다. 숲지대를 지나가는 동안 아름다운 수목들과 갖가지 꽃을 보게 되고 물이 흐르는 숲속의 개울을 건넌다. 숲속의 농장은 각종 생명체가 활력에 차 있고 신비로움과 아름다움으로 빛나고 있다. 그런데 그는 이와 같은 자연환경 속에서도 연인의 관심을 끌 수 있는 매력적인 사람이 되지 못한다. 그녀는 숲과 더불어 자연을 동화하여 살아가는 숲관리인 필빔에게 마음이 기울어져 있으며, 옛날의 연인이었던 사이슨에게는 이

---

29 D. H. Lawrence, "The Shades of Spring," *The Prussian Officer and Other Stories* (Harmondsworth, Middlesex: Penguin, 1976), p.114-129.

미 마음이 떠나버린 것이다. 그녀는 지난날에 세속적인 성공과 출세의 욕망을 사이슨에게 부추겼지만 지금은 숲속의 자연인으로 살아가는 필빔을 만남으로써 자연과 조화를 이루어 사는 삶의 뜻을 깨닫게 되었다. 그래서 지난날에 사이슨에게 기대했던 세속적인 성공과 출세에 대한 욕망은 무의미하다는 것을 알고 그것을 내던져버렸다.

지금의 힐더는 숲속에서 자연 그대로의 인간으로 돌아가서 본래의 근원적인 자아를 추구하며 살아가는 행복을 즐기고 있다. 그녀와 필빔은 연인이 되어 숲속의 농장에서 풍요로운 자연과 하나가 됨으로써 새로운 기쁨을 발견하였다. 그들이 만나 서로 대화를 나누며 즐겁게 지낼 때 그들과 함께 교감하는 각종 나무와 화초, 동식물은 생기에 넘치고 살아있는 활기를 내뿜는다. 그들은 숲속의 자연만으로도 충분히 자족하며 즐거워하고 기쁨에 찬 삶을 영위한다. 세속적인 물질과 성공에 대한 욕망은 이제 불필요하다. 그러나 옛날의 연인이었던 사이슨은 자연과 하나가 될 줄 모르며 자연과 함께 조화를 이룰 수가 없는 사람이다. 유럽의 문명사회를 배우고 그런 문명에 익숙해 있는 사이슨에게 숲속의 자연은 이미 무기력해졌으며, 숲속에서 전원생활을 하고 있는 힐더에게 그는 국외자가 될 뿐이라는 사실을 느낀다. 그러나 숲의 주인공 필빔은 자연과 교감하고 동화하는 생활로 인해 매력이 넘친다. 힐더는 필빔과 연인관계로 발전했고 이미 결혼을 약속한 사이다. 그녀와 미래의 삶을 함께하기로 약속할 만큼 필빔은 그녀의 새로운 구원자가 되었다. 그녀의 낡은 옛 자아를 부숴버리고 지금의 새로운 자아로 변화시켜 준 진정한 연인이 바로 필빔이다. 그녀는 자연인인 필빔을 통해 참된 기쁨과 행복, 진정한 사랑이 무엇인지를 알게 된 것이다. 필빔은 로렌스가 말하는 '어둠의 신'이 된 매력적인 인물로 그녀에게 느껴진다. 그는 자연력의 현신이라고 할 수 있다. 숲속의 녹색 남자인 필빔은 그녀에게 다가갈 때면 그의 신적인 힘과 마력이 발산되고 그녀를 감동하게 만든다.

단편소설 「장미정원에 비친 그림자」는 처음부터 자연풍경의 묘사로 시작한다. 작가는 마치 영화에서 사용되는 원근법의 기법으로 풍경 묘사를 진행한다.

> 아름다운 해변 별장의 창가에 몸집이 작은 젊은이가 앉아서 신문을 읽는 데에 마음을 집중시키려 애쓰고 있었다. 때는 아침 8시 30분경. 밖에서는 찬란한 장미들이 아침 햇살을 받아서 비스듬히 기울어진 작은 불통들처럼 벌겋게 매달려 있었다. 이 젊은이는 테이블을, 다음에는 기둥시계를, 다음에는 자기의 커다란 은제 회중시계를 바라보았다. 그의 얼굴에는 초조한 빛이 떠올랐다.[30]

위 인용문의 젊은이가 숙박하는 해변의 별장은 그 바깥쪽의 불타는 듯이 빛나는 장미들과 대비된다. 이어지는 장면에는 이 젊은이가 별장 바깥으로 나가 어슬렁거리면서 산책한다. 이때 장미로 덮인 정원에는 잔디밭이 있고 그 곁에는 가죽나무들이 무성하다. 그가 조금 더 걸어가면 홍갈색의 과일이 매달린 사과나무가 한 그루 있고, 그는 사과 한 개를 따서 입으로 깨물어 맛본다. 맛이 좋아 또 한 개를 딴다. 그가 별장 쪽으로 쳐다보았을 때 바다가 보이고 그의 아내가 멀리 바다 방향으로 바라보는 아득한 모습이 보인다. 그녀는 남편을 잊어버리고 망연하게 바다를 계속 바라본다. 젊은 남편은 별장으로 되돌아가서 양귀비꽃 열매를 따서 창가에 던진다. 그녀는 남편과 결혼하기 2년 전에 어떤 남자와 사랑했던 사이였고 1년 동안 남모르게 은밀히 약혼한 상태였지만 그가 갑자기 개인적인 소송사건이 일어나자 잠시 헤어진 후 약속한 대로 돌아오지 않았다. 그래서 지금의 남편과 결혼한 것이다.

---

30 D. H. Lawrence, "The Shadow in the Rose Garden," *The Prussian Officer and Other Stories*, ibid., p.139.

여자 주인공은 이처럼 아름다운 해변의 정원과 수목들이 있는 이곳 마을에서 다시 옛 연인을 만나기로 약속을 했다. 그 사람은 오랫동안 소식이 끊겼다가 다시 나타났으나 옛날의 모습이나 태도와는 판이하다. 과거를 기억해내지 못하는 기억상실증자로, 반쯤 미쳐버린 사람으로 바뀌어버린 것이다. 두 사람이 목사관의 잔디밭 의자에 앉아 인사를 나누고 대화를 나눠보지만 돌아온 남자는 옛날의 사랑했던 여자를 전혀 알아채지 못한다. 활기에 넘치는 아름다운 자연은 옛날이나 마찬가지로 변함이 없다. 정원의 숲에는 생명이 약동하며, 수목과 화초들은 그들의 비극적인 재회를 아랑곳하지 않는 듯이 생기 있고 아름다운 자태를 자랑하는 것 같다. 이 장면에 앞서 여자 주인공이 사랑했던 옛 연인을 만나러 거리를 따라 한참을 걸어 목사관에 도착하고 두 사람이 만나서 벤치에 앉아 서로 대화를 나눌 때까지 주변의 아름다운 자연풍경에 대한 작가의 묘사를 다소 지면이 길지만 발췌하여 아래에 인용한다. 이러한 자연풍경은 옛 연인들 사이의 비극적인 상황과 대조되면서 비애의 감정을 한층 고조시키는 작용을 한다. 작가의 눈이 향하는 잔디밭, 나무, 여러 종류의 꽃, 다양한 색깔의 장미꽃, 정원, 숲 등과 같이 차례로 등장하는 사물들은 강렬한 이미지를 풍기며 환상적이다.

> 그녀는 잔디밭을 가로질러 진홍의 덩굴장미로 장식된 아치형의 문을 지나서 정원 쪽으로 나갔다. 그러자 저쪽에는 강구의 아늑한 푸른 바다가 아침 안개 속에 가로누워 있었고, 검은 바위로 된 곳의 삐죽한 끄트머리가 푸릇푸릇하게 하늘과 물 사이에 삐져나와 있었다. … 발밑으로는 여러 종류의 꽃들이 핀 뜨락이 펼쳐지고, 아득한 저 아래쪽으로는 흐르는 개울을 뒤덮고 있는 나무들의 꼭대기가 거뭇거뭇하게 보였다. 그녀는 자기 둘레에 눈부시게 핀 꽃들이 번뜩거리는 정원을 돌아다보았다. 상록수 아래에 벤치가 있는 구석 쪽도 그녀는 알고 있었다. 그리고 많은 꽃이 피어 빛나는 높다란 지대

도 알고 있었다. … 그녀는 양산을 접고 많은 꽃들 사이를 천천히 걸었다. 그 일대는 장미꽃이 있었다. 커다란 동굴을 짓고 있는 장미며 지주에 매달려서 흔들리고 있는 장미며, 혼자서 우뚝 피어있는 장미 등. 공터 옆으로도 수많은 다른 꽃들이 피어있었다. 눈을 들어보니 저쪽으로 삐져나온 바다며 곶이 바라다보였다. 그녀는 마치 과거의 세계로 돌아온 인간처럼 느릿하게 한쪽 오솔길을 따라서 조용히 내려갔다. 갑자기 융단처럼 부드럽고 묵직한 진홍의 장미꽃에 닿은 그녀는, 자기 아기의 손을 귀여워하는 엄마처럼 그 꽃을 무의식적으로 한동안 만졌다. 향내를 맡으려고 몸을 약간 앞으로 기울인 후에 다음으로 다시 멍하게 걸어가기 시작했다. 이따금 불꽃 같은 빛깔의 향기 없는 장미꽃을 보게 되자 그곳에 우뚝 서서, 마치 지각을 할 수 없는 듯이 그것을 바라보았다. 복숭아꽃 색깔과 같은 연분홍색 꽃들이 피어있는 앞쪽에 섰을 때도 똑같이 따뜻함과 친숙함이 일어났다. 녹색을 띤 얼음과 같은 백장미도 바라보았다. … 다음에는 장미꽃으로 가득 넘치는 자그마한 고지대로 나섰다. 장미는 그곳을 잔뜩 메꾸고는 햇빛에 비치면서 기쁨 속에 무리를 지어 있었다. 그녀의 얼굴은 생기에 찼고 장미는 너무나도 많았으며 빛나고 있었다. 마치 장미는 서로 말하며 요란하게 웃고 있는 것 같았다. 그녀는 알지 못하는 군중 속에 유일하게 들어있는 것 같은 느낌이 들어서 마음이 들뜨고 미칠 것 같았다. 흥분으로 얼굴이 붉어졌다. 공기는 맑고 향기로웠다.[31]

여주인공이 옛 연인을 만나기 전까지 이곳 마을의 목사관과 그 주변의 여러 사물은 지극히 아름답고 활기에 넘치는 풍경을 보여주며 낭만적인 사랑을 나누기에 최상의 장소임이 틀림없다. 여주인공은 백장미밭 속의 자그

31 "The Shadow in the Rose Garden", ibid., pp.143-144.

마한 벤치가 있는 곳으로 가서 앉아 기다린다. 존재가 붕괴해가는 것을 느끼면서 꼿꼿이 앉은 채 꼼짝도 하지 않고 자신을 망각한 것처럼 몽상에 잠긴 심정이다. 바로 이때 그림자처럼 사람의 모습이 나타나고 그는 벤치에 앉아서 누군가를 기다린다. 사랑했던 옛 남자다. 그의 모습은 실성한 듯하며 자연풍경과 대조된다. 이 남자는 문명사회의 가시밭 인생길을 걷는 동안 시달리고 지쳐서 반미치광이가 되어버린 것이다. 그는 생활전선에서 법적인 소송사건에 연루되었으며 인생을 헤쳐 나가기에는 감당하지 못할 극한상황에 부딪혀 자아가 깨어져 버린 상태다. 젊은 두 연인의 사랑을 위해 최상의 장소인 해안가의 장미정원에 앉아 있지만 실체 없는 '그림자'와 같은 사람으로 퇴락해버렸다. 이 작품에서 제목에 표현된 '장미'는 사랑을, '그림자'는 옛 연인의 공허한 자아를 암시한다. 아무튼 로렌스의 여러 소설에서 남녀 사이의 사랑과 성애를 위한 최적의 장소로 등장하는 것이 나무와 꽃으로 가득한, 생명력 넘치는 아름다운 숲지대다. 『아들과 연인』의 주인공 포올이 미리암이나 클라라와 사랑을 나누는 곳도 역시 나무들과 꽃들로 이루어진 농장이나 공원과 같은 숲지대였다. 『사랑하는 여인들』의 주인공인 어술러와 버킨이 만나 밤의 어둠 속에서 신비로운 사랑을 나누는 곳도 유명한 '셔우드 숲'이었다. 이처럼 숲은 로렌스 소설에서 중요한 의미를 지닌다.

둘째, 숲이 지치고 병든 육체와 정신을 회복시켜주는 자연의 치유력과 관련되는 단편소설이 「태양」이다. 여주인공 줄리엣은 대도시 뉴욕에 살고 있으며, 남편은 탄광사업에 몰두하는 사업가다. 그녀는 의사의 권유를 받아 허약해진 몸을 회복하고 치유하기 위해 어린 아기와 함께 남편과 도시를 떠나 지중해의 아름다운 섬에 가서 요양한다. 그곳은 사이프러스 나무들과 올리브나무들, 그리고 멋진 숲이 우거져 있고 순박한 농부들이 농사를 짓는 전원이 있다. 여기는 해변을 끼고 많은 나무가 있으며, 작은 길을 숲이 가리고 있다. 여주인공은 그곳의 길을 따라 걷다가 옷을 벗어버리고 알몸으로 걷는다. 해변의 평지에는 사이프러스와 올리브나무들이 하늘을 향해 솟아있다. 그녀는 벗은 알몸으로 나무 아래 누워 신비스러운 작용을 일으키는 일광욕을 즐긴다. 이런 과정에서 도시에서 지치고 병들었던 심신이 점차 회복된다. 주인공 줄리엣이 아름다운 수목과 화초들이 자라는 지중해 해변에서 옷을 벗은 나체로 일광욕을 즐길 때 이곳의 나무와 숲은 태양과 함께 치유적인 기능을 한다. 이처럼 숲지대에서 나체로 산림욕을 즐기는 장면은 『사랑하는 여인들』에서도 찾아볼 수 있다. 남자 주인공 버킨은 상류계급에 속하는 일시적인 연인인 허마이오니가 편협한 주지주의를 은근히 과시하면서 그를 일방적으로 좋아하고 괴롭히자 언쟁이 일어난다. 몹시 화가 난 그녀가 보석을 손에 쥐고 버킨의 머리에 내던지자 버킨은 밖으로 뛰쳐나가서 골짜기의 숲속으로 들어간다. 나무들을 헤치고 안쪽으로 깊숙이 들어가서 옷을 벗고 나체로 있으면서 나무나 식물들에 마사지를 하고 생명력을 교감할 때 상처받은 마음이 치유되고 안정을 얻는다.

셋째, 숲이 친근하면서도 두려운 중의적인 힘을 품어내는 어떤 권력과 관련되는 사례가 오스트레일리아의 검고 어두운 숲을 배경으로 하는 『캥거루』이다. 여기에 특화되어있는 어두운 숲에는 비밀스러운 권력이나 불길하고 위협적인 어떤 힘이 은밀하게 작용한다. 이 숲은 작품이 시작하는 제1장에서부터 나타난다. 주인공인 서머즈는 신생국가인 오스트레일리아에 체류하는 동안 해안을 따라 나무들이 우거져 있는 숲지대를 탐방하고 싶어진다. 그래서 혼자 산책을 나설 때가 흔하다. 지금까지 서부 오스트레일리아 지역을 돌아서 아델레드와 멜본도 둘러보았지만 거대하고 인기척이 없는 내륙에 들어와서는 사람이 접근하지 못하도록 태고의 모습을 한 채로 끝없이 펼쳐진 대지를 보고 감회를 느낀다. 그러다가 검게 타버린 황량한 숲을 본 후로 겁을 먹지만 그 숲에 대한 호기심을 이기지 못해서 어느 날 밤에 숲속으로 산보를 나간다. 나무와 숲은 그 정체를 알 수 없는 비밀스럽고 두려운 존재다.

이곳은 마치 온갖 도깨비들이 설치는 세계와 같다. 키가 크고 창백한 나무, 검게 타버린 수많은 시체와도 같은 고목. 거무스름한 잎은 마치 쇠처럼 암녹색을 띠고 있다. 주위는 쥐 죽은 듯이 고요하다. 작은 새도 있긴 있지만 움직이지도 않고 지저귀지도 않는다. 가만히 기다리고 있다. 오로지 기다리고만 있다. 숲도 언제까지 끈질기게 계속 기다리고 있는 것 같다. 서머즈는 그 비밀을 알아낼 수가 없었다. 파악할 수가 없었다. 아무도 파악할 수 없으리라.[32]

서머즈는 보름달이 밝은 어느 날 밤에 또다시 혼자서 숲속으로 들어간다. 달빛을 받은 나무줄기는 어둠에 싸인 잎들 사이에서 불쑥 일어선 창백한 벌거숭이 토착민과도 같다. 주위에 생물이 있는 듯한 낌새는 하나도 없다. 그러나 무엇인가가 보이지 않는 곳에 숨어서 눈을 반짝이고 있는 느낌이 든다. 그는 1~2킬로미터쯤 들어가서 키가 크고 벌거숭이인 고목들이 있는 숲속으로 더 깊이 들어갔을 때 나무들은 달빛을 받아 인광을 발하고 있는 듯했고 머리칼이 곤두섰다. 두려워하지 않으려 했지만 숲에는 뭔가 무서운 것이 있는 듯했다. 그 정체를 알려고 마음속으로 이리저리 생각해 보았을 때 이곳에 고유한 '영'일 것이라는 생각이 들었다. 이것은 로렌스가 말하는 '장소의 영'(the Spirit of Place)을 암시한다. 오스트레일리아의 유별난 달이 밤중에 숲속의 '영'을 잠에서 깨어나게 하여 부추겼을 것이라 여겨진다. 달에 의해 잠에서 깨어난 숲의 '영'이 눈을 깜박이지도 않고 주위를 엿보고 있는 것 같고 그의 뒤를 쫓아오는 듯한 느낌이 들었다.[33]

오스트레일리아의 숲에 대해 강렬한 호기심을 가진 서머즈는 이처럼

---

32 D. H. Lawrence, *Kangaroo* (Harmondsworth, Middlesex: Penguin Books Ltd., 1976), pp.18-19.

33 *Kangroo*, ibid., pp.18-20.

숲속을 산보한 후에 그가 기숙하고 있는 동네로 무사히 돌아왔지만 숲속에서 체험한 공포로부터 완전히 벗어나지 못한다. 이처럼 어두운 숲과 나무들 속에 들어있는 듯한 불길하고 위협적인 어떤 힘과 권력은 이 나라에서 비밀 정치결사대의 두목이 되어 혁명정부를 세우려고 정치투쟁을 벌이고 있는 인물인 '캥거루'와 연결된다. 이러한 어두운 숲의 '영'은 작품 전체를 통해 사건의 진행에 지속적인 영향을 끼친다. 이와 유사한 어두운 숲의 영이 작용하는 현상을 동일하게 오스트레일리아를 배경으로 삼는 『숲속의 소년』[34]에서도 찾아볼 수 있다. 작중인물들 사이에 사랑의 삼각관계가 이뤄진 가운데 사건이 진행되면서 살인사고가 일어나고 숲속에서 주인공 그랜트가 길을 잃고 헤맨다. 그런 과정에서 그는 어떤 '어두운 신'으로부터 운명의 지배를 받는다. 숲은 '어두운 신'의 은밀한 주거지로서 살인이 일어나는 공포스러운 장소다. 오스트레일리아를 배경으로 삼는 두 작품에서 숲은 비밀스럽고 위협적인 어떤 힘과 권력을 은밀하게 행사하고 불가사의한 '어둠의 신'이 지배하는 공간이다.[35]

마지막으로, 숲이 명상·묵상으로 이끄는 영적 지혜와 연관되는 사례는 로렌스의 여러 작품에서 전반적으로 나타난다. 『아들과 연인』에서 보면 주인공 포올이 연인 미리암과 함께 숲속으로 들어가서 입 맞추며 포옹하고 사랑을 교감할 때 포올은 갑자기 떨어지는 비를 맞고 바닥에 눕는다. 그는 이때 자기를 둘러싸고 있는 자연과 신비로운 조화와 합일을 체험한다. 숲속의 자연환경은 잠, 몰아, 망각, 해탈, 초월, 평화 등과 같은 신비한 상태로 빠져드는 심리적 변화를 겪게 한다. 숲속의 나뭇잎들에서 떨어지는 빗방울은 포올의 영혼에 깊숙이 적셔 들고 자아의 내면은 선불교적인 적정(寂靜)의 상태

34 D. H. Lawrence, *The Boy in the Bush* (Harmondsworth, Middlesex: Penguin, 1983).

35 『캥거루』와 『숲속의 소년』에 관한 글은 필자의 논문에서 옮겼으며 상당한 수정을 했다. 조일제, 「D. H. 로렌스 소설의 숲과 자아변화」, 『로렌스 연구』 제21권 1호(2013), pp.75-76.

가 된다.[36] 몸 위에 빗방울이 떨어져도 상관이 없으며, 마음은 한없이 고요해지고 부드러워지며 깊은 평정에 들어간다. 그의 생명은 가깝고도 멀리 있는 듯한 저쪽 세상 너머로 밀려가 있는 듯했다. 시간이 흐름에 따라 계속해서 심리적 변화가 일어나고 "신비롭고 부드러운 죽음의 세계로 떠나간 것"처럼 느껴진다(356). 그런데 옆에 함께 있던 미리엄은 두려움을 느끼면서 숲에서 나가자고 말한다. 그러나 포올은 몸을 움직이지 않으며 더 머물러 있기를 원한다. 이런 순간의 그에게 무엇보다 고귀한 것은 숲의 어둠 속에 녹아들어 어둠과 하나가 되는 것이기 때문이다. 시간이 흐르자 이제는 숲속의 나무들이 제각기 어떤 신비한 존재로 변형되는 것을 느낀다. 일상적인 삶의 질서가 전도되어 존재와 비존재가 자리를 바꾼 듯한 꿈결 같은 비전의 한가운데 있는 듯한 느낌이 든다. 이러한 경험은 신비주의자들에게서 일어나는 현상과 같은 것이다.

> 그에게 이제 삶은 하나의 그림자인 듯, 그리고 낮은 하얀 하나의 그림자인 듯했다. 밤과 죽음, 그리고 정적과 적멸, 이것이 존재인 듯했다. 살아있다는 것과 삶의 절박함과 고집하는 것, 그것은 비존재인 듯했다. 최고의 형태는 어둠으로 녹아들고 거기에 휩쓸려 위대한 존재와 일체가 되는 것이다. … '전나무들은 어둠에서 살아있는 존재들처럼 느껴졌다: 각각의 나무는 유일한 하나의 존재가 되어서' … '일종의 정적이랄까: 경이로운 완전한 밤과 잠: 경이로움 속의 죽음과 같은 잠에서 행동하는 것과 같이 생각되는군.' 그녀는 그의 내면에서 조금 전에는 야수와 같은 것이 두려웠지만 지금은 신비적인 뭔가를 느꼈다. (350-351)

---

36 D. H. Lawrence, *Sons and Lovers* (Harmondsworth, Middlesex: Penguin Books Ltd., 1970), pp.349-350.

위의 인용문에서 보듯이 나무와 숲은 포올의 의식을 일상적인 차원의 세계를 넘어 낯선 세계로 또는 초월적인 신비의 세계로 변화시키는 매개자가 된다. 이처럼 인간에게 일상적, 통상적인 차원을 넘는 신비한 존재론적인 변화가 일어났을 때는 세속적인 선입견이나 자기중심적인 모든 것은 무화되고 전혀 새로운 세계가 열리게 된다. 이러한 창조적 현상은 명상 · 묵상의 과정으로 이끌어가는 숲의 기능에 기인한다. 각종의 생명체로 가득 찬 숲은 인간의 의식을 근원적, 원초적 상태로 환원시키는 기능을 한다.[37]

이상에서 살펴보았듯이 로렌스 소설에 등장하는 숲은 인간의 의식이나 자아의 근원으로부터 창조적인 변화를 일으킬 뿐만 아니라 파괴적인 긴장감과 공포감을 불러일으키는 기능을 한다. 그뿐만 아니라 중의적이고 복합적인 감정적 반응을 불러일으키는 기능을 하기도 한다. 이와 같이 숲은 놀랄 만큼 무한한 잠재력이 저장된 공간이라고 할 수 있다.

## 나가며

이제 다시 앞에서 살펴본 로렌스의 『채털리 부인의 사랑』을 정리해보자. 작가는 작중인물들이 숲과의 관계에서 나타내는 특별한 경험에 주목하고 있으며, 그들이 숲속에서 어떤 반응을 보이며, 그들의 자아나 의식이 어떤 변화를 일으키는지, 숲의 기능은 무엇인지에 대해 중요한 관점을 제시하였다. 이처럼 각종 생명체가 생태학적으로 상호작용하는 숲지대는 물질, 산업, 기계, 이성 · 지성 등을 중심으로 삼는 현대사회의 문명적인 공간과는 대조적이다. 숲은 문명사회에서 벌어지는 온갖 반생명적이고 비인간적이며 자

37 이상에서 기술한 포올에 관한 부분은 필자의 논문에서 옮겼으며 상당한 부분을 수정했다. 조일제, 「D. H. 로렌스 소설의 숲과 자아변화」, 『로렌스 연구』 제21권 1호(2013), pp.73-74.

아분열적인 증상에서 자유로울 수 있게 하고, 생명, 건강, 활력, 신비 등이 넘쳐나는 창조적인 공간이다. '숲 밖'에서 '숲 안'으로 들어갈 때 인간은 자연과 동화되고 조화를 이루어 문명사회의 각종 타락과 위험으로부터 해방될 수 있고 구원을 얻을 수 있다. 이와 같은 맥락에서 숲(자연)과의 단절로 인해 초래되는 무기력과 생명의 고갈, 자아 상실증을 치유하기 위해서는 훼손되고 파괴당한 숲을 복원하여야 하고, 숲과의 친화관계를 적극적으로 추구해야 한다. 『채털리 부인의 사랑』에서 로렌스는 숲의 창조적인 기능을 적극적으로 활용하는 것이 시급한 과제라는 사실을 살아있는 그림처럼 아름답게 구현했다.

로렌스는 만년에 쓴 에세이, 「노팅햄과 탄광촌 전원」에서 영국의 전통적인 숲과 자연이 얼마나 아름답게 유지되었으며, 그러한 풍경이 빅토리아조 시대에 와서 산업화와 주지주의적인 풍조로 인해 어떻게 파괴되고 사라져버리는지를 심각하게 언급하면서 현대의 산업문명을 신랄하게 비판하고 분노를 표출한다. 동시에 사라져버린 전통적인 숲과 자연풍경을 그리워하고 아름다웠던 옛날의 영국에 대한 사모의 정을 금치 못한다.

> 나는 44년 전에 인구 3천 명쯤 되는 이스트우드라는 탄광촌에서 태어났다. 이스트우드는 노팅햄에서 8마일 그리고 더비주를 갈라놓는 에레워시 개울에서 1마일쯤 떨어져 있었다. 구릉진 이 마을은 서쪽으로는 60마일 떨어져 있는 크리치와 맷로크를 향하고 동북쪽으로는 맨스필드와 셔우드 숲지대를 향하고 있었다. 노팅햄의 빨간 사암(砂巖)과 떡갈나무, 그리고 더비주의 찬 석회암과 물푸레나무와 돌담 사이에 끼어있는 이 고장은 참으로 아름답게 보였으며, 지금도 그렇다. 내가 어렸을 때만 해도 이곳은 숲이 우거진 농경지였다. 자동차라고는 하나도 없었으며, 어떤 의미에서는 탄광은 풍경의 파격이라고 할 수 있었다. 전설적인 의적 로빈 후드와 그 즐겁게 지내던 일당이

그리 멀지 않은 곳에 있는 성십었다.[38]

『채털리 부인의 사랑』에서 코니와 멜러즈는 숲의 주인공을 대변하며, 이에 반해 클리포드는 물질적인 기계인간을 대변한다고 할 수 있다. 클리포드에 대한 작가의 비판은 신랄하며, 코니는 결국 남편인 클리포드를 버리고 멜러즈와 부부로서의 미래를 약속하고 새로운 삶을 살아가기로 결단한다. 클리포드는 숲과 단절됨으로써 본래의 자연적인 인간성과 살아있는 생명력에 대한 감수성을 상실한 물질인간으로 퇴락한 사람이다. 그는 생산적인 효율성과 경영적인 합리성만을 중요하게 생각하며 이성, 지성만을 절대시하고 신뢰할 수 있는 초석으로 삼는다. 그 결과로 탄광사업에 대한 경영과 지식과 기계 조작에 맹목적인 흥미를 보이는 인간 유형이 된 것이다. 그의 존재론적 형태는 기계인간이다. 그렇기 때문에 작품의 초반부를 보면 그가 휠체어를 몰고 숲속으로 들어갈 때 흙바닥에서 자라나는 싱그러운 풀과 꽃에는 관심이 없으며, 그가 눌러앉은 장애인을 위한 기계인 전동차(휠체어)로 그런 풀과 꽃을 짓밟고도 아무런 양심의 가책을 느끼지 않는다. 그가 전동차에 앉은 채로 더이상 앞으로 나아가지 못하게 되자 멜러즈를 그의 곁으로 불러 언덕위로 밀어 올리게 하지만 그 결과는 전동차가 고장이 나버린다. 이러한 매우 상징적인 장면에서 클리포드는 기계와 같은 몸이며 그런 기계가 고장이 난다는 사실이 은유적으로 표현된다. 이처럼 클리포드가 불구의 장애인이 되어버린 것은 기계론적인 가치관과 물질주의적인 사고방식을 소유했기 때문이다. 그래서 그는 생명의 근원이며 창조의 원천인 자궁과도 같은 녹색의 숲에 대해 무관심한 반생명적 인간유형으로 전락해버린 것이다.

---

38 D. H. Lawrence, *Selected Essays* (Harmondsworth, Middlesex: 1972), p.114.

## 4-2

# 칼렌바크의 생태적 숲유토피아 —『에코토피아』[39]

## 과학기술문명과 생태적 유토피아

이 소설의 제목인 '에코토피아'(Ecotopia)는 생태적인 유토피아를 뜻한다. '생태적인'(ecological)이라는 단어와 '이상적인 국가'(utopia)라는 두 단어를 조합하여 새로운 용어를 사용했다. 『에코토피아』[40]는 1975년에 처음 출판되었을 때 미국이 겪고 있는 심각한 환경문제들을 많은 부분에서 담아낸 실제적인 환경보고서였다. 당시 미국의 자연환경은 숲과 산들이 파헤쳐지고, 강과 바다에는 썩은 물이 흐르고, 도시는 숨쉬기조차 힘들 만큼 더럽고 혼잡한 상태였고, 자연은 심각하게 파괴되어있었다. 작가 칼렌바크는 이러한 현실에

39 이 글은 필자의 논문에서 대부분 옮긴 것이며, 부분적으로 순서 바꾸기, 고치기, 추가 등을 하여 상당히 수정했다. 조일제, 「영미문학에 나타난 환경위기와 녹색공간의 창조적 감수성」, 『D. H. 로렌스 연구』 제8권 1호(2000), "IV. E. 칼렌바크", pp.58-67.

40 Ernest Callenbach, *Ecopopia* (New York: Bantam, 1990). 이 소설의 초판은 미국에서 1975년에 출판되었다.

서 미국 국민이 제 몸을 아끼는 데만 급급할 것이 아니라 자연과 환경의 보호를 위해 떨치고 일어나서 행동으로 실천해야 한다고 주창했다. 이 작품의 주인공은 『타임포스트』 지의 취재기자인 윌리엄 웨스톤이며, 자연과 환경의 오염과 파괴에 대한 광범위한 현황을 총체적으로 관찰, 조사하여 취재한 내용을 기록한 보고문 형식으로 되어있다. 이처럼 총체적인 조사와 관찰을 담아내야 하는 취재기자의 문학적 서술과 묘사를 위해서는 자연환경의 훼손과 파괴가 일어난 현장에 관한 폭넓은 탐방과 정밀한 취재 노력이 필요할 것이고, 사전에 생태학에 대한 상당한 수준의 지식과 정보가 확보되어야 할 것이다. 이러한 맥락에서 볼 때 작품에 반영된 광범위한 생태학적 정보와 지식은 매우 놀랍다. 이 작품은 현실이 아닌 가상적 상황을 설정한 공상적 소설이지만 우리 시대의 심각한 환경오염과 자연파괴 문제, 절박한 환경문제 해결을 위해 요청되는 인간 의식의 혁신과 올바른 자연관이라는 중요한 쟁점을 다룬다. 현대의 반생명적인 과학기술에 기반을 둔 산업화 사회를 깊이 있게 진단하여 새로운 녹색이상사회 건설을 위한 대안을 작가 나름대로 제시하고 있는 작품이다. 작가는 자연을 거역하고 파괴한 서구세계의 종언과 미래인류의 생존에 관한 의미 있는 비전을 담고 있다.

이 작품의 생태적인 이상국가인 '에코토피아'는 1980년에 미국연방으로부터 몇 개의 주, 즉 캘리포니아 북부와 오리건, 워싱턴주가 분리되어 2000년까지 격리된 독립국가로 남는다. 미국으로부터 분리된 신생 독립국가인 '에코토피아'는 환경파괴와 환경오염을 예방하고 생태계 파괴를 방지하는 실질적인 정책과 체제를 운영한다. 그런 만큼 이 소설은 애초부터 환경소설, 생태소설로서 기획된 작품이다. 에코토피아 사람들에 따르면, 근대 과학기술은 생태계에 해롭기 때문에 그중에서 많은 부분을 채로 치듯이 걸러내어 없애버렸다고 말한다. 에코토피아 사람들은 미국의 산업자본주의 체제에서 시행되는 것과 같은 필요 이상의 과다생산을 하지 않고 적정수준의 생산만을 한다. 이에 따라 주당 근무시간은 축소된다. 이 신생국가의 중심적인 관심사는 파괴된 환경과 자연생태계의 복원, 자연의 보존과 보호에 관련된 사안이다. 이에 따른 사회, 문화, 경제, 정치, 법률, 산업, 주택, 에너지 생산과 관리, 그리고 물과 숲의 관리 등에 걸쳐서 다양한 대안이 시행된다. 아울러 이와 연관하여 인간의 의식과 삶의 방식, 삶의 질에 대한 문제가 총망라되고 있다. 국민들은 잘못된 일상적 생활태도와 사고방식을 전환하고 생태학적 이념에 맞춰 실제적인 행동을 실천한다.

이 작품의 저자 칼렌바크는 환경문제의 전문가이자 환경운동가로서 국제적으로 활약했던 사람이다. 조지 오웰이 그의 소설 『동물농장』과 『1984』를 통해 당대의 시대적인 배경 아래서 미래사회의 참담한 모습을 예언했듯이, 칼렌바크는 『에코토피아』를 통해 현대 미국사회가 자연생태적, 환경적으로 심각한 오염과 파괴, 삭막해진 인간관계 등의 문제를 짊어지고 있고, 장차 우리가 어디로 가야 할 것인가를 안내하면서 반대 방향으로 갔을 경우 어떤 파국에 이르게 되는가를 미리 알려주는 경고문을 날린다.[41] 머천트에 의하면, 사회변화에 대해 예민한 감각을 지닌 조지 오웰뿐만 아니라 『멋진 신세계』를 쓴 알더스 헉슬리와 같은 작가들은 과학기술 사회와 기계에 대한 점증하는 절망과 함께 미래사회에 대한 자신들의 예언적 암시를 반영했다고 밝혔다. 1975년에 칼렌바크의 『에코토피아』가 미국에서 출판되기 이전까지만 해도 근대 유토피아 작가들은 근대의 기술을 통해 이룩한 많은 진보를 활용하면서 환경과 조화를 이루며 살아갈 가능성에 대해서 크게 탐색하지 않았다. 근대의 유토피아에 관한 이야기의 대부분은 오웰의 『1984』와 헉슬리의 『멋진 신세계』로 대표되는 '기술적 디스토피아'에 해당하였다. 헉슬리의 『섬』이나 라이트의 『아이스랜디아』와 같은 긍정적인 유토피아론은 모두

41 김석희 옮김, 『에코토피아』(서울: 정신세계사, 1975), 「옮긴이의 덧붙임」, p.259.

기술사회 이전의 단순한 생활을 하던 시대로 되돌아가는 것을 선호하면서 기술에 반대하는 태도를 보였다. 이러한 반기술적인 입장과 다른 입장에는 스키너의 『월든 2』(1948)가 있는데 이 작품은 예외라고 할 수 있다.[42]

이제 이 작품의 구성과 내용을 보다 더 자세히 알아보자. 이 소설의 구조를 이루는 24개의 보도기사로 된 송신문들 가운데 제23신, 「도전 혹은 환상?」에서 취재기자인 웨스톤은 신생의 에코토피아공화국에서 이루어진 위험한 사회적 실험이 생물학적 차원에서는 분명히 효과를 거두었다고 결론짓는다. 에코토피아의 공기와 물은 어디서나 수정처럼 맑으며, 땅은 소중하게 다루어지고 생산적이다. 그리고 식량은 풍부하고 건강에 좋다. 모든 생활 체제는 안정된 토대에서 움직이고 있으며 앞으로도 무한히 그렇게 계속될 것으로 생각한다. 웨스톤 기자는 에코토피아가 미국인에게 하나의 어려운 도전을 제기하고 있으며, 미국인은 지금까지 이룬 업적을 반성하는 차원에서 새롭게 연구하는 단계까지 나아가야 한다고 믿게 된다(163-164). 그러나 웨스톤은 "원시냐, 문명으로의 복귀냐"라는 쟁점에 관해 심리적으로 갈등과 분열을 겪는다. 그의 심리변화 과정에는 로렌스의 장편소설 『날개 달린 뱀』에 등장하는 여주인공 케이트와 유사한 과정이 엿보인다. 케이트의 경우는 산업물질문명으로 인해 인간이 살 수 없게 된 유럽 문명사회를 떠나 아메리카 대륙의 원시적인 인디언 종교사회로 들어가서 그녀가 알게 된 인디언의 고대 자연종교로부터 영적 구원의 실마리를 발견한다. 그녀는 고대 인디언 족의 케짤코틀 신을 주신으로 삼고 그 외에도 고대의 인디언 신화에 등장하는 여러 신을 함께 부활시켜 새로운 '케짤코틀 교회'를 창설하는 종교 지도자인 돈 라몬을 만나고 그를 돕는 측근이자 친구이며 제2인자인 돈 치프리아노라

---

42 Carolyn Merchant, *The Death of Nature: Women, Ecology, and the Scientific Revolution*, p.96. 번역서로는 전규찬, 전우경, 이윤숙 옮김, 『자연의 죽음—여성과 생태학, 그리고 과학혁명』. 본문의 내용은 번역서의 p.158 참조.

는 인디언계 혼혈인 장군과 결혼한다. 하지만 인디언들의 원시적인 의식과 자아로 변화되어가는 심리적 동화과정에는 심한 갈등과 고통이 수반된다. 그녀는 인디언들의 원시종교사회에 완전히 동화되어 그들과 함께 살면서 여기에 계속 남을 것인가 아니면 유럽으로 되돌아갈 것인가에 대해 계속 시계추의 왕복운동처럼 왔다 갔다 하는 이중적인 심리상태를 노출한다. 그러다가 최종적으로는 유럽사회로 돌아가지 않고 아메리카 대륙에 머물기로 결정한다. 요컨대 로렌스와 칼렌바크의 작품에 등장하는 이와 같은 사례는 현대 문명적인 자아가 고대적인 상태로 전이하는 존재론적 변화가 얼마나 어려운 과제인가를 말해준다. 특히 종족과 피가 다른 경우에는 더욱 어려운 것이다. 웨스톤은 에코토피아에 와서 '석기시대로의 퇴보냐'라고 의혹의 마음을 가지게 되는데(103), 그의 일기에서

> 하지만 나는 도망치기로, 뉴욕으로 돌아가기로 방금 결심했다. 이곳에 계속 머물다가는 아마 폐렴에 걸려버릴 것이다. 버트뿐만 아니라 다른 사람들과 이야기하는 것조차 참을 수가 없다. 그들은 아직도 계속 나를 따라다니면서 성가시게 군다. 그들의 관심이 때로는 기분 좋게 느껴지기도 하지만, 거기에 굴복할 수는 없다. 만약 그랬다가는 인내심을 잃어버릴 것이다. (165)

라고 적고 있다. 그는 에코토피아에서 알게 된 새 애인인 마리사가 이곳에 남도록 유인할 때 그녀에게 털어놓고 하는 말에서 "나는 집에 가고 싶고, 이 나라를 떠나고 싶소. 이곳의 모든 일이 나를 혼란스럽게 합니다. 이건 현실이 아녜요. 절대로 현실이 아녜요."라고 밝힌다. 이 말에 그녀는 "우리한테는 현실이어요. 당신한테도 현실이 될 수 있지만, 당신이 그걸 용납하지 않고 있을 뿐이어요."라고 비판한다. 그는 "글쎄요. 이곳에서 내가 할 수 있는 일은 끝났어요. 누가 해도 그보다 잘 해낼 수는 없을 거요. 하지만 이제는 갈

때가 됐어요."라고 이 나라에 남아있기를 거절하지만, 그녀는 "왜 그걸 단순한 일거리라고만 생각하세요?"라고 반박한다(170-171).

웨스톤이 느끼는 에코토피아에 대한 갈등과 고민을 유발하는 복합적 심리는 계속되지만 「편집자의 에필로그」로 끝맺는 작품의 맨 마지막 서신에서 보여주듯이 웨스톤은 조국인 미국사회로 돌아가지 않기로 결심한다. 그 이유를 묻는 사람들의 질문에 대해 자기의 일기를 보면 이해할 수 있을 것이라고 응답한다. 그는 맥스 편집장에게 신생국가인 에코토피아에 대한 이번 취재 임무에 자기를 파견해주어서 고맙게 생각하는 마음을 밝히는데 이것은 에코토피아에 귀화하는 결정에 대한 자기 확신과 기대감과 기쁨을 솔직하게 토로한 것이다. 그의 마지막 일기는 에코토피아에서 그동안 취재하면서, 또한 스스로 직접 실험하면서 느꼈던 경험들이 무엇 덕분에 좋았으며, 감동하였는지, 이곳에 귀화하여 영구적으로 살기로 왜 결심했는지를 간략하지만 잘 종합하여 정리하고 있다. 즉 사람들이 자연과 더불어서 살아가는 생활방식은 자연스럽고 매혹적이며, 특히 숲캠프에서 자연환경과 밀접하게 접촉하여 살아가는 데서 신성하고 풍요한 생명력을 고양할 수 있었다. 자연과 동화하고 합일하는 생활은 경이롭고 신비적인 감정을 깊이 체험할 수 있게 해주었다. 웨스톤은 에코토피아 정부가 광활하게 개간하여 조성한 숲 단지를 여행하면서 얻을 수 있었던 체험들은 조국인 미국에서는 할 수 없는 소중한 것이었다. 그는 숲속에서의 생활에서 자연과 살아있는 접촉을 통해 창조적인 감수성을 계발할 수 있었다. 그러한 감수성에 의하여 자연과 인생을 조화시키고 영혼과 자아의 영역을 거대한 차원으로 확장하는 것이 가능했다고 기록하고 있다.

> 나는 마리사만이 아니라 그녀의 나라도 사랑하게 된 것을 깨닫는다. 마리사와 에코토피아 사람들 덕분에 이곳에서 새로운 자아가 나의 내부에서 눈을

> 뜬 것이다. 이 새로운 나는 나에게 낯선 사람이고, 에코토피아 사람이며, 그의 출현은 나를 두려움과 흥분과 활력으로 가득 채운다. … 그러나 나는 마침내 그것을 받아들일 준비가 되었다. 이 모든 것이 무엇을 의미할지, 우리가 어떻게 살아갈지, 아니 어디서 살게 될지도 나는 모른다. 하지만 모든 가능성이 지극히 자연스럽고 매혹적으로 느껴진다. 당분간은 숲캠프에서 지내고 싶다. 나는 자연환경과 그토록 밀접하게 접촉하면서 살아본 적이 없다. 그리고 내 손으로 일한다는 게 어떤 것인지 알고 싶다. (180)

웨스톤이 에코토피아에 남아서 살아가기로 결정하는 문제에 있어서 이렇게 흔쾌히 결정하지 못하고 머뭇거리는 과정이 계속되었던 것은 이곳 신생국가에서 재현하고 제시하는 대안이 적절치 못해서 확신을 못 가진다는 의미에서가 아니라 현대 서구인들이 오랫동안 과학기술문명과 물질문명의 체제에 너무나 익숙해왔고, 원시적 · 고대적인 삶의 방식이나 의식, 다시 말해 생태적 사고나 의식에서 너무나도 멀어져 있었으며, 이미 그러한 사고나 의식을 너무나도 많이 상실했기 때문이다. 위 인용문에서 웨스톤이 당분간 숲캠프에서 지내고 싶다고 밝히는데, 그것은 여기에 와서 가졌던 자연환경과의 그토록 밀접한 접촉의 경험을 미국사회에서는 해본 적이 없었으며, 에코토피아의 숲속에서 조화를 이루고 스스로 자기 손으로 직접 자연과 접촉하면서 일한다는 것이 어떤 것인지를 알고 싶은 마음 때문이라고 밝힌다. 이것은 '녹색인간'과 '숲의 인간'으로서 살고 싶은 그의 열망과 생태주의적인 철학을 표현한 것이다.

웨스톤 기자가 이 나라에 와서 맨 처음 방문한 곳은 에코토피아의 박물관이다. 그가 다른 탐방객들과 함께 배를 타고 들어가서 안내를 받았던 곳은 태평양만의 동쪽에 있는, 한때의 고래잡이 기지였다. 그곳의 박물관에는 고래를 비롯한 각종 포유동물의 멸종을 증언하는 자료들이 있었다. 이와 같은 자료들은 보는 사람들로 하여금 소름 끼치게 했는데 웨스톤은 무서워서 몸을 떨었다. 그는 거기에 전시된 자료를 보고 미국인들이 바다에서 저질렀던 포유동물 멸종의 심각한 실태를 알 수 있었다. 안내자인 벤은 이러한 비극적이고 돌이킬 수 없는 사태를 앞장서서 조장한 것이 미국인들의 과학기술이었다고 비난했다. 웨스톤은 포유동물들의 멸종이 어느 정도로 진전되었는가를 지금까지 깨닫지 못했는데 이것을 알게 되자 마음에 비통함을 느꼈다. "이것은 무서운 이야기다. 이런 사태에서 우리 미국이 맡은 역할은 심대했고, 한때 지구상에 살았던 수천 종의 경이로운 생물들이 우주에서 영원히 사라져버렸다. 무자비하게 늘어나는 인간들이 그 동물들을 게걸스럽게 먹어치운 것이다"(76). 하지만 안내자의 말에 의하면, 지금 신생 독립국 에코토피아에서는 놀랄 만큼 뛰어난 야생동물 사진작가들이 있는데 그들은 야생동물들과 함께 살면서 사진을 찍는다는 것이다. 마리사는 돌고래와 함께 헤엄을 친 적이 있었다면서 자기에게 그것은 감동적이었지만 매우 무서웠다면서 더는 말하려 하지 않았다.

웨스톤이 다음으로 취재한 것은 에코토피아의 어린아이들 교육이다. 교육 당국은 자연의 기본적인 과정과 잘 접촉하도록 하고, 같은 나이의 아이들이 서로 어울려서 보다 더 본질적인 관계를 맺을 수 있도록 교육과정을 조직하여 운영했다. 웨스톤은 이것이 아이들의 삶에 놀라운 변화를 가져다 줄 것이라며 감동했다(86-87). 아이들이 자연과의 본질적인 관계를 회복하는 것이 중요하다고 생각하게 된 웨스톤은 에코토피아 사회와는 다른 미국사회의 위기상황을 상기했다. 뉴욕과 같은 대도시들에는 범죄자, 미치광이, 매연, 화학물질 등으로 심각하게 오염되어있다. 이처럼 위험스러운 미국사회를 생각했을 때 거기에 멀리 떨어져 있는 자기의 아이들이 아버지도 없이 위험한 삶을 살고 있고, 앞으로도 점점 더 나빠질 삶을 이어갈 것이어서 갑자기 눈물이 솟았다. "위험한 것은 어디에나 존재하는 범죄와 미치광이들만이 아니다. 우리 아이들의 아이들이 스모그와 화학물질로 계속 오염되어갈 것이라고 생각하면 끔찍하다. 아니면, 뉴욕과 도쿄는 일산화탄소를 호흡할 수 있는 돌연변이를 낳을 것인가?"(86) 이러한 걱정이 웨스톤의 마음속에서 일어나는 것과는 달리, 에코토피아에서는 더 이상 환경오염이나 산업공해로 죽는 사람이 없다(4). 우리는 이와 같은 두 국가, 즉 신생국가인 에코토피아와 미국 사이의 대비를 통해서 반자연적이며 반생태적인 사회의 문제점과 함께 자연과 조화를 이루면서 살아가는 생태적인 녹색사회의 필요성을 인식할 수 있다.

생태적 이념과 철학에 따라 살아가는 에코토피아 사람들에게 인류는 19~20세기 사람들이 믿는 것과는 달리 오직 생산만을 위해 살아가는 존재가 아니다. 생명을 지닌 유기체들은 씨줄과 날줄로 짜인 직물과 같으며 상호의존적인 관계를 이루어 항상 안정적인 상태를 유지해야 한다는 것이다. 인류의 행복은 지구상의 다른 생물들을 얼마나 많이 지배하느냐가 아니라 그들과 얼마나 균형을 이루며 조화롭게 살아가느냐에 달려 있다(47-48). 에코토피아는 아직도 미국이 국가적 과제로 추진하는 지속적인 진보, 전체를 위한 산업화, 국민총생산의 증진이라는 문제에 끊임없이 도전하고 있다. 이곳의 국가 기본정책이 생태계를 중시하는 것에 맞춰져 있는 만큼 국가를 이끌어가는 지도자들은 남성보다는 여성들이다. 여성 대통령 베라 알웬은 '생존당'(Survivalist Party)의 당수이고 독립투쟁을 주도했다(91). 이러한 신생국가의 정부는 대통령과 장관 자리의 대부분을 여성이 맡고 있는데 이것은 '여성적 생태주의' 사상이 현실정치에 반영되고 있음을 말해준다.

에코토피아의 대학에서 이뤄지는 연구활동 중의 하나가 무공해 에너지의 연구개발이다. 해초를 비롯한 식물에서 광화학 작용을 이용하여 직접 전기에너지를 빼내는가 하면, 식물성 원료에서 효과가 오래가는 중유를 생산하려는 노력이 많은 진전을 보이고 있다(14). 태양열과 바람, 조수의 힘을 더 많이 이용하기 위한 연구도 적극적으로 지속되고 있다(140). 에코토피아의 플라스틱은 생물 분해성으로 되었기 때문에 미국의 플라스틱처럼 석유와 석탄으로 만든 화석원료가 아니라 오직 살아있는 식물이나 생물원료에서만 추출된다. 전혀 공해가 없는 과학기술로 생산하는 것이다(83). 환경오염이나 토양오염이 없는 물질을 생산하기 때문에 그러한 물질들은 재생 가능하고 환경친화적이다. 그래서 이곳에는 나일론이나 올론, 테이크런 같은 화학섬유로 만든 옷은 전혀 존재하지 않는다. 생존당은 공해를 자주 발생하는 제조와 가공 방식을 단호히 금지하는 일괄법안을 도입했다. 농업과 공업의 공해억제 정책과 재활용 형태를 통해 생태계 피해를 최소화하자는 것이다(94). 이곳에서는 열 조력 발전소와 같은 형태로 무공해 에너지원을 추구하기도 한다(113). 웨스톤이 미국에 보내는 '제16통신'은 '태양과 바다에서 얻는 에너지'에 관한 보고서인데 이에 따르면, 에코토피아 사람들은 기름과 가스를 사용한 화력발전소들을 몇 년 만에 모두 폐쇄했다. 그들은 처음에 물려받은 수많은 원자력 발전소를 방사능 폐기물과 열 공해 때문에 궁극적으로는 용납할 수 없다고 생각했지만, 얼마간은 사람이 거의 살지 않는 외딴 지역에 존치하고 기꺼이 참아 왔다. 그러나 지금은 샌프란시스코 북쪽의 온천지대에서는 땅속에서 나오는 수증기로 발전기를 돌린다. 태양 직사광선의 복사에너지를 이용하는 거대한 광전지 발전소도 있는데, 직사광선을 포착하기 위한 거울로 된 장치가 여럿이다(112-113). 그런가 하면 식물의 광합성 작용을 응용하여 전력을 얻기도 한다. 에코토피아 과학자들은 품종개량을 통해 만들어낸 특이한 식물을 이용하여 그 식물의 광합성 작용으로부터 직접 전력을 끌어내는 방법을 개발해냈다. 정원에 나무만 심으면 그 나무들이 집에서 나오는 하수와 쓰레기를 순환시켜주고 식량을 공급해줄 뿐만 아니라, 집안도 환하게 밝혀준다는 것이다(115). 재생 가능한 환경친화적인 물질 생산을 통해 자연으로 복귀하도록 하는 "생물분해기"(biovat)는 특수한 진흙으로 만든 거대한 통이 있고 흙 속에 사는 미생물에게 좋은 서식지가 된다. 이 공정을 거쳐 나온 플라스틱은 질척해질 때까지 말린 다음 땅에 뿌려 퇴비로 이용된다. 에코토피아 급진주의자들이 꿈꾸고 있는 세상은 자연으로 돌아가는 것이다. 이러한 이념은 시적이지만 너무 많은 희생을 강요하는 복귀가 아닐까 하는 생각이 웨스톤 기자에게 들기도 한다(85).

한편 소음공해가 없는 사회가 에코토피아인데, 미국의 냉장고는 앞뒤로 흔들리고 좌우로 진동하면서 날마다 일정량의 투덜거림과 덜커덩 소리를 내지만, 가정용 정화조의 메탄가스로 작동하는 에코토피아의 냉장고는 지극히 조용하다. 도시 소음의 또 다른 주범인 자동차 소음도 완전히 제거되었다. 가전제품 가운데 가장 시끄러운 식기 세척기는 이곳에서는 전혀 제조되지 않는다. 웨스톤은 그가 이런 고요함에 곧 익숙해질 수 있게 된다면, 바람 소리, 다른 집에서 들려오는 음악소리, 발소리, 어린애 울음소리와 같은 자연의 소리만 듣는 것이 멋질 것이라고 생각한다(89).

에코토피아의 행정조직도 역시 지역별로 생태계를 고려한 것이다. 그들은 주와 군의 행정조직을 개편했는데, 과거의 행정조직은 생산과 소비의 유기적 구조와 동떨어져 있기 때문에 각 지역의 생태계를 다루는 데에 본질적으로 부적합하다고 생각한다. 이와 같은 점에서 그들은 나라를 다섯 개의 '대도시권'과 네 개의 '시골지역'으로 나누었다. 그들은 이런 테두리 안에서 지방정부의 자치권을 크게 확대했다(139). 이처럼 조직을 작은 단위로 나누기를 좋아하는 에코토피아 사람들의 사상에는 슈마허의 "작은 것이 아름답다"라는 사상이 반영되고 있다.[43] 이렇게 하는 것은 성장 발전의 규모경제가 야기하는 불안정 상태를 극복하여 생태적으로나 자연환경적으로 안정적인 상태를 이룩할 수 있다고 믿기 때문이다. 그래서 에코토피아 사람들은 세계

43 이 책은 E. F. Schumacher, *Small Is Beautiful: A study of Economics as if People Mattered* (London: Sphere Books Ltd., 1974)를 참조할 수 있다.

를 향한 성장 위주의 대장정을 계속하는 대신, 분리주의와 정적주의(靜寂主義)를 따르고 있다(164). "작은 것이 아름답다"라는 슈마허의 사상을 따르는 데에는 문화적인 이유만이 아니라 생태학적인 이유로도 더 바람직하다고 믿기 때문이다. 작은 지역사회는 세계의 생물계 안에 있는 자기 자신의 자리를 초강대국보다 더 교묘하고, 풍부하며, 더 효율적으로, 덜 파괴적으로 이용할 수 있다. 이에 따라 에코토피아에서는 지나치게 규모가 커진 기업의 구성원들은 좀 더 성미에 맞는 기업을 찾아 떠난다. 기업은 수익만이 목적이 아닌 것이다. 이러한 행정 체제의 운영은 소단위의 자연주의적인 공동체를 기반으로 삼는 것인데, 과잉소비가 없이 단순하고 소박하게 살아가는 삶을 지향하는 생태주의적인 녹색사상을 주장하는 슈마허의 "작은 것이 아름답다"는 사상을 웨스톤 기자에게 상기시켜준다(101).

## 숲과 생태적 유토피아

에코토피아 정부는 숲을 중시하는 정책에 따라 녹색공간을 통해 창조적인 감수성을 계발하는 것에 큰 관심을 둔다. 앞의 다른 작가들로부터 살펴본 바에서 알 수 있듯이 미국의 소로나 영국의 로렌스와 마찬가지로 이 소설의 작가 칼렌바크는 숲을 생명의 터전으로서, 정령과 같은 초월적인 존재나 어떤 신성, 영성이 깃들어있는 공간으로 생각하며, 사람들이 자연과의 친교를 통해 영적 지혜를 얻을 수 있는 신비한 공간으로 제시한다. 여주인공인 마리사는 이러한 진리를 웨스톤 기자에게 잘 알려주는 중개자이다. 웨스톤 기자가 숲캠프에 있는 마리사를 찾아갔을 때 그녀는 깊은 산속에 들어가 베어낼 나무를 고르는 중이었다. 그녀는 그로 하여금 자기를 따라와서 하는 일을 지켜보게 했는데 나무들 사이를 천천히 걸으면서 주의 깊게 나무들을 바라보다가 잠시 앉거나 서서 생각에 잠기곤 했다. 그녀가 마음속으로 어떤 결정을 내리면 이 나무 저 나무로 다가가서 그 나무의 운명을 결정하는 빨간 리본을 붙들어 맨다. 그런 후에 웨스톤 기자가 알아들을 수 없는 말을 중얼거린다. 그녀는 이런 순간에 표정은 슬픔으로 가득 차 있지만 단호하다. 베어내어야 하는 마음의 아픔 때문이다. 그러고는 긴장을 풀고 숲의 다른 구역으로 걸어간다. 이것은 그녀가 맡은 일의 중요한 일부다. 그러나 웨스톤에게는 그것이 일이라기보다 일종의 종교적 '의식'이라고 하는 편이 나을 것 같았으며, 거기에는 신성함이 깃들어있었다(107-108). 웨스톤의 5월 31일 자 기사에 의하면 그가 어느 에코토피아 가족의 시골집을 방문했을 때 알게 된 것은 그들의 생활공동체는 대부분 숲속에 통나무집을 갖고 있거나 시골 공동체의 준회원이 되어 시골에서 얼마간 시간을 보낸다는 것이다. 방문했던 유쾌한 피난처는 가장 가까운 송전선에서 수 마일이나 떨어진 숲속의 미개간지에 자리를 잡고 있었다. 그곳에는 라디오에서 음악이 요란하게 흘러나오고 있었는데 이 라디오는 수차로 전력을 공급받고 있었다. 작은 수레를 밧줄에 매달아서 강 가운데 띄워놓아 값이 싸면서도 생태계에 전혀 피해를 주지 않는 발전기를 만들었던 것이다(114).

마리사는 웨스톤과 함께 빈둥거리면서 시간을 보내기도 하고, 그녀가 좋아하는 샌프란시스코의 명소들을 구경하러 다니기도 하고, 때로는 새와 나무들을 구경하느라 무척 바쁜 시간을 보냈다. 그녀는 도처에 특별한 나무를 갖고 있었다. 이 나무들은 그녀에게 더없이 중요하다. 그래서 웨스톤은 나무에 관해 특별한 기사를 쓰고 싶어졌다. 그녀는 나무들의 특징을 연구하고, 얼마나 자랐으며, 어떻게 변했는지를 보기 위해서 시간만 나면 찾아간다. 나무에 기어오르기를 무척 좋아했는데 민첩하고 정확하다. 나무가 무성하게 잘 자라고 있으면 뛸 듯이 기뻐하고, 그렇지 못하면 실망하여 고개를 푹 떨어뜨렸다. 때로는 나무에게 말을 걸기도 했고 또는 중얼거리기도 했다. 그녀는 숲속에 들어오면 자유분방하고 행동에 거침이 없다. 그녀는 남편(에베렛)과 함께 평소에 숲캠프에서 거침없는 성적 유희를 즐기는 생활을 한다. 남편이 있는 유부녀이지만 전혀 개의치 않고 웨스톤과는 연인이 되었으며, 숲캠프의 숲속에서 그와 함께 육체적인 성교와 영적인 사랑을 나누면서 시간을 보낸다. 웨스톤이 그녀와 함께 숲속에서 성관계를 가질 때는 육체만이 아니라 두 사람의 모든 존재를 나누어 가진 듯한 신비로운 일체감을 느낀다. 그런 느낌은 너무나 깊고 압도적이다(74). 이처럼 마리사가 육체적 관계에서 적나라하고 깊게 일체감을 느낄 수 있는 감수성과 능력을 키운 것은 그녀가 평소에 자연과 더불어 숲속에서 생활하면서 자연과 깊은 조화와 일체감을 이루면서 살아왔기 때문이다. 이와 같이 숲은 인간과 자연을 통합시켜서 모든 존재를 서로 조화시키고, 일체감을 느끼게 하는 거대한 힘을 지니고 있다. 에머슨의 말처럼, 사람은 숲속에 들어오면 항상 기분이 달라지고 새롭게 변화된다. 그는 「자연론」에서 숲은 사람을 어린이와 청춘으로 돌아가도록 하며, 신의 낙원에서 신성과 축제의 향연이 베풀어지는 것을 느끼도록 한다고 말했다.[44] 나무와 숲에 대한 마리사의 특수한 사랑과 친교는 고대인들의 정령사상이나 신화적 감수성과 일치한다. 마리사는 정령사상에 따라 자연의 만물에는 신성한 정령이 깃들어있다고 생각하고 자연을 숭배할 뿐만 아니라 신성하고 우애에 찬 교감을 나누고자 힘쓴다. 이러한 정령사상은 자연파괴로 인한 환경위기에서 벗어나게 하는 대안의 하나가 될 수 있다고 마리사는 믿는다.

그동안 웨스톤은 신생독립국인 에코토피아에 남을 것인지, 아니면 미국으로 돌아갈 것인지에 대해 끊임없이 갈등을 느껴왔다. 그런데 숲캠프의 목욕탕에서 목욕하는 중에 자신도 모르게 "에코토피아에 남아있겠어!"라고 스스로 말해버리는 크고 또렷한 자신의 목소리를 듣게 된다. 그렇게 되자 그는

---

44 Carl Bode, ed., *The Portable Emerson* (New York: The Viking Press, 1981), pp.10-11.

목욕탕에서 물 밖으로 나와 마리사에게 그의 결심을 알리는데 이에 그녀는 기뻐하며 환호하고, 두 사람은 감격하여 서로 끌어안고 눈물을 흘리며 펑펑 울기까지 한다. 웨스톤은 그렇게 눈물을 흘리자 자기를 자유롭게 하는 생기를 느낀다. 두 사람은 옷을 갈아입고 바깥으로 나와서 가까이 있는 부드러운 솔잎들을 모아놓은 곳에서 춤을 추기 시작한다. 솔잎 더미 위에서 마른 솔잎들을 하늘 높이 걷어차고, 미끄러지고, 팔짝팔짝 뛰다가 구애의 춤을 춘다. 춤을 추는 행동은 인간에게 있어서 깊은 마음으로부터 솟아나는 자발적인 사랑의 감정과 억눌린 내면에서 풀려나는 자유의 기쁨을 표현하는 오래된 방식이다. 그런 다음 두 사람은 그곳을 나와 달을 구경하는 정자를 지나 언덕 위로 올라가 육체적인 성교를 한다. 그때 두 사람이 느끼는 것은 자연과 인간의 일체감이다. 그들은 주변의 숲, 나무, 대지, 풀과 감정적으로 연결되며, 그러한 자연과 조화를 이루고 혼연일체가 되는 상태에 빠져든다. 두 사람은 땅 위에 누워 육체적인 사랑을 나눌 때 누워있던 대지가 무겁고 단단하게 느껴지다가 몸 밑으로부터 대지의 풍요롭고 비옥한 냄새를 맡게 되고, 그러한 감각은 "놀랄 만큼 친밀하지만 비인간적이기도 하였다"라고 언급된다.[45] 두 사람이 체험하는 놀라운 친밀성과 인간을 초월하는 "비인간적인"(impersonal) 감정은 인간을 둘러싸고 있는 자연환경과의 긴밀한 교감이나 교류에서 나오는 것이므로 '생태적 감수성'이라고 할 수 있다. 이것은 개인적인 감정이 우주적 차원으로 확장되고 승화되는 현상으로서 인간의 우주화, 자연화인 것이다. 거대한 세계인 우주자연과 일체화되는 신비로운 감정은 신화 속의 인물들, 다시 말해 고대인들, 원시인들이 자연과 교감하면서 체험했던 감정과 같고, 고대의 범신론이나 물활론(정령사상)과 일치한다.

45 *Ecotopia*, p.179. 'impersonal'이라는 용어는 D. H. 로렌스가 그의 소설에서 흔히 개념적으로 사용했다. '비인간적인'이라는 말은 개별자로서의 인간이 변화되어 자연과 우주에서 독립되어있지 않고 자연화, 우주화된 것을 뜻한다.

> 커다란 참나무 밑에는 봄풀이 아직도 푹신하고 파랗게 남아있었다. 몸의 밑에 있는 대지가 무겁고 단단하게 느껴졌다. 그 대지 위에 몸을 눕히고 대지의 풍요롭고 비옥한 냄새를 맡았다. 마리사와 함께 있으면, 우주의 모든 욕망이 나를 통해 그녀에게 몰려가는 듯한 느낌이 든다. 그것은 놀랄 만큼 친밀하지만 거의 비인간적이기도 하다. 일이 끝나자 그녀는 나른한 미소를 지어 보였다. (179)

웨스톤과 마리사에게 이와 같은 생태적인 창조적 감수성이 활성화될 수 있는 것은 장소라는 요소와 긴밀한 관계가 있다. 웨스톤과 마리사의 일련의 행동은 숲캠프에 잘 조성되어있는 녹색구역에서 일어났다. 일반적으로 우리는 숲속에 들어오게 되면 자신을 둘러싸고 있는 모든 사물이 신성하고 살아있다는 느낌에 빠지게 되고, 뭔가 신비로운 '영'(spirit, soul)이 작용하는 것과 같은 느낌을 감지한다. 이럴 때 억눌려있던 감정에서 풀려나 한없는 자유로움을 느끼게 되고 춤을 추고 싶은 충동이 일어날 수 있다. 숲속에서 추는 자발적인 춤은 인간을 마음대로 가볍게 날아다니는 정령 같은 존재, 즉 육체를 벗어나 무게가 전혀 없는 가벼운 에테르적인 존재로 변화되게 한다. 인간을 이와 같은 신비한 영적 실체로 변화하게 하는 매개자가 숲인 것이다.

에코토피아공화국의 산림부가 정책적으로 기획하여 개척해 놓은 숲캠프는 웨스톤에게 큰 감동을 준다. 그의 눈앞에 보이는 저 너머에는 넓은 묘목장이 펼쳐져 있고, 수천 그루의 작은 나무들이 자라고 있으며, 숲 냄새가 물씬 풍긴다. 침엽수의 잎들이 발밑에서 서서히 썩어 부엽토 층을 만드는 냄새다. 키가 큰 나무들 사이로 스며든 햇살이 부드럽고 야릇한 분위기를 자아내고 마치 어두운 교회 안에 들어선 듯한 기분이다(55). 웨스톤에게 에코토피아의 숲은 미국의 숲보다 훨씬 조용하고 무시무시하게 느껴진다. 이것은 그에게 흥미롭다는 생각이 들었다(63). 숲캠프에서 숲 너머로 한눈에 바라다

보이는 길게 이어져 있는 숲의 풍경은 정말 경이로웠다. 마리사가 그에게 그의 감상이 어떠냐고 물었다. 그가 생각해낼 수 있는 말은 너무나 장엄하고 놀라워서 다만 "아름다운 풍경"(Beautiful view)이라는 한마디일 뿐이었다. 그녀는 숲의 효과에 대해 이렇게 설명했다. "이 숲은 나의 가정이어요. … 나는 숲 가운데서 존재해요. 저렇게 펼쳐진 전원은 내게 이국적인 듯해요. 인류의 침팬지 조상들은 올바른 사상을 지녔지요. 당신은 나무들 가운데 있으면 안전하고, 자유롭게 될 수 있어요"(54-55). 이처럼 숲은 '가정'(집)의 역할을 하고 안전과 자유를 준다. '에코토피아'라는 단어에서 '에코'는 그리스어로 '집'을 뜻하지만 현대에 와서 자연파괴와 공해문제, 환경문제가 심각하게 부상하자 자연과 환경의 보전을 위한 개념으로 발전하였다.

생태적인 숲유토피아를 이상으로 삼는 신생국인 '에코토피아'의 기본적인 사상은 숨 쉬고 살아있는 자연을, 생명의 숲을 인간과 연결하는 것이다. 이 나라의 목표는 사람이 살아가는 데 있어 가장 이상적인 모델로 믿는 숲의 나라를 건설하는 것이다. 이 신생국은 생태주의적인 환경철학을 실험적으로 잘 구현하고 있다. 생태학에서 인간과 자연과의 관계를 근본적으로 바꿔야 한다고 강조하는 분야가 '심층생태론'(deep ecology)과 '영성생태론'(spiritual ecology)이다(머천트, 54-55). '심층생태론'은 인간의 의식을 근본적으로 바꿔서 자연과 조화, 동화, 합일하는 삶을 추구하는 동양철학이 좋은 사례가 되고, 영성생태론은 인간과 자연과의 관계에서 종교적인 영성을 기반으로 하는 삶을 추구하는 세계의 여러 종교와 아메리카 인디언들의 신비주의적인 종교가 좋은 사례이다. 이 작품에서는 이러한 사례를 마리사와 웨스톤 사이의 영적이며 자연주의적인 교류와 육체적인 사랑의 관계를 통해서, 그리고 인디언족의 고대적인 삶을 실험적으로 재현하는 장면 등에서 찾아볼 수 있다.

웨스톤과 마리사가 숲속으로 더 깊이 들어갔을 때, 갑자기 마리사가 유난히 큰 삼나무 근처에서 몸을 숙이더니 나무 밑동에 뚫린 구멍 속으로 사라졌다. 그녀를 따라 그곳으로 들어가면 일종의 사원처럼 되어있고, 침엽수 잎으로 만든 침대가 있다. 그리고 나무 안쪽에는 뼈와 이빨과 깃털로 만든 부적과 장식이 매달려 있고 희미하게 보이며, 문질러 닦은 돌들이 어렴풋이 빛난다. 그곳에 들어온 웨스톤은 어떤 강력한 정령에게 삼켜진 듯한 기분이 든다. 사원과 같은 이곳에서 그는 마치 높은 곳에서 어둠을 뚫고 온화한 대기 속을 지나 자유낙하를 하듯이 마리사의 몸 위에 쓰러져 사랑의 정사를 벌인다. 두 사람 사이의 성애가 끝나고 이곳의 나무들을 떠날 때, 그녀는 잠시 발길을 멈추고 웨스톤이 알아들을 수 없는 말을 중얼거린다. 마치 기도를 드리는 것 같다. 이처럼 종잡을 수 없는 마리사는 드루이드(Druid)교도나 나무숭배자가 아닐까 하는 생각이 든다(58). 그녀는 숲속의 도처에 특별한 나무를 갖고 있으며, 이런 나무들은 그녀에게 더없이 중요하다. 그녀는 나무들의 특징을 연구하고, 얼마나 자랐으며 어떻게 변했는지를 알아보기 위해 시간만 나면 찾아다닌다. 나무에 기어오르기를 무척 좋아하며, 나무가 무성하게 잘 자라고 있으면 뛸 듯이 기뻐하고 그렇지 못하면 실망하여 고개를 푹 떨어뜨린다. 때로는 나무에게 말을 걸기도 하는데 말을 한다기보다는 중얼거린다(74). 이런 중얼거림은 나무의 정령과 영적인 대화를 나누거나 주문을 외우는 인디언들의 소통방식과 같은 것이다. 사실 이와 같은 여러 장면은 아메리카 인디언 원주민들의 종교와 문화에서 도입한 것이다.[46] 에코토피아 사람들을 보면 나무를 인간과 거의 동등한 생물로 여긴다. 웨스톤은 극히 정상

---

46 아메리카 인디언 원주민들의 이러한 문화와 종교, 삶의 방식을 자세히 소개한 책으로, 라셀 카르티에, 장피에르 카르티에가 공동으로 쓰고, 길잡이늑대가 옮긴 『인디언과 함께 걷기』(서울: 문학의 숲, 2010)가 있다. 이 책의 원서는 1994년 프랑스 파리에서 출판되었다. 또 다른 권장할 만한 책으로는 류시화가 쓴 『나는 왜 너가 아니고 나인가: 인디언의 방식으로 세상을 사는 법』(서울: 김영사, 2003)이다. 이 책에는 인디언들이 자신들의 삶의 방식을 지키기 위해 백인들과 끝까지 싸운 전사들과 추장들의 이야기와 연설, 그들의 삶의 방식과 문화가 기술되어있다.

적으로 보이는 어떤 한 젊은이가 마약에 취한 것 같지도 않은데 커다란 참나무를 껴안고 "나무 형제여!"라며 중얼거리는 것을 목격한다(63). 이러한 장면은 나무의 정령과 교감을 나누는 행동이다. 인디언들은 숲의 정령과 대화하고 소통하는 신비한 능력을 가지고 있다. 웨스톤이 목격한 젊은 인디언의 사례는 숲속의 나무들이 그만큼 신비한 생명력으로 충만해 있다는 것을 뜻한다. 숲은 역동적인 생명력으로 가득한 이상적인 생태학적 장소이기 때문에 정령이 거주하기에 최적지인 것이다. 인디언들은 나무들뿐만 아니라 흘러가는 물이나 연못, 꽃이나 풀과 같이 생생하게 살아있는 유기체로부터도 역시 속삭이는 생명의 소리를 듣는다.

웨스톤은 에코토피아의 숲속 마을을 취재하면서 거주민들이 자연과 접촉하며 살아가는 생활방식을 알게 된다. 그들은 석기시대로 돌아간 것이 아닐까 하는 생각이 들게 하는 현장을 목격한다. 초저녁에 멋진 활과 화살을 든 사냥꾼들이 미니버스에서 뛰어내려 숲속에서 동물을 사냥하려는 모습이 보였다. 그들은 동물을 되도록 야생상태로 살아가게 방치하는데 그러한 사냥감의 영적인 성격 때문에 소중히 여긴다(16). 석기시대로 퇴보했다고 말하는 사람들이 있지만, 웨스톤에게는 그들이 하는 일에는 일이라기보다는 일종의 의식(儀式)이라고 볼 수 있을 만큼 신성함이 깃들어있는 것 같이 여겨졌다(103).

웨스톤은 자기와 동행하면서 자기를 안내하고 사랑하기 시작한 마리사로부터 자유주의적인 행동을 본다. 그녀에게는 물질주의적인 억압에 짓눌리는 일이 없이 자연 그대로 자유주의자가 되어 숲속에서 자연의 정령과 교감하는 삶을 살아가기 때문에 언제나 즐겁고 자유롭다. 마리사는 웨스톤에게 "실제로 나는 당신과 함께 있는 것이 더 즐거워요. 아마 당신이 어떤 면에서 나를 자유롭게 해주니까요. 당신은 요즘 내 생활에서 가장 강력한 사람이어요"(138)라고 말한다. 이러한 생활방식은 무엇보다 숲이라는 요소와 배경에서 나온 것이다. 웨스톤과 마리사의 영적 변화를 이해할 수 있도록 도와주는 놀라운 숲의 존재론적 기능에 대해 에머슨의 말을 빌리면 좋을 것 같다. "자연은 영의 상징이다"라고 에머슨은 말한다.[47]

> 모든 천박한 이기심은 사라진다. 나는 투명한 눈이 되고 무가 되어 모든 것을 보게 된다. 우주적인 존재자의 흐름이 내 몸속에서 맴을 돌고 나는 신의 중요한 부분이 된다. … 들과 … 숲이 이바지하는 가장 큰 즐거움은 인간과 식물 사이의 불가사의한 관계에 관한 암시이다. 나는 외롭지도 않으며 외면을 당하지도 않는다. 그들은 나에게 머리를 끄덕여 인사를 한다. 나 또한 마찬가지로 그들에게 답례한다. 세찬 바람에 흔들리고 있는 나뭇가지는 나에게 새롭기도 하고 친숙하기도 하다. 불시에 흔들거려 나를 놀라게도 하지만 전혀 예상 못 했던 바는 아니었다. 그와 같은 결과는 … 나의 전신을 휘감는, 보다 차원 높은 생각이나 기분 좋은 정감의 결과와 비슷하다.[48]

인디언들은 숲속에서 자연과 조화를 이루는 가운데 자연의 정령들과 교감하고 그들을 숭배하는 삶을 살아간다. 이 소설의 저자 칼렌바크가 인디언 문화에 대해 보여주는 공감과 동경은 여러 대목에 걸쳐있다. 자연과 연결되어 살아가는 에코토피아 사람들은 인디언들과 마찬가지로 시간 감각이 별로 분명하지 않다. 자연의 흐름과 순환을 따라서 살아가기 때문이다. 인디언처럼 시계를 찬 사람은 거의 없고, 실제 시각보다는 해돋이와 해넘이, 밀물과 썰물 같은 자연현상에 더 많은 관심을 기울인다. 그들도 산업문명의 요구에 어느 정도는 따르지만 기꺼이 따르는 것은 아니다. 에코토피아 사람들은 대부분 인디언에 대해 감상적인 태도를 보인다. 인디언들은 잃어버린 자연

---

47 Carl Bode, ed., ibid., *The Portable Emerson*, "Introduction" xxv.

48 Carl Bode, ed., ibid., *The Portable Emerson*, p.11.

에 대해 향수가 있는데 이러한 향수는 에코토피아 사람들에게는 신화의 원천으로 여긴다. 에코토피아인들은 어떤 상황이 주어졌을 때 '인디언이라면 어떻게 할 것인가'라고 끊임없이 질문한다. 에코토피아에서 만들어지는 일부 상품들, 예컨대 옷, 바구니, 개인 장신구 등은 인디언들한테서 직접 영감을 얻어 만들었다. 인디언들에게 가장 중요한 것은 자연과 조화를 이루며 살고자 하는 열망이다. 인디언들은 "땅 위를 가볍게 걷고", "대지를 어머니처럼 대하고 싶어한다"(32). 인디언들이 말과 천막, 활과 화살은 모두가 인간과 마찬가지로 자연이라는 자궁에서 유기적으로 생겨났다고 믿듯이, 에코토피아 사람들도 인디언들과 같은 믿음을 가지고 있다. 그들이 경외심과 동료의식을 가지고 자연계의 물질을 다루는 것은 인디언과 일치한다(51).

신생독립국 에코토피아에서 이루어지는 학교교육을 보면, 숲이라는 녹색공간에서의 창조적 활동에 중심을 둔다. 학교 안에는 숲이 있고 시냇물이 흐른다. 수업은 야외나 가건물 같은 목조건물에서 하며, 프로젝트에 참여하느라 바쁘다. 커다란 정원 만들기, 베 짜기, 오두막집 짓기 등과 같은 프로젝트가 소년들을 위해 제공된다(126). 숲은 아이들을 위한 활동의 중심인 것이다. 소년들은 여섯 또는 여덟 명 단위로 무리를 지어 행동하는데 나무 위에 오두막집을 짓거나 땅굴을 파서 은신처를 만들고, 활과 화살을 만들며, 언덕비탈에 서식하는 땅다람쥐를 잡기 위해 덫을 놓는 등 행복한 야만인들처럼 행동한다. 에코토피아 아이들의 대화에는 생물학적 용어로 가득 차 있는데, 학교 교육을 맡고 있는 어느 에코토피아 교사의 말에 의하면, 이곳에서는 미국에서처럼 물리학의 지배를 받지 않는 생물학 시대로 넘어왔다는 것이다. 그 교사는 에코토피아의 생물학적 체계와는 달리 미국의 학교체계는 아직 물리학의 지배를 받고 있기 때문에 학교가 마치 감옥과 같은 분위기여서 미국인들은 학교에서 학생들이 어떤 것들도 성장하도록 허용할 수가 없다고 미국의 학교체계를 비난한다(126). 웨스톤은 숲속의 훌륭하게 조성된 숲캠프에서 마리사와 함께 오랫동안 산책하고 이곳저곳을 돌아다니면서 시간을 보냈기 때문에 마침내 그녀가 나무에 대해 느끼는 감정을 이해하기 시작한다. 숲속의 골짜기를 따라 오르면서 처음으로 진지한 사랑을 나누었던 구멍이 뚫린 고목나무로 다시 돌아왔을 때 그곳은 아직도 마술적인 곳으로 느껴져 감회가 깊었다. 그러나 이번에는 그 고목나무 둥치의 텅 빈 곳에 조용히 앉아 마리사와 서로를 가볍게 어루만지고, 희미해져 가는 햇빛을 바라보면서 행복감에 젖는다. 서로 말다툼을 했는데도 행복하며 이런 행복이 끝나는 것이 두렵다. 이제 그의 모든 에코토피아의 취재 여행 일정이 끝나게 되는 날이 임박했다. 다음 날이면 미국으로 귀국해야 하는데 마음이 내키지 않는다. 도시로 돌아가서 다시 일을 시작하는 것이 싫어졌다. 에코토피아를 떠날 날을 하루 더 연기하기로 마음을 정한 후에 미국으로 돌아갈 것인지, 에코토피아에 남을 것인지에 대해 여태까지 계속 느껴왔던 마음의 갈등을 정리하고 이곳에 남기로 결정한다(159-160).

## 나가며

신생국가인 에코토피아의 국민은 아메리카 인디언들과 같은 삶을 살면서 자연을 경외하며 자연과의 조화를 추구하고 자연친화적인 생활을 하는 습관을 만들었다. 그들은 인디언들과 마찬가지로 인간 중심의 삶 대신에 철저하게 자연중심의 생활을 한다. 그들은 숲과 나무, 식물과 대지뿐만 아니라 일체의 자연 만물을 경이롭고 거룩한 생명체로 여기고 늘 가까이서 대화하기를 좋아하며, 그들 자신도 숲과 자연의 신성을 동화하여 신성한 존재로 살아가는 것을 추구한다. 웨스톤은 이와 같은 영성생태주의적인 가치관과 세계관에 따라 살아가는 '녹색인간'[49] 또는 순수한 '자연인'으로서 살아가는 에코토피아의 국민이 되기를 최후에 선택했다.

칼렌바크는『에코토피아』를 통해 자연의 훼손과 파괴, 환경의 오염과 공해로 심각한 질병을 앓고 있는 미국사회와 미국문명을 비판하고 그 위기를 극복하는 녹색대안을 제시했다. 취재기자 웨스톤을 내세워 미국연방을 탈퇴하여 생태학적으로 완전한 숲의 나라를 건설한 '에코토피아'의 여러 현장을 두루 탐방하면서 직접 목격하고 체험한 장면들을 설정하여 고대의 인디언 사회와 옛 신화들의 세계를 재현하는 녹색이념과 생태학적인 창조적 감수성을 보여준다. 미국인들은 과학기술을 기반으로 높은 단계의 산업화 사회를 구축했지만 현실적으로 그들의 자아가 물질화, 기계화됨으로써 본래의 고유한 생명력을 잃었고, 사회는 생명이 사멸되어버린 황무지로 변했다. 이러한 위기적 상황을 극복하기 위한 대안으로 칼렌바크가 제시한 방법은 고대적, 신화적, 원시적인 상상력과 감수성이다. 이러한 상상력과 감수성은 자연과 인간의 연결과 공존을 실현시킨다. 이러한 기반 위에서 이 소설은 정책적인 기획에 따라 조성된 방대한 녹색공간인 숲지구와 숲캠프를 통해서 자연과 인간 사이의 교감과 공존 관계의 모델을 제시하고 있다. 여기에 도입되어 있는 숲속에서 나무들의 정령을 만나 대화를 나누는 장면들은 영성적 생태주의의 구현이다. 미합중국에서 취재하러 에코토피아에 입국한 웨스톤은 미국사회의 죽어가는 인간들을 구원할 수 있는 대안을 에코토피아의 여인 마리사로부터 전수받게 된다. 그녀는 웨스톤의 안내자이자 연인으로서의 역할이 주어져 있으며 작가가 그녀에게 부여하고 있는 그런 역할에는 창조적 감수성이 작동한다. 그녀가 행동으로 보여주는 인디언 족의 종교적 풍습과 신화적이고 물활론적인 정령과의 대화 등은 창조적인 감수성의 예시들이

49 이러한 녹색인간 및 에코토피아에 대해서 도움이 되는 책으로는 이진우,『녹색 사유와 에코토피아』(서울: 문예출판사, 1998), 그리고 이진우 · 이은주,『녹색인간』(서울: 이담, 2009)을 참조할 수 있다.

다. 에코토피아를 대변하는 마리사는 매사를 직관적으로 이해하고 결정하며 최면을 거는 힘이 있다. 모든 것을 완전히 잊어버리고 오로지 그녀 자신으로 존재한다. 그녀는 웨스톤이 지금까지 만난 누구보다도 자유롭고 태평스러운 마음을 소유했으며, 야생동물과 같다는 생각이 웨스톤에게 들기도 한다. 그녀는 어디에 있든, 누구와 있든 항상 바로 그곳에 존재한다(74). 그녀의 행동과 의식의 양태에는 "현존적인 삶의 방식"이 깃들어있는 것이다. 이 점은 동양의 사상에 기본적으로 내재하는 자아와 외계(대상)와의 합일이나 불이(不二)의 존재관과 상통한다. 인도의 요가는 이것을 위한 한 가지 방법일 뿐이며 도교, 불교, 유교는 모두 이러한 존재론적 완성을 삶의 목표로 삼고 있다.

환경사, 환경사상, 환경윤리의 연구 분야에서 저명한 머천트는 『자연의 죽음』(1980)에서 '생태학과 유토피아'라는 장을 통해 칼렌바크의 『에코토피아』에 관해 매우 유익한 해석과 논평을 제시하고 있다. 작품에 묘사된 에코토피아에서는 나무와 물, 사람들의 기도나 시, 작은 사원 등은 모두 생태적 종교의 기초를 이룬다는 것이다. 에코토피아의 사회구조는 자연에 관한 '전체론적인 철학'(holistic philosophy)의 표현이며 사회변화에 대한 필요와 함께 현대사회의 가장 이상적인 열망을 반영하고 있다고 말한다. 자본주의 시장경제체제와 근대과학의 기계론적인 프레임에 의해 유럽의 숲생태계, 논밭, 늪지를 돌이킬 수 없는 수준으로 바꿔놓아 유기적인 위계질서가 근저로부터 무너졌고, 지구의 공동자원인 숲이 돈과 시장을 위한 자본이 되면서 살아있는 유기체로서의 보다 더 큰 우주가 그 모습을 바꾸었다고 지적한다(74). 이 소설은 이러한 위기에 빠진 미국사회를 위한 대안으로서 생태적 숲낙원인 '에코토피아'를 환상적으로 보여주고 큰 감동을 불러일으킨다.

4-3

## 핀드혼의 개척농장과 정령과의 대화
## —『핀드혼 농장 이야기』

### 핀드혼 농장의 개척과 생태마을

'핀드혼 농장'(Findhorn Garden)은 스코틀랜드의 북동쪽 핀드혼 만에 있다. 이 농장은 오늘날 생태마을의 전형으로 성장하여 지상낙원이라고 평가된다. 이상적인 생태공동체로 발전된 '핀드혼 공동체'(The Findhorn Community)는 1962년에 자연친화적인 삶을 실현할 새로운 모델을 시도했던 몇 사람에 의해 출발했다. 이런 시도가 일구어낸 성과들이 쌓이고 성장을 거듭하여 차츰 외부로 알려지면서 세계적으로 유명해졌다. 지금은 농장공동체가 확장되어 재단으로까지 발전했고 세계에서 가장 널리 알려진 자연친화적인 국제공동체 생태마을이 되었지만 설립 초기에는 핀드혼 만에 있는 척박한 자갈과 모래땅 위에 거친 모래바람을 뚫고 하나둘씩 세워진 이동식 주택들이 그것의 뿌리였다. 이 농장은 1980년대부터는 자연과의 협력 노선에 기반을 둔 생태마을 건설을 목표로 하는 '에코빌리지 프로젝트' 개발에 참여해왔다. 에코빌리지 프로젝트란 자연과 인간 모두를 위하고 더 나은 삶을 제공하기 위해 자연과의 동반자적 관계에서 일하며, 인간과 사회의 요구에 대해 해결책을 제시하고 끊임없이 진화해가려는 모델이다. 오늘날 핀드혼 재단은 영국에서 가장 큰 국제공동체이며 에코빌리지 프로젝트의 중심이 되었다. 핀드혼 재단의 주요 목표는 자연과 공동의 협력과 창조이다.[50]

농장 개척이 시작되었던 이곳에서 처음에는 피터 캐디, 에일린 캐디, 도로시 매클린이라는 세 사람이 이동식의 캐러밴들로 작은 주택 마을을 조성하면서 시작했고, 나중에는 오길비 크롬비, 데이비드 스팽걸러가 합류하였다. 『핀드혼 농장 이야기』(1975)는 핀드혼에서 이처럼 농장을 개척한 다섯 사람과 인터뷰한 내용을 편집하고 정리하여 출판된 것이다. 이 책의 편집자인 쇼샤나 템백은 이 책의 출간을 도와준 핀드혼 공동체와 "자연의 왕국들"을 위해 헌신했던 농장 개척자 다섯 분에게 진심으로 감사를 드리고 싶다고 밝힌다.[51] 다섯 명의 개척 주역 가운데 처음부터 참여했던 세 사람 중 피터 캐디, 에일린 캐디는 부부이며, 도로시 맥클린은 이들 부부와 처음부터 함께 일을 시작했던 여인이다. 이 책에 기술된 모든 양상은 마지막 인쇄 지면을 제외하고는 공동체 안에서 일어났으며, 모든 핀드혼 가족의 사랑과 에너지가 표현되어있다. 여기에는 농장을 일굴 때의 고생담, 자연과 하나가 되는 삶의 행복, 식물과 대화를 나누고 자연의 정령을 만나면서 느낀 신비한 체험들이 담겨있다. 그들의 개척사업은 "연금술의 창조적인 과정"에 직접 참여할 기회를 주었고, 그것을 통해 변화를 이끌었던 여러 도전과 환희를 경험하게 했다. 핀드혼 농장은 이러한 다섯 명의 농장 개척자가 있음으로써 단순한

---

50 이와 같은 내용은 이 책의 번역자인 조하선의 속표지에 실린 『핀드혼 농장 이야기』(서울: 씨앗을뿌리는사람, 2001)에서 가져왔다. 재단의 블로그에는 관련된 이야기와 많은 정보가 게시되어있다. 주소는 www.findhorn.org.

51 The Findhorn Community, *The Findhorn Garden* (London: Harper Perennial, 1975), 목차 앞의 속표지에 실린 편집자 Shoshana Tembeck의 안내문이다. 본문의 인용은 이 책에 의한다.

정원을 넘어 오늘날의 공동체 모습으로 발전할 수 있었다. 처음에 농장 개척을 시작한 후 성장발전을 계속하여 지금은 커다란 교육센터가 되었으며, 매년 세계 각국에서 일만 사천 명이 넘는 방문자들이 찾아와 일정한 기간 동안 거주하면서 인성과 영적 수련을 받는다.

처음에 피터 케디, 에일린 캐디, 도로시 매클린이 농장을 개척하기 시작했을 때 그들은 자갈밭을 일구고, 모래땅에다 말똥과 여러 식물을 섞어 퇴비를 만들어서 끌어넣고, 나무를 심고, 채소와 꽃과 약초를 재배하면서 농장을 차츰 넓혀갔다. 하지만 나날이 온갖 식물들로 가득 채워져 가는 농장에는 엄청난 양의 고된 노동이 요구되었다. 주인공들 가운데 피터 케디의 말에 의하면 새벽부터 어스름이 지는 저녁때까지 눈코 뜰 새 없이 바빴다고 한다. 백야 현상이 있는 스코틀랜드 핀드혼 지방에서 여름날은 실로 길고도 지루했다. 피터는 아침에는 도로시, 오후에는 에일린의 도움을 받아 가며 땅을 파고, 길을 닦고, 울타리와 구조물을 만들고, 온실을 짓고, 퇴비재료를 모으고, 그것을 혼합하고, 액체비료를 만들고, 씨앗을 파종하고, 나무를 심고, 솎아내고, 물을 주며, 식물들을 격려하고 사랑해주었다. 땅 한 뼘 한 뼘마다 그들의 손길이 수차례나 거쳐 갔다. 그들은 농장에 초대된 모든 식물이 자신의 생명을 최고로 표현해낼 수 있도록 알맞은 환경과 조건을 만들었다. 이 모든 일을 마치고 밤이 되면 그들은 육체적으로 완전히 녹초가 되어 잠자리에 들었다. 그러나 그들은 신성한 계획을 수행하고 있다는 것을 알고 있었다(13).

그들이 유기농법을 도입한 시도는 놀랄 만큼 성공적이었다. 보통 크기보다 몇 배나 큰 배추와 딸기를 수확했다. 이러한 성공은 단순한 농법 차원이 아니었다. 그들은 자연을 피수탈자로 생각한 것이 아니라 협력자로 생각했으며, 자연도 영혼을 가진 또 하나의 주체로 보았다. 자연이 가진 영혼을 하나의 인격체로 생각하고 그 영혼에 삶을 맡기고 상호 교신하고 도와주는 특별한 영적 생활을 했다. 첫 씨앗을 파종한 지 고작 3개월밖에 되지 않았지만 농장은 도무지 믿기지 않을 만큼 온통 죽음의 땅이었던 그곳에 녹색의 풍요와 생명이 충만하였다. 어떻게 그렇게 될 수 있었는지에 대해 농장을 구경하러 온 지방 사람들은 고개를 절레절레 흔들었다. 농장의 주인공들이 '데바들'[52]의 도움과 협력에 대해 말했을 때 사람들은 입을 다물었으며 그들을 이상하게 생각했다. 주인공들의 노력으로 토양이 기름져감에 따라 식물들은 나날이 번성해갔고 질병에 대한 저항력도 빠르게 커져갔다. 농장의 모든 생명 대사의 과정이 빠른 속도로 진행되었다. 주인공 중에서 주도적 인물인 피터는 데바들과의 대화에 대한 그의 응답을 다음과 같이 말하고 있다. "토양의 생명력이 놀라울 정도로 발전해 가고 있습니다. 당신들은 인간으로서의 일을 해주었고, 우리 또한 토양에 에너지를 끊임없이 방사해 넣어주었습니다. 그것은 서로의 노력이 합쳐졌기 때문이며 이로 인해 그 결과가 정상적인 속도보다 훨씬 빠르게 나타난 것입니다"(10-11). 이러한 자연관과 삶의 철학은 핀드혼 농장을 에코빌리지 운동의 선구자로 만들었고 자연과 함께하면서 자연과의 조화와 협력을 통해 평화롭게 살아가는 이상적인 지상낙원의 모델을 보여주게 되었다. 이제 핀드혼 농장은 영국에서 가장 큰 친환경적인 국제공동체가 되었고, '핀드혼 재단'으로 운영되고 있으며, 에코빌리지 프로젝트의 중심지가 되어 매년 찾아온 사람 중에서 4천 명은 이곳에 살면서 인성과 영적 수련을 받는다. 핀드혼 마을에서 공동체 생활을 체험한 한국의 어느 교수는 "영국 땅에서 자연의 순리를 좇고 사는 수만 명의 유럽인을 발견한 것은 시대의 어둠을 뚫고 오는 한 줄기 빛을 본 느낌이

52 데바(deva)는 힌두교, 불교에서 자연신 또는 자연령을 뜻하는 천신(天神), 범천(梵天)에 해당한다. 한자어로 데바를 제파(提婆)라고 부른다. 저자들은 이러한 범신론적인 자연신들에 대해 해박한 지식을 갖고 있다. 바로 뒤에 가면 세계적으로 널리 알려진 초월적인 이러한 자연신들에 대해 아메리카 인디언들의 신들을 비롯하여 세계의 여러 자연신에 관해 그들의 언급이 이어진다.

었다."라고 말한 바 있다.[53]

## 나무와 숲의 정령들

이 책을 읽을 때 느끼는 특기할 만한 사항은 주인공들이 농장을 일구는 작업을 수행하기 전에 미리 내면의 신이나 많은 자연령과 대화나 통신을 주고받으면서 그러한 신이나 자연령들이 들려주는 응답에 따라서 활동을 시작한다는 것이다. 그들은 농장 개척의 모든 일에 있어 이러한 내면의 신이나 자연령들이 들려주는 응답을 받기 위해 전적으로 명상과 기도에 의존하였다. 그들에게 그런 초월적, 초자연적인 존재들과의 대화와 교신을 가능하게 하는 수단이 곧 명상과 기도인 것이다. 맥클린은 에일린과 마찬가지로 '내면의 신' 혹은 자연령들과 함께 명상과 기도로써 교신하고 응답을 받아내는 일에 있어 영적 능력이 탁월한 사람이다.[54] 일반적으로 남자들보다 여인들이 영적으로 더욱 발달한 경우가 많은데 이들이 바로 그런 사람들이다.

농장에서 재배한 여러 식물이 잘 자라났을 때 그중에 버섯의 데바(자연령)가 주인공들에게 다음과 같은 말을 거는 것 같았다. "성장이라고 하는 것은 예측할 수 없는 많은 요소에 좌우됩니다. 그러므로 우리는 항상 성장 가능한 곳에서 자랍니다"(12). 농장이 확장되면서 겨울이 다시 찾아오고 아직 앞일을 알지 못하고 무엇을 해야 할까를 알지 못하고 있을 때 1963년 12월

53 경인여대 환경산업공학부 김태경 교수의 발언이다. 이와 같은 내용은 핀드혼 재단 블로그를 참조하기를 바라며, 국제신문사 조봉권 기자(bgioe@kookje.co.kr)는 「자연공동체적인 국제공동체 마을: 씨앗을 뿌리는 사람-핀드혼 농장이야기」(2001.8)라는 칼럼에서 이 에코빌리지에 관해 소개하고 있다.

54 『핀드혼 농장 이야기』의 내지에 있는 소개글을 참조한 것이다. 이 책의 편집자는 쇼샤나 템벡이며, 처음에 편집한 소책자를 개정판으로 확장하도록 제안한 사람은 폴 호켄이다.

에 에일린은 다음과 같은 자연령(데바)의 메시지를 받는다.

> 나는 너희들이 이곳을 영원한 집으로 삼기 바라며 또한 이곳에 쏟아진 모든 노력은 물질적인 열매만이 아니라 영적인 열매와 아울러 풍요로운 결실을 보게 되리라는 것을 알기를 바란다. 기억하라. 이것은 거대한 작업이다. 피터가 이 모든 일을 다 하기 위해서는 너희들 서로의 도움과 협력이 필요할 것이다. 오로지 찾을 때만 발견하게 되는 법이다. (11)

여기에 나타난 내면에서의 영적인 대화는 계시적이고, 오컬트적이며, 신비주의적인 특성을 보인다. 그리고 이 책의 여러 곳에 등장하는 이러한 자연령들은 어떤 곳에서는 기독교적인 색채가 가장 두드러지는 듯하면서도 기독교적인 제약을 넘어서는 느낌을 준다. 주인공들이 조우하는 환상적인 실체들을 보면 인도의 범신론이나 고대의 여러 나라와 원시사회에서 나타나는 다양한 형태의 자연종교적인 특성을 두루 지니고 있어서 상당히 복잡하고 다원주의적이다. 그러나 이런 제반 종교적 특성을 관통하는 공통적인 요소는 인간과 자연의 연결과 상호협력, 서로의 대화와 교신 그리고 인간과 자연의 조화와 통일이다. 핀드혼 농장 주인공들이 체험하는 영적인 삶의 방식은 생태학적인 세계관을 따르고 있으며, 보다 더 근본적이고 본질적인 차원에서 자연과의 녹색적 삶을 실천한다는 측면에서 심층생태주의(deep ecology), 영성생태주의(spiritual ecology)를 반영한다. 이 책의 「머리말」을 쓴 톰프슨에 의하면 위에서 언급한 자연령들은 물활론 사상에 기초를 두고 있으며, 고대 문화의 주된 요소이고, 고대인류의 우주학에서 지배적인 위치를 차지했다. 톰프슨은 오늘날의 인류는 자연과 인간의 죽음을 불러오고 있는 현대 산업 기술 문명의 대안으로 이러한 고대적인 물활론으로 돌아가야 하고, 인류의 현재와 미래를 위해 자연으로 돌아가야 한다고 역설한다. 그러나 일부 과학자들이 현대문명의 위기를 극복할 수 있는 해결책으로 제안하는 행동과학은 대안이 될 수 없으며, 살아있는 생명으로서의 자연령 중심의 고대문화로 되돌아가는 것이 절박하게 필요하다고 주장한다.[55]

그러면 이제부터는 나무와 숲의 성장을 도와주는 자연령들이 농장 주인공들과 나누는 대화와 경이로운 메시지에 대해서 좀 더 폭넓게 자세히 살펴보자. 농장에는 이동식의 캐러밴들을 함께 집결시켜 놓은 주거지대와 그 뒤쪽에서 덩굴을 뻗쳐가는 가시금작화가 자라는 야생의 들판 사이에 작은 과수원이 있다. 이 과수원에서 황금빛을 내는 아름다운 가시금작화 덩굴나무의 요정들이 보내는 교신과 그들의 메시지에 관해 흥미 있는 이야기를 들어보자. 1966년 5월경에 가시금작화가 사과나무와 구스베리 관목 위로 엉켜서 자라고 있었다. 피터는 일한 지 3, 4개월이 된 젊은 데니스에게 과일나무의 성장에 방해가 되는 가시금작화들을 자르도록 지시했다. 데니스는 가시금작화에 가지치기를 하고 싶지 않았지만 그들의 자연령들에게 사정을 설명하고 미안해하며 일을 처리했다. 그룹의 일원인 레나는 꽃이 피어있는 것을 자르는 것은 잘못된 일이라고 말했다. 도로시는 아예 눈물까지 글썽이며 가시금작화를 도살하고 있다고 비난했다. 피터는 이 여자들이 모두 바보와 같은 소리를 한다고 쏘아붙였다. 그런데 에딘버러에 가 있었던 록은 직감으로 피터가 자연령들을 화나게 만들 일을 저질렀다는 영감을 받고 핀드혼까지 단숨에 달려와 만개한 가시금작화들로 뒤덮인 들판으로 들어섰다. 그러자 피터는 어느새 흥분하여 몰려든 한 무리의 가시금작화 요정들에 둘러싸였고 요정들이 하는 항의의 말을 들었다. 그 요정들은 가시금작화의 꽃들 속에 살고 있었던 것이다. "우리는 핀드혼이 인간과 자연령들의 협력을 추구하는 곳이라고 생각했습니다. 그런데 어찌해서 우리들의 집을 파괴하는 그런 짓을

---

55 *The Findhorn Garden*, ibid., "Foreword" by William Irwin Thompson, viii-xi.

할 수 있다는 말입니까?" 그렇게 항의하는 요정들은 록에게 그들 모두가 농장을 떠날 것이며 더 이상 이곳에서 일하지 않겠다고 말했다. 그러자 록은 그것이 고의로 저지른 일이 아니라 농장에서 자연령들과의 협력을 시도한 지 얼마 되지 않았기 때문에 생겨난 실수 때문이라고 설득했다. 나중에 농장의 주인공들은 본의 아니게 해를 입게 된 가시금작화들을 위해서 작은 의식을 베풀었으며, 피터는 깊이 사과하는 마음을 표현했다. 그러자 요정들은 화를 풀고 제자리로 돌아갔다는 것이다(17). 후에 신으로부터 다음과 같은 메시지를 받았다.

> 피터에게 상기시켜주어라. 인간과 자연령의 협력이라는 새로운 선구적인 실험을 하고 있는 핀드혼에서 자연령들을 해치게 되는 어떤 일도 발생하지 않도록 깊은 주의가 필요하다는 사실을. 특히 자연령들에게는 더욱 조심스러워야 한다. … 어떤 꽃의 데바들은 아무 이유 없이 자기들이 돌보고 있는 꽃을 꺾는 것만으로도 떠나버릴 수 있다. 기억하라. 이들은 아름다움을 중시하며 그것을 해치는 행위에 쉽게 분개한다는 사실을. … 만일 잎사귀나 줄기를 식용으로 사용하는 식물의 성장을 촉진시키기 위해 부득이 꽃을 따내야 한다면, 그 꽃들이 개화하기 전에 해야 한다는 사실을 명심하라. 일단 꽃들이 피어나면 그 꽃은 작은 요정들의 거처로 이용되기 때문이다. 인간은 그들의 존재와 선의를 존중해주어야만 한다. (18-19)

위의 인용문에서 알 수 있듯이 핀드혼 농장의 주역들은 자연의 초월적인 생령들에 대해 요정, 자연령, 데바라는 다른 명칭으로 말하고 있지만 실제로는 동일한 존재들로 보고 있는 것 같다. 이러한 존재들은 톰프슨에 의하면 '에테르적인 차원'의 존재들이다. 그는 『핀드혼 농장 이야기』의 「머리말」에서 고대인들은 바람과 꽃과 나무, 천사와 요정에게서 말을 듣는 방법을 알았다고 언급하면서, 그러나 현대인들은 어떻게 자연을 되받아치는 말을 하는지는 알고 있지만 어떻게 자연의 소리를 들어야 하는지는 모른다고 지적한다. 모든 고대의 문화들, 예컨대 티베트족, 호피족, 수피족, 켈트족들의 문화는 되돌아오고 있는데 그것들은 현재와 미래를 위해 오늘날의 우리가 절실하게 필요로 하는 의식을 담고 있기 때문이라는 것이다(xi). 이 책은 미국의 '스탠포드 연구소'(SRI)에서 미래사회의 해법으로 제안하는 행동과학적 결론에 포함된 여섯 가지 대안을 포함한다고 언급한다. 그러나 실제로는 SRI이 제안하는 행동과학적 결론은 심각한 위기에 처한 현대문명을 위한 올바르고 완전한 해법이 될 수 없지만 우리의 시대가 최소한 필요로 하는 여섯 가지 지표, 즉 생명에 대한 전체론적인 관점, 생태적인 윤리, 자아실현의 윤리, 다층적이고 다면적인 통합성, 여러 차원을 따르는 욕구 만족의 균형과 조정, 실험성과 개방성의 인식 등으로 인도한다는 것이다(「머리말」 iiiv-ix).

핀드혼 농장의 주인공들은 세계를 세 종류로 나누고 이를 '세 왕국'이라 표현한다. 그런 왕국에는 데바계, 엘리멘탈계, 인간계가 있다. 데바계는 여러 다양한 자연령들의 왕국이고, 엘리멘탈계는 지수화풍－흙, 물, 불, 바람－의 왕국이고, 인간계는 우리 인간들이 사는 지상 왕국이다. 이러한 세 왕국은 서로 협력하고 존중해야만 생명이 풍요롭고 살아있는 활력을 유지하며 성장하고 진화할 수 있다는 것이다. 데바계는 에테르적인 차원의 초월적이고 영적인 존재들이 사는 왕국으로서 데바(deva), 요정(elve), 정령(spirit), 판(Pan), 천사(angel), 드진(djin) 또는 진(jinn) 등으로 일컬어지는 존재들이 살고 있다. 그들은 나무와 식물, 꽃, 채소 등과 같은 자연물에 들어와서 거주하며, 그들이 거주하는 자연물들이 잘 성장하고 생명이 풍요롭도록 도와준다. 데바는 불교나 범신론적인 힌두교에서는 천신(天神), 범신(梵神)으로, 물활론적인 종교에서는 요정, 정령, 판으로, 유대교와 기독교에서는 천사들로 나타나며, 이슬람교에서는 드진 혹은 진 등으로 등장한다(「머리말」 iiiv-ix). 톰프슨은 아메리카 인디언 종교에는 수호신인 비의 신 카치나가 있다고 언급하면서 특별히 종교적인 민족인 인디언들 또는 티베트인들에게는 이와 같은 신비적이고 초월적인 영적 실체들이 그들의 전통적인 문화에 스며들어있고 살아 움직이는 동력으로 존재한다는 사실을 밝힌다. 이러한 신비스러운 존재들은 넓은 의미에서 볼 때 모두 다 자연령에 속한다.

핀드혼 농장의 주인공들이 개간을 시작한 시기는 1963년 12월경인데 약 14개월 후에 그들은 과일농장을 일구기 시작했다. 재배한 나무의 종류로는 액과류(液果類)의 관목들, 즉 과일나무들로서 사과, 구스베리, 가시금작화, 까치밥(까막 까치밥, 붉은 까치밥), 배, 자두, 복숭아, 살구, 벚꽃, 포도, 수거베리, 딸기, 보이센베리, 로간베리, 스트로베리 등과 같은 나무들이다. 이러한 관목의 과일나무들은 풍성한 열매를 맺었다(15). 과일나무 하나하나를 심을 때마다 도로시는 그들의 데바, 즉 정령, 요정 등과 접촉했다. 모든 데바가 주인공들과의 만남에 기쁨을 감추지 못했으며 그들은 놀라운 도움을 주인공들에게 베풀었다. 이 농장에서 유기농법으로 재배한 채소와 과일들은 크기, 색상. 생명력, 맛 등에서 놀라울 정도였으며, 다른 농장들과는 확연히 달랐기 때문에 입소문을 타고 많은 사람이 방문하여 구매해 갔다. 주(shire)의 농업고문이 이러한 사실을 알게 되었고 에일린에게 자기가 사회를 보고 있는 라디오 방송에 출연해서 전통적인 화학농법을 주장하는 원예전문가들 사이에서 토론할 기회를 마련해주겠다고 제안했다. 그는 그 제안을 받아들였다. 에일린은 성공의 원인이 퇴비의 사용과 유기농법 그리고 고된 노동의 덕분이라고 얼버무렸지만 그가 실제로 공개하고 싶었던 비밀은 데바 즉, 자연령들의 안내와 인도, 협조와 도움이었다. 그러나 그는 사람들이 이상하게 여기고 오해를 불러일으킬 것이기 때문에 공개할 단계가 아니라고 느꼈다. 실제로 피터, 에일린, 도로시가 자연의 자연령들에 대해 신비적인 현상을 언급했을 때 그것을 듣는 사람들은 모두 다 이해하지 못했으며 이상한 사람으로 오해했다.

이 책에는 이들 세 주인공이 자연령들과 대화와 통신을 주고받는 장면과 메시지들이 곳곳에서 언급된다. 이러한 현상은 당사자들에 따르면, 신 혹은 영적인 안내자의 인도인 것이며, 내면의 신의 목소리이고, 예언 혹은 계시라고 설명한다. 그들은 기도와 명상을 수행할 때 그러한 영적 존재들과 만나고 교감하는 체험을 한다고 말한다. 이와 같은 영적 안내자들, 인도자들은 물리적으로는 눈에 보이지 않으나 목소리, 직관적인 감각, 비전(환상) 등의 형태로 느끼거나 보기도 한다. 그러한 신비주의적인 체험은 마치 신앙심이 깊은 기독교 신자나 신과의 인격적인 만남을 경험하는 영적인 사람들의 신앙고백이나 간증에서 발견되기도 한다. 또한 구약성경에서 볼 수 있는 선지자들이나 예언자들의 대언도 이와 같은 범주에 속한다고 할 수 있을 것이다. 어쨌든 핀드혼 농장의 세 주인공은 그들 자신의 영적인 경험을 소개함으로써 농업과 원예전문가들을 실제로 깜짝 놀라게 하였다. 주인공들의 설명을 들은 사람들은 이를 믿고 싶지 않았지만 믿지 않을 수 없었다. 그 결과 그들이 처음으로 농장을 일군 지 19개월 만에 자연령들과 협력했던 결과는 단순히 그들 자신만의 경험을 넘어 세상에 명백하게 드러났다. 그래서 이제는 핀드혼 농장에서 뭔가 특이한 현상이 벌어지고 있다는 과학적인 증거도 갖춘 셈이 된 것이다(16).

이 책은 나무들을 심고 나무의 정령들과 대화를 나누며, 그런 나무들에 깊은 사랑과 관심을 가지고 보살핌으로써 그토록 척박한 토양에서도 눈앞에 놀라운 결과가 나타난다는 사실을 여러 가지 사례들로써 보여준다. 주인공들은 마침내 자연령들과 함께 일한다는 사실을 공개적으로 말하게 되었다. 드디어 그들이 하는 일의 중요성을 알아본 어느 저명한 인사가 나타났는데 역사가 G. M. 트레블얀의 조카인 조지 트레블얀이었다. 그는 농장의 일을 외부에 퍼뜨렸다(21). 조지 경은 영국에서 성인교육을 주장하고 추진하는 저명한 지식인이자 대학교수로 널리 알려져 있으며 자신의 대학에서, 무신론과 물질주의가 만연한 오늘날 영적 공허를 탈피하려는 사람들의 영성적 변화와 내적 능력의 개발을 통해 우주의식에 도달함으로써 각 개인의 구원을 이룰 수 있다는 신문화 운동인 '뉴에이지'에 관한 주제를 놓고 많은 토론과 회의를 열었다. 그는 핀드혼 농장을 방문한 후 깜짝 놀랐고 당시에 유기농법을 주장하는 단체인 '토양협회'의 창시자인 발퍼 여사에게 보고서를 보냈다. 왜냐하면 발퍼 여사는 흥미를 보일 것이라고 확신했기 때문인데 그녀는 『살아있는 흙』의 저자이다. 이 책의 주제는 모든 생명의 일체성과 이에 따른 인간의 의무이다. 다시 말해 인간은 지구를 함께 공유하는 동물, 식물, 곤충 등과 같은 모든 피조물에 대해 보살필 의무가 있다는 것이다. 조지 경은 부활절에 핀드혼을 방문한 후 그곳의 푸른 잔디밭의 아름다운 수선화들과 싱싱한 채소들, 그리고 어린 밤나무들과 활짝 꽃이 핀 여러 종류의 과일나무에 대한 감탄을 보고서에 기술했다.

> 우리는 수선화들이 이곳저곳에 피어있는 잔디 위에 앉았습니다. 이 수선화들은 이제까지 내가 보아왔던 어떤 것보다도 아름답고 커다랬으며 … 나는 여태껏 핀드혼 농장에서 재배되는 것들만큼 싱싱한 채소를 먹어본 적이 없었습니다. 어린 밤나무는 8피트가량 되는데 놀라운 힘과 생명력으로 넘쳐흐르며 우뚝 서 있었습니다. 모든 종류의 과일나무들에는 꽃들이 활짝 피어있었습니다. (21)

조지 경은 아무리 퇴비와 짚단이 척박한 땅에 뿌려졌다고 해도 이 농장의 풍요로움을 설명하기에는 충분치 않다는 정도의 지식은 있었다. 그래서 그의 생각에는 뭔가 비장한 요소가 있으리라고 짐작했다. 그것이 알고 싶었는데 그 해답은 곧 자연령(데바)과 같은 존재들과의 협력과 소통임을 믿게 되었다고 고백한다. 그러한 존재들을 불러낼 수 있으려면 동일한 파장을 발신하는 사람들이 필요하다는 것을 알게 되었다. 자연령들(데바들)을 인정하고 사랑하는 사람들은 비록 자신들에게 초감각적 인식능력이 없다고 하더라도 농장의 식물들이 이전과는 달리 성장하기 시작하고 사랑에 응답하는 것을 느낄 수 있다는 점을 조지 경은 인정했다. 그는 이러한 관점에서 오늘날의 세계가 당면한 위기 상황에서는 이러한 원리에 따라 행동하는 것이 매우 중요하다고 역설한다(22). 그의 보고서 소책자가 발행된 후에 독자들의 반응을 통해 많은 사람은 점차 핀드혼 농장의 일을 이해하기 시작했으며, 편지를 보내왔고, 농장 주인공들의 영적인 측면에 관심이 있는 사람들이 생겨났다.

농장의 주인공들은 여섯 개의 새로 만든 삼나무 방갈로 주위에 울타리용으로 600여 그루의 너도밤나무를 심었다. 그리고 방갈로 주변에 모래, 자갈, 잡초들을 제거하고 길을 닦아 관목수와 꽃을 심었다. 비록 토양이 낙엽수가 자라기에는 적절하지 않다고 여겼지만 판(Pan)이 돕겠다고 약속했을 뿐만 아니라 그의 백성인 자연령들도 돕겠다고 다짐을 주었기 때문이다. 그들은 새로 심은 나무들을 축복하며 이 나무들에게 사랑과 보호와 필요한 것들을 쏟아 부어주었다. 마침내 그 관목들은 살아남았고 잘 자랐다. 록은 데바들로부터 나온 에너지가 적절한 작용을 해달라고 데바들에게 요청했다. 그러자 그는 여러 요정이 부지런히 일하고 있는 모습을 볼 수 있었다고 말한다(23-24). 처음에는 많은 사람이 주인공들의 이러한 초현실적인 존재들의 언급에 대해서 비현실적이고 공상적이라는 평을 내놓았지만 실제로 일어난 결과를 보고 놀라움을 금치 못했으며 차츰 믿을 수 없는 현실을 믿게 되었다. 농장은 계속 성장해갔는데 1968년에는 이와 같은 계속된 성장에 따라 주목하는 원예가들도 늘어났다. 발퍼 여사는 조지 경의 보고서를 살펴보고는 매우 놀라서 그것을 그녀의 동생 메리 여사에게 넘겨주었다. 그녀는 사실상 수년간의 학습과 언니와의 공동연구를 통해서 관련 분야에서 해박한 지식을 갖고 있었다. 그녀는 핀드혼 농장의 이곳저곳을 거닐어 보고 자신이 본 것을 이론적으로 설명하려고 하였다. 그러다가 곧 깊은 인상을 받고 이와 같은 농장은 전 세계에 필요하고, 특히 사막이 확장되고 생명이 죽어가는 그런 곳에서는 필요성이 더욱 절실하다고 생각했다.

> 나는 빽빽이 차 있는 식물들의 그 아름다운 모습과 색상의 조화를 경탄의 눈으로 지켜보았다. 내 마음속 깊이 새겨진 인상은 이곳 핀드혼에서 뭔가 이상하고 놀라운, 그러면서도 중요한 어떤 일이 일어나고 있다는 것이었다. 아울러 이와 같은 농장은 전 세계에 필요하고, 특히 사막이 확장되고 생명이 죽어가는 곳에서는 필요성이 더욱 절실하다는 것이다. 생명! 바로 그것이다! 그렇다. 만일 누가 내게 핀드혼 농장에 대해 한마디로 묘사하라고 한다면 나는 이렇게 대답하겠다. '생명, 넘치는 생명'이라고. (26)

'나무인류협회'의 설립자인 세인트 바브 베이커는 핀드혼 농장을 방문하고 나서 이렇게 말했다. "나의 캐러밴 공동체에 대한 꿈이 여기에서 이루어졌다. 그것은 황량한 모래언덕이었던 곳에 세워진 하나의 오아시스라고 할 만하다"(27). 그는 자신의 오십 평생을 인간과 자연 간의 실제적인 협력에 몸을 바친 사람으로서 나무를 심음으로써 지구의 사막화를 막아야 한다고 주장했는데 그러던 중에 자신의 사업에 대한 성공의 가능성을 핀드혼 농장에서 보았다. 그는 영국에서 산림위원회를 발족시켰고 케임브리지에는 산림학에 대한 연구원을 두어 깊이 있게 관련 학문을 연구하였다. 1929년에는 전통적으로 반목하는 팔레스타인의 종교지도자들을 화합시켜 성지 예루살렘의 조경문제에 관해 토론했다. 루스벨트 대통령과 민간 산림보호단에 대한 계획을 설계하기도 했으며, 사하라 사막 인접국들을 중재하고, 각 국가 간에 협력하여 사막의 확장을 막으려고 시도했다. 그의 일생은 오로지 지구를 치료하는 데 바쳤던 것이다.

베이커는 처음 핀드혼 농장을 방문하여 체재하는 동안 농장의 나무에 대한 보호와 조경 계획을 완벽하게 설계해주었다. 방문할 당시는 농장에 대한 네 번째 소책자를 편집하고 곧 발행하려던 참이었다. 그래서 농장의 주역들이 그에게 나무 데바들의 메시지를 다룬 항목에 서문을 써주도록 부탁했다. 서문에는 다음과 같은 감동적인 내용이 들어있다.

> 도로시를 통해 전달되는 나무 데바들의 메시지는 과학적인 연구로는 해명할 수 없는 것으로, 오로지 오컬트적인 설명만이 가능하다. 고대인들은 지구 자체를 살아있는 존재로 믿었으며 또한 지구는 인류의 행동도 느낄 수 있다고 믿었다.
>
> 우리는 이 메시지를 받아들이고 이에 맞추어 행하며 새로운 세계에 대해 우리 자신의 마음의 문을 열어야 한다. 우리가 설명할 수 없다는 이유만으로 모든 새로운 것을 받아들이지 않는다면 얼마나 어리석은가.
>
> 사하라 사막에서도 해가 뜨고 지는 이런 기적을 생각해보라. 아주 작은 씨앗으로부터 시작하여 거대한 숲을 이루는 이와 같은 기적을 생각해보라.
>
> 이 거대한 숲은 자체가 하나의 성채를 이루어 그 안에 살고 있는 수많은 작은 생물들에게 음식을 공급해주고, 보금자리를 만들어주며, 그 안에서 자연의 순환이 사슬처럼 이어지고, 우리 인간들에게는 생명의 숨을 만들어주는 것이다. (27)

핀드혼 농장의 주인공들에 의하면 데바들은 세인트 바브 베이커를 사랑했다고 한다. 그가 방문하여 있는 동안에 삼나무 데바는 나무들이 필요로 하는 것을 농장주들이 계속 공급했을 뿐만 아니라 인간과 나무는 서로를 필요로 하며, 상호 간에 밀접한 관계를 맺고 있다는 사실을 잘 인식하고 있다는 점을 그들에게 말했다는 것이다.

> 우리 왕국에서는 우리를 그토록 사랑하는 나무 인간인 베이커 씨가 이곳에 와서 당신들과 교류하는 것을 보고 매우 기뻐하고 있습니다.
>
> 존재계의 다양성은 신 아래에서, 하나의 세계, 하나의 일, 하나의 목적을 위해 각기 다른 통로를 통하여 표현되어 나타난 것입니다. 당신은 이제 우리가 나무들이 필요로 하는 것을 계속 공급해 나가는 이유를 보다 잘 이해하기 시작했습니다.
>
> 거대한 숲은 번성해 나가야 하며 인간들이 이 혹성에서 계속 살아가기를 원한다면 이들을 돌보아야 합니다. 인간이 생존을 위해 물을 필요로 하는 것과 마찬가지로, 나무를 필요로 한다는 것을 반드시 명심하고 있어야 합니다. 인간은 나무를 필요로 하고 있으며, 인간과 나무는 상호 간에 밀접한 관계를 맺고 있는 겁니다.
>
> 우리는 실제로 지구의 피부에 해당하며 이 피부는 지구를 덮어서 보호하고 있을 뿐만 아니라, 생명력이 이것을 통하여 흐르고 있습니다. 생물체에게는 나무보다 더 절실히 필요한 것은 아마도 거의 없을 것입니다. (28)

스위트피 나무의 재배에 관해서 피터가 직면했던 한 가지 특별한 경험은 이 책에서 또 하나의 흥미를 제공하는 사례이다. 이 나무는 덩굴손과 곁가지들이 달려있고 덩굴손에 아름다운 꽃이 핀다. 이 꽃은 예배 장소에 꽂을 때 사용되는데 피터는 에일린이 공동체 내의 예배 장소에 꽂을 스위트피를 재배해달라고 부탁했을 때 옛날의 전통적인 방식대로 가능한 최고로 아름답게 재배하려고 했다. 이 꽃은 인간을 위해서가 아니라 신의 영광을 위해서 재배하였던 것이다. 전통적인 재배방식이란 이 나무로부터 하나의 큰 가지만 남겨두고 나머지는 다 잘라버려서 덩굴손이나 곁가지가 나지 않게 하는 것인데 그렇게 되면 나중에는 네다섯 개의 큰 꽃만 피어있게 된다. 피터에게 이것은 스위트피에 대한 미의 기준이 되었다. 피터는 아버지에게서 배운 방법대로 정성껏 이것들을 돌보았다. 그는 매일 스위트피 나무에게 그들이 얼마나 사랑스럽게 보이는지, 얼마나 아름답게 꽃을 피우는지 말해주었다.

한편 덩굴손과 곁가지들을 가지치기해주었다. 이러한 피터의 행위에 대해 도로시와 록은 못마땅하게 생각하였는데 마치 손이나 발을 절단하는 것처럼 여겼기 때문이다. 그들의 이런 반응은 피터를 실망하고 화나게 했다. 피터의 생각에는 스위트피 나무가 잘 자라고 좋은 열매를 맺도록 환경을 조성해준다는 것이었다. 야생의 들판이나 숲의 자연적인 환경에서 관목들은 동물들이 그 잎이나 열매를 먹음으로써 자연적으로 가지치기가 되는 것처럼 농장에서는 인간이 자연의 역할을 대신 수행할 수 있다고 여겼다. 게다가 가지치기를 하지 않으면 과일나무들은 좋은 열매를 맺을 수가 없으며 손보지 않고 내버려 둔 장미는 결코 그렇게 아름다운 꽃을 피울 수 없다는 것이 원예의 일반적인 원리라고 알고 있었기 때문이다. 피터와 도로시와 록과의 논쟁에 대한 해결책을 위해 도로시는 스위트피 나무의 데바들과 접촉했고 그들로부터 즉각 메시지를 받았다. 그 내용은 스위트피의 자연적인 아름다움을 존중하라는 것이었다. 데바는 식물에 해를 주지 않고도 형태를 변형시키는 방법을 말해주었다. 그런 방법이란 식물의 외부 형태를 인위적으로 자르는 것이 아니라 그 내부에 있는 영과 협력하는 것이다. 그들은 인간의 상념이 갖는 창조적인 힘에 의존하도록 일깨워주었으며, 자연의 왕국에서 믿음을 가지고 인간이 바라는 대로 변화가 일어나도록 요구하라고 말했다. 만일 신념이 충분히 강력하다면 그 변화는 전체의 이익을 위해 일어날 것이며 자신들도 힘껏 돕겠다고 했다. 데바들은 이 정도는 자연과 인간이 협력하는 신기원에 이제야 겨우 발을 들여놓은 것에 지나지 않는다고 말했다(29).

발퍼 여사가 피터에게 보내온 편지를 보면 자연을 변화시키려는 인간의 동기가 존재계 전체와 조화를 이루고 있다면 자연계도 언제나 변화를 준비하고 있으며, 그 변화를 기꺼이 받아들이려 한다는 것을 기억해야 한다고 말한다. 그러면서 "우리는 모든 존재가, 식물이나 동물 그리고 인간을 대할 때 그들의 껍데기를 진정한 존재와 동일시하게 됩니다. 우리가 이런 방식으로 생각하고 있는 한, 신을 우리와는 동떨어진 존재로 볼 수밖에 없을 것입니다. 그러나 우리가 형상 뒤에 숨어있는 실재와 교류해 나간다면 우리는 형상을 초월하여 모든 존재를 하나로 볼 수 있습니다"(29-30)라고 주의시킨다. 이와 같은 사실을 인식한다면 인간은 반드시 미에 대한 관점을 바꿔야 한다는 것이 피터의 새로운 깨달음이었다. 그의 깨달음의 증언에 의하면 신은 모든 통로와 상황들을 보여주면서 한 인간이 자신의 내부에 있는 신의 인도를 좇아서 자연과의 진실한 협력을 이룰 수 있도록 하였다는 것이다. 신의 인도 중에는 큰 도전을 요구하는 것들도 있었다. 하지만 인간은 모든 존재가 가진 생명의 일체성을 드러내 보이는 신념을 갖고 한 걸음씩 앞으로 나아가야만 한다는 각성과 함께 실천적인 행동이 있어야 한다는 점을 피터는 역설한다. 나무들을 대할 때 개인적이고 인간중심적인 섣부른 생각을 내려놓고 기도와 명상을 통해서 나무(자연)가 들려주는 응답을 기다려야 하고, 그러한 응답에 따른 행동을 해야 한다는 사실은 매우 중요하다는 것이다. 핀드혼 농장의 주인공들에게 나무는 인간과 다르지 않은, 동일한 감정과 영혼을 지닌 인격적인 존재이다. 그 때문에 양자는 '일체성'을 이룰 수 있으며, 인간은 그의 내적 영혼, 즉 내면의 신을 불러내어 나무와 더불어서 대화와 소통에 이르기까지 나아가야 한다. 이와 같은 측면을 볼 때 핀드혼 농장의 주인공들은 심오하게 영적이고 종교적인 사람들이라고 할 수 있다. 그들의 사고와 행동의 양상들은 머천트가 언급한 심층생태학, 더 나아가 영성생태학의 수준에 도달했다고 할 수 있다.

## 나가며

지금까지 살펴본 피터, 도로시, 록의 경우와 같이 타고난 영성으로 데바(자연령)들과 교감, 소통할 수 있고 자연과 연결되어 일체성에 이를 수 있는 능력을 보여주는 사례가 어린이들에게서 유사한 형태로 발견된다. 어린이들은 물질주의적인 현대사회에서 자기중심적인 이기적 욕망에 물들기 이전의 발달단계에 있기 때문에 태어날 때부터 지녀온 순수한 감수성을 잃지 않고 있다. 그래서 이와 같은 어린이들에게는 나무(자연)와 하나가 되는 즐거움이 얼마든지 가능하다는 결과를 얻은 어린이들의 심성에 관한 연구가 있다. 조규성은 『숲 교육 질적 연구: 아이들은 숲에서 무엇을 배우는가?』(2010)라는 실험적인 연구 프로젝트를 통해 그들이 숲속의 생물들과 함께 행복한 하루를 보내는 동안 숲은 집처럼 편안하게 느껴졌고, 숲속의 모든 생물이 친구와 같았다는 반응을 보였다고 보고했다. 찬이라는 아이는 숲을 '마음속'과 같다고 비유적으로 말했다. 이런 아이에게 숲속 풍경은 신비롭다는 감정과 함께 기억 속에 깊은 인상을 새기게 했는데 자신이 더 큰 세상, 곧 자연의 한 부분이고, 모든 살아있는 존재들과 연결되어있다는 사실에 대한 깨달음이 있다고 연구자는 해석했다.[56] 그리고 어린이들에게서 발견되는 이러한 사례는 '바이오필리아 가설'의 의미를 떠올리게 한다는 것이다.[57] '바이오필리아'라는 용

---

56 조규성, 『숲 교육 질적 연구: 아이들은 숲에서 무엇을 배우는가?』(서울: 이담, 2010), p.140. 저자의 관찰일지에는 다음과 같은 어린이의 숲 체험에 관한 재미있는 내용이 들어있다. "마음속에는 다양한 마음이 있잖아요. 나쁜 마음도 있고 우정도 있고 사랑도 있고 다 있어요. 숲에도 다 있잖아요. 공기도 있고 나뭇잎도 있고 그런 것 때문에 … 그러니까 마음속에서도 각각 마음들을 버리면 안 되잖아요. 그거 나름대로 생각을 해야 되잖아요."

57 조규성, 같은 책, pp.139-142. '바이오필리아 가설'은 윌슨이 1984년에 처음으로 제시한 가설인데 '바이오필리아'라는 용어는 '바이오'(생물)+philia'(사랑)라는 조어이다. 'Biophilia Hypothesis'에 대해서는 Kimberly Ann Borin, "Nature Places and Story Spaces: an Exploration of Children's Stories about Nature," The State University of New Jersey, PhD.

어는 '바이오'(생물)+philia'(사랑)라는 조어다. 윌슨이 주장한 이 가설에 의하면, 자연이란 인류가 생존유지와 종족번식을 위해 필요로 하는 물질자원의 공급원이라는 피상적인 관념을 훨씬 넘어서며, 인간은 본래 자연과 물질적, 정신적으로 아주 깊은 연관을 맺게 되었기 때문에 자연과 함께할 때만 비로소 참된 인간성의 구현이 가능하다. 이 가설은 인간에게 천부적으로 자연친화 사상이 부여되었다는 사실을 주장하는 것이다.[58] 그런데 어린 시기의 아이들에게서 발견되는 자연과의 친화성과 일체성에 관한 보편적 감정이나 영성에 대해서는 일찍이 윌리엄 워즈워드가 밝힌 바 있다. 그는 '어린이는 어른의 아버지다'라고 주장할 수 있을 만큼 인간은 성인이 되어서도 마음속에는 어릴 때 있었던 자연과의 깊은 영적 교감에 대한 기억이 회상될 수 있고 복원될 수 있으므로 성인이 되어서도 우리가 어린이의 자연친화적인 감수성과 상상력을 회복하는 것의 중요성을 역설했다. 앞에서 핀드혼 농장의 주인공들에게서 볼 수 있었던 자연(령)과의 신비로운 영적 교감과 소통도 역시 어린이들과 차이가 없는 공통성이 있다. 보린은 워즈워드의 작품은 어린이 시절이 깊은 영적 이해의 자리로서의 자연과 결합하는 것을 보여준다고 언급하면서 티스달(1999)의 워즈워드에 대한 다음과 같은 글을 인용한다.

> 워즈워드에게 어린이들은 자연의 신비가로서 태어난다. 그들은 자연의 세계를 통하여 신성한 실체에 접근하며, 신성한 실체에 의해 접근되고 또한 둘러싸인다. 자연은 그들이 종교적인 경험들을 체험하고 겪어가는 매개체이다; 그것은 그들의 교사요, 친구이며, 그리고 변함없는 반려자이며, 지혜와

---

Dissertation (2005), pp.25-26을 참조. 그런데 캘럿은 바이오필리아 가설에 따른 자연의 가치를 미적, 지배적, 휴머니즘적, 도덕적, 자연주의적, 부정적, 과학적, 상징적, 실용적 가치 등으로 정리했다(Borin, ibid., p.26).

58 조규성, 같은 책, p.43.

가치와 열정의 원천이다. 그들은 다른 것들의 범주에서 모든 것이 그들에게 해석되기 전에 이런 영원한 어머니를 통해 인생의 모든 것을 바라본다.[59]

이와 같이 인간은 태어날 때부터 어린 시절의 본성 속에 이미 자연과의 일체성이 부여되었다는 사실을 참조한다면 영적으로 심오하게 각성된 핀드혼 농장의 개척자들에게서 자연과의 긴밀한 일체성을 이루고 영적인 대화와 소통이 이루어지는 것은 특별한 능력이기는 하지만 누구든지 실현할 수 있는 현상임을 인식할 필요가 있다. 그렇다고 하더라도 나무, 숲, 자연과 더불어 실현하는 그들의 영성은 그 수준에 있어서 특별한 높이와 깊이에 도달하여 있는 사례로 평가하지 않을 수 없고 감탄을 금할 수 없다. 그들은 자연과의 생태학적인 일체성에 의해 자연의 한 가족으로 살아가는 영적인 존재들로서 그들이 누리는 축복은 신으로부터 받은 선물이다. 그들은 물질주의적인 삶에 기울어져 있는 현대인들에게 나타나는 영적인 공허감에서 벗어나 있고, 자연과의 분리로 인해 겪는 정신적 소외감과 어두운 우울증을 겪지 않으며, 자연과의 일체로써 얻는 마음의 평화와 자유, 역동적인 생명의 풍요와 희열이 무엇인가를 독자들로 하여금 실감하게 한다.

『핀드혼 농장 이야기』에서 피터 캐디를 비롯한 다섯 명의 멤버는 함께 시작하여 완벽하게 실현한 자연생태학적인 영성운동을 보여준다. 이 녹색농장의 성과와 결실은 기적과 같다. 지금은 자연생태 농장과 생태공동체 마을로서 세계적으로 유명해졌고 국제적인 재단으로 굳건하게 확립되었을 만큼 새로운 역사를 창조했다. 핀드혼 재단의 중요한 목표는 자연과의 공동 협력과 창조이다. 주인공들은 세상을 데바계, 엘리멘탈계, 인간계로 나누고, 이러한 세 왕국의 협력을 이끌어냄으로써 메마른 모래땅에 나무와 숲, 채소와

59 Borin, ibid., p.27.

꽃을 재배하여 풍요롭고 아름다운 낙원으로 만들 수 있는 희망을 보여준다. 그들은 황무지를 생명력이 넘치는 지상의 낙원으로 재창조했지만 수확의 결과보다는 자연과의 협력과 교감의 과정을 중시하며, 인간과 자연 사이에 일어날 수 있는 영적, 생명적 교감에 집중했다. 그들에게 자연은 인간을 위한 도구가 아니며, 인간에 의한 지배의 대상이라는 현대인들의 세속적인 사고방식을 거부하고 자연과의 친화와 일체성을 통한 영적인 충만과 풍요, 희열과 축복을 삶의 목표로 추구한다.

『핀드혼 농장 이야기』를 읽는 독자들은 앞 장에서 다룬 칼렌바크의 공상소설 『에코토피아』가 현대인들의 위기를 해결하기 위한 대안사회로서 숲 유토피아 건설의 녹색비전을 단지 마음속에서만 그려본 가상적 차원인 것과는 달리 현실세계에서 실험한 실제적 차원에 근거해있다는 점에서 경탄하지 않을 수 없을 것이다. 『핀드혼 농장 이야기』에서 첫 세 명의 농장 개척자들과 나중에 합류하는 두 명의 멤버가 재배하였던 다양한 종류의 수많은 나무와 식물에게 깊고 순결한 사랑과 보살핌을 쏟아 넣고 기도와 명상을 통해 대화하고 교감하는 자연령들로서의 데바, 정령, 요정들은 일반인들로서는 참으로 믿을 수 없는 불가사의와 신비일 수도 있다. 그러한 초월적인 영적 존재들에 대해서 톰프슨은 에테르적인 존재들이라고 언급했다. 하지만 물활론에 기반을 두고 있는 이러한 자연령들의 신비주의적인 양상들에 대한 주인공들의 이야기는 꾸며낸 환상은 분명 아니다. 다만 영적인 능력을 가진 사람만이 믿을 수 있고 체험이 가능한 것이다. 아무튼 주인공들이 보여주는 자연(자연령)과의 신비롭고 성스럽고 아름다운 소통과 인간과 자연의 일체성에서 일어나는 많은 신비와 경이는 보물과 같이 귀중한 신의 선물임이 틀림없다. 이러한 영적 체험이 가능할 수 있으려면 생물체들을 단지 물질이나 물리적인 존재로 생각하는 대신에 생명, 감정, 영혼을 가진 유기체로서 생각하고 조우하는 것이다. 주인공들의 이야기에서 그들은 인간과 자연의 생명적인 일체성을 깊이 인식하고 있으며, 자연과 함께 서로를 느끼고, 내면의 소리를 서로 들으면서 인격적으로 소통할 수 있는 감수성과 영적 능력을 가졌다는 사실을 우리는 확실히 보았다. 이러한 삶은 자연과 인간의 협력을 가져올 수 있다. 주인공들이 깨어있는 영성에 의해 나무와 숲과 꽃들, 즉 녹색자연(자연령)과 만나서 사랑과 우정을 나누는 아름답고 창조적인 이야기는 자연과 분리된 삶에 의해 심각한 위기에 처해있는 현대인들에게 그들의 황폐하고 공허한 정신적 상태를 치유하고, 생중사의 자아를 일깨우며, 잠들어 있는 영혼을 활성화하는 구원의 길을 제시한다는 점에서 그 가치와 의의를 높이 평가할 수 있다고 본다.

결론

# 숲의 지혜와 창조적 자아의 실현

앞의 본론에서 살펴보았던 내용을 개략하면 영국과 미국의 작가 중에서 나무와 숲에 큰 관심을 보인 아홉 작가를 선택하여 영국작가로는 다섯 명, 미국작가로는 네 명인데, 그들의 작품(소설, 시, 일기, 인터뷰 모음집)에서 작가 자신이나 작품 속의 등장인물이 나무와 숲에 대해 어떤 관계를 맺으며, 그런 관계에서 그들의 심리적 반응과 태도는 어떠하고, 작품에 등장하는 나무와 숲의 풍경은 어떤 양상으로 묘사되는지 등에 대해 관심을 집중하였다. 개인의 삶과 생활환경에서 나무와 숲은 관련된 인물의 의식과 자아에 어떤 영향을 미치는지에 대해서도 검토하였다. 만약 관련된 주인공들이 나무와 숲(자연)과의 친화적인 관계를 맺지 못하고 그것들로부터 분리, 단절된다면 그것은 자연과의 일체성과 조화를 상실한다는 뜻이며, 그러한 결과는 그들의 삶과 자아에 대해 심각한 위험을 초래한다. 이와 같은 관점에서 작가나 등장인물들이 나무나 숲과의 관계에서 나타내는 반응을 통해 그들의 창조적인 감각과 감수성, 상상력과 세계관 등에 대해 세밀하게 살펴보았다. 결국 필자는 작가들이 묘사하는 나무와 숲은 개인의 생애에서 삶의 질과 상관관계가 매우 크고, 지혜를 얻는 원천으로 작용하며, 창조적 자아를 실현하는 근원이 된다는 사실을 밝혀낼 수 있었다.

본 연구에서 살펴본 영국의 다섯 작가는 시대적 순서에 따라 밀턴, 워즈워드, 하디, 로렌스, 핀드혼 농장 개척의 주인공들이었는데, 이들을 다섯 개의 장으로 각각 나누어 논의했다. 이러한 작가들을 시대적 순서에 따라 다루었던 이유는 나무와 숲에 관한 연구주제가 특정한 시대에 국한되지 않고 긴 역사를 이어오는 문학사적 전통이기 때문이다. 영문학사에서 나무와 숲을 중요한 배경으로 삼는 자연문학의 전통을 가로질러 보면, 영국의 산업혁명 이후에 과학과 기술의 발전에 발맞춰 전통적인 농촌과 전원은 점차 쇠락해갔는데, 그것은 전국적인 산업화의 물결로 인해 자본가들의 대규모 토지 개간이 일어나고 숲지대의 벌목과 나무들을 베어내는 일이 지속됐던 것에 따른다. 영국의 산업화로 야기된 나무와 숲 곧 녹색자연의 파괴는 공해와 환경오염을 비롯한 수많은 사회적 해악을 확산시켰으며, 자연의 상실은 인간을 고립감과 소외감으로 빠져들게 했다. 결국 나무와 숲을 제거했던 영국의 산업화는 자연으로부터 인간을 추방하여 생명의 원천인 녹색자연에 대한 부드러운 감수성을 약화하여 영국인의 인간성 위기를 초래했다.

인간의 삶에서 자연(녹색의 나무와 숲)의 상실은 인간에게 생명력이 고갈된 비인간화와 물질화, 기계화로 발전한다. 이와 같은 사회문화적인 맥락에서 볼 때 작가나 작중인물들이 작품에서 보여주는 나무나 숲과의 연결과 친화, 녹색자연과의 관계에서 나타내는 유연한 감각과 창조적인 감수성은 아무리 강조해도 지나치지 않다. 현대인들에게서 나타나는 녹색 감수성의 둔화와 생명력의 고갈, 영적 빈곤의 상태를 치유하고 회복시키기 위해서 나무와 숲의 보존과 연대를 강화하는 것은 매우 중요한 의미를 지닌다는 사실을 작품들의 분석에서 알 수 있었다. 나무와 숲(자연)을 통한 녹색 감수성은 인간성을 부드럽고 따뜻하며 역동적이고 풍요롭게 만들기 때문에 창조적인 삶의 실현을 위해 필수적인 것이다.

밀턴의 『실낙원』에서 다양한 종류의 많은 나무와 숲이 등장하는 장소는 지리적인 관점에서 볼 때 성경의 『창세기』에 기술된 에덴동산이다. 그러나 이와 같은 녹색의 유토피아는 작가의 상상력에 의해 가상적으로 새롭게 형상화된 동산이다. 작가의 생애와 실제적으로 관계를 맺는 장소와는 전혀 무관하다. 이 작품에 묘사된 다양한 여러 나무와 숲은 인류의 원조였던 아담과 이브가 어떤 부족함도 없이 살아가도록 지원받는 생명의 원천과 축복이 되며, 이 녹색동산의 풍성하고 역동적인 생명력은 그들의 삶을 영위하는 데 있어 절대적인 영향을 끼친다. 그런데 본 연구에서 『실낙원』을 쓴 밀턴을 제외하면 다른 영국작가들의 작품에 등장하는 나무와 숲은 지리적인 측면에서 볼 때 단지 상상의 세계에 관련된 것이 아니라 작가들의 실제적인 경험세계와 연관되어있다. 먼저 워즈워드의 여러 자연시를 보면 잉글랜드 북서부에 있는 레이크 디스트릭트의 아름다운 산악과 숲지대가 작품의 배경이 되는 시들이 많다. 물론 남부 웨일즈의 숲지대를 포함하여 영국의 다른 녹색지역을 반영하는 시들도 있다. 레이크 디스트릭트는 워즈워드가 태어나고 성장하며 만년에 이르기까지 창작생활의 배경이 되는 지역이다. 이곳은 호수, 산악, 계곡, 농경지와 목초지로 이루어진 들판이 있고, 그 외에도 저택, 정원, 야외공원 등이 멋지게 계획적으로 조성되어있다. '호수지대'(Lake District, Lake Land)로 불리는 이곳의 산자수려한 자연풍경은 그 아름다움으로 세계에 널리 알려져 있으며, 해마다 여러 나라에서 수많은 관광객이 모여든다. 이 녹색지대의 자연풍경은 18세기부터 시작된 '픽처레스크 운동'(Picturesque Movement)과 관련되었으며, 이후 낭만주의자들은 이곳의 자연경관을 높이 평가했다. 이 지역에 관심이 있는 많은 사람은 이곳의 아름다운 자연풍경을 그림, 삽화, 언어로써 찬미했고, 자연의 중요성에 대한 인식을 높였으며, 일찍이 자연풍경의 보존에 대한 노력을 촉발하기도 했다.[1]

다음으로 하디의 작품 『숲속에 사는 사람들』의 지리적 배경은 영국 남서부의 전원지대인데, 과거 영국의 역사에서 앵글로색슨 왕국의 가장 중심적인 지역이었던 웨섹스 지역이다. 이곳은 전통적으로 아름답고 풍요로운 숲과 전원이 멋지게 펼쳐져 있어서 자연풍경을 뽐내었던 지역이었다. 그러

1 'Picturesque Movement'라는 말에서 'picturesque'는 '그림과 같이 아름다운' 또는 '풍경화에 그려진 풍경처럼 아름다운'이라는 뜻이다. 용어의 출처는 18세기 영국의 길핀이 쓴 「와이강과 남웨일즈 지방의 관찰기」(1770)에서 처음 쓰인 말이다. 길핀의 책은 영국으로 취미여행을 즐기러 가는 사람들을 위한 지침서였다. 'picturesque movement'는 그림과 같은 아름다운 방식으로 전원을 마주하는 방법을 가리키지만, 중세 고딕과 켈트 문화에 대한 문화적 향수와 더불어 18~19세기의 낭만주의의 유행과 함께 그 의미가 확장되고 보편화되었다. 미학적 숭고미와 아름다움을 볼 수 있는 마인드를 말한다-영국 레이크 디스트릭트 The English Lake District 유네스코 세계유산, 유네스코한국위원회의 번역 및 감수 자료 참조. (http://terms.naver.com/entry.nhn?docId=4390787&cid=50407&categoryId=50408).

나 빅토리아왕조 시대는 과학기술과 산업의 번창, 도시의 개발과 확장으로 물질문명이 한층 더 진화되어감에 따라 큰 변화를 겪는다. 자연친화적이었던 안정된 전통사회는 물질주의적 가치관과 시대풍조로 인해 균열이 일어나고, 인간성의 타락과 황폐는 점점 더 심화해갔으며, 나무와 숲으로 아름다웠던 전통적인 자연풍경은 계속적으로 훼손, 파괴되는 전환의 시기를 맞는다. 나무와 숲은 자본과 산업의 목적을 위해 도구로 사용되었으며 그런 결과는 인간성의 파괴와 공동체의 붕괴로 나타났다. 하지만 하디의 초기작품인 『푸른 숲 나무 아래』를 보면 그의 문학에서 기본적 특징인 비관주의적인 세계관이 아직은 드러나지 않는다. 여기서는 남녀 주인공들이 아름답고 풍요로운 나무와 숲이 사람들과 공존하는 전통적인 전원마을에서 순수하고 감동적인 사랑을 펼쳐나간다. 그러나 이와 같이 밝고 따뜻하고 낭만적인 사랑은 하디 작품들 가운데서는 예외적이다. 이와는 대조적으로 『숲속에 사는 사람들』에서는 산업화와 도시화가 계속 진행되는 시대적 상황이 반영되어 녹색의 자연인 나무와 숲으로 이뤄진 전통적인 마을과 자연환경은 비관적인 색조가 짙게 투영되어있다. 하디의 거의 모든 작품에서 인간과 자연은 긴밀한 상호관계로 얽혀있고, 작품 전체에 걸쳐 다윈의 비관론적인 비전이 침투되어있다. 그럼에도 불구하고 『숲속에 사는 사람들』을 읽어보면 여전히 자연은 변화하는 계절의 경이로움과 풍요롭고 아름다운 자태를 자아낸다. 그러면서도 비관주의적인 시각이 함께 섞여 있어서 묘사되는 자연풍경의 색조와 분위기는 이중성과 복합성을 보인다. 나무와 숲의 녹색자연은 작품에서 단순한 배경으로 자리를 차지하는 것이 아니라 작중인물들의 성격과 태도, 감수성과 세계관에 엄청난 영향력을 끼친다. 다시 말해 자연과 인간은 독립된 개별적 존재가 아니라 긴밀한 관계적 존재로 설정되어있다.

로렌스의 소설들은 그의 고향인 영국의 중동부에 있는 노팅햄주의 전통적인 자연을 중심배경으로 삼는 경우가 대부분이다. 영국에서 숲지대로 유명한 '셔우드 숲'(Sherwood Forest)이 근처에 위치한다. 로렌스는 어릴 적부터 노팅햄주의 이스트우드를 고향으로 하여 태어났고 성장했으며, 그곳의 전원과 탄광지대에서 자연(나무와 숲)과 더불어 순박하게 살아가는 시골 사람들에게 깊이 감동하였고 친화성을 보인다. 일찍부터 전원의 숲, 나무, 화초, 동식물에 대해, 특히 식물에 대해서, 그러한 녹색자연의 생명력과 숨결에 대해 예민한 감수성과 깊은 관심을 보였다. 그는 일찍이 나무와 숲의 역동적이며 신비로운 생명력에 대해 특별한 언급을 했던 적이 있다. 그가 나무를 볼 때 나무의 수액(피)이 몸통과 가지를 따라 위쪽 방향으로 뻗어 올라가는 모습과 땅의 아래쪽 방향으로는 나무의 뿌리들이 피(수액)와 함께 뻗어 내려가는 모습을 환상처럼 생생하게 투시할 수 있었다. 로렌스가 저서 『무의식의 환상』의 「나무와 아기, 그리고 아빠와 엄마」의 장에서 기술한 내용을 보면, 고대 로마 군대가 남쪽으로부터 독일로 향해 진군하여 라인강의 강변에 이르렀을 때 눈앞을 가로막는 방대하게 뻗은 '검은 숲'(흑림)을 보자 그 어두운 숲과 나무들의 강렬한 기운과 무서운 힘에 압도되었고 공포감에 떨었다는 역사적 사실이 언급된다. 로렌스의 작품들은 예외 없이 녹색의 전원과 자연을 중요한 배경으로 삼고 있지만 다른 어떤 작가들보다 나무와 숲이 인간에게 미치는 영향력을 중요하게 다루며 그 의미는 깊고 넓은 스펙트럼을 보인다. 나무와 숲이 지닌 강렬한 생명력과 욕망의 힘에 대해 로렌스는 천부적인 감수성을 보이며 생생하고 강렬하게 반응한다. 이 부분과 관련하여 들뢰즈와 가타리는 『천 개의 고원』에서 '기관 없는 몸'으로 표현된 육체적 욕망의 리좀적인 강렬한 증식의 힘과 유목민적인 힘찬 운동성을 언급하면서 로렌스가 그러한 욕망의 힘과 생명력을 아주 적합하게 적용한다고 칭찬했다. 사실 로렌스는 『미국 고전문학 연구』의 제1장 「장소의 영」("The Spirit of Place")에서 미국의 고전문학에는 작가가 묘사한 장소마다 나름의 고유한 장소의 영이 잘 구현되고 있다고 평가했다. 로렌스는 현대인의 삶에서도 역시 그런 영(자연령)과의 교감과 소통이 매우 중요하다는 점을 강조한다.

영국문학의 역사에서 계시와 구원의 역할을 해왔던 자연전통은 낭만주의적인 단일성의 비전으로부터 차츰 변화하여 인간이 자연에서 시련과 고난을 겪고 적자생존을 통과해야 한다는 다윈의 진화론에서 영향을 받아 비관주의적인 비전이 혼합되고 이러한 비전은 점점 더 증가한다. 전통적인 자연에 대해 발생한 그런 역사적 흐름은 로렌스에 이르면 자연에 대한 낭만주의적인 전통적 비전과 다윈의 비관주의적인 현대적 비전이 혼합되는 현상이 정점에 도달한다.[2] 이와 같은 관점에서 보면 로렌스 문학에서 나무와 숲을 배경으로 하여 일어나는 여러 장면에서 등장인물들이 자연에 대해 보여주는 감수성은 그 스펙트럼이 너무나 넓다. 그래서 로렌스 문학은 그 특성을 손쉽게 요약하거나 정리할 수 없는 어려움이 따른다. 작품에 묘사된 나무와 숲(녹색자연)에서 나타나는 힘과 생명력은 단순한 특성을 넘어 놀랄 만큼 신비로우면서 복합적임을 알 수 있다. 만년의 소설인 『채털리 부인의 사랑』을 집필한 것은 작가가 잠시 거주했던 이탈리아의 어느 언덕마을에 위치한 별장 근처에 있는 나무 밑에서 시작되었다. 그렇지만 작품의 실제적인 배경은 영국의 탄광산업과 제철공장들이 소재하는 중동부 지역이다. 제1차 세계대전의 카오스적인 시대에 마지막으로 남은 클리포드 가문의 숲동산은 구원의 낙원으로 등장한다. 이곳에서 귀족계급인 클리포드의 부인인 코니와 그녀의 연인이 된 중하층계급 출신의 숲관리자인 멜러즈와의 사랑이 전개되고 두 사람은 나무와 숲의 녹색자연을 통해 그들의 잃어버린 생명과 영혼을 되찾고 삶의 구원이 성취된다. 이 소설은 나무와 숲은 곧 인간 생명의 근원이고 치유와 구원의 원천이라는 사실을 사실적으로 보여주며, 여기에서 묘사되는 자연과 인간 사이의 신비로운 연결과 영적 교감은 독자들에게 깊은 감동을 준다.

---

2 Roger Ebbatson, *Lawrence and the Nature Tradition: A Theme in English Fiction 1859-1914*, p.26.

마지막으로 다룬 『핀드혼 농장 이야기』는 영국문학의 자연전통을 잇는 작품이며 녹색농장을 개척한 주인공들과 인터뷰한 내용을 편집하여 정리한 작품이다. 개척농장의 각종 화초, 나무, 숲이 나타내는 생명의 신비와 경이로움을 또 다른 차원에서 느낄 수 있다. 스코틀랜드 동북부에 있는 핀드혼의 척박한 해변지역의 황무지를 녹색의 낙원으로 개척하여 다양한 식물의 자연령(정령, 데바)과 신비롭게 인격적으로 교감하고 대화를 나누는 여러 장면은 상식적으로는 이해하기 어려운 이야기로 여겨지겠지만 이 공동체의 구성원들이 인터뷰에서 직접 밝힌 이야기를 엮은 다큐멘터리 장르인 만큼 과장된 이야기로 받아들이기보다는 영적인 차원으로 진지하게 접근하고 이해해야 할 것이다. 주인공들이 밝힌 신비스러운 자연령과의 교감과 대화는 마치 기독교 성경에서 '보이지 않는 하나님'이나 성령과 나누는 인간적인 대화와 유사하다. 일반인들에게는 믿기지 않는 황당한 일로 생각되겠지만 초월적인 영의 세계에서 일어나는 이러한 사건에 대한 간증이나 증언은 드물지 않다. 이런 신비스러운 이야기는 고대 원시사회의 신화나 주술에서 적지 않게 찾아볼 수 있고, 고대의 자연종교, 오컬트, 연금술 등과 공유되는 영역에 속한다. 요즘에 인기 있는 채널 TV의 프로그램 중 하나인 〈TV 동물농장〉에서 실제로 '동물 교신자'(animal communicator)라는 직업적인 전문가가 나와서 동물과 함께 믿기지 않는 교신을 하는 장면을 보고 충격을 받은 적이 있다. 핀드혼 농장의 주인공들이 나무나 숲의 자연령과 더불어 나누는 신비스러운 대화나 교신은 넓은 시각에서 볼 때 범신론, 물활론적인 사고의 영역에 속하는데 이와 유사한 특성은 정도의 차이는 있지만 본 저서의 다른 작가들에게서도 공통적으로 찾아볼 수 있는 것이다. 각종 다양한 나무와 숲을 생명의 원천으로 삼아 자연세계와 친화하면서 인간과 자연세계의 공생공존을 누릴 수 있다는 깨달음을 얻는 것은 생명에 대한 감수성이 메마르고 감각이 죽어가는 현대인들에게 절실하게 요청된다. 오늘날과 같이 첨단 과학기술과 지식

정보 기반의 사회에서 정신없이 바쁘게 살아가는 우리는 자연과의 단절로 인해 초래된 고립과 소외로부터 회복되기 위하여 녹색자연과의 연결을 확대해야 한다. 나무와 숲을 가꾸고 녹색의 자연세계와 생명적인 교감과 조화를 이루며 살아가는 삶은 존재론적인 구원과 창조적인 자아의 실현을 위해 선택이 아닌 필수적인 과제라고 할 것이다.

다음으로는 미국의 작가들에게서 생명의 근원인 나무나 숲이 작가나 등장인물과의 관계에서 어떻게 나타나는지를 호손, 소로, 프로스트, 칼렌바크 등 네 명을 선택하여 각각 분리된 장으로 나누어 논의했다. 이들에 관해서도 영국작가들과 마찬가지로 시대적 순서에 따랐다. 지리적으로 볼 때 전자의 세 명은 모두 미국 동부의 뉴잉글랜드와 관련되고, 마지막 작가는 미국의 서부 캘리포니아 지역과 관련된다. 이들의 작품에서 나무와 숲을 중심으로 녹색의 자연세계가 작가나 작중의 등장인물에게 미치는 기능과 영향에 대해 자세하게 분석했다. 작품의 중요한 배경이 되는 나무와 숲은 영국작가들과 마찬가지로 인간에게 다양하고 심대한 영향을 미치며, 영적 · 감성적인 측면에서 충만하고 창조적인 삶을 영위하기 위한 원천으로서 매우 중요한 위치를 차지한다는 사실을 알 수 있다.

호손의 『주홍글씨』에서 나무와 숲은 우선 작품의 지면을 차지하는 분량으로 볼 때 놀라울 만큼 방대하다. 그만큼 작중인물들에게 미치는 영향이 크다는 사실을 말해준다. 작품의 여주인공 헤스터는 영국에서 남편과 집을 떠나 신대륙의 뉴잉글랜드로 들어와서 젊은 목사 딤즈데일과 불륜관계를 맺고 요정과 같이 신비로운 어린 딸 '펄'을 낳는다. 도덕적으로 엄격했던 청교도 사회의 가혹한 종교재판을 받아 간음의 죄를 범했다는 표지인 주홍색의 'A' 글자를 늘 가슴에 달고 다녀야 하는 수치와 시련의 삶을 살아간다. 이처럼 어두운 죄의 무거운 짐을 짊어지고 사회로부터 무시와 경멸을 당하면서 고독하고 힘들게 살아가는 그녀의 인생은 자연스럽게 뉴잉글랜드 지역에서 짙은 그늘과 어둠을 만들어내는 나무나 숲과 연결된다. 헤스터는 바닷가에서 숲으로 둘러싸인 고독한 오두막집에서 어린 딸 펄과 외롭게 살면서도 타고난 바느질 솜씨로 옷을 만들어 자신의 생계를 유지하며 힘들게 살아간다. 그럼에도 불구하고 그녀는 자기처럼 어렵게 살아가는 마을의 여러 사람에게 사랑을 베풀고 도와주면서 아름답고 성숙한 삶을 이어나간다. 그녀의 인내와 아름다운 선행은 인격적으로나 정신적인 차원에서 놀라운 발전과 성장을 일으키며 그로 인해 'A'라는 주홍글자 표지는 사람들에게 '간음'(Adultery)이 아니라 '능력 있는'(Able)이나 '천사'(Angel)를 의미하는 신비로운 힘을 발휘하게 된다.

헤스터는 간음한 남자를 끝까지 밝히지 않지만 놀랍게도 옥스퍼드대학 출신의 젊고 유능한 딤즈데일 목사가 그녀의 연인이다. 그는 성격이 강하고 아름다운 외모를 지닌 헤스터와 간음함으로써 무겁고 어두운 죄의 짐을 남모르게 안고 고통스러운 삶을 살아간다. 두 사람의 육체적 정욕은 자연적인 욕망이라고 할 수 있으므로 그들의 간음죄는 어두운 나무나 숲과 연결된다. 사실 '딤즈데일'이라는 이름을 보면 'dim'은 '어두운'의 뜻이고 'dale'은 계곡이라는 뜻이므로 그는 계곡의 깊고 무성한 나무, 숲과 연관되는 인물이다.

헤스터의 전 남편인 칠링워스는 전설적 인물인 닥터 파우스트와 닮았다. 그는 자신이 추구하는 지식을 얻기 위해서라면 영혼마저도 악마에게 팔아넘기는 인물이다. 끔찍할 만큼 몸과 마음이 모두 비뚤어진 성격이며 병적이고 악마적인 모습으로 그려지고 있다. 딤즈데일 목사와 같은 집의 한 방에 기거하면서 젊은 목사의 간음에 관한 비밀을 은밀하고 집요하게 파고든다. 젊은 목사를 내면적으로 잔인하게 괴롭힐 뿐만 아니라 그의 이전 부인이었던 헤스터에게 뱀과 같이 교활한 태도로 접근하여 두 사람에 대한 복수의 의지를 불태운다. 이러한 성격의 소유자인 칠링워스는 그의 이름 'chilling'에서 알 수 있듯이 '으스스한', '오싹한' 인물이다. 이와 같은 점에서 그도 역시 어둡고 깊은 나무와 숲에 연결된다. 그는 숲속을 방랑하면서 약초를 찾고 수집하며, 숲이 우거진 해변을 산보하면서 깊은 사색에 몰입하고 악마적인 복수를 계획한다. 이와 같이 여주인공 헤스터를 가운데 두고 싸움을 벌이는 두 남자 주인공은 이미지의 측면에서 자연세계의 어두운 나무나 숲과 동일하게 연결된다.

이들뿐만 아니라 어린 딸아이 펄은 신비에 싸인 숲속 세계의 요정으로 부각된다. 작고 귀여우며 영특한 펄은 엄마인 헤스터와 함께 남몰래 어두운 숲속에 들어가서 실제로는 아빠가 되는 딤즈데일 목사를 만난다. 그들이 만나는 약속된 장소는 깊은 숲속이다. 어두운 숲은 젊은 두 연인에게 내면의 억압된 욕망과 절제했던 마음을 풀어놓는 자유의 공간이 되며, 펄에게는 아무런 방해를 받지 않고 마음껏 뛰어다니고 날아다닐 수 있는 요정의 거처와 같다. 숲속에 들어왔을 때 한없이 자유분방하게 되는 펄은 마치 숲의 요정이 된 듯이 신비스러운 존재로 변한다. 이러한 존재론적인 변화를 일으키는 숲은 죄의 부정적인 측면과 연결되는 대신에 자유와 사랑의 긍정적인 측면과 연결된다. 다시 말해 창조적이고 생산적인 기능을 하는 장소가 된 것이다.

이 작품에서 원시적인 자연세계를 대변하는 나무와 숲이 작중인물들과 맺는 상호관계를 세부적으로 분석해보면 다양한 양상이 나타난다. 나무와 숲의 세계에 내포된 신비한 힘과 생명력은 참으로 엄청나다. 작품의 전체적인 흐름으로 볼 때 호손의 나무와 숲은 양가적인 특성을 지니는데, 숲의 물리적인 공간이 창출하는 어둠의 세계는 결국 인간 내면의 심층적 세계, 곧 인간의 깊은 지하세계, 달리 말해 무의식적 자아의 세계를 상징한다. 이런 맥락에서 보면 작품의 나무와 숲은 예사롭지 않은 깊이와 무게를 지닌 세계이며 인간과 자연의 상호관계에 대한 심오한 탐색과 연관된다.

소로의 『월든 숲속의 생활』은 2년 2개월의 기간에 걸쳐 숲속에서 살았던 실험적인 삶을 기록한 긴 분량의 관찰일지이다. 소로는 과학기술을 기반으로 급속하게 발전하고 있던 근대 미국의 물질문명 사회와 대척되는 야생의 녹색자연 지대로 들어가서 나무와 숲으로 뒤덮인 월든 호숫가에 통나무집을 짓고 홀로 생활하면서 자연이 들려주는 여러 소리에 귀를 기울이고, 다양하게 변화하는 자연의 양상을 온몸의 감각들로 느끼면서 숲속의 원초적인 생명을 깨닫는 짧지 않은 시간을 보냈다. 숲 바깥의 문명세계는 인간의 삶을 풍요롭게 하고 참된 기쁨을 주는 감성과 영성이 무시되고, 기계적인 효율성과 합리성을 절대시하는 도구적인 이성으로 굴러가는 곳이다. 이와 같은 근대 미국사회의 왜곡된 삶에서 벗어난 야생의 자연세계가 월든 숲이다. 이런 세계에서는 밤낮이 교체되고 계절을 따라 끊임없이 변화하는 자연의 리얼한 생명의 실상과 리듬을 느낄 수 있다. 소로에게 나무와 숲은 오감을 활성화하고 영적인 눈을 각성시켜서 역동적인 자연생태계를 감지할 수 있게 한다. 숲은 원초적인 우주라고도 할 수 있다. 소로에게 야생의 숲지대는 뭇 생명체들이 서로 연결되고 조화가 이루어지는 생태계의 표본이다. 숲은 인간의 내면적 자아를 다른 생명체들과 연결하여 화합을 이루게 한다. 숲속의 사람은 자아와 자연이 분리되지 않고 서로 연결되었다는 일체성을 느끼게 된다. 이러한 경지에 이를 때 인간은 자신의 개별적 자아가 하나의 '소우주'이고 거대한 숲은 '대우주'가 된다. 이와 같은 영적 각성을 소로는 월든 숲속의 생활을 통해 실현했다. 그는 숲속에서 초월주의자로 변화되었으며, 그의 스승 에머슨이 말한 대령(Oversoul), 곧 '우주적 영혼'으로 새롭게 탄생하는 경험을 했다. 이와 같은 관점에서 보면 숲은 영적 지혜의 근원이 된다.

소로는 숲속의 녹색 세계에서 동양의 고전적 사상에 심취했던 사실을 밝히고 있다. 실제로 인도의 힌두교와 불교의 진리나 중국의 철학은 끊임없이 변화하면서 조화를 이루는 자연의 실상을 체험할 수 있는 숲과 관련되어 있다. 인도의 '범아일여'의 우주사상과 중국의 자연사상인 주역의 음양론이나 노자와 장자의 도교, 공자와 맹자의 성리학 등에 관해서 소로가 언급하는 것은 그의 폭넓은 독서를 보여준다. 그가 이처럼 동양사상의 근본을 이해할 할 수 있었던 것은 2년이 넘는 오랜 기간 동안 숲속에서 원초적이고 근원적인 자연세계를 몸소 체험했기 때문이다. 동양의 전통적 사상은 인간이 자연과 단절되지 않고 하나로 연결되는 방식에 기반을 두고 있다. 고대 동양의 현자들은 자연에 대해 일상적인 친화력을 지니고 살았으며, 자연과 합일된 조화상태를 실제로 체험했던 사람들이라는 사실을 소로는 발견했던 것이다.

동양의 현자들과는 반대로 당대의 근대 미국인들은 과학기술의 기반 위에 물질주의적인 문명세계를 건설했으나 자연을 정복과 지배의 대상으로 생각했으며, 자연 위에 군림하는 삶의 방식을 선택했다. 그들은 자신의 물질적 이익과 편리성, 효율성이라는 가치를 위해 자연을 무자비하게 훼손하고 파괴함으로써 자연과의 분리와 단절에 의해 영적 빈곤과 감성 고갈의 위기적 상황을 자초했다. 근대 미국인들은 감성적, 영적으로 활기와 생명력을 잃고 경직된 물질적 인간으로 전락하여 파멸의 국면을 맞고 있다고 소로는 진단하였다. 소로는 파국을 향해 나아가는 미국인들의 모습을 신랄하게 비판하고 물질중심적인 문명사회를 본래의 원초적인 자연 상태로 되돌리고자 소망했다. 인간과 자연은 상호의존적이며 공생공존해야 한다는 진리를 누구보다 소로가 철저하게 인식했다는 사실을 『월든 숲속의 생활』은 보여준다. 소로에게 나무와 숲은 생태학적인 삶의 중요성을 인식하게 해주는 매우 위대한 공간이다. 우리가 생명의 풍요와 영적 충만, 감성적 기쁨을 향유할 수 있는 곳은 나무와 숲이 있는 녹색의 자연세계인 것이다. 인간은 그와 같은 자연으로 돌아가야 구원을 얻게 되고 창조적인 삶을 실현할 수 있다는 주장은 소로보다 조금 앞선 시대를 살았던 프랑스의 루소(1712~1778)나 비슷한 시대를 살았던 영국의 워즈워드(1770~1860)에게도 공통된 것이었다. 소로는 자연과의 연결과 조화를 실현하는 모범적인 사례를 월든 숲속의 실험적인 삶을 통해 보여줌으로써 자연을 훼손하고 파괴하는 인간들의 무지를 일깨우고, 녹색생명인 나무와 숲을 철저히 보존해야 한다는 살아있는 교훈을 전달한다.

미국의 시인 프로스트는 수많은 근대 미국의 국민에게 사랑과 존경을 받았다. 그는 자연과 더불어 전원에서 농사를 지으면서 시를 쓰는 문학예술적 삶을 살았다. 나무와 숲이 많은 뉴잉글랜드 지방의 시골에서 농장을 가꾸고 노동을 하며 살아가는 과정을 통해 자기의 근원적인 정체성을 찾고자 했다. 그는 전원의 일상적인 삶에서 기쁨을 느끼고 인생의 소망에 대한 비전을 추구했지만 확신을 얻지 못해 좌절과 회의를 가질 때가 적지 않았다. 그와 같은 점에서 그가 전원의 나무나 숲과의 관계에서 나타내는 반응은 양면성과 복합성을 지니는 경우가 흔하다. 그는 나무와 숲이 있는 농장과 정원을 가꾸고 이웃 사람들과 함께 자연 속에서 살아갈 때 일어나는 여러 사소한 일을 시적인 언어로 가공하여 쉬운 표현 속에서도 깊은 의미를 표현한다. 프로스트는 어린 시절부터 가족들의 삶과 가정사에서 수많은 시련과 풍파를 겪었으며, 그것으로 인해 마음 깊은 곳에 쓰라리고 아픈 상처들이 어두운 무늬로 새겨져 있는 시인이다. 이와 같은 맥락에서 그의 여러 자연시는 비관적이고 부정적인 어둠의 힘이 작용하는 느낌을 줄 때가 많다. 그가 교감하고 소통했던 나무나 숲은 이러한 분위기와 힘을 투사하는 언어들로 나타난다. 하지만 그의 많은 자연시는 부정적 측면에만 머무르지 않고 긍정적인 힘과 생명력을 투사한다. 나무나 숲은 하루의 리듬과 계절의 순환에 따라 변화하는 모습을 나타내므로 프로스트의 여러 시는 자연의 다양한 양상을 보여준다. 그러한 시는 겉으로는 단순하게 물리적인 모습을 그린 듯하지만 실제로는 인생과 자연으로부터 깊은 뜻을 깨달은 현자만이 가능할 수 있는 함축적이고 상징적이며 철학적인 의미가 내포되어 있다.

프로스트는 자연과 친화적인 전원생활을 했던 자연시인이지만 다른 각도에서 본다면 물리적인 자연을 노래했다기보다는 마음의 내면적 상황에 대해 자연의 이미지들을 빌려서 표현했던 시인이다. 이와 같은 점에서 그가 스스로 언급했듯이 자연시인이 아니라고 말할 수도 있다. 하지만 그는 철저하게 전원생활을 선택했던 사람이고 자연과 친화적인 삶을 살았으며, 나무나 숲을 사랑하며 인생의 의미를 깊이 탐색했던 명실상부한 자연시인이다. 그래서 그는 출세지향적인 문명사회나 사회적 지위와 명예를 추구하는 세속적인 삶에 집착하지 않았다. 그는 겉으로 보면 화려하고 성공한 것 같지만 속내는 공허할 뿐인 문명세계로부터 전략적인 후퇴를 하여 생명의 풍요한 원천인 녹색의 자연세계로, 나무와 숲이 존재하는 생명의 세계로 들어갔다. 거기서 자연과의 조화를 추구했으며 자아의 깊은 무의식계에서 울려 나오는 소리에 귀를 기울였고 그러한 소리의 의미를 깊이 음미했다. 그런 측면에서 그는 철학적인 시인이다. 그의 자연시가 표면적으로 볼 때 읽기가 쉽고 평범한 내용이라고 해서 그를 평범한 시인으로 평가한다면 큰 오산이다. 그의 자연시에는 표면적인 평범을 넘어서 심오하고 복잡한 내면적 자아가 투사되어 있으므로 그러한 자아의 중심에 접근해야만 시인이 탐구하는 실체와 의미를 놓치지 않고 올바르게 이해할 수 있다.

마지막으로 칼렌바크의 『에코토피아』는 자연과 환경이 심각한 위기에 처해있는 현대 미국사회의 대안으로 미국연방에서 독립한 숲의 나라인 '에코토피아'를 통해 산업기술 사회의 대안사회를 보여준다. 이 작품은 이와 같은 숲의 나라가 어떻게 설계되었고, 그 꿈이 어떻게 실행되고 있는지를 상상으로 꾸며낸 공상적 소설이다. '생태적인'이라는 단어와 '유토피아'라는 단어가 조합된 '에코토피아'는 파괴된 자연생태계가 이상적으로 복원된 녹색의 공화국이다. 광활한 숲지대에 각종 나무와 숲 단지들이 조성되어 있으며, 주민들은 미국의 도시인들과는 다른 생태적인 삶의 양식으로 돌아갔다. 그들은 나무와 숲을 생활의 중심부로 끌어들여 자연친화적인 일상생활을 영위한다. 이러한 에코토피아공화국은 지리적으로는 캘리포니아주의 북부를 포함한 일부 지역에 걸쳐있다. 미국의 『타임 포스트』 신문사의 기자인 웨스톤은 취재를 위해 입국허가를 받고 그곳에 들어가 거기서 원시주의적이고 생태주의적인 삶의 양식을 이상적인 모델로 해서 살아가는 마리사라는 여인의 안내를 받아 여러 장소를 두루 답사한다. 다양한 나무와 숲으로 조성된 여러 마을과 넓은 숲지대를 답사하는 동안 놀라운 경험을 얻은 웨스톤은 취재내용을 일기형식으로 정리한 후 미국의 편집부장에게 보고한다. 에코토피아가 미국연방으로부터 분리 독립한 이유는 인간과 자연이 완벽하게 조화된 생태적 환경을 창조하기 위해서였다. 이 나라는 외부세계로부터 외국인들이 입국하는 것을 극도로 억제하는데 웨스톤은 최초의 손님으로 허락된 외부인이다. 그가 답사하는 행정구역은 작은 녹지공원들로 뒤덮인 미니 도시들과 시골 마을들로 나뉘어 있고, 대규모로 조성된 숲지대가 있으며, 나무로 잘 조성된 숲 단지들 속에 휴양캠프들이 있다. 이 나라는 여성들로 구성된 생존당이 집권하고 있으며, 이 집권당은 철저하고 급진적인 환경정책을 펴고 있고, 자연으로 환원될 수 없는 물건은 어떤 것도 만들지 않는 산업정책을 시행하고 있으며, 남녀 사이에는 새로운 성적 개념에 기초한 자유로운 성이 허용된다. 그리고 아이들의 교육에는 아메리카 원주민들의 전통적인 종교와 생활양식을 적용하는 정책을 펴고 있다. 정책의 목표는 인간의 자연적인 본성을 그대로 살리고 키워내는 것이다. 이를 위해 사람들은 자연과 연결되어야 하고, 녹색환경 속에서 자연과 친화적인 생활을 해야 한다는 것이다. 인간과 자연이 분리되지 않는 삶을 살도록 나무와 숲이 생활공간 속에 멋지게 조성되어 있고 녹색숲의 공간이 일반화되어있다.

이 작품에서 남자 주인공인 웨스톤에게 가장 강력한 인상을 남기는 경험은 숲지대에서 마리사의 인도를 받고 여기저기를 답사하는 중에 그녀가 행하는 숲속 나무와의 신비로운 교감과 대화이다. 그녀는 나무와 숲에 거주하는 정령과 신비한 주술적 의식을 행하고 영적인 교신을 하면서 정령과의 커뮤니케이션이 가능한 것을 보여준다. 신비적인 이러한 영적 교류와 소통은 아메리카 인디언들의 전통적인 자연종교나 물활론 사상(애니미즘)에서 전수된 것이다. 작가는 미국인의 물질화와 기계화에 의한 인간성의 황폐를 치유하고, 빈사상태에 있는 국민들의 자아를 완전히 살아있는 본래의 생명 상태로 되돌릴 존재론적 모델을 고대인류에게서 찾았다. 숲과 더불어 삶을 영위하는 자연친화적인 녹색양식으로부터 실현될 수 있는 것이 정령종교나 물활론 종교이며, 이러한 종교가 미국인의 잃어버린 원초적, 본래적인 자아를 회복할 수 있다. 현대인에게 감성적 활력과 영성적인 풍요를 누릴 수 있게 하는 것은 고대의 종교적이고 신화적인 양식이다. 작가는 그러한 양식을 나무나 숲의 자연력과 연결한다. 그와 같은 자연력과의 연결은 신성하고 신비로운 정령들을 불러들일 수 있게 한다. 웨스톤 기자는 신생국가인 에코토피아공화국의 정책과 삶의 양식에 대해 이해되지 않는 의문을 부분적으로 갖고 있어서 갈등과 고민을 거듭하지만 점차로 해소해나간다. 사람들은 익숙하지 않은 낯선 문화에 대해서 올바르게 적응하려면 시간이 걸리는 것이 일반적인 법칙이다. 웨스톤은 미국으로 돌아가야 할 것인지, 아니면 신생국인 에코토피아공화국에 귀화하여 영주할 것인지를 고민하다가 최종적으로 귀화를 선택하는 결심을 했다.

이상으로 미국의 작가들을 네 개의 장으로 나누어서 작가나 작중인물이 나무나 숲과의 관계에서 어떤 교감과 소통을 실현하고 있으며 그 양상은 어떠한지를 다시 요약하였고 그 의의를 정리해보았다. 숲지대는 여러 다양한 생명체가 거주하는 신비스러운 공간이며, 거대한 생태적 네트워크로 연결된 하나의 우주로서 인간의 상상력을 자극하는 원천이 된다. 아주 먼 과거시대로부터 근대를 거쳐 현대에 이르기까지 수많은 사람은 숲과의 관계에서 신비로운 경험적 발언들을 쏟아내었다. 그만큼 숲은 근원적이고 초월적이며 환상적인 공간인 것이다.

본 연구서에서 살펴본 나무와 숲이 지니고 있는 넓고 깊은 잠재력을 문학작품으로 형상화한 영국과 미국의 아홉 명 작가 외에도 나무와 숲에 관심을 기울였던 작가가 많으며, 문학작가는 아니라 할지라도 숲과 관련한 저술을 펴낸 여러 전문가가 있다. 그들의 저술을 개략적으로 아래에 소개하고자 한다. 기술할 내용은 본 연구서의 논점을 이해하는 데 크게 도움이 된다. 본론의 연구주제와 관련하여 공유점이 많고 관련 주제를 이해하는 데 매우 유익하기 때문에 별도의 참고사항으로 첨가하는 것이다.

숲의 생태적인 위대한 잠재력에 대해 숲생태학자이며 숲탐방교육 전문강사인 차윤정의 이야기를 들어보자. 오래된 숲에는 물이 있게 마련이고, 그곳엔 반드시 이끼가 있으며, 이끼가 있으면 그 안에 이끼 사체를 잘게 잘라서 양분으로 만들어 놓는 작은 곤충 '톡토기'가 있고, 또 그걸 잡아먹는 거미가 있다. 또한 죽은 이끼를 분해하는 버섯이 있고, 그 버섯을 먹고 사는 달팽이가 있다. 이처럼 숲속에는 거시적으로 방대한 생태적 네트워크가 형성되어있을 뿐만 아니라 눈에 잘 드러나지는 않지만 미세한 생명세계도 있다. 환상적인 동화의 단골 소재는 숲이다. 숲과 관련된 동화의 이야기를 예로 들자면, 『잠자는 숲속의 공주』, 『한스와 그렌델』, 『늑대와 소녀』 등이 있다. 그리고 우리나라의 옛날이야기에는 선비가 깊은 산속의 숲길을 가는 중에 그만 길을 잃고 헤매다가 원귀를 만난다는 이야기가 흔히 등장한다. 이처럼 숲을 신비스러운 공간으로 여기는 것은 숲이 그만큼 사람들의 상상력을 자극하는 증거인 것이다. 오래된 숲에는 인간의 세상과는 다른 신비롭고 불가사의한 미지의 세계가 있다는 믿음이 있다. 거대하고 울창한 숲속에는 눈에 보이지는 않지만 뭔가의 미세한 생물들이 무수히 많으며 끊임없이 움직인다고 상상한다. 이러한 곳이 바로 오래된 숲이기 때문에 환상적인 동화의 소재는 어렵지 않게 숲이 된다.[3]

---

3 차윤정, 「숲의 생명, 생명의 숲」, 김경동 외, 『인문학 콘서트』(서울: 이숲, 2010), pp.266-271.

곤충생리학과 동물행동학의 새로운 영역을 개척한 세계적인 생물학자이자 자연주의자인 베른트 하인리히는 어린 시절에 세계대전(제2차 세계대전)이 일어난 줄도 모르고 고향의 농장에 있다가 뒤늦게 알고서 숲속으로 피신하여 5년 동안 살았다. 그는 폴란드 출신이지만 전쟁 후에 미국으로 귀화하여 유명한 동물학 학자가 되었으며, 메인주의 버몬트주립대학교와 버클리대학교에서 교수를 역임했다. 그는 어린 시절에 숲속에서 보낸 다양한 경험을 기록하여 『숲에 사는 즐거움』을 펴냈는데 여기에서 숲은 자연의 생명체들로 가득한 거대공간이며 자연에 대한 생태적 사랑은 마술보다 더한 신비를 제공했다고 증언한다. 그는 숲에서 자연의 신비를 깨달을 수 있었으며 이를 통해 인생의 진실을 발견했다. 하인리히는 이 책에서 부모의 회고담을 통해 전해 들었던 증조부의 농장에 관한 이야기로부터 그곳이 지상천국이었음이 틀림없다고 상상했다. 하인리히의 증조부가 아버지에게 물려준 어린 시절의 농장에는 숲이 우거진 언덕과 연못, 늪, 말과 소, 양이 뛰노는 초원이 있었다. 그들은 시골 공기를 마시면서 증조할아버지가 심은 거대한 밤나무들로 둘러싸인 큰 저택에서 머물고 싶을 만큼 머물다가 부모의 집으로 돌아가곤 했다.

그때 전쟁의 어두운 먹구름이 하인리히의 가족들 모두를 감쌌고 목가적인 평온함과 안전함은 모두 사라져버렸으며 가족들은 기아선상을 헤매게 되었다고 회상한다.[4] 하인리히의 회고에 의하면 농장에서 일했던 영국인 전쟁포로였던 조지는 하인리히의 누나에게 영어를 가르쳐주기도 했고 숲에 살고 있다는 난쟁이 요정 이야기를 들려주기도 했다. 조지는 하인리히를 자작나무와 물푸레나무가 있는 소택지로 데리고 가서 요정들이 들어가서 살려고 파냈다는 조그만 이끼 언덕을 보여주었다. 비록 하인리히는 자기 눈으로 보지는 못했지만 요정들이 항상 낮에는 숨어 있다가 밤에만 나타나서 큰 버섯

---

4 베른트 하인리히, 김원중·안소연 옮김, 『숲에 사는 즐거움』(서울: 사이언스북스, 2005), pp.7-23.

위에서 달빛을 받으면서 춤추고 돌아다닌다는 조지의 이야기를 굳게 믿었다. 그 요정들은 작아서 눈에 잘 띄지 않으며 아주 영리해서 완벽하게 비밀스러운 삶을 살 수 있다고 생각했다. 하인리히는 가끔 꾸었던 백일몽에서 조지가 말해주었던 다리가 둘, 넷, 여섯 개가 달린 환상적인 요정들이 그와 그의 친구들이 함께 파놓았던 구덩이에 빠진 것처럼 느꼈는가 하면, 숲속을 배회하고 있을 것이라고 상상했다. 하지만 그 요정들은 너무 영리해서 그들이 만든 구덩이에 빠지지는 않을 것이라고도 생각했다. 그는 어린 시절의 한가한 시간에 그 요정들을 위해 숲속에 이끼로 된 조그마한 오두막집을 만들어 주었다고 쓰고 있다.[5] 이처럼 특히 어릴 때나 젊었던 시절에 전해 들었던 신기하고 호기심을 돋우는 이야기들은 숲과의 관련성이 크다. 사람들이 숲에 직접 들어가게 되면 폭넓고 다양한 상상력을 발현하게 되고, 환상적인 이미지들을 창출할 수 있게 된다.[6] 이와 같은 사례에서 보듯이 숲은 감각적, 영적, 종교적인 다양한 체험을 가능하게 하고, 환상적인 상상력을 자극하는 매트릭스로서의 기능을 한다. 그와 같이 숲의 매트릭스에 새겨진 다양하고 환상적인 기억은 오랫동안 지속할 뿐만 아니라 또 다른 버전의 수많은 이야기, 예컨대 동화, 신화, 전설 등을 재창조하도록 작용한다.

고대의 인도인들은 숲속에 들어가서 영적인 지혜를 깨닫고 근원적인

---

5 하인리히, 같은 책, p.47.

6 숲이나 나무와 관련하여 이와 같은 사실이 입증될 수 있는 또 다른 사례는 동양화를 전공하는 여성화가의 상상력에서 찾아볼 수 있다. 송지현, 「숲을 매개로 한 환상적 이미지 표현 연구-본인의 작품을 중심으로」, 서울대학교 대학원 동양화과 동양화 전공 석사학위 논문(2017.2). 특히 "III. 상상력 발현으로서의 숲", "IV. 환상적 이미지의 표현"을 참조할 수 있다(pp.20-58). 이 논문의 저자는 상상력 발현으로서 숲을, 그리고 환상적인 이미지 표현의 소재로 숲을 선택했고, 나무와 숲을 매개로 하여 창조한 자신의 그림들에 나타난 다양한 감정적 체험들에 대해 해설한다. 저자의 숲속 체험에는 설렘, 불안, 출생과 죽음, 탄생과 재탄생, 생명의 순환, 물아일체, 자연과의 합일, 잠재적 욕망, 미지의 세계를 향한 모험, 초월적인 진리 등과 같은 것들이 나타나 있다.

진리를 얻었다. 그들의 종교문헌인 『우파니샤드』, 『바가바드 기타』, 『리그 베다』 등과 같은 고전들에는 숲속에서 깨달은 영적인 계시와 지혜가 기록되어있다. 고대의 인도인들에게 숲은 종교, 문학, 음악, 미술, 예술 등을 위한 창조의 원천이었다. 의식, 컬트, 제사, 노래, 시와 같은 다양한 종교적 예술적 양식과 장르들이 숲에서 나왔다. 그들은 숲속에 들어가서 신성한 존재와 만나고 합일하는 체험을 했으며 경이로운 지혜를 얻었다. 인생을 4기로 나누고 그중에서 2기부터 숲속에 들어갔다고 한다. 인도인들이 명상하고 수행하는 암자는 '아쉬람'(ashram)이라고 불렸다. 파린더는 힌두교 경전인 『우파니샤드』에서 인상적인 구절들을 발췌하여 해설한 『숲의 지혜』(1976)라는 자그마한 책을 출간했다. 이 저술은 숲과 관련된 인도의 고전적 전통을 다루고 있다.[7] 한편 세계적으로 잘 알려져 있고 인도의 시성(詩聖)이라고 불리는 타골은 유명한 그의 저서, 『창조적 통일』(1922)에서 「숲의 종교」라는 장을 통해 창조적인 숲의 기능과 인도의 전통을 구체적으로 소개한다. 숲은 기본적으로 종교적, 영적인 지혜를 계시해주는 신성하고 창조적인 공간이다.[8] 요컨대 인도인의 전통에서 숲은 높은 가치와 잠재력을 가진 문학과 예술을 창조했고, 위대한 종교를 탄생시켰으며, 최상의 지혜를 깨달은 위대한 교사·스승, 현자, 성자들을 출현시켰다.

다양하고 수많은 나무가 모여서 형성된 숲은 뭇 생명체들이 거주민으로서 살아간다. 솟아나는 샘들과 흐르는 냇물이 있고, 이들이 함께 모여서 만들어진 계곡이 있고, 물고기가 마음껏 뛰놀며, 맑은 바람이 불고, 여러 식물과 꽃이 어우러지며, 무수한 생명체의 호흡과 향기가 흐른다. 이와 같은

---

7 Geoffrey Parrinder, *The Wisdom of the Forest* (New York: New Directions Publishing Corporation, 1976).

8 Rabindranath Tagore, "The Religion of the Forest," *Creative Unity* (London: Macmillan and Co., Limited, 1922), pp.45-66.

숲은 참으로 역동적인 공간이다. 무수한 존재들이 연결되어서 서로 의지하며 상생하는 거대한 그물을 형성하고 있는 우주가 곧 숲이다. 이와 같은 숲속에 들어가면, 에머슨이 「자연론」에서 말했듯이, 누구나 거대한 우주적 생명 공동체의 일원이 되고, 가족이 되며, 청춘이 된다. 인간의 개체적 자아는 숲속의 타자들과 연대하고 합일하여 조화되는 감정을 느낀다. 정서적으로 안정되고 충만감에 차서 지금까지 쌓였던 심리적인 스트레스와 공허감이나 결핍증은 해소되어버린다. 숲속의 사람은 대자유인이 되고, 숲속의 여러 타자와 어우러져서 하나가 되는 생명의 바다로 녹아들며, 거대하고 장엄한 생명의 그물에서 '나'라는 개체는 작은 지점을 차지할 뿐으로 우주적 생명에 대한 경외감을 느끼게 되고 한없이 겸손하게 된다. 이러한 우주적 생명의 그물 이미지에 대한 비전을 그려볼 수 있었던 고대의 인도인들은 숲을 '인드라 그물'이라는 개념으로 이해했다. 숲에 들어가면 분열되고 병들었던 의식은 통합되고, 산만하고 혼란스럽던 자아는 조화의 상태로 변화된다. 이와 같이 존재론적인 변화가 일어남으로써 심리적, 영적인 치유와 회복이 가능하도록 만드는 공간이 숲이다.

흔히 나무와 숲의 색채를 녹색이라고 말한다. 이것은 생명의 색채를 표상적으로 대표한 것이며, 역동적인 생명체의 내적 생명력을 상징적으로 표현한 것이라고 할 수 있다. 실제로는 나무와 화초와 여러 식물을 보면 그 색채는 녹색만이 아니라 다양하기 때문이다. 그럼에도 불구하고 숲지대는 이미지적인 측면에서 보면 녹색의 생명바다이다. 색채학적으로 본다면 녹색은 바다의 색깔이기도 하고 지구 전체의 색깔이기도 하다. 이와 같은 측면에서 녹색은 모든 생명체의 원초적인 색깔이다.[9] 태초에 인류의 출발지는 녹색의

9 Ingrid Riedel, 정여주 옮김, 『종교, 사회, 예술, 심리치료에서 본 色의 신비』(서울: 학지사, 2004), pp.137-147; 149-160. 「녹색」 장에서 "근원적 힘" "상징성과 원형－창조와 발아, 죽음과 생성의 신학, 현대의 녹색 원형" 부분 참조.

바다였다고 한다. 사람이 현재와 같이 지상에서 살게 된 것은 바다로부터 육지로 이동하였기 때문이며,[10] 이동하여 거주했던 최초의 장소는 녹색의 초원과 나무로 우거진 숲이었다. 이와 같은 생명의 역사를 생각해본다면, 만약 인간이 녹색의 공간을 상실하고 녹색지대와 단절된다면 그곳에 사는 생명체들은 건강과 활력을 잃고 병들어서 곧 죽게 되는 결과를 맞이할 것이다. 그렇다면 오늘날과 같은 기술, 정보, 지식의 기반에서 삶을 영위하는 디지털 시대의 우리들에게 절실히 필요한 것은 녹색지대로서의 숲을 가꾸어 나무와 숲을 삶의 중심에 연결하며, 숲의 녹색생명체들과 더불어 공생공존할 수 있도록 감성적으로나 영성적으로 교감과 소통의능력을 계속 발전시키고 새롭게 개발해야 할 것이다.

10 스티븐 제이 굴드, 이명희 옮김, 『풀하우스』(서울: 사이언스북스, 2002), pp.22-23. 고생대 초기에는 아직 척추동물이 없었고, 중생대 공룡의 시대에 바다로 되돌아간 파충류가 바다 파충류가 된 것이 사실이라고 굴드(Stephen Jay Gould)는 말한다. 옮긴이는 부가적인 설명에서 태초의 생명은 바다에서 발생했고, 어류, 양서류를 거쳐 파충류로 진화되면서 비로소 육상으로 올라왔는데, 일부 파충류는 붐비는 육지를 떠나 다시 바다로 돌아가서 살기 시작했다고 한다. 원서로는 Stephen Jay Gould, *Full House: The Spread of Excellence from Plato to Darwin* (New York: Harmony Books, 1996), p.9 참조.

## 참고문헌

강용기. 「쏘로우의 자연관과 그 현대성」. 『영어영문학21』 제24권 4호 (2011): 5-20.

강자모. 「인디언 문학과 생태학적 비전: 레슬리 마몬 실코의 『이야기꾼』의 경우」. 『영어영문학』 제47권 2호 (2001): 527-548.

강지수. 「『가웨인과 녹색기사』의 지리적 상상력: 워럴의 숲」. 『중세르네상스영문학』 23권 1호 (2015): 1-29.

구본철. "Wordsworth's and Coleridge's Lyrical Ballads: The Quarrel between the Natural and the Supernatural." *The New Association of English Language & Literature*. No. 26 (2003): 31-41.

구본형. 「내 마음을 무찔러드는 글귀: 〈로버트 프로스트의 자연시: 그 일탈의 미학〉」. 변화경영연구소, 2008년 11월 10일. 6-7. (https://blog.naver.com/PostView.nhm?blogId=js9660&logNo=50043827203&beginTi...2018-02-07)

굴드, 스티븐 제이. 이명희 옮김. 『풀하우스』. 서울: 사이언스북스, 2002.

권수미. 「계몽주의와 여성교육: 『숲속의 로맨스』를 중심으로」. 『18세기영문학』 제11권 1호 (2014): 1-44.

김경동 외. 『인문학 콘서트』. 서울: 이숲, 2010.

김경현. 「D. H. 로렌스 소설의 생태학적 연구」. 영남대학교 대학원 박사학위 논문, 2012.

김명환. 「『숲사람들』의 양식 실험」. 『인문논총』 제51집 (2004): 79-103.

김문수. 「워즈워드의 「다양한 소네트」에 관한 연구」. 『영미문학교육』 제19집 2호 (2015): 5-44.

김용. 「Milton의 낙원(Paradise) 비전과 유토피아(Utopia) 비전」. 『밀턴연구』 제2집 (1992): 33-50.

김욱동. 『문학생태학을 위하여』. 서울: 민음사, 1998.

김재오. 「사회비판과 시적 진실 사이에서: 워즈워스의 「컴블랜드의 늙은 거지」」. 『신영어영문학』 제53집 (2012): 27-43.
김정매. 「『채털리 부인의 연인』 다시 읽기: 생태학적 텍스트로서의 의의」. 『D. H. 로렌스 연구』 9권 2호 (2001): 55-77.
김종갑. 「워즈워스의 시에서 눈의 폭력의 문제와 응시의 길들이기」. 『영어영문학』 제48권 3호 (2002): 601-618.
_____. 『워즈워스: 삶으로서의 문학』. 서울: 건국대학교 출판부, 1994.
김종두. 『성서와 영문학의 만남』. 서울: 도서출판 동인, 2015.
김진우. 「William Wordsworth의 자연관 및 인간관」. 연세대학교 교육대학원 석사학위 논문, 1982.
김충선. 『에머슨 수상록』. 서울: 청아출판사, 1985.
김혜연. "Creative Memory in Book 11 and 12 of Paradise Lost." 『새한영어영문학』 제57권 1호 (2015): 109-131.
노헌균. 「셔만 알렉시(Sherman Alexie)의 『탈주』(Flight): 아메리카 인디언주의에 대한 재해석」. 『현대영미소설』 제15권 3호 (2008): 75-96.
로렌스, D. H. 김진욱 옮김. 『캥거루』. 서울: 생각하는백성, 1999.
류시화. 『나는 왜 너가 아니고 나인가: 인디언의 방식으로 세상을 사는 법』. 서울: 김영사, 2003.
리델, 인그리드. 정여주 옮김. 『종교, 사회, 예술, 심리치료에서 본 色의 신비』. 서울: 학지사, 2004.
머천트, 캐롤린. 전규찬, 전우경 & 이윤숙 옮김. 『자연의 죽음－여성과 생태학, 그리고 과학혁명』. 서울: 도서출판 미토, 2005.
밀턴, J. 안덕주 옮김. 『실낙원』. 서울: 홍신문화사, 2005.
박구표. 「개척사회 인물들의 유형과 특성－The Pioneers와 The Prairie를 중심으로」. 부산대학교 석사학위 논문, 1992.
박령. 「워즈워스의 솔즈베리 시편 연구－'도덕적 위기'를 중심으로」. 『영어영문학』 제45권 1호 (1999): 97-116.
_____. 「워즈워스의 시에 나타난 신비주의와 상상력」. 『새한영어영문학』 제56권 4호 (2014): 37-57.
박성규. 『챔피언』. 서울: 지혜의 샘, 2014.
박승윤. 「Thomas Hardy의 작품에 나타난 인간과 자연의 관계」. 고려대학교 대학원 석사학위 논문, 1989.

박양근. 『나다니엘 호손 연구』. 부산: 세종출판사, 2011.
박은정. 「현대 미국소설에 나타난 인종갈등과 문화 민족주의: 미국 원주민 작가 실코와 어드릭의 소수문화의 지형 그리기—『의식』, 『인디언 대모와 영혼의 아름다움』, 『사랑의 묘약』을 중심으로」. 『현대영미소설』 제9권 1호 (2002): 115-147.
박혜영. 「자연과 여성: 워즈워스의 「폐허가 된 오두막」 다시 읽기」. 『신영어영문학』 제34집 (2006): 69-83.
백원기. 『선시의 이해와 마음치유』. 서울: 도서출판 동인, 2014.
법정. 『새들이 떠나간 숲은 적막하다』. 서울: 샘터, 1999.
베이트슨, 그레고리. 박대식 옮김. 『마음의 생태학』. 서울: 책세상, 2006.
봉준수. 「영미시와 일반독자」. 『영미어문학』 제51권 2호 (2005): 461-464.
서명수. 「로렌스의 『채털리 부인의 연인』에 나타난 숲과 자궁의 의미 상관성」. 『문학과 종교』 제17권 1호 (2012): 68-69.
설태수. 『R. 프로스트의 세계관』. 서울: 형설출판사, 2005.
______. 「로버트 프로스트 시에서의 숲의 의미」. 『영어영문학 연구』 제52권 4호 (2010): 171-190.
소로, 헨리 데이비드. 강승영 옮김. 『야생사과』. 서울: 도서출판 이레, 1994.
______. 강승영 옮김. 「한 소나무의 죽음」. 『야생사과』. 서울: 도서출판 이레, 1999.
______. 김욱동 편역. 『소로의 속삭임: 내가 자연을 사랑하는 이유』. 서울: 사이언스북스, 2008.
손남. 「William Wordsworth의 자연관과 Pantheism에 관한 연구」. 경남대학교 교육대학원 석사학위 논문, 1989.
송지현. 「숲을 매개로 한 환상적 이미지 표현 연구—본인의 작품을 중심으로」. 서울대학교 대학원 동양화과 석사학위 논문, 2017.
송한나. 「Nathaniel Hawthorne의 작품에 나타난 '숲' 연구」. 한국외국어대학교 대학원 석사학위 논문, 2001.
신문수. 「소로의 〈월든〉에 나타난 생태주의적 사유」. 『영어영문학』 제48권 1호 (2002): 169-190.
신양숙. 「도시와 시골—워즈워드의 「마이클의 경우」」. 『영어영문학』 제57권 1호 (2011): 27-49.
신재실. 「연보」. 『로버트 프로스트의 자연시: 그 일탈의 미학』. 서울: 태학사, 2004. 245-250.

______. 「일탈의 미학. 로버트 프로스트」. 4-5. (https://blog.naver.com/PostView.nhm?blogId=gmjslee&logN0=220266771523 2018-02-07)
심인보. 『Robert Frost론』. 서울: 형설출판사, 1993.
쌍소, 피에르. 김주경 옮김. 『느리게 산다는 것의 의미』. 서울: 동문선, 2000.
오인용. 「계몽/반계몽의 변증법: 워즈워스의 시에 있어서의 루소와 맬더스」. 『새한영어영문학』 제46권 3호 (2004): 69-88.
______. 「공감과 의무: 워즈워스 시의 낭만적 감정구조와 미학적 계몽」. 『새한영어영문학』 제55권 1호 (2013): 89-114.
유네스코 한국위원회 번역 감수. 「영국 레이크 디스트릭트」. 〈http://terms.naver.com/entry.nhn?docId=4390787&cid=50407&categoryId=50408〉
이경호. 『상처학교의 시인』. 서울: 생각의나무, 2008.
이규명. 「W. 워즈워스 다시 읽기: 퓌지스(physis)와 시뮬라시옹(simulation)」. 『새한영어영문학』 제46권 2호 (2004): 103-126.
이만식. 「청각적 상상력의 억압: 윌리엄 워즈워드의 시세계」. 『영어영문학』 제46권 2호 (2000): 481-506.
이보행. 『미국사 개설』. 서울: 일조각, 1995.
이영석. 「로버트 프로스트 시에 나타난 어둠의 상징성」. 『신영어영문학』 22 (2002): 117-142.
이옥. 「『채털리 부인의 사랑』과 『월든』: 인간 삶의 본질적 실상에 대한 통찰」. 『D. H. 로렌스 연구』 13권 1호 (2005): 163-185.
이재호 편역. 『낭만주의 영시』. 서울: 탐구당, 1978.
이정호. 『영국낭만기 문학 새로 읽기 I』. 서울: 서울대학교 출판부, 2000.
이진우 & 이은주. 『녹색인간』. 서울: 이담, 2009.
이진우. 『녹색 사유와 에코토피아』. 서울: 문예출판사, 1998.
이향만. 「다원 사회에서의 인디언 정신-루이스 어드릭의 『사랑의 묘약』을 중심으로」. 『영어영문학』 제45권 1호 (1999): 21-41.
장세기. 「William Wordsworth의 시와 그 자연관 연구」. 부산대학교 대학원 박사학위 논문, 1971.
장은숙. 「William Wordsworth의 유년시절 자연에 관한 연구」. 경남대학교 대학원 석사학위 논문, 1988.
전경수. 「숲속에 사는 사람, 숲밖에 사는 사람: 생태인류학적 관점」. 『한국임학회지』 제79권 3호 (1990): 330-342.

전양선. 「『페어리 여왕』 제1권 '방황의 숲'에 차용된 오비디우스 여담의 기능」. 『중세르네상스영문학』 23권 2호 (2015): 123-143.
전영우. 『숲과 녹색문화』. 서울: 수문출판사, 2002.
정선영. 「생태적 회복을 향한 실천으로서의 불복종—소로, 애비, 스나이더의 경우」. 『영어영문학21』 제27권 1호 (2014): 45-67.
정용기. 「Wordsworth의 시에 나타난 자연이 신비성」. 경남대학교 교육대학원 석사학위 논문, 1989.
정정희, 「토마스 하디의 『숲의 사람들』과 목가」. 『근대영미소설』 제3집 (1997): 211-233.
정진농. 「노 사냥꾼의 퇴장: 또 다른 사냥터를 꿈꾸며」. 『새한영어영문학』 제51권 4호 (2009): 1-16.
______. 「쿠퍼의 『개척자들』—생태학적으로 다시 읽기」. 『문학과환경』 창간호 (2002): 144-165.
______. 「Leatherstocking Tales에 나타난 신화적 세계와 역사적 세계」. 경북대학교 박사학위 논문, 1992.
정진희. 「토마스 하디의 『숲사람들』 연구: 그레이스의 선택과 양식 활용을 중심으로」. 서울대학교 대학원 석사학위 논문, 2008.
조규성. 『숲 교육 질적 연구: 아이들은 숲에서 무엇을 배우는가?』. 서울: 이담, 2010.
조봉권 「자연공동체적인 국제공동체 마을: 씨앗을 뿌리는 사람—핀드혼 농장이야기」. 부산: 국제신문사, 2001.8.
조신권 편. 『영문학과 종교적 상상력』. 서울: 도서출판 동인, 1994.
조일제. 「D. H. Lawrence 문학에 나타난 어둠의 자아: 원초적 실재의 내적 탐색」. 부산대학교 대학원 박사학위 논문, 1990.
______. 「D. H. 로렌스 소설의 숲과 자아변화」. 『D. H.로렌스 연구』 제21권 1호 (2013): 61-83.
______. 「영미문학에 나타난 환경위기와 녹색공간의 창조적 감수성」. 『D. H. 로렌스 연구』 제8권 1호 (2000): 31-74.
조진래. 「밝고 명랑한 전원 공동체: 하디의 『푸른 숲 나무 아래』 연구」. 『근대영미소설』 제6집 제2호 (1999): 216-221.
주혁규. 「『노수부의 노래』와 「틴턴 사원」의 통일성」. 『새한영어영문학』 제54권 4호 (2012): 111-135.
______. 「등산과 풍경—워즈워스의 숭고」. 『영어영문학』 제62권 4호 (2016): 695-717.

______. 「여행자의 집쓰기 행위: 워즈워드, 1798-1802」. 『새한영어영문학』 제57권 3호 (2015): 61-83.
______. 『워즈워스와 시인의 성장』. 서울: 도서출판 동인, 2016.
지오노, 장. 김경은 옮김. 『나무를 심은 사람』. 서울: 두레, 2006.
진종학. "Spots of Time in Wordsworth's The Prelude." 동국대학교 교육대학원 석사학위 논문, 1990.
차윤정 & 전승훈. 『숲 생태학 강의: 경이롭고 역동적인 자연으로의 안내』. 서울: 지성사, 2009.
차정남. 「Wordsworth의 시적 체험에 관한 연구」. 전남대학교 박사학위 논문, 1990.
초오서, 제프리. 김진만 옮김. 『캔터베리 이야기』. 서울: 탐구당, 1978.
최홍규. "Romanticism and Antiromanticism in Wordsworth's 'Thorn' and Mant's 'Simpliciad.'" 『문학과 종교』 제1집 창간호 (1995): 292-320.
카르티에, 라셀 & 카르티에, 장피에르. 길잡이늑대 옮김. 『인디언과 함께 걷기』. 서울: 문학의숲, 2010.
칼렌바크, 어네스트. 김석희 옮김. 『에코토피아』. 서울: 정신세계사, 1975.
포인팅, 클라이브. 이진아 옮김. 『녹색 세계사 I』. 서울: 심지, 1991.
프로스트, 로버트. 이상옥 옮김. 「해설편: 로버트 프로스트의 삶과 문학」. 『걷지 않은 길』. 서울: 솔, 1995.
______. 이영걸 옮김. 『로버트 프로스트』. 서울: 탐구당, 1980.
핀드혼 공동체. 조하선 옮김. 『핀드혼 농장 이야기』. 서울: 씨앗을뿌리는사람, 2001.
하디, 토마스. 김회진 옮김. 「해설」. 『숲속에 사는 사람들』. 서울: 영풍문고, 1997. 285-308.
하인리히, 베른트. 김원중 & 안소연 옮김. 『숲에 사는 즐거움』. 서울: 사이언스북스, 2005.
한수민. 「주말에세이: 가슴 아픈 봄」. 『미주 한국일보』, 2016. 4. 9. 〈http://dc.koreatimes.com/article/20160409/981009〉
허상문. 「토마스 하디와 생태학적 상상력」. 『신영어영문학』 제6집 (1995): 33-67.
현영민. 「로벗 프로스트 시의 초월주의적 비전」. 『영어영문학』 제48권 2호 (2002): 371-396.
혜민. 『멈추면 비로소 보이는 것들』. 서울: 쌤앤파커스, 2012.
홍용석. 「William Wordsworth의 시에 나타난 인간, 자연, 그리고 신」. 고려대학교 교육대학원 석사학위 논문, 1988.

Abrams, M. H., et. al., ed. *John Milton, Paradise Lost*. In *The Norton Anthology of English Literature*. Fifth Edition. London: W.W.Norton & Company, 1962. 679-823.

Abrams, M. H., ed. *Wordsworth: A collection of Critical Essays*. Englewood Cliffs, New Jersey: Prentice-Hall, Inc., 1972.

Bate, Jonathan. *Romantic Ecology: Wordsworth and the Environmental Tradition*. New York: Routledge, 1991.

Bell, Michael. *Primitivism*. London: Methuen, 1972.

Bode, Carl, ed. *The Portable Emerson*. New York: The Viking Press, 1981.

______. *The Maine Woods*. In *Thoreau*. New York: The Liberal Arts Press, 1952.

Boller, P. F. *American Transcendentalism, 1830-1860*. New York: Capricorn Books, 1974.

Borin, Kimberly Ann. "Nature Places and Story Spaces: an Exploration of Children's Stories about Nature." Ph. D. Dissertation. New Jersey: The State University of New Jersey, 2005.

Brooks, H. F., ed. *A Midsummer Night's Dream: The Arden Shakespeare*. London: Routledge, 1990.

Butt, John. *Wordsworth*. London: Oxford University Press, 1969.

Callenbach, Ernest. *Ecotopia*. New York: Bantam Books. 1990.

Callicott, Baird & Ames, Roger T., ed. *Nature in Asian Traditions of Thought: Essays in Environmental Philosophy*. Albany: State University of New York Press, 1989.

Campbell, Joseph. *The Power of Myth*. New York: Anchor Books, A Division of Random House, INC., 1991.

Cargill, Oscar, ed. "Sunday." *Henry D. Thoreau: Selected Writings on Nature and Liberty*. New York: The Liberal Arts Press, 1952.

Carpenter, Richard. "Chapter 3. Fiction: The Major Chord, IV. Thomas Hardy." *The Woodlanders*. Ed. Sylvia E. Bowman. *Twayne's English Authors Series 13*. New York: Twayne Publishers, A Division of K. Hall & Co., 1964. 118-119.

Charney, Maurice. *Sexual Fiction*. London: Methuen, 1981.

Cross, Seymour & Bradley, Sculley & Beatty, Richmond Croom & Long, E. Hudson, ed. *The Scarlet Letter of Nathaniel Hawthorne*. New York: W.W.Norton & Company, 1988.

David, Seelow. *Radical Modernism and Sexuality: Freud, Reich, D. H. Lawrence & Beyond.* New York: Pavgrave, 2005.

Durrant, Geoffrey. *Wordsworth and the Great System: A study of Wordsworth's Poetic Universe.* Cambridge: Cambridge University Press, 1970.

Ebbatson, Roger. *Lawrence and the Nature Tradition.* Sussex: Harvester Press, 1980.

______. *Lawrence and the Nature Tradition: A Theme in English Fiction 1859-1914.* Sussex: The Harvester Press, 1980.

Eliade, Mircia. *The Sacred and Profane: The Nature of Religion.* Trans. Willard R. Trask. Sandiego: Harcourt Brace Jovanovich, 1959.

Emerson, Ralph Waldo. *Emerson's Essays with Introduction by Irwin Edman.* New York: Harper & Row, Publishers, 1926.

Fijägesund, P. *The Apocalyptic World of D. H. Lawrence.* New York: Norwegian University Press, 1991.

Frazer, J. G. *The Golden Bough.* Toronto: Collier-Macmillan Canada Ltd., 1963.

Friend, Roland. "Introduction." *Lady Chatterley's Lover by D. H. Lawrence: The Complete and Unexpurgated 1928 Orioli Edition.* New York: Bantam, 1983.

Glotfelty, Cheryll & Fromm, Harold. *The Ecocriticism Reader.* Athens: The University of Georgia Press, 1996.

Gould, Stephen Jay. *Full House: The Spread of Excellence from Plato to Darwin.* New York: Harmony Books, 1996.

Hardy, Thomas. "Introduction." *Under the Greenwood Tree or The Mellstock Quire: A Rural Painting of the Dutch School.* London: Macmillan Education Ltd., 1975. 15-16.

______. *The Woodlanders.* London: Macmillan Education Ltd., 1975.

______. *Under the Greenwood Tree.* Ware, Hertfordshire: Wordsworth Editions Limited, 2004.

Hart, Henry. *The Life of Robert Frost: A Critical Biography.* West Sussex, UK: John Wiley & Sons Ltd., 2017.

Hayden, John O., ed. *William Wordsworth Poems, Volume II.* Middlesex: Penguin Books Ltd., 1977.

Hildebidle, John. *Thoreau: The Naturalists's Liberty.* Massachusetts: Harvard University Press, 1983.

Hodgson, John A. *Wordsworth's Philosophical Poetry 1779-1814.* London: University of Nebraska Press, 1980.

Holderness, Graham. *Who's Who in D. H. Lawrence.* London: Elm Tree, 1976.

Hutchinson, Thomas. *Wordsworth: Poetical Works.* Oxford: Oxford University Press, 1904.

James, William. *The Varieties of Religious Experience.* Harmondsworth, Middlesex: Penguin Books Ltd., 1958.

Kong, Duk-Yong. *British Essays.* Seoul: Shina-sa, 1987.

Laing, R. D. *The Divided Self: An Existential Study in Sanity and Madness.* Harmondsworth, Middlesex: Penguin Books Ltd., 1986.

Lane, Charles. "Life in the Woods." *Thoreau.* Ed. Carl Bode. New York: The Viking Press, 1947.

Langbaum, Robert. Lawrence and Hardy. *Lawrence and Tradition.* Ed. Jeffrey Meyers. London: The Athlone Press, 1985. 69-90.

Lathem, Edward Connery, ed. *Interviews with Robert Frost.* New York: Holt and Winston, 1966.

______. *The Poetry of Robert Frost.* London: Holt, Rinehart and Winston, 1977.

Lawrence, D. H. & M. L. Skinner. *The Boy in the Bush.* Harmondsworth, Middlesex: Penguin, 1983.

______. "Study of Thomas Hardy." *Phoenix: The Posthumous Papers of D. H. Lawrence.* London: Heinemann, 1936. 398-516.

______. "The Shades of Spring." *D. H. Lawrence: The Prussian Officer and Other Stories.* Harmondsworth, Middlesex: Penguin, 1976.

______. "The Shadow in the Rose Garden." *The Prussian Officer and Other Stories.* Harmondsworth, Middlesex: Penguin, 1976.

______. *Fantasia of the Unconscious.* Harmondsworth, Middlesex: Penguin, 1977.

______. *Kangaroo.* Harmondsworth, Middlesex: Penguin, 1976.

______. *Lady Chatterley's Lover.* Harmondsworth, Middlesex: Penguin Books Ltd., 1974.

______. *Lady Chatterley's Lover.* Harmondsworth, Middlesex: Penguin, 1974.

______. *Phoenix.* Heinemann, 1967.

______. *Selected Essays of D. H.Lawrence.* Harmondsworth, Middlesex: Penguin Books Ltd., 1972.

______. *Sons and Lovers*. Harmondsworth, Middlesex: Penguin, 1970.

______. *Studies in Classic American Literature*. Harmondsworth, Middlesex: Penguin, 1977.

______. *The Rainbow*. Harmondsworth, Middlesex: Penguin, 1977.

______. *Women in Love*. Harmondsworth, Middlesex: Penguin, 1979.

Lebeaux, Richard. *Thoreau's Seasons*. Amherst: The University of Massachusetts Press, 1984.

Legouis, Emile. *The Early Life of William Wordsworth. 1770-1798*. New York: Russell & Russell, 1965.

Levin, Harry. *The Power of Blackness*. Chicago: Ohio University Press, 1958.

Lewis, R. W. B. *The American Adam*. Chicago: The University of Chicago Press, 1975.

Lovelock, James. *Gaia: A New Look at Life on Earth*. Oxford: Oxford University Press, 1979.

Magill, Frank N., ed. 'The Woodlanders', *Masterplots vol. 12*. Englewood Cliffs, New Jersey: Salem Press, 1976. 7247-7250.

Merchant, Carolyn. "Preface" xvii-xviii. *The Death of Nature: Women, Ecology, and the Scientific Revolution*. New York: Haper Collins Publishers, 1980.

______. *Radical Ecology*. New York: Routtledge, 1992.

______. *The Death of Nature: Women, Ecology, and the Scientific Revolution*. New York: Harper Collins Publishers, 1980.

Modiano, Marko. "Domestic Disharmony and Industrialization in D. H. Lawrence's Early Fiction." Ph. D. Thesis. Stockholm: Uppsala University, 1987.

Montgomery, Marion. "Robert Frost and His Use of Barriers: Man VS. Nature Toward God." *Robert Frost: A Collection of Critical Essays*. Englewood Cliffs, New Jersey: Prentice-Hall, 1962.

Morrison, Theodore, ed. *The Portable Chaucer*. Harmondsworth, Middlesex: Penguin Books Ltd., 1979.

Moynahan, J. *Deed of Life: The Novels and Tales of D. H. Lawrence*. Princeton: Princeton University Press, 1963.

Nitchie, George. *Human Values in the Poetry of Robert Frost*. Durham, North Carolina: Duke University Press, 1960.

Oster, Judith. *Toward Robert Frost: The Reader and the Poet.* Athens, London: The University of Georgia Press, 1991.

Parrinder, Geoffrey. *The Wisdom of the Forest.* New York: New Directions Publishing Corporation, 1976.

Paul, Sherman. *Thoreau: A Collection of Critical Essays.* Englewood Cliffs, New Jersey: Prentice-Hall Inc., 1962.

Pinion, F. B. *A Wordsworth Companion.* London: Macmillan Press Ltd., 1984.

Pirie, D. B. *William Wordsworth: The Poetry of Grandeur and of Tenderness.* London: Methuen, 1982.

Pointing, Clive. *A Green History Of the World.* New York: Penguin Books Ltd., 1991.

Poirier, Richard & Mark Richardson, eds. *Robert Frost: Collected Poems, Prase & Plays.* New York: Library of America, 1995.

Prickett, Stephen. *Wordsworth and Coleridge: The Lyrical Ballads.* London: Edward Arnold Publishers, Ltd., 1975.

Rzepka, Charles J. *The Self as Mind: Vision and Identity in Wordsworth, Coleridge, and Keats.* Massachusetts: Harvard University Press, 1996.

Sanders, Scott Russell, ed. "Cheryll Glotfelty and Harold Fromm, Speaking a Word for Nature." *The Ecocriticism Reader: Landmarks in Literary Ecology.* Athens, Georgia: University of Georgia Press, 1996.

Schumacher, E. F. *Small is Beautiful.* Glasgow: William Collins Sons & Co. Ltd, 1979.

______. *Small Is Beautiful: A study of Economics as if People Mattered.* London: Sphere Books Ltd., 1974.

Shiva, Vandana. "4. Women in the Forest." *Staying Alive.* Atlantic Highlands: Redwood Books, 1989. 55-56.

Simpson, David. *Wordsworth and the Figurings of the Real.* London: The Macmillan Press Ltd., 1982.

Smithline, Arnold. *Natural Religion in American Literature.* New Haven, Connecticut: College & University Press, 1966.

Sohn, David A. & Tyre, Richard H. *Frost: The Poet and His Poetry.* New York: Bantam Books, Ltd., 1969.

Spretnak, Charlene & Capra, Fritjof. *Green Politics*. Santa Fe, New Mexico: Bear & Company, 1986.

Stafford, Fiona, ed. *William Wordsworth and Samuel Taylor Coleridge Lyrical Ballads 1798-1802*. Oxford: Oxford University Press, 2013.

Sweeny, John David & Lindroth, James. *The Poetry of Robert Frost*. New York: Monarch Press, 1965.

Tagore, R. *Creative Unity*. London: Macmillian and Co., Limited, 1922.

______. *Sadhana: The Realization of Life*. London: Macmillan and Co., 1914.

______. *The Religion of the Forest. Creative Unity*. London: Macmillan and Co., Limited, 1922.

Tehranian, Katharine Kia. *Modernity, Space, and Power*. Cresskill, New Jersey: Hampton, 1995.

The Findhorn Community. *The Findhorn Garden*. New York: Harper Perennial, 1975.

Thomas, Bulfinch. *Bulfinch's Mythology*. New York: Barnes & Noble, 1959.

Thompson, Lawrence. *Robert Frost*. Minneapolis: University of Minnesota Press, 1963.

Thoreau, H. D. *Slavery in Massachusetts, and Autumnal Tints*. www.ICGtesting, USA: Dodo Press.

______. *The Succession Of Forest Trees, Wild Apples and Sounds*. Boston: Houghton Mi ft1in Company, 1887.

______. *The Civil Disobedience*. ed. Paul Sherman. Boston: Houghton Mifflin Company. 1960.

______. *Thoreau in the Mountains*. Toronto: McGraw-Hill Ryerson Ltd., 1982.

______. *Walden*. Ed. Paul Sherman. Boston: Houghton Mifflin Company, 1960.

______. *Walden and Resistance to Civil Government*. Ed. William Rossi. New York: W.W. Norton & Company, 1966.

______. *Walden*. Ed. Paul Sherman. Boston: Houghton Mifflin Company, 1960.

______. *Walden; or Life in the Woods*. New York: Macfadden-Bartell Corporation, 1969.

Tindal, William York. "10, myth and natural man." *Forces in Modern British Literature 1885-1956*. London: Longman Group Ltd., 1985.

______. *D. H. Lawrence and Susan His Cow*. New York: Columbia University Press, 1939.

_____. *Forces in Modern British Literature 1850-1956.* New York: Vintage Books, 1956.

Tuan, Yi-Fu. *Space and Place: The Perspective of Experience.* Minneapolis: University of Minnesota Press, 1977.

Vance, Norman. "Chapter 29. George Eliot and Hardy." Ed. Andrew W. Hass, David Jasper, Elisabeth Jay. *The Oxford Handbook of English Literature and Theology.* Oxford University Press, 2007. 490-491.

Watson, J. R. *Wordsworth and the Credo in The Interpretation of Belief.* London: Macmillan Press Ltd., 1986.

_____. *Wordsworth's Vital Soul: The Sacred and Profane in Wordsworth's Poetry.* London: The Macmillan Press Ltd., 1982.

Wells, Stanely, ed. *A Midsummer Night's Dream.* London: The New Penguin Shakespeare, 1987.

Williams, Raymond. *The Country and the City.* St Albans, Herts: Granada Publishing Ltd., 1975.

Worthworth, William. *Lyrical Ballads.* Ed. Michael Mason. London: Longman Group UK Limited, 1992.

# 찾아보기

**| 작품명 |**

■ ㅈ ■



■ ㅊ ■



■ ㅋ ■



■ ㅌ ■



■ ㅍ ■

| 인명 및 용어 |

▪ ㄷ ▪

■ ㄹ ■



■ ㅁ ■



■ ㅂ ■

▪ ㅅ ▪

▪ ㅊ ▪

▪ ㅋ ▪



▪ ㅌ ▪



▪ ㅍ ▪

■ ㅎ ■

저자 **조일제**

부산대학교 사범대학 영어교육과를 졸업하고 같은 대학의 대학원 영어영문학과 석사, 박사 과정을 수료하였으며, 「D. H. 로렌스 문학에 나타난 어둠의 자아 — 원초적 실재의 탐색」으로 박사학위를 받았다. 영국의 노팅햄대학교와 리즈대학교, 미국의 포드햄대학교와 하와이대학교에서 객원교수로 연구했으며, 현재 정년퇴임과 함께 부산대학교 명예교수이다.
학회활동으로 한국로렌스학회 회장, 한국영어영문학회 상임이사, 새한영어영문학회 부회장, 부산초등영어교육학회 자문위원 등을 역임했으며, 대외적인 연구 및 교육 관련 활동으로 한국연구재단 교육역량강화사업 상시자문위원, 한국대학국제교류협의회 이사 등을 역임했고, 학내 보직으로는 국제교류교육원 원장, 교육대학원 부원장, 총학생회 지도교수, 국제전문실무인력양성사업단 운영위원, 언어교육원 국제사회지도자과정 주임교수, 평생교육원 어린이영어지도자교실 주임교수 등을 역임했고, 사회활동으로 부산녹색연합 창립 및 운영위원, 부산리딩포럼 사무총장 등을 역임했다.
저서로는 『창조적 생명의 실현 — D. H. 로렌스 문학 연구』, 『D. H. 로렌스 연구의 고대적 동양적 접근』, 『채털리 부인의 사랑 — 성스럽고 경이로운 성의 탐험』, 『영국 문학과 사회』, 『한국과 세계를 잇는 문화소통』, 『국제문화 소통과 글로벌 영어』, 『영어교육을 위한 영어문학 텍스트 활용법』 등이 있고, 역서로는 『한영대역 불교성전』, 『영어교사를 위한 영문학 작품 지도법』, 『외국어 교사를 위한 언어습득론』, 『학습자 활동 중심의 (영)시 교육과 언어교육』, 『그림을 활용하는 외국어 학습법』이 있으며, 영어교과서 집필 공저로 『Middle School English 1,2,3』(〈주〉미래엔)이 있다. 총 32권의 저·역서(공저 포함)가 있다.
수상으로는 대한민국 훈장 홍조근정 — 교육공로 부문(2019), 제45회 눌원문화상 — 인문과학 부문(2009)이 있다.

**영미문학의 숲과 창조적 자아**

초판 1쇄 발행일 2021년 6월 25일

**조일제** 지음

**발 행 인** 이성모
**발 행 처** 도서출판 동인 / 서울특별시 종로구 혜화로3길 5, 118호
**등록번호** 제1-1599호
**대표전화** (02) 765-7145 / FAX (02) 765-7165
**홈페이지** www.donginbook.co.kr
**이 메 일** dongin60@chol.com
**I S B N** 978-89-5506-841-2 (93840)
**정 가** 26,000원

※ 잘못 만들어진 책은 바꾸어 드립니다.